撼動全球走向的「家族」，一部交織萬年文明的新世界史

權力的血脈

THE WORLD

A FAMILY HISTORY OF HUMANITY

【III】

SIMON SEBAG MONTEFIORE

賽門．蒙提費歐里｜著　黃中憲｜譯

目次

【第III冊】

第十九幕

第二十幕

第二十一幕

第二十二幕

第二十三幕

第十六幕

世界人口十一億人

波拿巴家族和滿清、哈布斯堡家族和科曼切人

革命和大眾政治：路易・拿破崙、蘿拉・蒙泰斯

路易・菲利浦堅稱「我穩穩坐在馬上」，並在此時鎮壓異議人士，抗拒英式改革：在工人於沉悶乏味的工廠裡辛苦工作且中產階級渴望英國人民所獲得的那些自由時，只有百分之一（二十四萬選民）的法國人口可以投票選出國民議會代表，而英國已有一百萬選民。路易・菲利浦試圖讓波拿巴家族的支持者備感尊榮，以轉移人民的注意力。於是，一八四〇年，他主辦了將拿破崙的遺骸從聖赫勒拿島迎回的活動，並出席遺骸下葬傷兵院的儀式。

一八四八年一月，暴亂爆發於巴勒摩，隨後擴及巴黎，二月二十二日，群眾湧上巴黎街頭抗議。隔天，士兵殺害五十二名抗議者。由社會主義工人和自由主義中產階級組成的群眾不久就掌控街頭，圍攻位在王宮裡的路易・菲利浦。這個國王將王位讓給孫子，在一整天的暴亂後，他喬裝改扮，鑽入出租馬車逃走。他的下台標誌著卡佩王族的覆滅。自西元九二二年起，這個家族便一直統治法蘭西，中間僅幾次短時間失勢。

激進詩人阿爾豐斯・德・拉馬丁（Alphonse de Lamartine）宣布成立法蘭西第二共和國，而全國九百萬男性成人都享有選舉權（比英國或美國更早施行男性普選權），創立「國民工場」（National Workshop）為工人提供工作機會，最後，四月二十七日，在英國廢奴十五年後，以補償奴隸主的方式廢奴。[1]

此消息透過電報這個新媒材傳送出去，電報加快了世局演變的腳步：革命擴及全歐。前國王路易・菲

利浦化名「史密斯先生」搭船前往多佛時，王子路易・拿破崙・波拿巴乘船前往加萊。路易・拿破崙是一代梟雄拿破崙的四十歲姪子，拿破崙之弟國王路易的兒子。

路易・拿破崙只見過拿破崙一次——滑鐵盧之役的幾星期前，在一遊行場合上——二十年來他的逾矩行為一直是歐洲人的笑柄。但他具有堅不可摧的自信。他寫道，「有時，人被創造為受託掌控其國家之命運的人。而我就是這樣的人。」他的崛起說明了那個神祕莫測的政治過程，說明了重大的必然性，因為這個必然性，不可能成真的離譜之事變成似乎可能成真，然後——在替代選項遭拒且其他路子都關上之時——很可能終於變得即將發生。但路易・拿破崙的崛起也預示了近代世界的到來：他協助打造了新的群眾政治，建立了最後一個版本的法蘭西帝國。

他的母親奧爾唐茲，即約瑟芬的女兒，是個「極漂亮的金髮女子，有著紫水晶般的眼睛」，而且是個很有才華的女歌手，寫了波拿巴家族支持者的國歌〈向敘利亞進發〉。她始終把他看成天命之人，他卑鄙的父親路易則從不相信這個王子是他的親生兒子。他在瑞士受教育，在軍校受炮科訓練，害羞、不愛說話，棕眼、大鼻、唇厚，頭大、軀體壯碩，在貼身馬褲使男人的腿成為陽剛之美所不可或缺的年代，擁有粗壯的雙腿。但他具有令女人心動的神祕浪漫氣質。「主動出擊者通常是男方，」他吹噓道。「至於我，則採守勢，常常屈從於對方。」

他的堂兄賴希施泰特的公爵——拿破崙二世——一八三二年一去世，他立即成為波拿巴家族支持者所寄望的國王人選。他於二十五歲時出版了他的宣言《政治夢》（*Rêveries politiques*），把一群形形色色的

1　自英國廢奴後，奴隸的價格上漲，為補償奴隸主損失二十四萬五百六十名奴隸的損失，花費於是更大，總共付出一億兩千萬法朗。

冒險家集結起來，這群人一直以來，都包括一名死忠的女贊助者、一些軍官、他的男僕泰蘭（Thélin）。尚・費亞蘭（Jean Fialin），即所謂的佩西尼子爵（vicomte de Persigny），早早就加入這群人的行列。他是個名聲不好的前軍官、兼職記者、很有天分的政治抬轎者。最早期的政治化妝師（spin doctor）——會成為現代民主政治的靈魂人物——之一。一八三六年路易・拿破崙便企圖在史特拉斯堡奪取路易・菲利浦的大權，冀望帶兵進向巴黎，結果反而慘敗、被捕，遭逐出法國。全歐洲人嘲笑他的不自量力，他的父親和叔伯已對波拿巴家族東山再起死了心，急於從路易・菲利浦手中領到養老金，對此事很憤怒。

沒想到，路易・拿破崙始終不死心，並在倫敦、紐約流亡數年。路易・菲利浦把拿破崙的遺骸帶回法國時，路易・拿破崙考慮效法「救星」托勒密一世劫走遺骸。最終他未這麼做，而是發動第二次政變，不但未得手，他本人亦遭判處「永遠監禁」於索姆河附近的哈姆要塞（Fortress of Ham）。他開玩笑說，「在法國，有什麼是永遠的？」

在他所謂的哈姆大學（他不是最後一個把監獄當學習場所的囚犯），他讀書，追求婚外情（和一個木屐舞女生了兩個兒子），然後在泰蘭協助下逃獄。在倫敦，他承繼父親的遺產，開始另外幾段婚外情。錢花光了，他隨即勾搭上藝名哈麗特・霍華德（Harriet Howard）的交際花暨女演員；此前她和一個職業賽馬騎師私奔，然後和一個富翁定了下來，那富翁給她留了一筆財產。她愛上這個王子，深信他非池中之物，且一路支持他。

當路易・拿破崙來到革命巴黎時，維也納人正武力反抗他們的糊塗皇帝斐迪南。斐迪南四十二歲，父母既是堂兄妹關係，也是表兄妹關係，他本人生下來就患腦炎和癲癇，樂於把政事交給他年邁的首相梅特涅處理。由於新婚夜頻頻癲癇發作，斐迪南未能圓房，生活裡離不開他所嗜愛的鮮杏丸子——獲告知此時不產杏時，他喊道，「我是皇帝，我要丸子！」他精神穩定，但無能力治國。而梅特涅告訴他這次革命的情況時，他問，「那是被允許的嗎？」當然不，但凡革命都是明知不可以而為之：匈牙利人、義大利人，乃至維也納人，紛紛把矛頭對準哈布斯堡家族，哈布斯堡家族想要保護梅特涅，但當士兵向示威者開槍，則是棄車保帥，犧牲了梅特涅。這個「歐洲的馬車夫」（Coachman of Europe）正視此君主國就要失控的現實。掌權三十九年後，他說，「我已不再是舉足輕重之人。」他扮成女人，帶著他的年輕妻子和孩子逃到倫敦：「我已無事可做，無事可談。」

一八四八年，革命是在新時代向舊統治集團發出的怒吼，這個新時代有著熙攘擁擠的城市、冒黑煙的工廠、疾駛而過的火車、起伏不定的股市、劇增的報紙、暢銷的連載小說、傳送消息的電報。英國鐵路這時將英國諸城市連在一起——一八四〇年鋪設了一千四百九十八哩的線路，至一八五〇年已增加三倍，達到六千六百二十一哩長——法國則遠遠落後，只有兩千哩長。鐵路創業家考慮增添一條跨大西洋航線銜接他們的鐵路網：一八四〇年，加拿大創業家撒繆爾・康納德（Samuel Cunard）從利物浦搭乘他的第一艘汽輪「不列顛尼亞號」出航，十二天後抵達他的家鄉新斯科細亞，展開了連接兩大陸的運輸業務，不久，便促使從愛爾蘭至德意志的許多國家的數百萬窮人得以遷移到美洲、澳洲的移民國家尋找新機會。在社會底層，都市工人階級於環境極惡劣的工廠裡勞動，這些工廠則生產商品供應剛變得自信滿滿的中產階級消費者：第一間百貨公司蓬馬歇（Bon Marché）於一八三八年在巴黎開業，其業主正計畫開更大的百貨公司——此時既是帝國擅場的時代，也是大百貨店發皇的時代。這時工人對抗實業家，組成工會，擁抱將工人階級擺在社會中心位置的新意識形態：社會主義。[2]

2 法國貴族聖西門伯爵（comte de Saint-Simon）亨利（Henri），已詳盡闡述社會主義思想。聖西門二十歲時和友人拉法葉一起在美國的約克敦為美國人打仗，然後支持法國大革命，羅伯斯庇爾當政時被捕，差點被送上斷頭台，接著與塔利蘭一同計畫拆掉聖母院，賣掉從聖母院屋頂拆下來的鉛。拿破崙在位期間，他生活闊綽，而後虧掉所有錢財，著手研究起工業世界。一八一七年，奧地利皇帝斐迪南和哈布斯堡家族在大臣遭私刑處死、吊在燈柱上時，兩度逃離首都，但仍具有保住權力所不可或缺的權力欲，動用效忠於他們的軍隊擊潰義大利，然後強攻維也納。他們舉行了一場祕密家族會議，會中，「宮廷裡的唯一男人」，亦即大公夫人蘇菲暨皇帝的弟媳——即一八二〇年代和拿破崙的兒子調過情的巴伐利亞公主——更加堅定其決心：她說服丈夫，即皇帝的弟弟，在皇帝退位時宣布放棄爭取繼位。她將兩人十八歲的兒子法蘭茨（Franzl）——金髮、碧眼、嚴肅又恭順——培養成皇位繼承人。在奧洛穆茨（Olomouc），這個即將退位的皇帝以辛酸口吻記載了權力的交接。斐迪南寫道，「此事以新皇帝跪在他的舊皇帝和領主——也就是我——的面前請求賜福告終。我賜福於他，把雙方放在他頭上，做出聖十字的手勢……然後我吻了我們的新主子……那之後，我和我的愛妻打包行李。」

新皇帝取名法蘭茨·約瑟夫（Franz Josef），繼續收復帝國的大業，先是在義大利，然後在奧地利。許多王朝搖搖欲墜。在巴伐利亞，最古老王朝之一的維特斯巴赫王朝（Wittelsbachs），情況類似一齣諧歌劇：六十二歲的國王路德維希（Ludwig）已在位二十三年，不久前迷上絕美的愛爾蘭籍交際花伊萊札·詹姆斯（Eliza James）。此女宣稱自己是西班牙籍舞者，名叫蘿拉·蒙泰斯（Lola Montez）。他寫道，「我用我的生命、我的眼睛、我的靈魂、我的身體愛妳，」迷戀她的「黑髮、藍眼、優美形體……我再度年輕。」蘿拉支配著慕尼黑：「我就要被封為伯爵夫人！」她向友人吹噓道。「我有漂亮的房產、馬、僕人……周遭是對我畢恭畢敬的貴婦。不管我到哪裡，全慕尼黑的人都服侍我，」而且「國王痴痴愛著我。」只是蘿拉風光的日子不長。就在革命引爆巴伐利亞，迫使路德維希將她流放並接受憲法時，她還和學生有了不倫戀，且樂在其中。這個綠光罩頂的國王寫道，「我摯愛的蘿莉塔，路易斯（他本人）不再被愛戴，只有妳的心還在我心中……我會宣告退位。」[3]而他的退位平息了革命。

在更北邊的法蘭克福，情緒激昂的國民大會推動建立統一的立憲德意志，摒棄以奧地利為共主的「德意志邦聯」（German Confederation），請膽怯的普魯士國王腓特烈·威廉四世（Frederick William IV）出任國王。最初，一場柏林革命已迫使這個綽號「比目魚」（Flounder）的國王同意行憲。他的保守弟弟威廉流亡英國；返國後用火藥恢復了街頭秩序。此時，比目魚不願「從排水溝拾起已受辱於革命的惡臭、被污物弄髒的王冠」，接著便一時興起的考慮出任一德意志聯盟的領導人。未想奧地利已恢復元氣，重新申明其支配地位；國民大會遭關閉；霍亨佐倫家族既被羞辱，又讓眾人看到他們的不可或缺。[4]

比目魚的表現激怒容克（Junker）貴族，尤其來自波美拉尼亞（Pomerania）、身材魁梧的地主奧托·馮·俾斯麥（Otto von Bismarck）更是怒不可遏。俾斯麥以其神授君主政體的言論挑激自由派，幻想帶兵推翻此國王，並鼓勵「將未出鞘的軍刀弄得嘎嘎作響」，以示威嚇。這場叛亂所招來的強烈反彈，令兩個打算發動社會主義革命的年輕德意志激進人士大為失望。

五十七歲那年，他寫下《實業》（*L'Industrie*），在其中宣告兩個原則：「整個社會倚仗工業」、「政治是生產學」。由於得不到支持，他抑鬱萬分，六次朝自己的頭開槍，但只導致他一眼失明。他去世十年後，社會主義一詞問世。

3 蘿拉自戀自私，粗魯無禮，忿忿罵了這個傷心的國王。她寫信告訴他，「畢竟我為你受了苦，因為對你的忠誠被趕離慕尼黑，而你的行為簡直不可思議且無情。」路德維希死於流亡期間。她接著遊覽美國。

4 這場德意志革命帶著較惡毒的沙文主義。在德勒斯登，薩克森國王的三十五歲宮廷樂隊指揮理查·華格納支持社會主義德意志民族主義——「我這個窮藝術家誓言永遠忠於我的德意志祖國」——加入此革命。他父親是萊比錫警察局的辦事員，他本人在萊比錫的猶太人區長大，已寫下叫好叫座的歌劇《黎恩濟》（*Rienzi*）。被迫流亡後，他匿名撰寫惡毒文章，譴責〈音樂裡的猶太色彩〉（Das Judenthum in der Musik），把猶太人稱作「我們現代文明的邪惡良心」。此文成為一新式種族主義問世的幫凶。他想要「讓我們自己了解猶太人的本質和性格為何令我們不由自主的強烈反感，以證明那股出於本能的厭惡其來有自」，於是把猶太人比擬為寄生在德意志民族的高貴身體上的「一大群昆蟲」。

交際花和《資本論》：拿破崙和馬克思

佛雷德里克・恩格斯（Frederick Engels）的父親是德意志實業家，在曼徹斯特擁有幾家紡織廠。一八四四年，恩格斯在巴黎遇見同樣抱持激進改革理念的卡爾・馬克思，當時兩人分別二十三歲、二十六歲，一起發展出工人階級——他們稱之為無產階級——將成為世界革命之引擎的思想。馬克思的父親赫舍爾・馬克思（Herschel Marx）是來自特里爾（Triers）的猶太裔律師，祖上世代為拉比，但他改宗基督新教，改名海因里希。父親的去世令馬克思既傷心又陷入貧困，不過他娶了交友廣闊又聰明的貴族女子葉妮・馮・韋斯特法倫（Jenny von Westphalen），已和她生了三個小孩。她丈夫計畫革命時，她的哥哥是協助鎮壓革命的普魯士內政部部長。

恩格斯經營工廠又是女工的情夫——其思想受到他愛爾蘭籍工廠女工瑪麗・伯恩斯（Mary Burns）引導——因此了解曼徹斯特工人的處境，而且他有錢，使他得以帶馬克思走一趟曼徹斯特的學習之旅。馬克思和恩格斯觀察了工業化城市如何奪走工人階級的性命：即使醫療、食物有所改善，預期壽命仍在下跌。利物浦人平均壽命為二十五歲。英國工人階級這時的壽命比上層階級少了十七歲，其中許多人死於霍亂。醫生相信這是「臭氣」所致。在美國，一八〇〇至五〇年，預期壽命降了十三歲；在紐約市，孩童死亡率將近五成。許多母親已在醫院的產科病房生產，但仍有多達一成的母親死亡——而調查發現（懷著最良善居心）奪走她們性命者竟是醫生本人。[5]

就在保健和都市衛生的改善即將大幅提升預期壽命時，兩名德意志人修改聖西門的學說，認為新的資本主義制度是禍首。一八四八年一月，他們寫下《共產主義宣言》（*Communist Manifest*），發展出解釋一個環環相扣之世界的「批判理論」：「哲學家以不同方式解釋世界，但就只是予以解釋；重點在於改變世界。」他們主張，「至目前為止的所有既有的社會的歷史，都是階級鬥爭史。」幾個星期後，革命浪潮席捲歐洲。這兩人未置身事外，恩格斯運送步槍，馬克思拿他所繼承的財產為比利時工人提供武器。

在維也納、米蘭、布拉格，法蘭茨．約瑟夫鎮住叛亂分子，但匈牙利認同且開始支持民族獨立，鄂圖曼帝國的瓦拉幾亞、摩爾多瓦兩省亦然，而這樣的渴望很快就會感染沙皇尼古拉統治下的波蘭裔、烏克蘭裔子民。沙皇派兵占領布加勒斯特和摩達維亞，主動表示願打垮匈牙利。法蘭茨．約瑟夫令人汗顏的同意；十九萬俄軍一路打進布達佩斯，而這個年輕的奧地利皇帝從未因為這個傲慢的沙皇出兵相助而原諒他。在柏林，比目魚廢除其憲法，重拾先前的權力，但權力不如過去大。這些君主強勢平定國內的動亂，然後盯著法蘭西。他們所不想聽到的名字是拿破崙。

路易．拿破崙下榻於法國巴黎一家飯店，一直以來，他都相信波拿巴這個名字所具有的魔力。法蘭西這個國家，他幾乎一無所知，他說起這個國家的語言帶有德語腔。最初，他讓他的老叔父前國王傑羅姆和另兩個堂兄弟角逐國民議會的席位，他則回倫敦。在倫敦，憲章派群眾感染革命熱情，示威要求提升民

5 自十七世紀起，大部分歐洲城市境內的醫院皆設有產科病房，只是住進產科病房的產婦死於產褥熱的比例卻高得驚人，在家裡靠傳統接生婆分娩依舊較安全。男醫生參與分娩的情況愈來愈多。有很長時間，有些醫生認為產婦死亡恐怕是醫生自己所造成。一八四三年，美國教授奧利佛．溫德爾．霍姆斯（Oliver Wendell Homles，美國同名法官之父）看出衛生不良才是肇因。三年後，維也納綜合醫院的匈牙利籍醫生伊格納茨．塞梅爾韋斯（Ignaz Semmelweis）注意到，在自家醫院的第一診所中，由醫生接生的產婦死亡比例為一成；反觀在由接生婆接生的第二診所，只有百分之四的產婦死亡。有個醫生不小心用解剖屍體的手術刀刺傷自己後身亡，塞梅爾韋斯隨之理解到醫生不斷穿梭於解剖屍體和接生工作之間，因而把病菌帶給產婦。塞梅爾韋斯施行其衛生措施後，產婦死亡人數立即大減。只是醫界對於有身分地位的醫生可能不乾淨一說和細菌理論無不嘲笑以對。與此同時，一八四八年革命，包括匈牙利叛亂等，更使塞梅爾韋斯受到懷疑。他陷入困境，被迫辭職，而後遷居匈牙利的佩斯（Pest），當英國人抱著不妨一試的心態欣然接受他的主張時，德、奧的醫生反而抨擊他。他精神失常，嘴裡不斷叨念著產褥熱，最後死在精神病院。拜細菌理論之賜，塞梅爾韋斯的主張才被證明屬實，產褥熱和嬰兒死亡率這才劇減。

主。七十九歲的威靈頓集結部隊，路易・拿破崙當上義警。在巴黎，傑羅姆等人當選。佩西尼在巴黎城中廣貼布告，上有路易・拿破崙的畫像和「Lui!」（他！）的文字。

國民工場的工人自行武裝起來，以紅色為革命的顏色；中產階級驚恐於這個「紅色威脅」。年輕作家古斯塔夫・福樓拜（Gustave Flaubert）論道，「聽到一七九二年的幽靈，斷頭台的聲音。」[6] 陸軍大臣卡韋尼亞克將軍（Cavaignac）鎮壓叛亂分子，但叛亂分子猛烈抵抗。成千上萬人遭槍殺於戰鬥中。在第一任總統選舉中，卡韋尼亞克最被看好，沒想到，路易・拿破崙也出馬角逐，並有一個突然冒出來的弟弟幫他競選。他此前幾乎不知道自己有這個弟弟。他三歲時，母親離家生下奧古斯特・德・莫爾尼（Auguste de Morny）。莫爾尼自信、從容且講究穿著，從政、玩女人、搞金融、參與賽馬會，原支持路易・菲利浦，同時靠甜菜業發財。但這時他加入他同母異父兄的陣營。佩西尼和莫爾尼向每個人表示會給予一切——秩序與安全、社會主義和榮光。

一八四八年十二月，在國民議會限縮選舉權資格後，路易・拿破崙拿下五百五十萬票，卡韋尼亞克則是一百一十萬票。這個王子暨總統搬進艾麗榭宮，然後行事好似不斷在競選，乘火車巡行全國各地，宣布「拿破崙這個名字本身就是個完整的綱領。在國內，它意味著秩序、權威、宗教、人民福祉；在國外，則意味著國家的尊嚴，」他承諾代表廣大人民對抗社會主義的「紅色威嚇」。他一直在等機會展現他的拿破崙式明斷果決。首先，他派兵入義大利，以解救受義大利民族主義者侵犯的教宗庇護九世，高調展現他的拿破崙本色和保守、天主教的背景。

下一個作為則由男人帶頭，但有一部分靠女人進行組織工作和提供經費：一八五一年十二月一日，在上劇院看戲、接著去了賽馬會後，莫爾尼發動拿破崙式政變，名為「盧比孔行動」（Operation Rubicon），由路易・拿破崙的情婦哈麗特・霍華德和他自己的情婦、比利時大使的妻子提供經費。響應政變的將領逮捕了兩萬六千人，槍殺四百人，將九千人流放到阿爾及利亞，推翻憲法。路易・拿破崙恢復男性普選，然後七百五十萬選民投票贊成讓路易・拿破崙獨裁十年。他宣布，「法蘭西似乎想要重拾帝制，」而且為了讓歐洲放心，他還說，「這個帝國會帶來和平。」一八五二年十二月，他再度得到七百五十萬選民同意，宣告為皇帝拿破崙三世。[7]

革命結束，但此革命已使一切改觀。馬克思逃到倫敦。這時，他留著像《聖經》裡某先知的鬍子，在蘇活區昏暗骯髒的寄宿舍裡奮力求生，缺錢，猛喝酒，苦於身上長癤、頭痛，靠恩格斯的饋贈和為《紐約每日論壇報》（*New-York Daily Tribune*）寫文章所賺的微薄收入度日，他忿忿埋怨「生存的艱苦」。但他也冷落他長年受苦的妻子，把替他照料房子的女傭弄大肚子，並說服恩格斯替他處理他的私生子，而後恩格斯將這個孩子送給一對父母收養。[8]

---

6 福樓拜，諾曼第籍醫生之子，踏上欣賞美麗事物和享受性愛的希臘、埃及、君士坦丁堡之旅，以逃避革命的混亂。在這期間，他品嘗男孩和女孩，並在信中記述這些事。他不喜歡革命，也不喜歡革命招來的強烈反彈，自稱是個「浪漫、自由主義的老蠢蛋」。後來，一八五七年，他才寫下他探討社會如何殘酷對待偷情人妻的作品《包法利夫人》（*Madame Bovary*）。

7 一八四九年，即路易・拿破崙選上總統後不久，海地總統佛斯坦・蘇魯克（Faustin Soulouque）自封為皇帝佛斯坦。他生於一七八二年，非洲曼丁卡裔（Mandinka），獲解除奴隸身分後與法國人交戰，升為海地總統侍衛長。總統去世後，「黑白混血上層階級」選中沒有野心的六十五歲蘇魯克為名義上的領導人。但他組建稱之為「津蘭」（Zinglins）的私人民兵隊，處決每個和他唱反調者，然後創建新的海地帝國。由於他和皇后阿黛莉娜（Adelina）只有一個女兒，因此他立他的姪子為皇太子。這個皇帝欲收復自一八四四年就脫離海地獨立的多明尼加共和國，但未能如願。一八五九年，這個皇帝遭心腹塔巴拉公爵（duc de Tabara）法布爾・熱夫拉爾（Fabre Geffrard）將軍推翻，熱夫拉爾成為總統。海地的君主政體實驗自此告終。

8 馬克思對外號「（拿破崙）姪子」的拿破崙三世得勢一事很是反感，冷冷開玩笑道，「黑格爾曾在某處說，所有具重大世界歷史意義的大事和重要人物可以說都出現兩次。他忘了補充說：第一次出現是悲劇，第二次是鬧劇。」在兩人的來往書信中，他和恩格斯痛批他們的許多仇敵和對手，交流帶種族主義性質的辱罵話語（「n——」是他們最愛的用語之一）；馬克思膚色黝黑，恩格斯因此叫他「摩爾人」；恩格斯對軍事史感興趣，因此馬克思叫他「將軍」。

而在大英博物館的閱覽室裡，馬克思正在《資本論》這部大作裡構想一個包羅萬象的意識形態：資本主義注定亡於其自身內部的矛盾，因為歷史受辯證唯物論支配，先是走向無產階級支配，繼而走向無國家、無階級、完全平等的共產主義。馬克思主義表現了對他的科學研究結果的深信不移，為無緣在國內享受到資本的好處、在國外享受到帝國的好處的許多人，提供了一個將取代宗教的正統思想。小股激進分子開始追隨他。當工人階級投票支持秩序、自由，而非革命時，馬克思把他們斥為流氓無產階級（Lumpenproletariat），認為他們的看法表現了「偽覺悟」。

拿破崙三世沉浸在創造新帝國的喜悅，但一如他的二伯，這個「姪子」需要繼承人。[9]這個性欲過度旺盛的皇帝，在艾麗榭宮舞會上物色女人，或要他的表哥暨內廷總管費利克斯・巴奇奧基（Felix Baciocchi）替他找來女人。在宮中，她們奉命裸身等候皇帝駕臨，被指示「可以吻陛下任何地方，唯獨不能吻臉」。他的情婦證實了他的魯莽、肆無忌憚、他在情場上的自私、他抹在髭上的蠟如此動人。有個女孩憶道，她「還沒時間象徵性表示抗拒，他就在一個讓人感到放鬆自在的地方抓住我」。未能如願娶到某德意志公主後，路易・拿破崙遇見特瓦（Teba）的女伯爵歐仁妮・德・蒙蒂若（Eugénie de Montijo），一個優雅且冷若冰霜的西班牙紅髮女郎。歐仁妮聽從母親的指示，[10]抗拒他的追求，直到他愛上她，才和他在一起。

「我要怎樣才搆得到妳們，兩位女士？」路易・拿破崙在舞會上看到歐仁妮和她母親在陽台上時，以玩笑口吻對樓上的她喊道。

「經由禮拜堂，先生，」歐仁妮回道。

波拿巴家的人不同意。叔叔傑羅姆說，「路易會娶頭一個拒絕他追求的女人。」不過，莫爾尼同意，而男爵詹姆斯・德・羅斯柴爾德早早就注意到她。一八五三年一月，歐仁妮挽著羅斯柴爾德手臂現身某舞會，舞會期間，她告訴這個猶豫不決的皇帝，他如果不求婚，她會去倫敦。他寫信告訴她母親，「伯爵夫人，我愛上妳女兒已很久……」用錢將他的女贊助人哈麗特・霍華德打發走後，拿破崙娶了歐仁妮，結果歐仁妮很厭惡他所樂在其中的性愛——她思忖道，「為什麼男人從不想別的，只想著那檔事？」——即便如此，她還是懷孕了。

《交際花的風光和不幸》

一八五六年三月十六日，經過痛徹心扉的陣痛，皇后歐仁妮生下嗣子，是為皇太子，她陣痛期間，路易・拿破崙懇求醫生使用「現代科學所已研發出的任何鎮靜藥」。

路易・拿破崙追求現代化不遺餘力。他構想建設現代巴黎，在城市的衛生和布局上，為包括倫敦在內的各地立下新標竿。一八五三年六月二十三日，他任命省級官員喬治・奧斯曼（Georges Haussmann）為

---

9 路易・拿破崙登上大位，他的叔叔傑羅姆隨之沾光，盡享榮華富貴，而傑羅姆的兩個孩子是波拿巴家族的心肝寶貝：傑羅姆的兒子，綽號「普隆普隆」（Plon-Plon），身為家族的繼承人，無能且氣量小，認為自己應是皇帝，靠搶奪路易・拿破崙的情婦和需索金錢來彌補未當上皇帝的遺憾；他的姊姊瑪蒂爾德（Mathilde），個性和他截然相反，有藝術天分且不做作，笑稱「若非有拿破崙一世，我會在阿雅克肖（Ajaccio）街頭賣橘子。」西發里亞國王傑羅姆在拿破崙征俄和滑鐵盧之役時身為軍長，如今是法國參議院議長。傑羅姆和貝琪・佩特森生的兒子博・波拿巴（Bo Bonaparte）則待在美國，他的兒子查理任職於美國老羅斯福總統的內閣。

10 歐仁妮的母親馬努埃拉（Manuela）是愛爾蘭籍葡萄酒商之女，先前嫁給西班牙的某個大公，然後成為多個歐洲顯赫人士的情婦，包括英國外長克拉倫登勳爵。她的朋友普羅絲佩・梅里美（Prosper Mérimée）以她的人生為腳本寫成小說《卡門》（*Carmen*），後來由比才改編為歌劇。

巴黎省省長——佩西尼說，他是「當世最特異不凡的人士之一，個頭大、強壯、有衝勁、活力充沛，同時精明、狡猾，一肚子鬼點子」。路易．拿破崙命令奧斯曼「使巴黎通風、市容一體化並予以美化」。路易．拿破崙在他的辦公室按照巨大模型籌畫工程時，奧斯曼拆掉貧民窟，建設了今日巴黎的林蔭大道、公園、廣場、火車站。比美觀更重要者是衛生。「下水道是偉大城市的器官，功能類似人體的器官，」這個省長說。「乾淨的淡水循環流動；分泌物會神奇的移除。」[11]

路易．拿破崙推動鐵路建設。火車促進旅行和貿易，而蒸汽也關乎支配地位和征服——火車加快了西北歐、移民共和國美國與世界其他地方的分道揚鑣。在歐洲，鐵路使軍隊部署更為容易，法國在這方面拔得頭籌，但後來普魯士使其更為完善。在海外，汽輪使帝國如虎添翼，使英法兩國得以將部隊迅速派到非洲或東方。[12]

路易．拿破崙猛建鐵路一事，得到其弟莫爾尼的助推而加快，但卻由詹姆斯．德．羅斯柴爾德指導此工程。在這波鐵路興建熱潮中，羅斯柴爾德家族發了大財，打退來自對手銀行家的挑戰。到了一八七〇年，法國誇稱已有一萬四千哩長的鐵路。

一八五五年，詹姆斯請建築師在費里耶爾（Ferrières）建造了新文藝復興式的宅邸，該建築師先前已為他在英格蘭的堂兄弟設計了門特莫爾（Mentmore）鄉間別墅。詹姆斯要他「蓋一棟門特莫爾那樣的房子，但要大一倍」。那是適合世界的主子入住的宅邸，有八十間裝設了各種奢侈品的套房，大廳長一百二十呎，寬六十呎，頂上有一面玻璃天窗。他的堂弟媳，即利奧內爾的妻子，夏洛特．德．羅斯柴爾德（Charlotte de Rothschild）嚴正表示，它是「仙界，阿拉丁的宮殿」，而反猶作家龔固爾（Goncourt）兄弟則痛斥這個「愚蠢可笑的鋪張浪費之舉——雜糅各種風格的布丁」。

這座豪宅啟用時，路易．拿破崙搭火車過來，踏上繡有蜜蜂圖案（波拿巴家族的象徵）的綠地毯，乘坐飄揚著羅斯柴爾德家藍、黃色旗子的馬車來到此處，欣賞這間滿是魯本斯、維拉斯奎茲畫作的別墅。他離開時，詹姆斯以他的撲克臉表情開玩笑道，「先生，我的孩子和我絕不會忘記今天。我們會很珍惜這段回憶」——這段回憶也意味著帳款。

路易・拿破崙經常向詹姆斯請教意見，這時詹姆斯掌管一個全球性金融帝國，為從巴西的布拉干薩

11　利奧內爾・德・羅斯柴爾德（Lionel de Rothschild）為英國銀行的行長，見過他叔叔詹姆斯後，對巴黎大為歎服：「真希望我們有像此皇帝這樣的人，把古老倫敦做些更動。」二十年前，利奧內爾已接掌他父親內森・梅爾的事業。內森・梅爾死於一八三〇年代，那時他大概是世上最有錢的民間人士：英國歷史學者尼爾・弗格森（Niall Ferguson）估計，「他的個人財富相當於英國國民所得的百分之〇・六二。」此時，利奧內爾與找人「在倫敦做些更動」的那個人為至交，而那個人正是班傑明・迪斯雷利。五年後的一八五八年夏，同樣苦於霍亂疫情頻發的倫敦，在屎臭味——「大惡臭」（Great Stink）——籠罩城裡後仿效巴黎。保守黨籍財政大臣迪斯雷利心痛於泰晤士河是個「地獄般的水池，充斥著無法形容、無法忍受的恐怖之物」，於是找來富有遠見的工程師約瑟夫・巴札爾傑特（Joseph Bazalgette），著手建造倫敦的大型下水道。巴札爾傑特建造了八十二哩長的磚牆下水道、一千一百哩長的街道下水道，街道下水道的抽水站宏大如宮殿。整個工程花了二十年才完工，但就此消除惡臭，也降低霍亂發生率。霍亂可能源於印度，然後，在數百年後的一八三一年傳到英國時才為人所知。霍亂被稱作藍死病（Blue Death）——因在病情最後階段缺氧使患者身體變藍色而得名——係被人糞污染的工業城市飲用水裡的細菌所引發。就在此時，一八五四年後期，約翰・斯諾（John Snow），即女王維多利亞第八次生產期間用氯仿麻醉她的那個醫生，追蹤在倫敦蘇活區奪走一百二十七條人命的霍亂疫情，理解到某個街頭水泵是致污元凶。關掉水泵後，疫情即平息，從而證實霍亂靠水傳播。

12　為因應蒸汽動力的發展，電報問世，一八五一年，英法間鋪設了電報線。一八五八年七月，靠著供應紙張給報社而發財的美國商業大亨賽勒斯・韋斯特・費爾德（Cyrus West Field）策畫了跨大西洋電報線的鋪設，這條兩千哩長的電報線使美國總統布坎南和英國女王維多利亞得以相互通電致意。費爾德的成就有助於英美兩國的聯通，加快世界的全球化。及至一八六五年，從倫敦發電文到孟買只需三十五分鐘。世界變小，消息的掌握隨之更是迫切：來自魯昂的猶太裔作家夏爾—路易，哈瓦斯（Charles-Louis Havas）創辦了世上第一家通訊社，其職員、來自今德國卡塞爾（Kassel）的猶太拉比之子以色列・約薩法特（Israel Josaphat）背叛老闆，自創通訊社，最初用鴿子傳送消息，後來花錢雇用汽輪，將裝有美國消息的罐子丟到停在愛爾蘭第一個港口的船上，之後他搬到倫敦，將自己改名為路透（Reuter），最終，他的新公司用電報傳送消息，成為第一家全球性通訊社。

至鄂圖曼的諸多王朝籌措借款，他的美籍代理人奧古斯特・貝爾蒙特（August Belmont）則為美國鐵路建設和美國攻打墨西哥的戰爭提供資金。不過，詹姆斯仍力勸路易・拿破崙不要打仗。「不借錢給人打仗是我們家族的原則。我們無力防止戰爭，」他寫道。「我們至少想要保住不當戰爭幫凶這個信念。」反猶人士欲把歐洲的戰爭歸咎於猶太金融家，但歐陸列強自哥德人起，即羅斯柴爾德家族誕生之前許久，早已征戰不斷，而且會在該家族不再擔任要角之後許久繼續征戰。詹姆斯嘲笑路易・拿破崙的口號「帝國意味和平」，他認為，「『帝國意味垮台』這口號更合他的意，還說，「這個皇帝說帝國意味和平，他說得沒錯；但他有所不知的是，如果我們戰爭，這個皇帝就完了。」

詹姆斯為家人而活，但就連他都擋不住巴黎的交際花現象。《交際花的風光與不幸》（*Splendeurs et misères des courtisanes*）是巴爾札克死於工作過量和咖啡因中毒前的末期小說之一，在這本小說中，可見有著羅斯柴爾德家族之風的紐沁根男爵（baron de Nucingen）花錢和令人愛慕卻是脆弱的埃絲特（Esther）上床。比詹姆斯更有過之的，這個皇帝的弟弟莫爾尼公爵成為享樂、理財、時尚的引領者。拿破崙式的奢華是奢靡逸樂且具有伊斯蘭蘇丹的風格，只是在一個充斥著令人難捱又悲慘的貧困生活、有著成千上萬的街頭妓女和兼差賣淫的中產階級年輕女子的城市裡，也是具有唯利是圖之風。即便如此，較有錢的交際花成為名媛，出現在舞台上，她們的人像以照片這個新媒材呈現，當明信片販售，她們的乖張可笑行徑被人刊載於報紙。這類交際花，即高級妓女（grandes horizontales），往往是女演員或曾賣淫為生者，貴族、財閥、花花公子花錢博取她們的青睞。她們從小便遭惡毒剝削，往往悲慘結束一生，然而她們也獨立自主，不輕易受人擺布，嘲笑正派女人活得綁手綁腳。那是個音樂、藝術、文學發皇的時代，而這些高級妓女地位重要，非常風光。雅克・奧芬巴哈（Jacques Offenbach）為來自科隆的猶太會堂祈禱文領誦人之子，是這個帝國的招牌作曲家，與魯多維克・哈列維（Ludovic Halévy）共同創作歌劇劇本。一八五五年法國舉辦了萬國博覽會，前來參觀者超過五百萬人。路易・拿破崙為博覽會開幕時，奧芬巴哈推出他最早的詼諧歌劇，奧爾唐茲・施奈德（Hortense Schneider）首次登台演出，被人稱作拉史奈德（La Snéder），成為巴黎之美麗和歡樂的化身。這些交際花在他的諸多歌劇裡擔任主角，尤其是《地獄裡的奧菲》（*Orphée aux enfers*）。在這部劇裡的「陰間加洛潑舞」（Galop infernal）——即康康舞——成為那個時代的招牌。拉史奈德最初是奧芬巴哈的情婦之一，後來成為路易・拿破崙、莫爾尼和一連數個王子的情婦。最不把道德放在眼裡的高級妓女是個英國人：科拉・珀爾（Cora Pearl，真名埃米莉・克勞奇／Emily Crouch），她在《地獄裡的奧菲》中扮演邱比特，半裸現身，她的父母是來自普利茅斯的愛爾蘭裔音樂家。[13]

小說家和藝術家著迷於這些女孩人生的曲折和悲慘。一八六三年，在路易・拿破崙為具有創意的藝術家特別創辦的落選者沙龍展（Salon des Refusés）上，馬內（Édouard Manet）展出他的畫作〈奧林匹亞〉（Olympia），呈現金髮裸身交際花維克托琳・默朗（Victorine Meurent）和她衣著完整的黑人女僕；維克托琳是他的情人，本身也是個藝術家，女僕則以名叫蘿爾（Laure）的模特兒為本畫成。此畫令中產階級震驚且反感，但有助於開啟一種被批評為太「印象主義」新畫風：這幅畫作，便以「印象主義」之名傳開。

而輩分最高的交際花可說是瓦爾特絲・德・拉比涅（Valtesse de La Bigne），她綽號「金黃光束」（Rayon de'Or），敏感且有才華，係馬內、奧芬巴哈的朋友暨情人、諸位畫家和作家的贊助人、女演員，

13 科拉無意間成為交際花，初入行時懷著「對男人的強烈反感」，後來竟成為莫爾尼和一連數個出身高貴的年輕男子的情婦，這些年輕男子包括沙皇亞歷山大二世、奧蘭治親王、路易・拿破崙、普隆普隆和英國的威爾斯親王。在別稱「小杜樂麗宮」（Les Petites Tuileries）的巴黎豪宅裡和一棟鄉間別墅裡，她如眾星拱月般受到諸多仰慕者圍繞，她的臥室和浴室安裝了金質設備。有次，她躺在銀托盤上，由四個壯漢將她抬進晚宴會場，隨後托盤上的蓋布掀開，露出科拉，她邀賓客「動刀吃下一道菜」。一般來講，交際花下場很慘：有個年輕男子被科拉毀了一生，在她的豪宅裡自殺。而她的好運到了盡頭，她賣掉別墅和珠寶，死時可謂貧窮潦倒。

著有長篇小說《伊索拉》（*Isola*），卻是靠她那張鍍金、覆有華蓋的華麗大床而最為人知——這張床如今仍展示於裝飾藝術博物館（Musée des Arts Décoratifs）。具有一半義大利血統的年輕評論家埃米爾·左拉（Émile Zola），於二十八歲時開始創作一系列受到巴爾札克啟發的長篇小說，記述拿破崙時代巴黎的一個家族的歷史。這系列小說合稱《盧貢—馬卡爾家族》（*Les Rougon-Macquart*），係影響甚大的家族史著作：「我想要說明一家族，一個由普通人組成的小群體，在社會裡的行事作風……遺傳有自己的法則，一如重力。」和瓦爾特絲晤談過並參觀了她的床後，他寫出第一部談名人之性吸引力的長篇小說，並透過會讓男人傾家蕩產卻又讓男人難以抗拒的娜娜（Nana），體現了這股吸引力。娜娜這個「本性敦厚的孩子」，在她的大床上發了大財，那張床是「個寶座，是個祭壇，巴黎人來到這裡欣賞她一絲不掛的裸體」——情色界一顆令人目眩神移的燦爛流星，如同這個帝國本身。瓦爾特絲痛惡《娜娜》（*Nana*），稱該小說裡的女主人公是個「愚蠢低俗的婊子」。[14]

一八五三年，巴黎的聲色之娛改變了從南美洲來到這座城市的一個易受影響之人的人生。此人是巴拉圭獨裁者的繼承人，為路易·拿破崙所招待，他愛上一個交際花，而這個交際花將成為南美洲最有權勢的女人、世上最大的地主。

埃莉薩·林奇和女王維多利亞：兩位掌有實權的女人

法蘭西斯科·索拉諾·羅佩斯（Francisco Solano López）是卡洛斯·安東尼奧·羅佩斯（Carlos Antonio López）的兒子，卡洛斯·安東尼奧·羅佩斯則是巴拉圭這個孤處內陸、社會和種族一律講究平等的小共和國的統治者。此前，「大王」法蘭西亞博士創立巴拉圭共和國，統治了二十六年，直至一八四〇年去世為止。而後，經過一小段插曲，由法蘭西亞的堂弟接位，即卡洛斯・安東尼奧・羅佩斯：「這個巨大的人肉潮浪，不折不扣的巨人」，把希望寄託在他的長子法蘭西斯科身上，派他去歐洲為他過於龐大的軍隊買武器。二十八歲的法蘭西斯科訂購了英國船和法國炮，一八五四年在巴黎時，「盡情發揮他天生放蕩的傾向，投身於那個歡樂首都的罪惡中」——直到遇見十九歲的紅髮交際花埃莉薩・林奇（Eliza Lynch）——愛爾蘭裔海軍軍醫之女——這才收斂。

羅佩斯將軍帶著新買的汽船、懷孕的埃莉薩・林奇回到巴拉圭，埃莉薩決意把第二帝國巴黎的炫麗浮華帶到他的小國度。在巴拉圭，她生下五個孩子裡的頭一個。與此同時，她的情夫獲晉升為陸軍部部長和副總統。若說巴拉圭人著迷於他們稱之為拉林奇（La Lynch）的埃莉薩，羅佩斯家族則驚恐於這個愛爾蘭裔小老婆（La Concubina Irlandesa）——但日後摧毀巴拉圭的，會是法蘭西斯科本人。

就在路易・拿破崙娶了歐仁妮之後不久，在耶路撒冷的聖墓教堂裡，天主教、東正教修士爆發激烈的小衝突，雙方匕首、手槍上場。修士間的這場喧鬧引爆歐洲戰爭，促使路易・拿破崙有機會和英國這個唯一開明程度足以和這個暴得大權的皇帝為伍的國家結盟。沙皇尼古拉和路易・拿破崙爭相欺壓鄂圖曼蘇丹

14 小仲馬（Alexandre Dumas）——《三劍客》（*The Three Musketeers*）作者之子——曾問瓦爾特絲是否允他登門拜訪。她回道，「對不起，先生，你負擔不起。」瓦爾特絲是少數活到老年的高級妓女之一，同時保住財產和尊嚴。小仲馬將自己和瑪麗・迪普萊西（Marie Duplessis）的戀情和她死於結核一事寫進小說《茶花女》（*La Dame aux camelias*），創造出demi-monde（由富人所養的情婦構成的世界）一詞，用以指稱介於街頭和府第之間的這個風流世界。隨著話劇《茶花女》賣座，現實和戲劇合為一體，整個風流世界的人都觀賞過這齣劇；後來威爾第（Verdi）將它改編成歌劇《迷途婦人》（*La Traviata*）。從這個殘酷無情的世界，冒出一個不折不扣的天才。莎拉・伯恩哈特（Sarah Bernhardt）是尼德蘭猶太裔交際花茱莉的女兒，茱莉則是莫爾尼的情婦（莫爾尼可能是莎拉的生父）。經莫爾尼安排，莎拉加入法蘭西喜劇團（Comedie-Française），在劇團中，她飾演了《茶花女》女主人公等角色，成為當時世上最著名的女演員。

阿布杜梅濟德（Abdülmecid），欲使他同意境內基督徒歸他們保護並納入他們的勢力範圍。路易．拿破崙派了一艘炮艇前去申明法國對聖地的「最高管轄權」。阿布杜梅濟德原接受這個要求，而沙皇尼古拉揚言開戰後，鄂圖曼蘇丹索性同意羅曼諾夫王朝為東正教徒保護者，情況隨之翻轉。

這個沙皇接著揮兵入侵鄂圖曼帝國的摩達維亞、瓦拉幾亞，希望更往南進以奪取伊斯坦堡；作為歐洲最大的穀物出口者——以敖得薩為出口港——他很想控制博斯普魯斯、達達尼爾兩海峽。受到泛斯拉夫主義這個新意識形態影響，他呼籲巴爾幹半島上的斯拉夫人起事反抗鄂圖曼王朝，冀望透過此意識形態，唯俄羅斯馬首是瞻的斯拉夫人會抗拒民主西方的仇視和虛偽。未料被成功沖昏頭且腦袋僵固、疾病纏身的尼古拉失算。他指望得到哈布斯堡王朝支持，指望受益於西方的各懷鬼胎，結果法蘭茨．約瑟夫背叛了他。而且帕默斯頓極反感於尼古拉的擴張主義獨裁統治。帕默斯頓是心向改革、思想開明的英國內政大臣，在全球各地消除奴隸制，減少童工，藉由創造出協議離婚保護女人，規定孩童都得接種牛痘防天花，從而首開先河讓政府在打擊大流行病上有主動作為。[15]眼下，他則趕去巴黎，和路易．拿破崙協調因應之策。

一八五四年二月二十七日，當尼古拉不願後撤，帕默斯頓指導英法共同出兵抗俄。九月，三萬法軍和兩萬六千英軍在皮埃蒙特的義大利人和鄂圖曼人助陣下，登陸克里米亞半島，以奪取波坦金的海軍基地塞瓦斯托波爾、消滅俄國在黑海的軍力。十九世紀中期爆發了數場抱持騎士精神的無能貴族指揮官碰上殺人快狠準的現代武器的戰爭，而這是其中第一場。雙方都未能體察戰場形勢已然改變而犯下大錯，要騎兵向擺好陣勢的火炮群衝鋒，要步兵冒著槍林彈雨強攻築有防禦工事的陣地；雙方的統帥都是粗心大意、傲慢、要下屬絕對服從紀律和命令之人。

帕默斯頓建議女王維多利亞和她的丈夫艾伯特親王（Prince Albert）——對與性有關的事物太假道學的新中產階級作風的典型人物——做出石破天驚之舉：邀宿敵拿破崙的繼承人暨統治肉欲橫流的當代巴

比倫（巴黎）的臭名遠播的皇帝路易・拿破崙訪問英國王室。帕默斯頓本就樂見路易・拿破崙的政變，但他的積極力促此事激怒了艾伯特，艾伯特的抱怨迫使帕默斯頓辭去外長之職。這對皇室夫婦不喜歡帕默斯頓，而路易・拿破崙的行事也太過離經叛道。

這位英國女王一八三七年接掌王位，當時她是個未受過磨練且易緊張的少女。英國的君主政體已不再強大，但白膚、金髮、矮胖、圓臉、藍眼的維多利亞行事猶如真正的統治者，施展其影響力和威信時，表現出絲毫不受自我懷疑干擾且一意孤行的誇張做作。她的剛毅威儀為她強勢自信、雄心勃勃且發達富裕的人民提供了一個有名無實卻又令人放心的國家元首；她道貌岸然的德行與英國自認正派的中產階級價值觀相契合。但真正帶領英國稱雄世界者，是帕默斯頓和一批貴族、寡頭統治集團成員。

維多利亞的主要職責是嫁人、生下一個王儲。德意志的諸多小公國長年以來為歐洲諸王朝充當媒人，但她的舅舅——比利時國王萊奧波德——已把他自身的薩克森—科堡家族打造成俾斯麥口中的「歐洲的種馬場」。萊奧波德專橫且老練，在他羅斯柴爾德家族友人輔助下，積極將新誕生的比利時發展成富裕的現代經濟體，而他也是個大媒人。一八四〇年，他指引他嚴肅、理智、開朗自信的姪子艾伯特追求維多利亞這個世上最理想的婚配對象。艾伯特對他不拘小節的父母——薩克森—科堡公爵和公爵夫人——向來很反彈。這個公爵曾帶著年輕的艾伯特和他的哥哥恩斯特（Ernst）去路易・拿破崙統治下情欲的巴黎，體驗交際花的溫柔鄉：恩斯特自此染上性癮，不能自拔，艾伯特則成了道學先生。他們的母親把她的猶太裔總管

15 醫藥的進步之所以能拯救數百萬人性命，完全得歸功於帕默斯頓之類領導人的公共措施，加上國際通力合作。一八五一年，第一個國際衛生組織已創立，當時十二個歐洲國家各派一名外交官、一個醫生出席巴黎的國際公共衛生大會，談定針對霍亂的檢疫措施。一九〇七年，大會轉型為國際公共衛生局（Office International d'Hygiene Publique）。但花了數十年才協調出預防感染的措施。將近百年間，天花是唯一靠接種因應的流行病。

——據說是艾伯特的生父——納為情夫，以此報復愛拈花惹草的公爵丈夫，隨後被公爵休掉；她自此不得再見她的孩子一面。艾伯特令維多利亞著迷：她寫道，「為人極敦厚且溫柔，很聰明，腦筋很好……極英俊；他的頭髮顏色和我的差不多；眼睛又大又藍，鼻子漂亮，嘴巴很好看……但他的面容的迷人之處在於他的表情，讓人很開心的表情。」維多利亞感謝萊奧波德「助我擁有極幸福的未來」。懷孕占去她婚姻生活的許多時光，先是生下女兒維琪（Vicky），然後兒子威爾斯親王伯迪（Bertie），之後又生了七個孩子。[16]

維多利亞和艾伯特把帕默斯頓、路易．拿破崙視為男女關係混亂的可恥之徒。帕默斯頓開心娶了他長年的情婦考珀伯爵夫人（Countess Cowper）後，並未就此不再拈花惹草：他大膽闖入溫莎堡一侍女的閨房之舉，令這個女王震驚又反感。維多利亞不喜歡「那個健壯、堅毅、名利心太重的人」，艾伯特則說他「寡廉鮮恥」。

一八五五年四月十六日，路易．拿破崙和歐仁妮來到溫莎。令人意外的是，這個死性不改的皇帝和他攀上枝頭卻沒什麼文化素養的皇后竟令這對一本正經的薩克森—科堡家夫婦大為盡興。維多利亞認為，「有種令人感興趣的、憂鬱的、吸引人的氣息把人拉向他。」路易．拿破崙言語輕柔、溫文有禮、心思令人難捉摸，他對維多利亞調情，而據外長克拉倫登記載（克拉倫登是詹姆斯一世所寵信的白金漢公爵的後代，而在小小的歐洲上流社會圈子裡，好巧不巧，歐仁妮母親的情夫正是克拉倫登），維多利亞「被撩得心花怒放，因為她此前從未被男人調情過，而他撩女人的招式是迎合她的虛榮心，卻又不讓她有不檢點的顧慮；這種新奇感受，她樂在其中」。路易．拿破崙用德語和艾伯特交談，耐心聽他學究式的長篇大論，講述他關於博物館和慈善組織的出色計畫。

在克里米亞半島，大炮和疾病殺死四十五萬俄羅斯人、十二萬鄂圖曼人、十萬法國人、四萬英國人，但西方人的表現比對手稍稍好上一些，打敗俄軍，最終拿下塞瓦斯托波爾。沙皇尼古拉死得淒慘，俄國的落後表露無遺；他的迷人兒子亞歷山大二世被迫談成巴黎條約，因為這項條約，俄國在黑海一時成了局外人。[17]

至於鄂圖曼王朝，帕默斯頓再度拯救了他們的帝國：帕默斯頓和路易・拿破崙鼓勵蘇丹阿布杜梅濟德身邊的改革派將他們的國家現代化，鼓勵他們承諾讓非穆斯林享有同等的法定權利，藉此保護猶太人和基

16　艾伯特心向改革且富有遠見，滿懷改善王室和人民福祉的想法。他是一八五一年水晶宮（Crystal Palace）萬國工業產品博覽會（Great Exhibition of the Works of Industry of All Nations）的創辦人之一，該博覽會的參觀人次達六百萬，展出的物品包括拜吞併錫克旁遮普之賜而剛入手的「光之山」鑽石，展場上處處可見彰顯人類進步的新奇科技成就，但也有破壞威力巨大的新奇科技產品。普魯士的製鐵業者阿爾佛烈德・克虜伯（Alfred Krupp）展示了一門克虜伯大炮和一塊重達四萬三千磅的鋼，展現出令人驚歎的技術成就（這個特立獨行之人未賣出任何大炮，普魯士依舊是次級強權，仍未擺脫晚近革命所帶來的傷害。而他的巨炮看起來用處不大）。艾伯特利用此博覽會的獲利完成他的下一個大工程「艾伯特城」（Albertpolis）——如今仍是倫敦的博物館區。但他常因廷臣、政治人物、乃至他妻子的阻礙而無法順心如意：他說，「我很快樂、滿足，可惜我難以享有應有的尊嚴，原因在於我只是丈夫，而非一家之主。」

17　亞歷山大二世和善親切、好色、溫文有禮，自認是類似他伯父亞歷山大一世那種見過世面、願意接受不同思想、作風的歐洲人，不若他可怕父親那種專制的民族主義者。俄羅斯嘗到自一八一二年以來的第一場挫敗，使他相信他的國家需要改革。一八六一年，他解放了兩千三百萬處境和奴隸類似的農奴；創立地方自治組織和陪審制，從而使人民生起更深入改革的希望。然而，他也是不折不扣的俄羅斯獨裁者，完成他父親征討車臣聖戰士的戰爭並清洗切爾克斯人——兩事都發生在高加索地區。而後，一八六三年，波蘭人造反；令歐洲人憤慨的是（雖然他得到普魯士支持），亞歷山大鎮壓了這次叛亂；兩萬兩千名波蘭人遭處絞刑或流放，而且他下令推行俄羅斯化政策，禁止在學校和公家機關使用波蘭語、烏克蘭語、立陶宛語。一如一八三〇年時，俄羅斯民心支持鎮壓波蘭和「小俄羅斯」（Little Russia，構成今日烏克蘭的三個俄羅斯總督轄區之一），連自由派也支持。異議作家亞歷山大・赫爾岑（Alexander Herzen）將此心態稱作「愛國梅毒」。但亞歷山大也提倡使用芬蘭語，提供憲法給芬蘭。他把俄國的擴張轉向中亞，透過伊斯蘭體制和信仰伊斯蘭教的顯貴統治該地區。他受挫於歐洲後，一心想著攻打英屬印度。

督徒，承諾廢除黑奴蓄養——但白奴不在此列：俄羅斯殘酷征討高加索地區居人口少數的切爾克斯人一事，將從此導致切爾克斯籍奴隸被賣到伊斯坦堡的生意大為興旺。鄂圖曼帝國的坦志麥特（Tanzimat，重組）改革，催生出忠於鄂圖曼帝國而非忠於蘇丹的新「鄂圖曼主義」（Ottomanism），以創造出一個多民族的國家認同，維持帝國的完整。帕默斯頓促使鄂圖曼猶太人歸英國特別保護一事得到承認，法國人則保護黎巴嫩信仰天主教的馬龍派教徒（Maronites）。歐洲的影響力引導鄂圖曼帝國在宗教上寬容異己，可惜該帝國這個包容民族、語言、宗教畛域的時代只持續了三十年。

一八五五年八月十八日，路易・拿破崙在敦克爾克會見維多利亞和艾伯特，護送他們到巴黎參觀他的世界博覽會，也就是路易・拿破崙版的萬國工業產品博覽會。[18]維多利亞是自亨利六世以來第一個訪問巴黎的英國君主，帶著她的十三歲兒子伯迪同行，這個歡樂城令伯迪大為著迷。這個威爾斯親王告訴路易・拿破崙，「我真希望是你的兒子。」胖乎乎、薑黃色頭髮的伯迪既渴望得到父親的肯定，又很想驚嚇他：他一有機會就會再來巴黎這個當代巴比倫。克里米亞半島不是英法一同大展身手的唯一地方——兩國突然被捲進攻打東方諸王朝的衝突裡。

一八五七年五月十一日，蒙兀兒王朝皇帝巴哈杜爾・沙・札法爾（Bahadur Shah Zafar）——帖木兒、巴布爾、阿拉姆吉爾的八十一歲後代——收到令他極為惶恐的消息：一場反英國人的叛亂已爆發，造反的第一批英軍印度兵就要來德里擁立他為統治者並殺掉他們所能找到的任何基督徒。

叛亂：帖木兒王朝的最後一人和尼赫魯家族的第一人

巴哈杜爾住在德里沙賈汗城裡的紅堡，幾乎管不了紅堡以外的事物。一如所有受過教育的蒙兀兒王朝成員，他是書法家和波斯語、烏爾都語詩人，但他只統治「從德里到帕拉姆（Palam，德里一郊區）」之地，他的宮廷靠英國東印度公司發放的養老金維持。英國剛掌控西邊的旁遮普和東邊的緬甸，這時支配印度，是為這整個次大陸首度歸於一統。英國人想要如蒙兀兒王朝統治印度，而英國人的統治，一如蒙兀兒王朝的統治，倚賴由倫敦掌管的臨時性體制，有些地方名義上由英國東印度公司治理，但仍有許多地方由印度本地土邦主統治。英國人低劣的傲慢已惹火了印度教徒和穆斯林。早期的文化融合已成昨日黃花，取而代之者是英國人帶種族歧視性質的優越感——不讓印度人出任高階職位——以及令當地人憂心會被迫改宗的福音傳播活動。土邦主和地主痛惡英國人的吞併。原型民族主義者（proto-nationalists）痛惡外人統治。一八五七年初，在英國的孟加拉軍中，塗了牛油或豬油的新彈藥包令印度教籍和伊斯蘭教籍士兵無不心生驚恐，他們痛惡無禮的英國軍官所施加的懲罰，於是在密拉特（Meerut）叛變，眼下則奔向德里。

隨著諸多土邦主和英軍中的印度兵找上身為印度傳統共主的札法爾，札法爾感受到無數人對他的期許。在德里，英軍印度兵加入密拉特叛亂士兵陣營和一個地下聖戰士組織；隨著人民叛亂在整個北方邦、中央邦和拉賈斯坦邦、比哈爾邦爆發，英國人逃離德里或躲在宮中。

當土邦主、軍閥、農民、印度兵、傳道士組合而成的勢力——既有穆斯林，也有印度教徒——攻擊英軍、殺害婦孺，英國人隨之以同樣的凶狠回擊，而三種新科技的加持，更使英國人享有絕對優勢：電報使他們得以及時調度援兵，鐵路使他們得以在英國本土將部隊快速送到港口，汽輪使他們得以將部隊從港口

18 一八五八年，艾伯特談成他們的最年長孩子維琪和外號「佛里茨」（Fritz）的普魯士王子腓特烈（Frederick）的婚事。維琪金髮白膚、長得漂亮，當時十七歲，腓特烈則年長她五歲：「我人生第二個最重要的日子，」維多利亞寫道。「我幾乎覺得像是自己要再婚的樣子，只覺更是緊張。」維琪不久就懷孕，經過幾乎要命的臀位分娩，她生下左臂萎縮的兒子。分娩期間，嬰兒呼吸受阻。而這個孩子取名威廉，日後將成為德意志皇帝。

運到印度。英國人的安全防禦很脆弱：英軍有四萬五千英籍士兵——其中有些是英國東印度公司的士兵，有些是王國政府的士兵——和三十一萬一千雇傭印度兵。若有一個能團結各方勢力的印度本地領導人，叛軍本有可能拿下整個印度。可惜叛變局限於特定地區，只在北方邦西部得到民眾響應，而印度大多數人口、多數印度籍商人、口岸城市上層人士、北部和中部的大部分土邦依舊忠於英國，英國東印度公司三支軍隊裡的兩支亦然。若沒有印度籍軍人協助，英國人絕不可能平定叛亂。

札法爾告訴造反的英軍印度兵：「我沒有叫你們來，你們太沒天良。」但他們衝過來圍住他，高喊著：「國王，你若不加入我們的行列，我們都會死。」

札法爾回道：「我既無兵，也無軍火庫，也無錢財。」

「只要給我們祝福就好。」

札法爾祝福了他們，恢復了自納迪爾攻占德里以來一直未曾有過的召集群臣議事之舉，任命他精力充沛的兒子米爾札蒙兀兒（Mirza Mughal）為統帥。米爾札蒙兀兒急忙構築防禦陣地。印度兵和他自己的僕人捕殺歐洲人。米爾札蒙兀兒是紅堡五十二名英國人遇害事件的共犯之一。在德里城裡，皇帝的科特瓦爾（kotwal，警務首長）是甘嘎達爾．尼赫魯（Gangadhar Nehru），本身為英國東印度公司抄寫員的兒子，這時育有四個孩子，不蹚此叛亂的渾水。他的家族最終將主宰統一的印度。

在德里東南方的阿瓦德（Awadh），別姬哈茲拉特．瑪哈（Hazrat Mahal）——已故國王的遺孀——在首都勒克瑙奪權，將她的養子納納．薩希卜（Nana Sahib）扶上王位。四百名英國人被殺。更南邊，漂亮的三十歲寡婦拉克什米拜（Lakshmi Bai）支持叛軍，但設法保護英籍平民。拉克什米拜是馬拉塔人占西（Jhansi）土邦的最後一個統治者的遺孀，本身精於劍術和騎術，其土邦已被英國人吞併。遭遇敵對的印度本地土邦主入侵和英國人干預後，她加入叛亂陣營，督導鑄造大炮，成為公認的迷人卻又嚴厲的軍事領袖，以其「高潔的品性」和「優美不凡的身材」令英國人傾倒。

馬德拉斯軍和孟買軍忠於英國，喀什米爾、海德拉巴兩地的統治者、旁遮普的錫克教徒和普什圖人也忠於英國，讓終於當上首相的帕默斯頓鬆了口氣。他任命前首相之子查爾斯・坎寧（Charles Canning）為印度總督，下令平定此亂。雙方出手都很凶狠，導致雙方盡皆以殘忍手段回敬。

剝皮、釘在尖樁上、燒死：英國人收回印度

一八五七年夏，在阿瓦德，英籍平民和士兵被圍於勒克瑙。在坎普爾（Kanpur），納納拯救了兩百名英籍婦孺，使他們免遭屠殺。英軍從阿拉哈巴德（Allahabad）進攻時，印度兵不願殺掉這些英國人，隨之有五名來自市集的屠夫用切肉刀殺死這兩百個英國人，抓起嬰兒砸向附近的樹幹，導致他們腦袋碎裂。而後這些屍體被丟入一井中。有時英國人被綁在炮口轟死。在這場叛亂中，共有六千英國人遇害。[19]

殺害英籍平民和據稱強暴英籍女人之事，在英國國內報紙上報導得繪聲繪影，隨之被人拿去合理化英國人的報復作為。一頭淡黃色頭髮的教區牧師之子威廉・霍德森（William Hodson），既是說得流利波斯語、拉丁語、希臘語、印地語的學者，也是熱中於用劍和他最愛的武器——獵野豬的矛——殺人的屠夫，這時找來英國人和錫克教徒，成立霍德森騎兵團（Hodson's Horse），團員為其犯下的殺戮洋洋自得。霍德森說：「我要我的手下絕不留活口，要當場槍斃。」英格蘭裔愛爾蘭籍准將約翰・尼可森（John

19 在馬德拉斯，退休的東印度公司高級職員克里斯多福・拜登（Christopher Biden），「倒在一幫狂熱分子手下」。他是海灘治安官，著有一本海軍紀律手冊，與二十一世紀的美國總統拜登有親戚關係。

Nicholson）正與軍官同僚用餐時得知叛亂之事。「士兵叛變就像天花，」他說，「擴散快速，必須盡快平定。」尼可森「很有威嚴，六呎兩吋高，長長黑鬍子，深灰色眼睛裡有著像老虎眼睛那樣會變大的黑色瞳孔」，打過對付錫克教徒和阿富汗人的戰爭（在那期間，他發現自己兄弟殘缺不全的屍體，而且生殖器被塞在屍體嘴裡）而變得更冷血無情，這時找來英籍正規軍士兵和旁遮普籍傭兵成立一支「強大的、四處移動的縱隊」，開始獵捕叛軍。他提議將「謀殺、污辱我們女人的人」「活活剝皮、釘在尖樁上或燒死」，誇說「我施加了我所能想到最教人吃不消的折磨，不覺良心有何不安」。在白夏瓦（Peshwar）捕殺叛軍後，他吊死試圖對英籍軍官下毒的廚子，進入食堂時，他說，「抱歉，讓各位久等你們的晚餐，但我一直忙著吊死你們的廚子。」

尼可森和霍德森率兵前往德里。九月，他們與紮營於德里旁邊山脊上的英軍會合，與叛軍有小型交手，但因為他們的無能上校阿奇戴爾．威爾森（Archdale Wilson）的舉棋不定而無法大展身手。尼可森已成為傳奇人物，走到哪身邊都跟著他的旁遮普籍侍衛，這些彪形大漢在他用餐時站在他後頭，橫躺在他門道上睡覺。拜他的攻勢性戰術之賜，援軍一路打到德里，英軍隨之強攻該城。尼可森於戰鬥時中槍，仍憤慨於猶豫不決的上校，揮舞他的手槍說：「感謝上帝，如果得槍斃你，我還有力氣辦到。」可惜他沒這個機會了。尼可森死於皇帝和其兒子退到胡馬雍陵墓時。

霍德森率領錫克教徒騎兵疾馳過充滿敵意的德里，迫使兩千名叛軍投降，接著他包圍陵墓，要札法爾投降。霍德森保證不殺札法爾後俘虜了他，隔天再到陵墓處要皇子蒙兀兒、其兄弟和兒子投降。他們坐牛車被送往德里途中，霍德森停下，拔出他的科爾特左輪手槍，將他們三人一一槍殺，剝光他們的衣服，卸下他們的佩劍和圖章戒指，然後將他們赤條條吊在流血門（Khooni Darwaza）旁。「我成功消滅敵人，收到各方的熱情祝賀，為此我不由得高興了起來，」他寫道。皇帝的十六個兒子大半遇害。「我並不殘酷，但我坦承我的確很慶幸有機會替世間除掉這些敗類。」

十一月，英國人奪回坎普爾，一八五八年三月，解除了勒克瑙之圍。在勒克瑙，英軍士兵頂著來自錫坎達庭園（Sikandar Bagh）的火力攻擊，邊高吼著「坎普爾！你們這些殺人凶手！」頓時殺了兩千名叛軍，日後成為陸軍元帥的佛雷德里克・羅伯茨（Frederick Roberts）憶道，他們的屍體「堆成和我的頭一樣高」，「令人作嘔的一大票屍體和垂死之人交纏在一塊。」英籍士兵發現遇害的平民屍體後禁不住狂怒，他們強暴女人，把穆斯林籍印度兵縫進豬皮囊裡然後處決，要達利特（Dalits，過去被稱作賤民／Untouchables，比印度四種姓還低的受壓迫階層）殺掉印度教婆羅門。在坎普爾和勒克瑙，一萬印度人遇害。因貪污受調查的霍德森，死於強攻別姬的宮殿時；別姬逃走。[20]

占西遭英軍奪回且婦孺遭屠殺後，拉克什米拜騎馬前去瓜廖爾作最後抵抗。六月，英軍來犯。她一身騎兵裝，遭英國騎兵擊傷落馬，然後，在擊發她手槍的同時遭擊斃。在英國本土，英國公眾報復心切；數十萬印度人遭殺害後，坎寧止住殺戮。他被嘲笑為「寬大為懷」坎寧（'Clemency' Canning），此際他從英國東印度公司手裡拿下對印度的直接控制權，以第一任印度副王（Viceroy of India）的身分和印度事務大臣一同統治印度。維多利亞成為印度女王，在威嚴的接見儀式裡，副王和諸土邦主的尊卑關係得到強化。[21]

20　他葬在勒克瑙，墓志銘寫道：「此處長眠著所有可能死於威廉・史蒂芬・雷克斯・霍德森之手的人。」

21　所有帝國都建立在恐懼上：這波殺戮使英國人得以用相對較少的官員支配印度七十年左右。英國人冷酷無情的種族優越感，自此籠罩在英國對印度的統治上：英國人和印度人通婚、乃至融合之事愈來愈少見；英國女孩搭船去印度尋找如意郎君。英籍公務員和軍官占據治理之位，生起新的封建領主責任感，印度人無緣出任高階職位。鐵路和電報既有助於壓下日後任何叛亂，也為作為單一政治單位的印度提供了基礎設施，農村收入增加了多達一成六。一九〇〇年時，印度已擁有世上第三大的鐵路網。中小學、大學和英式司法系法開始培育出印度中產階級。

一八六二年，札法爾死於遭放逐緬甸期間，得年八十七，是為帖木兒王朝的末代君主。與此同時，另一個王朝誕生：英國人炮擊德里時，這個皇帝的警務首長甘嘎達爾・尼赫魯和其妻子潔奧拉妮（Jeorani）、四個孩子逃走，落腳於亞格拉。甘嘎達爾死後不久，潔奧拉妮生下兒子莫提拉爾（Motilal）。他的哥哥取得律師資格時，全家人搬到阿拉哈巴德，於此，莫提拉爾也成為成功律師，娶了第二任妻子絲瓦魯普・拉妮・圖蘇（Swarup Rani Thussu）。一八八九年十一月十四日，她生下兒子賈瓦哈勒爾（Jawaharlal）。莫提拉爾是個善於講故事的人，總是以乾淨整齊的形象示人，留著上了蠟的唇上髭，聲音洪亮，事業順遂，一九〇〇年買了一棟有塔樓的大宅，賈瓦哈勒爾便是在此受教育，後來被送去英國就讀帕默斯頓的母校——哈羅公學。

帕默斯頓在東方所碰到的危機，不只印度一地。平定印度人叛亂的那些部隊裡，已有一些在前去攻打中國途中。因為，在中國，靠賣印度鴉片給中國鴉片成癮者發財的英國商人受到攻擊。一八五六年四月，克里米亞戰爭結束而印度人叛亂開始時，北京皇帝的一個妃子、時年二十一歲的慈禧生下兒子，是為咸豐帝的獨生子。

而她將縱橫中國政壇直至二十世紀。

跛龍、鐵頭老鼠、小安子：慈禧的崛起

慈禧生於即將大難臨頭的龐大帝國，在小康的家庭裡長大，個性堅毅，父親是滿人官員暨三等承恩公；與漢人不同的是，滿人不纏足。一八三九年，慈禧七歲時，道光皇帝下令沒收、銷毀鴉片這項非法的英國商品，說鴉片是毒物，大大傷害風俗人心。滿清愛新覺羅家族統治強盛的中國已歷兩百年，允許歐

洲人——先是葡萄牙人，繼而英國人、美國人等人——透過廣州通商。乾隆帝和他之後的諸皇帝不接受歐洲人所提的開港通商要求，對英國工廠生產的布毫無興趣。孟加拉農民的棉花生意遭遇美國南部產的棉花搶市而大不如前，隨之開始改種可運到廣州出售的鴉片。英國東印度公司被禁止買賣鴉片，於是鴉片煙土在加爾各答被創業家買下。這些創業家，有些是帕西人（Parsees），有些是英國人，為首者是強悍的蘇格蘭人威廉・渣甸（William Jardine）。渣甸是英國東印度公司的隨船醫生，已創立怡和洋行（Jardine Matheson），成為最成功的鴉片商人，中國人替他取了綽號「鐵頭老鼠」。雅各・阿斯托爾等美國人紛紛加入鴉片貿易。

近期研究表明，與其說鴉片摧毀中國人的健康，毋寧說是英國權力令人痛恨的象徵。在阿斯匹靈和盤尼西林問世前，鴉片——多和酒精混合而成「鴉片酊」——可說是世界上唯一有效的止痛劑，主要用來緩解自背痛到經痛的所有病症。鴉片很容易成癮，但大多可經常性的使用無虞。這種萬能藥丹可用來治療發燒、痢疾、咳嗽，而且也可以減輕飢餓感，由此說明了為何在中國會如此盛行。直到進入二十世紀，鴉片在歐洲、美國藥局仍可自由販售。

中國人銷毀英國鴉片時，渣甸向外交大臣帕默斯頓遊說。在國會，帕默斯頓嘲笑中國的「道德習俗」，下令動武以保護英國人的鴉片。配備康格里夫（Congreve）火箭的英國軍艦，大敗中國戰船。帕默斯頓寫信告訴鐵頭老鼠，「此事會是人類文明進步歷程裡一個值得紀念的事件，隨之肯定會讓英格蘭的商業利益得到最重要優勢。」一八四二年，中國割讓香港，將上海北邊一百四十英畝地劃給英國人作為英商居留地，然後對法國、美國開放口岸。[22]對中國來說，這是兩百年盛世的終結，而且是令中國人心情為之

22 這時是懷抱征服志向的英國人仍能為帝國開疆拓土的時期。一八三八年，詹姆斯・布魯克（James Brooke）這個年輕冒險家——加爾各答的英國東印度公司法官之子——買下一艘船，航向婆羅洲，插手汶萊蘇丹國的內鬥政局。他於一八四二年打敗馬來人海

一沉的終結。

當這個心煩意亂的皇帝下令調查貪腐時，慈禧的父親遭罰錢，但籌不出錢。少女慈禧於是就哪些家產可賣提出建議。為此，她父親說這個女兒更像兒子。

一八五二年，慈禧一身繡花滿服和鑲有珠寶的頭飾，與一群滿人（非漢人）姑娘一同站在紫禁城後部某廳堂裡，參加為新皇帝咸豐帝舉行的第一次選秀。咸豐帝是個跛腳、憂鬱的十九歲青年，喜歡聽京劇，人稱跛龍。慈禧個頭嬌小，有著絕美的皮膚、闊唇、明亮有神的眼睛，這時被稱作懿嬪，她並非後宮最美的女人，但被選為低階后妃，成為後宮八級后妃一員。

最高級后妃是貞皇后，比慈禧小一歲，人稱「病鳳」：她有十個侍女、一頭自己專屬的母牛，可吃到許多肉，有許多太監服侍。慈禧屬低階后妃，有四個侍女，沒有自己的母牛。而紫禁城裡那麼多滿人妃嬪可臨幸，跛龍仍覺不滿足；於是他也偷偷潛入夏宮，找較放得開的纏足妓女歡愉，纏足是他所喜愛的珍品。想要臨幸時，就在寫有某妃嬪名字的竹牌上作記號，交給他的首席太監；然後一個太監抱著一絲不掛裹在被子裡的妃子到他的寢宮。臨幸後，妃子回後宮，不能待在皇帝身邊。慈禧獲臨幸，而且懷孕。一八五四年，她被升為第五級后妃。她向咸豐帝提供意見時，咸豐帝感到緊張不安，向貞皇后抱怨說她「狡黠」。貞皇后和懷孕的慈禧結盟。根據慈禧的宮中檔案，懿嬪生下皇子時，皇帝甚為高興，晉封她為懿妃，接著又晉封為懿貴妃，位階僅次於皇后，並安排弟弟醇親王娶她的妹妹。

咸豐帝需要好消息來提振心情。他登基後不久、遭英國擊敗十年後，中國南部爆發農民叛亂，為首者是具群眾魅力的農民洪秀全，此人自稱「太陽」、「耶穌之弟」。他創立玄祕的拜上帝會，他的太平軍橫行南部，在南部創建太平天國，建都南京。咸豐帝得悉此叛亂時竟哭了起來。而更糟的還在後頭。

他是家中九子裡的第四子，他的父親立他為皇太子（將他的名字密儲於有「萬歲」字眼的漆匣裡），係因為他仇視英國人、法國人、美國人。這些洋人運來中國的鴉片十年來增加了兩倍多，在香港、上海建立新口岸，他們的傳教士則正深入中國內陸。咸豐帝任命官員嚴厲打擊他父親所給予洋人的權利，約束傳教士的作為。一八五六年十月，慈禧的兒子誕生而同時印度境內出現動亂時，中國人攻擊英船亞羅號，進而引發中英對峙。帕默斯頓不願「讓位在地球另一頭的一大群英國子民任由一票野蠻人擺布——那一票擄人、謀殺、下毒的野蠻人」。戰爭於是開打。

路易·拿破崙剛在克里米亞半島和英國聯手拿下勝利，這時以一個法國傳教士在中國遇害為藉口，和英國聯手對華動武。

咸豐帝強化北京周邊的防禦，但英法聯軍在額爾金伯爵（Earl of Elgin）詹姆斯·布魯斯（James Bruce）和夏爾·庫贊—孟托邦（Charles Cousin-Montauban）的統領下登岸，攻到大沽要塞。咸豐帝同意英國的要求，沒想到又食言。當英國人企圖攻下大沽要塞時，反而遭擊退。一八六〇年八月，額爾金和孟托邦攻破大沽。咸豐帝命人逮捕英國使團並予以刑求，作為報復。英國使團手腳被牢牢綁於後頭，三十九人裡二十一人痛苦而死。但九月二十一日在八里橋，滿人騎兵隊遭殲滅，英法聯軍攻占北京。咸豐帝和宮中人員，包括貞皇后和慈禧，倉皇北行，釋放倖存的俘虜，額爾金和孟托邦在震怒之下，下令洗劫並焚燒

盜和達雅族（Dayak）部落民，汶萊蘇丹歐瑪爾·賽夫迪恩二世（Omar Saifuddien II）感念其貢獻，封他為砂勞越的世襲羅闍。「這個白人羅闍」竭力禁止達雅人的獵人頭習俗，但也利用達雅籍傭兵擊潰反對勢力。在倫敦，被控犯下駭人暴行時，他完全蔑視那些批評他的人，卻苦於處理他那莫名的君主國的王位繼承之事。布魯克未成年時可能生有一個孩子，而他其實是不為人知的同性戀者，愛上汶萊王子巴德魯丁（Badruddin）和一連幾個英格蘭年輕貴族和流落街頭的男孩，並為他們寫了情感熾烈的情詩。他沒有婚生子，於是立某姪子為儲君，然後和他反目。這個羅闍在英國的托特尼斯（Totnes）度過晚年，追求當地男孩，也被那些男孩勒索。他死時，把他的統治之位留給另一個較年輕的姪子查爾斯·布魯克。這個王朝統治砂勞越至一九四六年為止。

乾隆帝所建造的美麗夏宮圓明園。有個年輕英國軍官寫道，士兵「隨意劫掠，恣意破壞，一時變得非常瘋狂，」一心只想著「劫掠，劫掠。」額爾金和孟托邦（這時被封為八里橋伯爵）為維多利亞和路易．拿破崙洗劫了金杖、玉杖，有個老娼婦死於此攻擊期間，留下五隻北京狗，這些狗被人帶回英國；女王維多利亞收到其中一隻，還被取了粗俗名字Lootie（劫掠者），在溫莎生活了十年。在咸豐帝之弟所簽的和約中，九龍割讓給英國，且承諾賠款，把一塊沿海地區給予俄羅斯，不久，符拉迪沃斯托克（海參崴）這個東方口岸於該地區建成。

路易．拿破崙深信法國肩負文明開化使命，就和任何英國政治家深信英國承擔帝國天命一樣。在阿爾及利亞這個此時有十餘萬法籍殖民者定居的地方，路易．拿破崙的部隊動用殘酷的手段——屠殺和流放。法國人一度敗於一個神祕謝赫之手，接著，在他死後，敗於拉拉．法特瑪．恩蘇梅爾（Lalla Fatma N'Soumer）這個女領導人之手，直到她遭俘虜，死於獄中，局勢這才改觀。路易．拿破崙來到阿爾及利亞，想要打消法籍殖民者的種族主義，構想建立一個法國殖民地和一個以他為阿拉伯人國王的阿拉伯人王國：「我是阿爾及利亞的阿拉伯人的皇帝，一如我是法蘭西人的皇帝。」一如在英國所見，強勢積極的企業家驅動帝國擴張。路易．拿破崙受普羅姆家族（Prom）——來自波爾多的航運大亨——遊說挺進非洲時，下令其殖民地總督從位於西非沿海的聖路易（Saint-Louis）往今日塞內加爾的內陸擴張。他很想利用法國在東亞的勢力擴張，於是在中國奪下一個海軍基地，然後派一支艦隊進攻安南（越南）。在安南，天主教傳教士已激起當地強烈反彈，越南嗣德帝試圖防堵天主教滲入，於是處決了兩名西班牙籍神父。一八五七年九月，法軍奪下峴港和西貢；越南人趕走這兩個城市的法軍，但路易．拿破崙派援軍過來，並於一八六二年六月奪回西貢。接著，法屬印度支那殖民地就此建立。

一八六三年，路易．拿破崙看上柬埔寨。柬埔寨國王老早就放棄吳哥窟，遷都金邊，但柬埔寨國力弱且分裂，成為越南皇帝和暹羅（泰國）國王武力爭奪的對象。一八四八年，柬埔寨王子敦（Duong）在暹羅支持下趕走越南人，重新建立高棉王國。可惜一八五三年他犯下大錯，竟請求法國保護：「要我怎麼做？我有兩個主子當鄰居，而法國離我很遠。」不久，敦的兒子諾羅敦（Norodom）被迫接受法國保護。路易．拿破崙自此建立印度支那這個法屬亞洲帝國，一九五四年，印度支那覆滅。

在北京，英法聯軍攻入北京打垮咸豐帝的意志，一八六一年，由他和慈禧所生的五歲兒子繼位，是為同治帝，並由八大臣輔政。同治帝尊貞皇后為他的母后皇太后，上徽號「慈安」。八大臣首領是滿人宗室肅順和其兄端華。先帝葬禮日快到時，仍是懿貴妃的慈禧說服慈安皇太后向同治帝遊說，將她也尊奉為皇太后，她隨之獲賜徽號「慈禧」。她暗中爭取到她亡夫的兩個弟弟恭親王、醇親王的支持——兩親王鼓勵她「垂簾聽政」——並以高明手法掌控了皇帝玉璽，而後使計惹得八大臣對她不敬叫囂，她和慈安太后則撫育這個兒皇帝。肅順下令謀殺慈禧。

在其亡夫的葬禮上，八大臣中的四人護送靈柩回京，另四個大臣伴隨新皇帝回京時，慈禧先行回京策畫政變，將把八大臣革職的詔書縫在慈安太后的袍服裡。八大臣裡的部分人衝進後宮，大喊著他們才是擬詔之人。慈禧冷冷下令逮捕他們。而負責護送靈柩的肅順，遭當場逮到和兩個妾在一起——在為皇帝服喪期間，這是很不得體之舉。慈禧操縱審判，指責八大臣與外國簽署條約、偽造先帝遺囑，其中兩人獲「賜白絹」自盡；肅順遭砍頭。

同治帝身穿黃色龍袍，在太和殿的九龍寶座上登基，他的生母慈禧隨之成為中國的統治者。慈禧每天和慈安太后一同上朝（她名義上和慈安一同掌理朝政二十年），兩人都穿著鳳袍、綴有珍珠的鞋子，頂著門樓狀的髮型，坐在小皇帝後頭，與軍機大臣討論國務。當下最需要盡快解決的問題是太平天國之亂，太平天國領袖如今的疆域比整個歐洲還大，轄下人民達三千萬。自稱耶穌之弟的天王已死，但拜上帝會的教徒在鼠疫橫行之際繼續征戰。慈禧個性堅毅又冷漠，在紫禁城裡聰明地主導宮廷政治，而她揮霍無度、毒殺政敵，但凡得罪她的，一律斬首。她對改革的態度反覆、膚淺，對真實世界所知不多，她的政策大多基於她的個人意志，不惜代價也要掌握住權力。為擊敗太平天國，這個積弱不振的朝廷將權力下放給有能力的總督，通常是轄有北京周邊的直隸總督，先是曾國藩，之後則是他的門生李鴻章，而後者將主導中國政治四十年。曾和李兩人指揮對抗暴亂，在兩位不凡的冒險家美國人華飛烈（Frederick Ward）和外號「中國人」的英國人查爾斯．戈登（Charles Gordon）[23]的協助下，集結起常勝軍。李鴻章宴請太平軍領袖，在宴席上拿出官帽給他們戴，而當他們跪下，沒有武器在手時，瞬間遭到砍頭。太平天國之亂奪走四千萬條性命，甚至有可能更多，和八世紀的安祿山之亂同是史上死傷最慘重的內戰。

慈禧支持各省總督建造現代軍艦、鐵路以及推廣教育；她也熱愛新式裝置——雖然她在北京城裡修築了一小段鐵路，卻拒絕蒸汽引擎，反而以太監拖行火車。而她也為自己的大權在握付出代價。身為寡婦，三十出頭歲的慈禧不得化妝，也不得穿鮮紅衣服，於是她偏愛橘袍、淡藍背心，年紀更大時愛戴假髮。她不易交到朋友，更別提情人，她身邊的人是太監。慈禧愛上一個年輕、心思敏感的太監安德海。她輕率要小安子主持替她兒子同治選后之事時，他帶著一隊隨從大搖大擺離開北京——違背了太監不許擅自出宮的祖制。恭親王、醇親王無視慈禧的權威。小安子和另外六名太監被捕，他接著被斬首，裸身示眾。小安子的一個同是太監的友人批評慈禧未能支援他。她索性命人將他勒死，接著臥床不起一個月，在這期間又是失眠，又是嘔吐。她的獨子同治親政才兩年，便因天花而去世，未留下子嗣，慈禧和慈安依舊攝政，並收養她三歲的外甥，立他為帝，是為光緒帝。同治的遺孀和光緒的生母雙雙被迫自盡；而他的父親醇親王則慘遭羞辱。當上太皇太后後，她要這個皇帝叫她「親爸爸」，得以為他選后（她自己的姪女）選妃。從此她將支配中國至二十世紀。

路易．拿破崙已打贏對俄、對中的戰爭，並取得阿爾及利亞，將勢力擴張到塞內加爾、中南半島境內。這時，有個美麗的伯爵夫人使他把注意力轉向義大利。

如有必要，引誘皇帝：拿破崙、紅心女王、義大利統一運動

外號「妮妮」（Nini）的伯爵夫人維吉妮亞．迪．卡斯蒂廖內（Virginia di Castiglione）不是尋常外交官。義大利北部皮埃蒙特王國的首相卡美洛．加富爾伯爵（Camillo Cavour）說，「我已找這位美麗的伯爵夫人投入皮埃蒙特的外交工作。」為統一義大利，她「和這個皇帝調情，如有必要，則引誘這個皇帝」，以爭取拿破崙三世支持皮埃蒙特對抗哈布斯堡王朝。卡斯蒂廖內綠眼、烏黑頭髮，用奧地利大使之妻寶莉娜．梅特涅（Paulina Metternich）的話說，「令人不住驚歎的美女，從奧林帕斯山下來的維納斯。」但她也同時漫不經心、很是莽撞。她是佛羅倫斯貴族，不久前嫁給一個年紀比她大了不少的伯爵，和她生了一個兒子，然後和皮埃蒙特國王維克托．埃馬努埃爾二世（Victor Emmanuel II）發展出一段短暫的婚外情。英國克拉倫登勳爵說她是個「笨蛋」，但加富爾這個留著飄髭、有六個情婦的長髮花花公子相信她是祕密武

23　華飛烈是不屬於官軍的軍事冒險家，曾統領美國私人軍隊，在海軍服務過，然後和威廉．沃克（William Walker）這個同樣不屬於官軍的軍事冒險家聯手，欲靠武力在墨西哥打出私人帝國，未能如願後來到中國，加入獵捕海盜的行列。接著他成立一支以科爾特左輪手槍為武器的小型傭兵隊——「上海洋槍隊」——後來發展成軍隊。他三十歲時戰死，接替其位者是藍眼將軍之子查爾斯．戈登。戈登是狂熱的福音會教徒，深信自己是救世主，常和聖保羅神交。他參與過克里米亞戰爭，而後隨英軍來到中國。聽聞額爾金劫掠圓明園，行徑「如故意毀壞文物者」，他非常反感。「這個厲害的英格蘭人」和官軍一同對抗太平軍，贏了三十三場，身邊圍著他的藍衣侍衛，在凶殘的衝突中表現出難得一見的仁慈，獲皇帝加官晉爵。回英格蘭後，他成為社工，與格雷夫森德（Gravesend）的貧窮男孩為伍，邀這些「青年幫派成員」住在他家。他常遺憾自己未被閹割，或許是個受壓抑的同性戀者。

器。「表妹，用妳中意的任何方法達成任務。」

眼下的巴黎，多的是想要出人頭地的美女，但卡斯蒂廖內讓自己成為注目的焦點，而且很快就被路易・拿破崙注意到，被他偷偷帶進杜樂麗宮。皇后歐仁妮懷孕時，卡斯蒂廖內打扮成「紅心女王＊」出席舞會，其服裝「從兩側臀部以下整個敞露，頭髮飄散在頸肩上」，一顆心擺在她的恥骨處，撩人心思。「妳的心似乎有點低。」皇后歐仁妮看了之後如此說道。而她的「每個動作都經過設計，也漸漸令某人很火大。」寶莉娜・梅特涅說。

路易・拿破崙告訴他的堂妹瑪蒂爾德公主，「是很漂亮，但她讓我厭煩至極。」路易・拿破崙轉而找上瑪麗・安妮（Marie Anne），即他的外長亞歷山大・瓦列夫斯基伯爵（Alexandre Walewski）的妻子，瓦列夫斯基則是拿破崙一世和他波蘭籍情婦瑪麗・瓦列夫斯卡（Marie Walewska）所生的兒子。有次，路易・拿破崙的御用列車駛往貢比涅時，一道門滑開，皇帝親吻瑪麗・安妮的情景當眾呈現，她丈夫看得清清楚楚。在杜樂麗宮，廷臣碰巧撞見他們在溫存時，路易・拿破崙就只是打個招呼，然後繼續做他的；皇后撞見他們時會厲聲說，「出去，小姐」，隨後安妮便迅速穿上衣服離開。

美人計未能讓義大利如願，但謀殺奏效。一八五八年一月，義大利民族主義者反感於路易・拿破崙不把他們的統一大業當一回事，在他和歐仁妮去看戲途中朝他們丟炸彈，當場殺死八人。皇帝、皇后輕傷，勇敢看完戲後，在鬼門關前走一遭使路易・拿破崙想起他年輕時身為義大利愛國者的過往。自此，他同時懷抱著浪漫的民族主義、不由自主的密謀心理和軍事野心，支持加富爾和義大利復興運動（risorgimento），挑起和奧地利的戰爭。

一八五九年六月二十四日，在哈布斯堡王朝轄下的義大利的索爾費里諾（Solferino），路易・拿破崙在馬上猛抽著菸，他打敗法蘭茨・約瑟夫所統領的奧軍。這是最早的現代化戰役之一，也是最後一場由君主親自指揮的戰役。雙方共投入三十萬兵力，兩萬九千人喪命——比滑鐵盧之役的戰死者還多。路易．拿破崙嘆道，「這些可憐人！戰爭真可怕！」看到一堆斷手斷腳，他吐了出來。後來，他開玩笑道，「我受夠了戰爭，戰爭的運氣成分太高。」此話雖然聽了不舒服，卻很有道理。在維洛納自由鎮（Villafranca di Verona）外的某個小屋裡，他和法蘭茨．約瑟夫會面，談成一個把哈布斯堡王朝轄下義大利的領土大半割讓給這個新王國的折衷方案。未想路易．拿破崙再度背叛其義大利盟友，把薩伏依（Savoy，今日的里維拉／Riviera）納為法國領土。許多義大利人怒不可遏。朱塞佩．加里波底（Giuseppe Garibaldi）這個敢於冒險的義大利愛國志士為來自尼斯且已以解放受壓迫者為業的水手，[24]這時，他率領志願軍「千人團」（Thousand）攻取西西里島，然後在島上被歡呼擁立為獨裁者。在米蘭，維克托．埃馬努埃爾自立為義大利國王，得到此時開始進行另一場戰爭的加里波底熱情擁戴。

一八六一年，美國為了蓄奴爭議陷入道德矛盾所引發的危機時，加里波底向剛選上美國總統的亞伯拉罕．林肯表示願為他效力。

就在此事之前的幾個月，一八六〇年四月，有個陷入困境的前軍官開始在他父親位在伊利諾州加利納（Galena）的皮革製品店擔任辦事員，從事服務顧客和收取發票的工作。有時，尤利西斯．格蘭特（Ulysses Grant）會講述墨西哥戰爭的故事娛樂友人。但過去有件事總令他耿耿於懷：六年前，上尉格蘭特

---

* 譯注：《愛麗絲夢遊仙境》裡的人物。

24 加里波底先前曾為烏拉圭獨立打過仗。在南美洲時，他找到玻利瓦爾的情婦馬努埃拉．薩恩斯（Manuela Sáenz）。加里波底則失去了他自己的馬努埃拉：烏拉圭戰爭期間，他愛上巴西的加烏喬牧人阿妮塔．德．蘇薩（Anita de Sousa），阿妮塔跟著他一起為自由而戰。她兼具「男人的力氣和勇氣、女人的魅力和溫柔，由她揮舞劍時所展現的大膽和活力，以及她美麗的鵝蛋臉和她獨特眼睛的柔美，可見一斑。」他們生了四個孩子，一八四八年，她和他一起回去為羅馬戰鬥，在法軍和奧軍壓下這次革命之際死於瘧疾。加里波底始終披著她的南美披風和圍巾。

因執勤時喝醉而被迫辭去軍職。他坦承，「沒事可做時，我心情低落抑鬱，自然就想喝酒。」他父親傑西如今為有錢的鞣皮工和店老闆，給了他店員的工作，而就是從這個讓人意想不到的位置，格蘭特觀察到這個日益升高的危機。

他從不埋怨，但顯然注定要沒沒無聞度餘生，沒多少跡象顯示他不久後將成為公認最偉大的美國人之一。

明天打敗他們：尤利西斯和亞伯拉罕

次月，成立不久的共和黨推舉一位鮮為人知的大草原律師暨前眾議員亞伯拉罕・林肯為該黨的總統候選人。林肯六呎四吋高、灰色眼珠、長得像人猿、多話，生於肯塔基州的原木小木屋裡，以「正直亞伯」（Honest Abe）和「劈木人」（Railsplitter，劈開原木當圍籬橫木的邊遠蠻荒林區的居民）的形象推薦給選民，他先前已在伊利諾州聯邦參議員的選戰辯論中打響全國知名度。

美國內部的分裂對立已朝著戰爭方向在發展。最初，在堪薩斯州，有個精神半失常的廢奴主義者——外號「我是替上帝行道者」（I'm the instrument of God）的約翰・布朗（John Brown）——帶領反蓄奴的民兵隊與奴隸主交手。一八五九年十月，布朗入侵維吉尼亞，因此遭吊死。林肯痛惡「蓄奴的極度不義」和「勢力甚大的南部奴隸主」的道德敗壞。代表新創立的共和黨角逐總統之位的林肯雖默許奴隸制存在於南部諸州，但不會容忍奴隸制擴散到其他州。南方人擔心加諸奴隸制的任何限制最終會威脅到他們擴張的力量。四十年來追求妥協的努力似乎突然間無以為繼。

一八六〇年十一月六日，林肯選上總統。十二月，南卡羅萊納州脫離美利堅合眾國，其他六個蓄奴州隨之跟進。這些州一同宣布成立美利堅臨時邦聯，選舉蓄奴的前將領暨參議員傑佛遜・戴維斯（Jefferson Davis）為總統，亞歷山大・史蒂芬斯（Alexander Stephens）為副總統。在喬治亞州的薩凡納（Savannah）演說時，史蒂芬斯透過蓄奴界定這個邦聯的特點：「它的基礎建立在一個偉大的真理上，即黑人地位不與白人平等，奴隸身分——服從於較高等的種族——是黑人理所當然且正常的處境。我們的新政府是世界史上第一個建立在這個身體上、哲學上、道德上之偉大真理的政府。」南部邦聯這些有頭有臉的種植園主創造了南部身分高貴的迷思，因此而為格蘭特所嘲笑：「南部的奴隸主相信擁有奴隸一事賦予了某種高貴的素質。」這場叛亂的重點在蓄奴，而非州的權利。接下來的戰爭讓世人看到，蓄奴不只在道德上令人極度反感，而且在經濟上也為害甚大。南部邦聯人口較少，因為蓄奴壓低貧窮白人的工資，從而未引來新移民；南部邦聯所認定理該擁有的蓄奴權未促進工業。不過這將是一場靠徵兵組建的軍隊進行的戰爭，而且在此戰爭中，屠殺敵人就如同屠宰廠裡宰殺牛豬。

格蘭特自動請纓並在密蘇里統領一個團時，林肯找羅伯特・李出任維吉尼亞軍隊指揮官一職。李是維吉尼亞人，英俊，出身高貴，娶了瑪莎・華盛頓的曾孫女。李認為，「黑人在這裡，比在非洲，日子好上無數倍……他們正承受的痛苦磨練是他們所必須接受的教導，」於是他拒接此職，轉而接掌邦聯的帥印。林肯轉而找上年輕將領喬治・麥克萊蘭（George McClellan）。麥克萊蘭瞧不起林肯這個「好心的大老粗」，他想維持奴隸制，懷有凱撒式的野心，他告訴妻子，「我好像已稱霸這個國度……我甚至覺得，如果我此時贏得小小的成功，我就能成為『獨裁官』。」林肯指派他統領波多馬克軍（Army of Potomac），接著讓他主掌帥印，只是南部邦聯一攻擊，他的立場就變得含糊。林肯很快就不滿於他，說「如果麥克萊蘭將軍不想出兵，我想要暫時借兵來用」。

南部邦聯控制維吉尼亞，南部要打敗人口較多的北部，最有勝算的辦法是速戰速決。李將軍雖有進攻，可惜不夠快或不夠強勢。接下來的戰爭則讓世人見識到，被調度來進行傳統騎兵戰、勇氣戰的士兵，其血肉之軀一碰上新科技，那殺傷力會有多大。大炮持續炮擊和長射程步槍的問世，標誌著有賴新將領統兵作戰的新時代就此到來：在安蒂特姆（Antietam），兩萬人死傷，為美國史上死傷最慘重的一日。林肯不久就注意到，在西部作戰的格蘭特是難得的將才。夏洛（Shiloh）一役幾乎要落敗時，格蘭特也只說，「我們明天會打敗他們」。身為將軍者要有過人的勇氣承受住帶來重大打擊的傷亡，而格蘭特同時具有打勝仗所需的冷靜和遠見。憶起夏洛之役後的情景時，他說，「我看到一片開闊的原野上，屍體多到不管往哪個方向走，腳都不致踩到地面，只要踩過屍體，便是穿過空地。」

李將軍攻勢的結束，促使林肯得以在一八六二年九月二十二日下令解放南部邦聯諸州境內的三百五十萬奴隸，次年一月一日起生效。佛雷德里克・道格拉斯（Frederick Douglass）這個奴隸出身的非裔美籍領導人，原本懷疑林肯會不會食言：「有哪個有色人種能……忘記一八六三年一月一日後的那個夜晚，那一天，世人都在看亞伯拉罕・林肯會不會說到做到？」[25]

超過十七萬九千名非裔美國人逃離南部，加入北部聯邦軍。然聯邦軍的將領並非個個歡迎他們，但格蘭特是如此。[26]

林肯最終將麥克萊蘭降職，但格蘭特因其死傷慘重的戰鬥和喝酒過失遭批評。「我認為除了我，格蘭特幾乎沒別的朋友，」林肯說。「我想要的將領是能打仗且打贏的將領。格蘭特做到了。」格蘭特拿下密西西比州的維克斯堡（Vicksburg），另一個善戰的將領則利用北部聯邦在人員、物資上的優勢，在賓州蓋茨堡的慘烈一役中打敗邦聯軍。林肯來到此戰場時，說明了「民有、民治、民享」的美國理想。當他計畫連任，深恐格蘭特也會出來角逐總統之位。一得知格蘭特無此野心後，他立即晉升他為聯邦軍總司令，兩人終於見面。

「哎呀，格蘭特將軍大駕光臨，」林肯在白宮說。「我跟你說，我真的很高興。」格蘭特言語精簡、身材健壯、做什麼事都很專注，他很敬佩瘦長得難看、很會閒扯的林肯——他說他是「很了不起的人」——卻很討厭這番客套，他告訴茱莉亞，「我由衷希望回到營裡。」但他們兩人有許多共通之處：兩人都是遭低估、言詞坦率的北美大草原的實用主義者，都痛惡蓄奴，卻都已因為婚姻成為高傲的蓄奴家族的一員。兩人都有斷不掉的老毛病：就林肯來說是抑鬱，就格蘭特來說是喝酒。林肯的作戰命令很簡單。格蘭特說，「他希望打敗李，但如何打敗是我的職責。」格蘭特和李則是南轅北轍：李出身高貴，調兵遣將如同維吉尼亞的拿破崙；至於格蘭特，有個軍官指出，他是「你所見過最不多話的矮個兒，只有一件事讓你察覺到他存在，那就是他把事情搞定。」他不久就把事情搞定，在維吉尼亞、喬治亞境內取得進展。

林肯下令徵兵，但頭幾批入伍兵在曼哈頓引發暴亂。內戰使家庭因成員立場不同而分裂，羅斯福家的情況就很典型：老邁的百萬富翁科內利烏斯·羅斯福（CVS Roosevelt）和他兒子西奧多積極擁護廢奴和北方聯邦，但西奧多的妻子米媞支持南方邦聯的熱情不遑多讓。一八六〇年，米媞生下暱稱「泰迪」（Teddy）的小西奧多（即日後的老羅斯福總統），那時美國已陷入危機。米媞暗中為邦聯軍縫製衣服，她的兄弟是密謀暗殺林肯且在英國買新戰列艦的邦聯特務。西奧多不願在戰場上和老婆的一家人廝殺，於

25　道格拉斯生為馬里蘭州某種植園的奴隸，母親是非裔美國人，「我的主人是我的父親。」他逃離奴役，逃至麻塞諸塞州，在那裡開始大力反對蓄奴。道格拉斯長得好看且有群眾魅力，文章寫得好，口才也好，以「歡欣振奮」之情慶祝他的自由：「我的心情就像逃離一窩餓獅之人的心情，」還說，「我活一天，勝過我一年的奴隸生活。」但他覺得，自己是美國民主的局外人：「我沒有國家，我有什麼國家？」他的自傳出版於一八四五年，振奮了反蓄奴運動。

26　伊利·派克（Ely Parker）生於哈薩諾安達（Hasanoanda），係純正的北美原住民塞訥卡人（Seneca），他學過法律、工程專業，主動表示願組建一個美洲原住民團參戰，卻遭林肯的陸軍部長拒絕，不過格蘭特展現其一貫作風，將他納入麾下並予以提拔。

是，一如他那個階級的許多人，花錢請人代他入伍打仗。小小的泰迪敬愛他母親，卻崇拜林肯，想著有一天為聯邦打仗。

美國的自取滅亡為其對手提供了機會。在西部，印第安人再度開始襲擊。科曼切人成群攻擊德克薩斯；一八六〇年九月，州長休士頓派一隊遊騎兵和輔助他們作戰的通卡瓦人傭兵獵殺襲擾的科曼切人，伏擊佩塔・諾科納的村子，屠殺男女小孩。佩塔・諾科納和兒子夸納不在村裡，但遊騎兵俘虜一個金髮藍眼的女人和她的女嬰。

辛西亞・派克和佩塔・諾科納；法蘭茨・約瑟夫和茜茜

有人向她問話時，這個金髮女人說，「我，辛西亞」，一個遊騎兵隨之激動說，「咦，湯姆，這是個白種女人，印第安人沒有藍眼睛。」她被帶回貝爾納普堡（Fort Belknap），而她倖存的弟弟艾薩克・派克（Isaac Parker）完全認不出這個失聯已久的姊姊——她已把英語幾乎忘得精光。但派克家最終接納她。不過，辛西亞為丈夫佩塔和她的幾個兒子感到難過，且認為他們已死。她女兒死於流感時，她割傷自己的雙乳，想要自殺，最終她絕食而死。

在北美大草原上，她丈夫佩塔・諾科納同樣為她悲痛，不久後傷重不治。他們的兒子夸納這時十五歲，首度得知他母親是美國人。他決意為自己族人戰鬥，加入另一支戰隊，並打算報仇。

路易・拿破崙和帕默斯頓也看到機會。而諷刺的是，「舊世界」裡第一個支持林肯的統治者是亞歷山大二世。這個來自邊遠落後山區的正直律師和這個好色的羅曼諾夫王朝皇帝有某些共通之處：一八六一年二月，亞歷山大解放了俄羅斯農奴，比林肯解放黑奴早兩年。在這兩件事裡，解放受奴役者都讓某些人生起過高而最終令這些人失望的期望——而且兩人都將為此付出生命的代價。

令人意外的是，英法兩國靠向南部邦聯這一邊。帕默斯頓已在一八五九年七十四歲高齡時連任首相，他有私生子的傳聞和他遭傳訊出席某場離婚官司，證實他老當益壯，更添他放蕩不羈男的人氣。帕默斯頓惱火於他的財政大臣，即愛把事情看得太嚴重、天真、自以為是的格萊斯頓。格萊斯頓總是昂首闊步行走於倫敦街頭，尋找可贖身的妓女；為此，與妓女就基督展開了漫長且撩人欲火的談話，事後，格萊斯頓則竭力不自瀆。帕默斯頓說，「他一旦坐上我的位置，就會有怪事發生。」帕默斯頓已細心策畫了海軍的反蓄奴運動，但英法兩國的紡織業倚賴美國南部的棉花。格萊斯頓提議武力干預，[27]帕默斯頓則差點要承認南方邦聯——他們的盟友路易．拿破崙亦然。由於他的美籍牙醫湯瑪斯．埃文斯（Thomas Evans）阻止和其他因素，路易．拿破崙這才未放手這麼做，埃文斯想必是史上最有權勢的牙醫。[28]而正在亞非洲開疆拓土的路易．拿破崙，看到了在美洲——在墨西哥——建立帝國的機會。

27 格萊斯頓是英國最大奴隸主之子，對於蓄奴問題，依舊拿不定立場。他把「白人高人一等的原則和白人有權將黑人納為奴隸一事」說成「令人厭惡」，支持解放奴隸，卻又支持南部邦聯，他聲稱，「如果這些州脫離自立，奴隸會過上較好的日子，」且南部邦聯「已把美國南部打造成一個國家。」甚至在一八六四年，美國南北戰爭即將結束之際，他還批評那些「為了讓一個黑人得到自由而犧牲掉三個白人性命」的「維護黑人權益者」。

28 埃文斯此時在巴黎過著法蘭西第二帝國時代流行的上流生活，有棟豪宅（「漂亮玫瑰」／Bella Rosa），收藏了一批藝術品，當然還有一個交際花，即馬內的模特兒梅莉．洛朗（Méry Laurent）。巴黎離費城很遠，但在一八五〇年，這個二十七歲的牙醫被叫去為路易．拿破崙治牙。這個皇帝說，「你很年輕，聰明，我喜歡你這個人。」埃文斯成為他的牙醫師，發展出最早的補牙材料，開始使用笑氣麻醉，不久沙皇亞歷山大二世和鄂圖曼帝國蘇丹都找他治牙。他每週見路易．拿破崙一次，敬佩奧斯曼為巴黎制定的計畫，他因這些計畫而得以買下房地產，不久便發財。歐仁妮初次來到巴黎時，路易．拿破崙的某個副官注意到她在埃文斯的候診室裡，隨之向這個皇帝通報她已到巴黎。這個牙醫成為她吐露心事的對象。一八六四年，路易．拿破崙派他去美國，以回報美國內戰的情況。

墨西哥共和國被美國侵奪領土，疆域縮小了一半，而且受害於治理不當和種族、經濟不平等，這個國家正掙扎求生，所幸總統貝尼托．華雷斯（Benito Juaréz）這個出身於最卑賤的薩波泰克族的律師，已收拾好聖塔納主政時的亂局，恢復了秩序，卻也停止支付國家積欠歐洲人的債務。路易．拿破崙受了持有墨西哥債券的莫爾尼鼓勵，組成英法聯盟以利用美洲的混亂牟取自身利益。雖然帕默斯頓支持法國出兵干預，但並未全力參與此行動。一八六一年十二月，路易．拿破崙的部隊搭汽輪過去，登陸墨西哥，趕走華雷斯，並於一八六三年六月拿下墨國首都。歐仁妮介紹她丈夫認識墨西哥的權貴，這些權貴建議成立以歐洲人為君主的君主國。七月，路易．拿破崙為墨西哥物色皇帝，在哈布斯堡家族裡找到中意的人選：法蘭茨．約瑟夫的弟弟馬克西米連（Maximilian）。

這個年輕皇帝先前在索爾費里諾吃了敗仗，失去義大利，所幸保住性命。直到不久前，馬克西米連大公都還是法蘭茨．約瑟夫的儲君，但他們的母親索菲亞已安排好法蘭茨．約瑟夫和她的巴伐利亞籍外甥女二十三歲公主茜茜（Sisi）的婚事。這個個性陰鬱的奧地利皇帝愛她愛得神魂巔倒。他總是叫她，「親愛的天使、我最親愛的人、我由衷心愛的人」，自己則署名「妳的小男人」。他從失去義大利的創傷慢慢平復期間，茜茜生下兩個女兒。但她對這個死板的皇帝生不起愛意，被浮華的宮廷生活悶得快喘不過氣，而且飽受她咄咄逼人的婆婆騷擾。她婆婆把她的嬰兒搶過去教養，嘲笑茜茜是個「愚蠢的年輕媽媽」。當其中一個女兒兩歲死於斑疹傷寒時，茜茜心情低落，不願進食。她在自己宮殿裡設置了健身房，鍛練身體、節食，偶爾又大吃大喝。

她高且苗條，長得漂亮，自豪於細腰（十六．五吋），為自己穿上用繩子緊緊束緊的緊身褡。她一如今日的女人渴望自由、名聲、愛，瘋狂的騎馬、狩獵，使自己成為歐洲速度最快的女騎師。她變得愈來愈自我中心、自我放縱，沒留多少時間給法蘭茨．約瑟夫，留給她孩子時間也不多：「孩子是女人的禍害，因為孩子降臨，趕走美貌。」她欣賞海因里希・海涅（Heinrich Heine）的詩，自己也寫詩，經常嘲笑她的仇敵；她痛惡王室生活——稱之為「這苦活，這折磨」。「她擁護自由是每個人的權利一說，」她日後的媳婦史蒂芬妮（Stephanie）寫道。「她對生活的描述，類似美麗的童話故事劇，戲裡的世界沒有悲傷或約束。」一八五八年，她生下兒子，皇太子魯道夫，從而盡到她的主要職責，而後她遊歷世界，追求快樂，避開宮廷、丈夫、孩子。

馬克西米連是個麻煩。他不久前娶了比利時國王萊奧波德的女兒夏洛特——又一樁與薩克森—科堡家的聯姻——他很想戴上王冠。奧地利皇帝任命他為海軍總司令，但因為他的自由主義信念將他革職。這時，一八六三年夏，美國內戰正熾之際，法國人奉上墨西哥王位。夏洛特力促他接下。今日看此事會覺得荒謬，但那時遠非如此：當時已有一個成功的巴西君主國，並由他的表兄弟統治這個君主國，而且哈布斯堡家族已統治墨西哥數百年。路易・拿破崙對馬克西米連發動別有所圖的魅力攻勢，而馬克西米連鄙視他，認為他不過是個「馬戲團演出的指揮……弓形腿，喜歡側身而行，半閉的眼睛露出鬼鬼祟祟的眼神，追逐每個漂亮女人」。然而，路易・拿破崙利用馬克西米連的自由主義使命感說動他。他說，「此事關乎將一整個大陸撥亂反正，關乎為整個美洲立下一個榜樣。」他承諾，「法國絕不會令墨西哥帝國失望。」

忙於內戰的林肯力勸相關國家勿推動一個與美國在美洲的最高地位——門羅主義所表達的美國地位——相牴觸的計畫，可惜他無力阻止。法蘭茨・約瑟夫鼓勵這件事，但堅持要馬克西米連公開放棄他對奧地利所享有的權利。憤怒的馬克西米連開始懷疑是否該接下王位，但夏洛特有所堅持，路易・拿破崙則寫道，「你絕不可打消墨西哥之行。此事攸關哈布斯堡王室的榮譽。」

馬克西米連和夏洛特搭船前去墨西哥。

美國戰爭：佩德羅和羅佩斯；夏洛特和埃莉薩

一八六四年五月，兩夫婦抵達墨西哥，[29]在廣闊卻又破敗不堪的查普爾泰佩克堡（Chapultepec Castle）設置起他們的宮廷。查普爾泰佩克堡曾是墨西卡人統治者的祠廟，較晚近時遭美軍強攻，眼下已大手筆復建。馬克西米連支持全民教育和工人權，從而使他失去保守派支持；而法國對他的支持，已損壞他在自由派眼中的形象。在他的小股墨西哥部隊、法國部隊、一支黑人蘇丹團支持下，他的立場轉右。這支蘇丹團是路易．拿破崙的埃及盟友——穆罕默德．阿里的兒子賽義德——派來的，由蘇丹人組成。然而，民選總統華雷斯卻掀起全國性叛亂。

馬克西米連可能抱著些許嫉羨的心情看著他在南邊巴西的表哥佩德羅二世：在巴西，這個年輕皇帝受到愛戴。佩德羅是奧地利的法蘭茨的孫子，也是拿破崙一世的外甥，有著金髮、大下巴這個非常哈布斯堡家族本色的外貌。他十四歲時登基為立憲君主國皇帝，手執權杖，身披用巨嘴鳥羽毛製成的斗篷，佩戴用圭亞那動冠傘鳥（galo-da-serra）的羽毛製成的肩章，有黑人廷臣和混血廷臣出席他的加冕典禮。巴西歷史學家莉莉亞．施瓦茨（Lilia Schwarcz）寫道，「這個君主國正把自己熱帶化。」

佩德羅往來於里約和位於新度假地佩特羅城（Petropolis）的夏宮之間，他主持國政，但未獨攬大權，用心推動美洲君主制和新科技、汽輪、鐵路，成為首位帝王身分的攝影師，買了銀版攝影（daguerreotype）方面的器材。他說，「我如果不是皇帝，會想當老師，」有時還說，「朕即科學」（La science, c’est moi）。他樂天、勤於讀書、會講多種語言、學希臘語、醫學、天文學和工程學，盡本分娶了波旁王族的公主，但暗地裡衷情於他的情婦，衷心接受非裔巴西人的文化，支持里約的嘉年華會，向巴西的民選黑人領袖、「三王」（Three Kings）和「聖靈皇帝」（Emperor of the Divine Holy Spirit）致敬。

但巴西社會依舊以咖啡種植園為基礎，而且這些種植園靠奴隸務農。一八四一至五〇年間，至少八成三的非洲籍奴隸被送到巴西，其他的奴隸則送去美國和古巴。不過，英國皇家海軍所扣押的船隻愈來愈多。巴西的種植園主仍然擔心發生海地式的奴隸叛亂——一八四九年，在里約，奴隸有十一萬人，白人則有二十六萬六千人。里約皇宮周邊區域奴隸甚多，因而被稱作「小非洲」，而儘管種族融合，巴西的上層人士全是白人。諸多伯爵夫人出席了皇帝的舞會，在烏維多爾路（Rue do Quvidor）的巴黎式商場購物。小說家馬查多．德．阿西斯（Machado de Assis）筆下的故事便記述了這些活動，登場人物坎迪多．內維斯（Cândido Neves）是個自豪於本身工作的掠奴者。一八五〇年，巴西禁止奴隸貿易，但未禁止蓄奴。然此君主國者所要克服的難關不是奴隸叛亂，而是戰爭。

一八六四年，自父王去世便擔任巴拉圭總統的法蘭西斯科．羅佩斯元帥[30]出兵攻擊巴西。他的伴侶是埃莉薩．林奇，為他生了五個兒子。林奇從巴黎過來已七年，在這七年間她教當地人如何享受法國食物、法國烹飪法和法國時尚，同時積聚了一千兩百萬英畝的國有地，使她成為世上最大的地主。

這個元帥的父親臨終時就告誡他，避免和巴西兵戎相向。但手上有了五萬五千名配備最新科技的兵力，人稱「元帥」（El Mariscal）的羅佩斯以烏拉圭獨立為藉口，出兵攻擊阿根廷和巴西。他的愚蠢令人瞠目結舌：巴拉圭的總人口比巴西的國民衛隊還少。巴西、烏拉圭、阿根廷反擊且馬克西米連在墨西哥奮力求生時，格蘭特將軍正從南北兩側夾攻，企圖將南部邦聯勒死。

29　馬克西米連趁著此次遠行寫了一部詳細的哈布斯堡王朝宮廷禮儀，內容涉及墨西哥服飾（「此時，皇帝會把他的墨西哥寬邊帽交給隨行的副官……」）。他並不是第一個皇帝：馬克西米連任命皇帝奧古斯丁的孫子為皇子和儲君人選，同時挑選墨西哥最後一個本土國君的一個後代為侍女。

30　他開創了特別普見於拉丁美洲和亞洲的一種現代現象：王朝制共和國，亦即並非建立在一七八九年前的神聖君主制上，而是建立在角色扮演式（cosplay）民主政體和受操縱選舉的總統制憲法上的世襲獨裁政體。傳位通常是父傳子，但有時夫傳妻。

林肯、格蘭特：我們都是美利堅人

一八六五年三月四日，在華府，黑人士兵在總統的就職遊行裡踩著整齊步伐前進時，林肯第二次宣誓就職，承諾「不對任何人懷著惡意；以慈悲心對待所有人；堅守正道」，卻仍以令人信服的一流口才示警道，若有必要，戰爭會繼續打下去，「直到鞭打所流下的每一滴血都被用劍所砍出的另一滴血償還為止」。副總統安德魯．強森喝得酩酊大醉。林肯下令，「別讓他講」，但他還是講了。賓客裡有個狂熱的南部邦聯演員，名叫約翰．威爾克斯．布思（John Wilkes Booth），係應他的女朋友（某參議員的女兒）之邀而來。他不久前演過名叫《尤利烏斯．凱撒》（*Julius Caesar*）的戲，考慮過在就職典禮現場殺掉林肯。但他最終轉而開始擬定將此總統擄走或殺害的陰謀。

四月九日，在維吉尼亞州的阿波馬托克斯（Appomattox），格蘭特贏了李將軍，李終於同意談條件。在阿波馬托克斯郡城，如今身為南部邦聯總司令的李將軍衣著整齊，穿戴潔淨的灰軍裝、鹿皮長手套、絲質肩帶、擦得光亮且頂部有紅色絲質飾物的靴子，向正在抽雪茄的格蘭特獻上他的劍。格蘭特一身「二等兵的軍上衣，未扣上扣子，但上衣可見四顆星；腳下長統靴濺了泥巴」。格蘭特與李將軍閒談，「我見過你一次，李將軍，那時我們都在墨西哥服役。」

「沒錯，我知道，但我怎麼也想不起你的樣子，」李將軍回道，話中帶著自負。「我請你確認，你要以什麼條件接受我軍投降。」格蘭特草草寫下他的條件，然後由他的副官伊利．派克正式謄寫，再交給李將軍。派克是血統純正的托納萬達塞內卡人（Tonawanda Seneca），已改宗基督教。這個邦聯將軍窘困又遲疑，他認為派克是黑人。不過，他還是伸出手。

「很高興在這裡見到一位真正的美利堅人，」李將軍說。

「我們都是美利堅人，」派克回道。李將軍簽字。三百萬美國人參與了這場戰爭，包括約十八萬黑人陸軍士兵和兩萬黑人水兵；七十五萬人死亡。北部聯邦打贏，三百五十萬奴隸得到自由，不久後會得到投票權。林肯歡迎南部回歸美國：（一如拳擊場上對待倒地的對手）「讓他們從容起身」。並非每個人都相信他會保衛這些得到自由的奴隸：道格拉斯說，林肯仍是「白人的總統」。

四月十四日，在白宮，格蘭特向林肯和其內閣報告了投降的情況，而後這個總統邀格蘭特一家人當天晚上至福特劇院觀看《我們的美國堂兄弟》（*Our American Cousin*）。當布思至該劇院時，得知那天晚上林肯、格蘭特兩家人也會來看戲；他和他的同夥打算除掉北部聯邦的領導者，藉此拯救南部邦聯——邦聯仍有一支現役軍隊在戰地。但茱莉亞·格蘭特和瑪麗·林肯不對盤，拒絕此次邀約。那天下午瑪麗·林肯對亞伯拉罕說，「親愛的丈夫，你這副高興的樣子，差點嚇了我一跳。」

「我有這樣的心情理所當然，瑪麗，」林肯說。「我認為這場戰爭在這一天畫下句點。」瑪麗·林肯愚蠢、反覆無常、情緒不穩定，可能有躁鬱症，令她的丈夫大為頭疼，但他們已失去一個三歲兒子，另一個兒子，十一歲的威利，則死於傷寒；內戰期間，他們承受了極大的壓力。這個總統還說，「我們兩人未來都要更開心——在這次戰爭結束至失去我們的寶貝兒子威利之間——我們兩人一直很苦。」

正當林肯夫婦為看戲作準備時，格蘭特夫婦正前往車站。途中，有個人——布思——騎馬跟在旁邊，往他們的車廂裡面窺看，確認他們不會去劇院。下午十點十三分，在福特劇院，布思潛入總統包廂，用大口徑短筒小手槍朝林肯的後腦勺開槍，隨後跳出包廂，跳上公共馬車，嘴裡喊著「這就是暴君的下場」，然後逃逸。另一個參與暗殺陰謀者伏擊臥病在床的國務卿威廉·西沃德（William Seward），將他刺傷，第三名行刺者未能找到副總統強森——而且還喝醉。林肯死於隔天早上。布思在與警察槍戰中遭擊斃；另外兩個參與此陰謀者遭吊死。

長髮、酗酒、好鬥但能力平庸的強森宣誓接任總統。身為支持北部聯邦唯一南部出身的聯邦參議員，他獲林肯挑中成為副總統，以表達修好之意，而他其實是頑固的種族主義者：「這是為白人而建立的國家，上帝作證，只要我當總統，這個政府，就會是為白人而設置的政府。」一八六六年的《民權法案》承諾讓所有公民享有投票權，「不計種族或膚色差異，或先前的奴隸身分」；強森否決該法案，但他的否決遭推翻。《憲法修正條款》廢除奴隸，給予所有曾是奴隸者公民身分。非裔美國人為自己可以投票而歡欣鼓舞。國會通過《重建法案》時，聯邦軍占領南部，格蘭特命令將領執行新法。該法案詳述了在什麼條件下讓叛亂州重新成為美利堅合眾國一員。北部聯邦贏了內戰，卻輸掉和平。

白人至上主義者立即出手反擊。南部人通過《黑人法》（Black Codes）以阻止獲解放的奴隸投票。在孟斐斯和紐奧良，白人暴民蓄意殺害黑人。在田納西州的普拉斯基（Pulaski），邦聯軍的退伍軍人創立名為三K黨（Ku Klux Klan，源自意為圓形的希臘語kuklos）的地下民兵組織，其成員戴白兜帽以代表死去同袍的鬼魂。

總統強森讓林肯遺留的偉業蒙上污點時，[31]他的武將格蘭特宣布，「接下來要拿墨西哥開刀。」因為他把路易．拿破崙視為「積極參與這場叛亂的一員，」把皇帝馬克西米連視為「歐洲君主政體」「可賴以進一步前進的有利據點」，「據此足以名正言順對其開戰。」他的墨西哥戰爭會是「短暫且速戰速決」，可惜他的計畫因他和糟糕透頂的總統強森的關係每下愈況而無緣實現。

格蘭特並不需要在墨西哥攻打路易．拿破崙：隨著在歐洲的處境惡化，路易．拿破崙失去了鬥志。墨西哥皇后夏洛特告訴她的父親，「法軍滿懷熱情支持馬克西」，但在一八六六年二月，路易．拿破崙苦惱於反對其傀儡的叛亂勢力無法鎮壓下來，且隨著美國北部聯邦打贏內戰，他的傀儡當即陷入險境，他開始撤兵——他寫信告訴馬克西米連，此舉「可能會令陛下一時難堪。」皇帝馬克西米連打算退位，然夏洛特前往歐洲求助於路易．拿破崙。他三次接見夏洛特，每次見面夏洛特總是涕淚縱橫，令路易．拿破崙極度不快：「對於馬克西米連，我們已經盡力了，如今我們能做的，就是助他逃走。」夏洛特對於身上有一半波旁王族、一半科堡家族的血統相當自豪，她厲聲喊道，「我的血管裡流著波旁王族的血……我不該和一個波拿巴家族的人磋商，讓我的祖先和我自己顏面盡失。」即便如此，依舊沒人願意伸出援手。她發電報告訴馬克西米連，「完全沒用」，接著精神漸漸失常，她躲在梵蒂岡，說有人正對她下毒。後來她被關在比利時一座城堡裡，她開始自認不只是墨西哥的女皇，還是其他許多地方的女皇。墨西哥部隊包圍時，馬克西米連不願逃走。

更南邊，另一個受路易．拿破崙提攜的人物——元帥羅佩斯——相信自己已戰勝巴西和阿根廷，他的愛人埃莉薩．林奇則統領她的幾個女戰士營，這些女戰士被稱作Las Residentas（「居民」）。羅佩斯的第一場攻勢順利攻入巴西的馬托格羅索（Mato Grosso），但第二場攻勢攻打阿根廷時，則以大敗收場。巴西皇帝佩德羅自稱「第一號義勇兵」，他趕赴前線。三國同盟（Triple Allies，巴西、阿根廷、烏拉圭）進攻時，巴西的裝甲艦溯巴拉那河（Paraná River）而上。巴西陸軍兵力小，只有一萬八千人，但佩德羅招募新血入伍，向奴隸表示，只要從軍就給他們自由：「應不斷加強卡西亞斯（Caxias）（男爵將軍）的兵力；加速接受奴隸，增加我們陸軍的兵員。」兩萬奴隸加入。

一八六六年五月，一支聯軍入侵巴拉圭，羅佩斯的部隊吃了一連串大敗仗，兵力喪失大半。巴拉圭士兵衝向大炮，成群倒下。不久，這個元帥兵員大缺，不得不招募奴隸入伍，他的士兵「半裸身子」投入戰

31　強森唯一真正的成就，是命令國務卿西沃德以一千五百萬美元的價錢從俄羅斯買下阿拉斯加，對美國來說，是很划算的一筆買賣。

鬥，「沒穿鞋或靴子，披著粗製濫造的南美披風，連上校都光著腳」。當巴拉圭人民挨餓且苦於大流行病肆虐時，巴西將領卡西亞斯率領的入侵軍圍攻烏邁塔（Humaitá）的大要塞，全然不知道要塞裡幾無守軍——一八六八年八月該要塞投降，這才知道此情況。這時，羅佩斯注定敗亡：巴西損失慘重，但巴西皇帝佩德羅堅持捕殺「這個暴君」，就在歐洲舞台上的要角換人之際。

路易．拿破崙和帕默斯頓主導歐洲事務已二十年。老帕默斯頓八十歲仍每天騎馬，但終究年老體衰。一八六五年十月十八日，他昏迷時，以為自己仍在談條約：「那是〈第九十八條〉；接著談下一條」。女王維多利亞一直不太清楚這個老流氓的心思，他「常讓我們煩惱不安，但身為首相，他表現得非常好」。帕默斯頓死後獲賜予難得的國葬，他生前塑造了這個英國世紀。格萊斯頓寫道，「死神的確已讓森林裡這對最高聳屹立的鹿角倒下。」

路易．拿破崙的伙伴帕默斯頓即將退場之際，疲累、有病在身且因為墨西哥之事而變得有所節制的路易．拿破崙，正在比亞里茨（Biarritz）的歐仁妮別墅度假。他在那裡款待了一位身形高大的德意志訪客，對方的食量、酒量驚人：有次他喝下「一杯馬戴拉葡萄酒、一杯雪莉葡萄酒、一整瓶（flask）伊坤葡萄酒（Yquem）、一杯干邑白蘭地」，而且他對大菱鮃的美味讚不絕口，為此激動說道，「為了像這樣開胃的餐點，我願奉上二十段萊茵河岸。」路易．拿破崙和其隨從嘲笑他笨拙的普魯士粗魯風格——但他借鏡路易．拿破崙的成就並發揮自己不心慈手軟的長才，就要令歐洲的權力格局改頭換面。「他們把我當狐狸一樣對待，」後來俾斯麥說。「第一流精明之徒。但事實上，和紳士打交道時，我始終是一個半的紳士，而對付海盜時，我則盡量當一個半的海盜。」這個普魯士海盜打算創建一個新強權：德國。

第十七幕

世界人口
十二億人

霍亨佐倫家族和克虜伯家族、阿爾巴尼亞人和拉科塔人

瘋容克、加農炮大王、現代武力競賽：我把他們全打敗了！全部！

一八六五年，奧托．馮．俾斯麥已擔任普魯士首相三年，來過歐仁妮別墅，摸清路易．拿破崙的為人，也清楚要付出什麼代價才能讓路易．拿破崙不干預他打算發動的對奧地利戰爭。這個普魯士人欣賞路易．拿破崙用普選權贏得保守派支持，如今他正打算如法炮製。民族主義已取代宗教，為無數人提供歸屬感和意義；由不講人情的官僚體系治理的民族國家，成為令人敬畏的資源統籌調度者；公民社會變得愈來愈複雜——但王朝能適應新局並提供穩定和領導。民族類似家族，君主類似民族的父母。

許多人相信精明的路易．拿破崙會智勝俾斯麥，唯有後見之明足以證明史學家對路易．拿破崙的鄙視和對這個首相的尊敬有其道理。有個英國外交官寫道，「我們想像得出俾斯麥先生會用反常的健談詳盡闡述他一派樂觀的計畫，也想像得出這個狡詐的君主會懷著不外露的反諷心態和竊喜。」

俾斯麥比他表面上看起來還要狡詐。他極聰明，不喜歡人，他的父親是非常典型卻也不得志的容克（Junker，普魯士貴族地主），母親則是知性的女人，係「偉人」腓特烈二世的某個顧問之女。俾斯麥鄙視他的平凡父親——「我常用……冷淡和勉為其難的遷就回報他的和善慈愛」——而且對他母親表現出不屑之情：「小時候我就痛恨她。」長大後，他無比自信。

在哥廷根大學就讀時，他十分熱中於打獵、喝酒、決鬥（他侮辱每個人，找人決鬥，三個學期裡和多達二十五人交手），因此有綽號「瘋子容克」，但他有求知欲且願接受不同觀念和作法、會講多種語言、

博覽群書、喜歡和外國人打交道——他最好的朋友是美國人，還愛上一個英格蘭女人。他迷戀過某個友人之妻，然後娶了嫻靜的約翰娜·馮·普特卡默爾（Johanna von Puttkamer），和她有三個小孩，包括一個被他霸凌得很嚴重的兒子，後來俾斯麥在對某個俄羅斯公主的柏拉圖式熱戀中得到慰藉。他喜歡衝突，但從未在普魯士軍中待過；他是路德宗虔誠派教徒（Pietist），卻毫無基督的寬宏大度。他說話輕柔但口才甚好，是個讓人想促膝共談的智者和優秀的作者。

他對於一八四八年革命至為驚恐，他認為比目魚腓特烈·威廉太軟弱，便向腓特烈·威廉的保守弟弟王儲威廉毛遂自薦，同時在普魯士議會發表具挑釁意味的演說。而他也把政治看得非常透澈，以大使身分派駐法蘭克福、巴黎、彼得堡期間則磨練了他看透政治的本事：「為何如今大國打仗？唯一確鑿無疑的根據……是利己主義，而非浪漫主義。」俾斯麥從拿破崙三世身上得到他所不可或缺的教訓：民族主義民粹心態是保守的。「普魯士完全孤立。普魯士只有一個盟友，如果普魯士知道如何贏並處理他們的話……那就是德意志人。」他會找到一個辦法：「政治不是科學，而是藝術。」他很享受政治風險之樂：「這一行讓人知道，人可以既是世上最精明的人，又仍可能像個走進黑暗的小孩。」

威廉繼位為普魯士國王時，便發覺這個君主國陷入癱瘓，無法使議會通過他的軍事預算。行事不走穩健中庸之道的俾斯麥，原是不可能得他重用之人，但這時，經過一段人力所無法阻止的事態演變，他成為唯一的人選。與拿破崙三世不同的，俾斯麥既不靠選舉，也不靠政變，他也不領導政黨；他的整個政治生涯取決於威廉這個霍亨佐倫家族老軍官的支持，威廉隨時能要他走人。他們兩人的關係像是爭吵頻仍的二十六年婚姻，在那期間屢見俾斯麥吼叫、哭泣、揚言辭職。後來威廉開玩笑說，「在俾斯麥底下當皇帝不容易。」這個獨來獨往、不知疲累為何物的身形高大之人，躁狂、小心眼、多疑、自覺受傷害就想報復——但執行計畫全力以赴，而且那些計畫來自他對權力煉金術的透澈剖析。

俾斯麥的計畫大膽卻未遮掩：「我不久後就會不得不主掌……普魯士政治，」一八六二年六月訪問倫敦期間他如此告訴迪斯雷利。「我第一個要處理的事會是組織軍隊，」然後「我會抓住藉口對奧地利宣戰……讓普魯士領導下的德意志達到全民團結。」

「要小心那個人，」迪斯雷利說。「他不會信口胡謅。」身為首相，俾斯麥樂於讓普魯士自由派震驚且反感：「要解決當今之世的重大問題，靠的不會是演說和多數決——這便是一八四八年所犯的大錯——而會是鐵和血。」

戰爭帶有風險——俾斯麥稱戰爭是「擲鐵骰子」——但他愛冒風險：「我一輩子都在用別人的錢玩高賭注的賭博。」俾斯麥有猶太裔親信，但一如許多容克和從俄羅斯至法國等國境內的許多保守貴族，社會鄙視猶太人，認為只要有他們存在，就表示會出現危險的自由主義。然他的計畫需要金融才能實現。羅斯柴爾德家族和奧地利、法蘭西都走得很近，但他前去邁爾・卡爾・馮・羅特希爾德（Mayer Carl von Rothschild）在法蘭克福的大宅接受宴請時，卻表現出對這個「有著數噸金銀匙叉且的確愛討價還價的道地老猶太人」的不屑，而邁爾向他推薦了格松・布萊希勒德（Gerson Bleichröder）這個羅斯柴爾德家族的盟友。布萊希勒德成為俾斯麥的銀行家、替他出面解決外交問題，也可說是他的少數友人之一。

俾斯麥和威廉有第三個能力過人的普魯士人輔佐其大業：加農炮大王阿爾佛烈德・克虜伯。克虜伯創建了一個將會透過霍亨佐倫家族、希特勒、歐盟的統治而主宰德國工業的世家。[1]寡婦克虜伯的孫子，亦即阿爾佛烈德的父親，在埃森創辦了大鋼鐵廠，但他管理不善，甚至失去他的宅邸，不得不搬到位在他的熔爐旁的小屋。阿爾佛烈德和俾斯麥一樣優秀，腿很細，整個人細如竹竿，臉尖，神經質，對自己健康極度多疑，行為古怪，戴著破舊的紅假髮，著迷於鋼、科技，而且有愛聞馬糞氣味的怪癖。

一八二六年父親去世時，當年十四歲、「在害怕徹底破產的氣氛下」成長的阿爾佛烈德繼承鋼廠，前往英國約克郡暗中觀察英國最上等設菲爾德鋼（Sheffield）的製法。回鄉後，他幾乎不睡，一直身體不適——「我用自己的方式為自己過生日，去年用感冒藥，今年用灌腸劑」——全心推動克虜伯鋼鐵事業：「我一手包辦了辦事員、寫信員、收銀員、鐵匠、熔煉工、焦炭搗碎工、煉鋼轉爐值夜人的工作，如願（在轉爐）實現十足可焊接的坩鍋鋼這個重大發明。」最初，他靠為奧地利人製作湯匙賺錢，後來趁著鐵路興建熱潮，賣起他的鑄鋼車軸和彈簧，以及最早的無焊縫的火車鋼輪；不久，他就會向歐洲、美洲、亞洲供應鐵軌，然後他嘗試用鋼製造步槍。

一八五三年，這個狂熱於製鋼的創業家娶二十一歲的貝爾塔（Bertha），婚前他用鋼一般的堅定意志追求這個神經衰弱的金髮女子，他說，「我以為自己除了一塊鑄鋼一無所有，其實我有一顆心。」她生下兒子佛里德里希，卻住在他們被煤煙燻黑的可怕小屋裡，日子過得很苦。「人該十足簡單過日子，」他訓斥她。「知道連身裙底下有乾淨的內衣褲，那應該就夠了。」

不久，她再也受不了。所幸在一八五二年，克虜伯遇見另一個攸關他一生際遇的人：王儲威廉非常欣賞一門克虜伯炮，於是親自前來視察埃森鋼廠，當上國王後，向他訂購了一百門六十磅大炮。俾斯麥發表「鐵血」演說後，威廉派他去見將會提供他話中所提之「鐵」的克虜伯。在工廠，他們一同用餐，俾斯麥談到路易．拿破崙，說「他真是個大蠢蛋」。克虜伯設計了一款後膛裝彈的大炮，威廉和俾斯麥隨之買下，但俄國、英國、奧地利亦然。克虜伯寫道，「我們必須把全副力氣用於為普魯士效勞。」俾斯麥等著用他的新炮。

1　一八一五年，普魯士得到魯爾（Ruhr）和該地區尚不為人知的煤礦蘊藏，而克虜伯家族會得益於德意志經濟的急速成長和人口成長：到了一八七〇年，德意志人口已從兩千兩百萬增至四千萬，增加了將近一倍。

一八六三年十一月，丹麥國王的去世使俾斯麥得以利用一個傳統的王朝難題擴張。丹麥聲稱石勒蘇益格（Schleswig）和荷爾斯泰因（Holstein）這兩個德意志公爵領地為其所有。一八六四年一月，俾斯麥和法蘭茨・約瑟夫組成德意志人聯盟以打敗丹麥，各占領其中一公爵領地。俾斯麥體察到時機正合適：普魯士默許俄羅斯平定波蘭人叛亂，藉此贏得俄羅斯的支持；英、法兩國則忙於印度、墨西哥的事，無暇他顧。

俾斯麥要布萊希勒德轉告巴黎的詹姆斯・德・羅斯柴爾德，「與奧地利的親密關係已到終點。兩國關係接下來會變冷淡。」俾斯麥至比亞里茨見路易・拿破崙，拿比利時、盧森堡、萊茵蘭的部分土地隱隱誘惑，但雙方未談成任何協議。路易・拿破崙認為。比利時是「總有一天會落入我們嘴裡的熟梨子，」而俾斯麥把他比喻為「伸手要小費的旅店老闆。」這個皇帝是「沒有謎題的斯芬克司。」國王威廉接見克虜伯，勸他勿賣炮給奧地利：「趁還有時間清醒過來。」

俾斯麥施巧計促成奧地利和普魯士對抗。歐仁妮鼓勵路易・拿破崙動員，但他因為權力漸失而心灰意冷，加上又受了俾斯麥謊騙，認為無此必要[2]。自一八一五年起，哈布斯堡王朝一直是德意志邦聯（取代神聖羅馬帝國之物）的「龍頭老大」（只有一八四八至四九年這短暫期間例外）。為保住這個共主地位，法蘭茨・約瑟夫信心滿滿對的普魯士開戰，巴伐利亞、薩克森、漢諾威的國王支持他，把克虜伯大炮全數投入戰場。普魯士的撞針槍優於奧地利的洛倫茨槍（Lorenz），但令人吃驚的是，這個哈布斯堡王朝皇帝相信他發射較慢的槍管用，因為發射較快的槍助長士兵浪費彈藥。普魯士參謀總長大毛奇先前就注意到拿破崙三世利用鐵路和接著美國人在內戰中利用鐵路運兵之事，這時，他親自掌管鐵路的運用。

一八六六年七月三日，在薩多瓦（Sadowa，今捷克境內的柯尼希格雷茨／Königgrätz），大毛奇大敗奧軍。[3]俾斯麥終止奧地利名義上的德意志龍頭地位，創立由普魯士國王威廉領導的北德意志邦聯（North German Confederation）。俾斯麥預言，奧地利會成為普魯士的當然盟邦，威廉則想要瓜分哈布斯堡帝國。

但經過對威廉一番發脾氣、落淚、尖叫，俾斯麥的看法占了上風：哈布斯堡王朝的確成為它的最大盟邦，直至一九一八年為止。

俾斯麥樂於「拿他其實沒有的一百萬元作賭注玩牌。如今賭贏了，他卻覺得心情低落。」後來他心情大好，忍不住重擊書桌：「我把他們全打敗了！全部！」克虜伯也是既喜又憂——他的一門大炮爆炸，炸死炮手。他有點精神崩潰，而他和妻子分居且妻子奢華的生活和作風無助於改善他的精神狀態，而後他表示可以拿舊炮換新炮，向興致勃勃的威廉、俾斯麥展示新一代的大炮。

薩多瓦之役失利，讓路易·拿破崙覺得該謹慎行事，在法國人正盯著墨西哥的情勢會如何收場時尤該如此。馬克西米連退至聖地牙哥—德克雷塔羅（Santiago de Querétaro），在那裡遭華雷斯包圍。馬克西米連企圖突圍時遭人出賣。華雷斯將他判處死刑。被帶到三千士兵面前時，馬克西米連喃喃說道，「我一直想要在這樣的早上死去。」他向眾士兵大膽講話：「墨西哥人！我這類人（他意指哈布斯堡家族）被上帝創造來為國家謀福或為國家捨身。墨西哥萬歲！」他不願被蒙住眼睛，一手設計自己的殉國場面，讓他的兩個將領分立於他的兩側，讓自己如同基督。對於弟弟的死，法蘭茨·約瑟夫只說朝他開的下一槍會打偏，屆時「我們或許仍可指望他表現磊落的服輸精神。」

2 俾斯麥的盟友、普魯士陸軍部部長阿爾布萊希特·馮·龍（Albrecht von Roon），看著他「根據既有的形勢打造一個力的平行四邊行（parallelogram of forces）……然後評估人所不可能確切知道的這些有效力的性質和重量——我從中觀看這個對歷史有重大影響的天才所帶來的影響。這個天才將一切結合成一個整體，藉此證實這樣的影響。」政治家的過人之處，正在於把許許多多移動的且不可預測的和可以確定的「結合在一塊」。

3 在薩多瓦，普魯士年輕中尉保羅·馮·興登堡（Paul von Hindenburg），六呎六吋高的金髮男，容克地主之子和馬丁·路德的後裔，自豪於參與此役。他寫信告訴父親，「我如果倒下，那是最光榮、最美好的死。」一顆子彈打進他頭盔，他應聲倒下，失去知覺，差點喪命。興登堡將會是世界史上的重要人物：他於一次大戰時統治德國，而正是他任命希特勒為總理。

俾斯麥等待一統德意志的機會到來，像克虜伯榴彈炮般把炮口轉向法國。一八六七年四月，法國第二屆萬國博覽會舉行，向世人宣揚路易．拿破崙主政下的法國盛世，參觀者達七百萬人次。經常對路易．拿破崙持批判立場的小說家雨果為博覽會寫了介紹手冊。

四月十二日，奧爾唐茲．施奈德——巴黎的性愛偶像——擔綱演出奧芬巴哈的《蓋羅斯泰因的大公夫人》（*La Grande-Duchesse de Gérolstein*），路易．拿破崙、普魯士國王威廉和首相俾斯麥、沙皇亞歷山大二世、奧地利皇帝法蘭茨．約瑟夫等出席觀賞。拉史奈德被諸多君主包圍，想和她上床的人出價不到一萬法朗，就得不到她青睞。肥胖的二十五歲威爾斯親王伯迪代表他母親出席，當下墜入巴黎的淫蕩世界。[4]但東道主若用心關注在博覽會參展的克虜伯會更明智。他在博覽會上展示一門五十噸重的巨炮、一千磅的炮彈、一個八萬磅重的巨大鋼塊，俾斯麥和威廉到場參觀。難怪俾斯麥在劇院看了奧芬巴哈對權力和戰爭的描述後忍不住大笑：「正是那麼回事。」

「偉人」伊斯瑪儀和歐仁妮：這個帝國是個老太婆

一八六九年十一月十七日，法國皇后歐仁妮啟用了蘇伊士運河，主持開鑿運河者是她的表哥斐迪南．德．萊賽普斯（Ferdinand de Lesseps）。[5]建造運河連接印度洋和地中海的想法古已有之，但英國人阻撓穆罕默德．阿里開疆拓土一事，使他青睞法國人所提的計畫。萊賽普斯是外交官，不是工程師，但他曾派駐開羅，見了穆罕默德和其接位者，並提出得到路易．拿破崙親自支持的一個計畫。開羅和這個皇帝走得甚近，因而埃及人曾派一個團的努比亞籍士兵去墨西哥打仗。美國內戰期間，埃及棉供應英國工廠所需；資金湧入，而成千上萬工人死於運河工程。

伊斯瑪儀，三十三歲，埃及的在位赫迪夫（khedive，一八六七至一九一四年，鄂圖曼蘇丹授予埃及執政者的稱號），穆罕默德·阿里的孫子，紅色易卜拉欣和他切爾克斯籍妻子所生的兒子，盡全力支持蘇伊士運河工程。萊賽普斯坐鎮其別墅——位在伊斯梅利亞（Ismailia）這座新城鎮，至今仍在——監造運河。「偉人」伊斯瑪儀（Isamil the Magnificent）想法不拘一格，個性急躁，充滿活力，他也出席觀賞了《蓋羅斯泰因大公夫人》的公演，在巴黎購物，花大錢買進克虜伯的大炮——也花大錢在巴黎籍交際花布朗什·丹蒂尼（Blanche d'Antigny）身上。布朗什是在到開羅演出後，搭上這個赫迪夫的。他說，埃及「不再位於非洲；我們如今是歐洲的一部分，」他建鐵路、宮殿、橋梁、劇院。

歐仁妮[6]和法蘭茨·約瑟夫都把自己的遊艇停在伊斯瑪儀的「馬赫魯薩號」（Mahrousa）旁邊。歐仁妮發電報給路易·拿破崙，說它「漂亮極了」。在伊斯梅利亞，伊斯瑪儀建造了一座蘇丹等級的營地，坐

4 先前，伯迪的情欲冒險已令他一本正經的父親艾伯特震驚又反感。艾伯特一八六一年去世，大概死於結腸炎。女王維多利亞責怪伯迪：「我每次看他都會氣得發抖。」她安排伯迪娶美麗且長久受苦的丹麥公主亞列桑德拉（Alexandra）。但這趟巴黎行改變了他的人生。他拜訪了施奈德和莎拉·伯恩哈特（Sarah Bernhardt），迷上義大利籍交際花茱莉亞·巴魯奇（Giulia Barucci）。有人告訴巴魯奇，見伯迪時要行屈膝禮，結果她乾脆脫掉她的連身裙：「什麼，你沒告訴我對殿下行為要得體？我把我最好的秀給他看！」伯迪派人送情書給她，後來他的廷臣不得不向她買回那些情書。他縱情於女色、賭博的醜事令他母親覺得丟臉，而他卻成了巴黎榮譽市民，為他最愛的妓院勒夏巴內斯（Le Chabanais）設計了他自己的愛椅（fauteuil d'amour）。在這處妓院，他覺得很自在，因為它由出生於愛爾蘭的凱莉夫人（Madame Kelly）經營。許久以後，身為值得稱許的國王，他把他熱愛法國文化之情轉化為政治同盟。

5 穆罕默德·阿里於一八四八年過世，他所寵愛的兒子紅色易卜拉欣不久後也離世，王位留給凶狠的孫子阿巴斯。阿巴斯很愛他的馬，愛到有次要他的馬夫把火紅的馬蹄鐵套上腳以懲罰他。不足為奇的是，有個僕人暗殺了他。

6 伊斯瑪儀對歐仁妮調情，手法卻是拙劣，他竟送給她一件中心處鑲有一顆祖母綠的金夜壺。「我的眼睛一直在妳身上」，這個赫迪夫對著這個笑不出來的皇后如此說道。

落著一千兩百座帷帳，內飾有枝型吊燈及畫作。他委請朱塞佩・威爾第（Giuseppe Verdi）以埃及故事為本創作歌劇，可惜《阿依達》（*Aida*）尚未完成——所以，當他的皇家賓客抵達埃及時，威爾第《弄臣》（*Rigoletto*）便在他的新歌劇院演出。而他真正的野心是打造一個非洲帝國，而他的作為成了引爆歐洲瓜分非洲之行動的推手。

在國內，歐仁妮發覺路易・拿破崙苦於膽石和疲累。他精明的弟弟莫爾尼已死，他想藉由讓出部分權力給大臣和議會來安撫日益升高的反對聲浪——改革始終是危險時刻。

一八七〇年二月，西班牙詢問普魯士國王威廉的堂兄弟萊奧波德・馮・霍亨佐倫—西格馬林根侯（Prince Leopold von Hohenzollern-Sigmaringen），是否願意接下西班牙王位。萊奧波德當下向國王威廉詢問意見：他該同意西班牙的提議嗎？威廉反對，但俾斯麥說服他改變立場，打算以此提議為餌，釣路易・拿破崙上鉤：「就政治上來說，法國出兵攻擊會是大好之事。」

法國人憤怒不已，強逼路易・拿破崙予以回應。而他的性精力比他的政治意志撐得更久。他和一個馬戲團雜技演員發展出他最後一段婚外情，而苦於膽石，他竭力不讓兩國關係惡化。「真丟臉」，歐仁妮說。「這個帝國就要變成老太婆。」

捕鼠器：路易・拿破崙的潰敗

禁不住歐仁妮的纏擾且被支持開戰的高昂民氣弄得心亂如麻，路易・拿破崙總算允許外長前去要求威廉拒絕西班牙的提議。[7]威廉依要求行事時，路易・拿破崙的大使未見好就收，反倒堅持要威廉白紙黑字寫下拒絕函，此舉可能是為了找到開戰的藉口。若是如此，那路易・拿破崙無疑是弄巧成拙：被激怒的老國王威廉要人照他口述寫下一則電文。而俾斯麥修改電文，口氣變得粗魯無禮。路易．拿破崙顏面受損。法國宣戰。七月，法國動員一支在阿爾及利亞和墨西哥打造且已打敗過俄軍、奧軍的軍隊；許多人認為普魯士會敗在它手下。威廉一動員，巴伐利亞等王國立刻出兵助陣，兵力共一百一十萬。「我們被人以無恥手段逼得打這場戰爭。」王妃維琪告訴她的母親維多利亞女王。兩人都譴責路易．拿破崙的侵略，敬佩普魯士人對榮譽的看重，渾然不知俾斯麥在背後指使。

路易．拿破崙堅持要帶著十四歲皇太子盧盧（Loulou）到洛林親自統領一支軍隊，留下歐仁妮在巴黎攝政；另一支軍隊集結於亞爾薩斯。但動員不完整，這個皇帝身上疼痛，未掌控全局。在普魯士方面，理智、一絲不苟的參謀總長，「厲害的寡言者」（Der Grosse Schweiger）大毛奇，靠特別修建的鐵路巧妙調動部隊，動用了射程比法國軍隊大炮多了一倍的克虜伯炮。[8]生病的路易．拿破崙幾乎上不了馬，更別提指揮作戰，而且他和他的諸元帥一再拿捏不定普軍會從哪個方向來犯。千鈞一髮之際逃離被普軍圍攻的梅茨（Metz）後，路易．拿破崙想解救他的另一支軍隊並掩護巴黎，反而落入普魯士設下的陷阱。流淚擁抱

7　萊奧波德未成為西班牙國王，但他的次子斐迪南成為羅馬尼亞國王。諷刺的是，霍亨佐倫家族的這一支係博阿爾內的後代，其成員和路易．拿破崙友好。一八六六年，路易．拿破崙已和俄羅斯沙皇亞歷山大二世一同將萊奧波德的弟弟卡爾（Karl）推上一新國家的王公（domnitor）之位。這個國家由瓦拉幾亞、摩達維亞組成，這時叫羅馬尼亞聯合公國（Romanian United Principalities）——羅馬尼亞的前身。後來，卡爾成為羅馬尼亞國王卡羅爾（Carol），膝下無子，由姪子斐迪南接位。

8　大毛奇著迷於歷史，已花了十年謀畫出兵攻打法國，但也老早就把心思放在鐵路上，靠投資鐵路賺了錢，成為柏林—漢堡線鐵路的董事會一員，就普魯士鐵路的鋪設提出兼顧軍事用途的意見。後來，他除了替參謀部增設了歷史部門，還增設了鐵路部門。這時，他剛完成為普魯士軍官擬定的作戰指示：「任何作戰計畫，在與敵人主力第一次接觸後，都算不得準，」他斷言。「戰略是一套講究權變的體系，」軍官在該體系裡必須主動應變，不能被動。「如果指揮官一味等著上級下達命令，絕對會錯失有利情勢。」

盧盧後，他送他到安全之地。

一八七〇年九月一至二日，在色當（Sedan），大毛奇的二十五萬兵力，配備五百門大炮，在俾斯麥和威廉親臨觀戰下，困住路易．拿破崙和十一萬法軍。大毛奇說，「我們已讓他們掉進捕鼠器。」

「我們人在夜壺裡，他們正朝我們拉屎。」法國將領狄克羅（Ducrot）憤怒說道。克虜伯炮讓衝過來的法軍騎兵成群倒下。

「啊！」國王威廉倒抽一口氣。「勇敢的弟兄。」

路易．拿破崙禁不住問，「為何陷入苦戰不見起色呢？」他親自出馬下場戰鬥，卻迎來死神。但他不敢赴死，下令投降。俾斯麥很驚訝路易．拿破崙在場。這個皇帝忍痛騎馬走向普軍司令部時，俾斯麥把他攔住。「我行了軍禮。他脫帽，我跟著也脫帽。」路易．拿破崙被迎到一小屋，哀嘆他「被民意逼去開戰」。俾斯麥沒想到路易．拿破崙已如此老弱，喃喃道，「有個王朝就要退場了。」

威廉在附近一城堡會晤路易．拿破崙，且待之以禮。路易．拿破崙說，「我要為你的軍隊的表現，尤其你的炮兵的表現，恭賀你。」克虜伯贏了。路易．拿破崙啜泣時，威廉深感難為情，只好別過頭去。

在巴黎，歐仁妮收到路易．拿破崙的電報後，爆出「連珠炮般語無倫次且憤怒的話語」，她說「那種丟臉的事，你們肯定不會相信。」「拿破崙家的人絕不投降。他死了！他怎麼不自殺？……留給他兒子什麼名聲！」在外頭，造反的群眾圍住杜樂麗宮，重複喊著「廢黜！」九月四日，第三共和在巴黎的市政府大樓（Hôtel de Ville）宣布成立，開啟了以普魯士為對象的新一七九二年式戰爭投入。歐仁妮堅稱她「不怕死」，但「我害怕落入那些會使我晚節不保的悍婦之手」，於是逃到她的美籍牙醫埃文斯住所，埃文斯護送她到英格蘭。她落腳於肯特，行將就木的路易．拿破崙前來和她會合。他們的兒子盧盧很想加入英國陸軍。

這場大挫敗發生之際，熱帶皇帝佩德羅打贏非常敬佩路易·拿破崙的元帥羅佩斯。

三K黨和油草之役：格蘭特和「坐牛」

佩德羅與其將士一同紮營露宿，在巴西人一路打進巴拉圭、獵捕這個暴君時，拒絕任何締和作為。「我有什麼好怕的？怕他們奪走我的政權？」佩德羅問。「那麼多比我優秀的國王失去了政權，對我來說那和我必須隨身佩戴的十字架一樣輕。」

巴西人拿下亞松森後，羅佩斯兩度遷都。佩德羅任命他二十七歲的法籍女婿烏伯爵（comte d'Eu）加斯東（Gaston）為總司令。加斯東是路易·菲利浦的孫子，最初令他的妻子伊莎貝爾（Isabel）公主失望，但後來表現得充滿深情且能力出眾。公眾欣賞他的豐功偉績，因為他不只贏了數場仗，還解放了兩萬五千個巴拉圭奴隸——儘管其中許多人接著被強征入聯軍。走投無路的羅佩斯殺掉兩個弟弟、諸位姻兄弟、數百個外國人；他的英格蘭籍工程師注射尼古丁自盡。由於彈藥短缺，他要人用矛將他所要殺的人刺死。最後，在塞魯科拉（Cerro Corá），羅佩斯，連同埃莉薩·林奇夫人、他們的十四歲兒子胡安上校、她的女戰士、由四百個半裸青年組成的衛隊等全被困住。他負傷，身邊人棄他而去。巴西士兵找到他，當時趁著他正在溪裡洗傷口之際將他槍殺。他兒子喊道，「巴拉圭上校絕不投降，」接著也遭槍殺。夫人撲到他屍體上，大聲喊著「這就是保證也給我們的文明？」他們逼她用雙手埋葬了羅佩斯父子。[9] 八十萬至

9　林奇夫人的莊園遭沒收，但她獲准搭船去歐洲。後來她在得到回來安全無虞的保證後，回到巴拉圭並索回她的房地產，未料竟卻被送上法庭，然後驅逐出境，一八八六年，才五十二歲的她死於巴黎。怪的是，這位夫人後來被奉為民族英雄：與納粹交情好的巴拉圭凶殘獨裁者史托斯納爾將軍（Stroessner）把她的遺骸帶回巴拉圭，葬於國家公墓。

一百三十萬巴拉圭人喪命，而巴拉圭經歷如此龐大的人力損失，從未恢復過來。

皇帝佩德羅簡直是志得意滿。但這場戰爭同時也暴露了無效率、不公義、貪腐；尤其黑人團部隊的英勇凸顯了奴隸制的醜惡。佩德羅廢奴從容不迫，憲法未給他否決他那些蓄奴上層人士之意見的權力。[10]但他打贏巴拉圭戰爭後，一八七一年九月，他推出《生而自由法》（Law of Free Birth）：奴隸的孩子天生自由。有一百六十萬奴隸的巴西，是美洲當下最後一個奴隸社會。佩德羅在華府受美國新總統款待時，美國那些原是奴隸的人正面臨再度徹底失去自由之虞。

強森的總統任期漸漸瓦解，格蘭特將軍已辭去官職。遭許多人鄙視的強森，把任期受到國會立法保護的陸軍部部長革職，導致他第一次遭彈劾。強森捱過聯邦參議院對他的審判，只是形象受創太重，無法角逐連任。

格蘭特內向、寡言，正值個人威望頂峰，無奈卻是心態矛盾。「我不想當總統，」他說。「但推不掉……」一八六八年十一月，在道格拉斯支持下，格蘭特贏得總統大選——迄當時為止最年輕的總統，而且是決意不計代價保衛三百五十萬獲解放之南部非裔美國人的總統。

在就職典禮上，格蘭特保證黑人的選舉權會在《憲法第五修正案》得到保護，他邀請第一位非裔美籍聯邦參議員海勒姆．雷威爾斯（Hiram Revels）——內戰時協助組建黑人團的聖公會牧師——至白宮。一八七〇年二月，他下令擊發一百門大炮，以慶祝《第五修正案》通過——格蘭特說，這是「我國誕生以來最重要的事件。」此前在美國只有三位民選的黑人官員，而如今有十六個黑人選上國會議員，另有一千多個黑人選上其他職務；黑人教堂和黑人學校在南部各地創立；黑人尋找失散的親人，被違反家庭倫理的奴隸制拆散的黑人家庭一家團聚、不再分開。

黑人權益的維護大有斬獲，但南部的前奴隸主決意搶回他們的權力，而且在廢除內戰的勝利果實上，他們最終會得到北部諸領導人支持。

所有得到解放的奴隸都獲承諾給予四十英畝地和一頭騾子，但前奴隸主不願履行此承諾——儘管他們的祖先按照公地繼承權領到可終身保有的地。獲解放奴隸的貧窮使他們難以自保。佛雷德里克・道格拉斯十年後嚴正表示，「你們放我們自由時，沒給我們地；你們放我們任由上天擺布，任由暴風雨吹打，任由旋風侵襲，最糟糕的是，讓我們任由我們的憤怒主子報復。」整個南部，三K黨暗殺、恐嚇獲解放的奴隸及維護黑人權利的白人。三K黨的「無形帝國」（Invisible Empire），由具種族歧視心態的準軍事部隊成員組成，揚言掀起新的衝突和新的壓迫。兩千個非裔美國人遭私刑處死——未經司法程序而殺害據說犯了罪的非裔美國人之舉，往往被白人譽為「南部」文化的一部分。

此暴力行徑只是更嚴重反擊的開頭。曾任南部邦聯副總統的亞歷山大・史蒂芬斯（Alexander Stephens）和他的許多具有種族歧視心態的支持者已選上國會議員。非裔美籍聯邦參議員雷威爾斯就任時，南部的民主黨員想要阻止。他們漸漸逼他們的前奴隸再度受他們支配，但最重要的，他們想要阻止占南部三成六選票的黑人行使其權利。甚至在北部，只有新英格蘭的部分地區給予非裔美國人投票權。康乃狄克、威斯康辛、明尼蘇達三州拒絕給予；南部大部分州這時通過《黑人法》（Black Codes）。三K黨和其盟友白山茶花騎士團（Knights of the White Camellia）更加肆無忌憚的濫殺黑人，種族主義者在某些郡掌權。

10　法國駐巴西公使是種族主義理論家阿爾蒂爾・德・戈比諾（Arthur de Gobineau），「優等民族」（master race）一詞的發明者。他對巴西社會非常反感：「完全混合的一國人民，其血液和精神受污染，醜陋得讓人害怕……沒有哪個巴西人有純正的血統，因為白人、印第安人、黑人通婚非常普遍，」導致他所謂的「基因退化」。而他認為藍眼的佩德羅是純正雅利安人。佩德羅與戈比諾為友，後來，這個外交官與人打架鬧事，顏面盡失，佩德羅才要求法國政府將他召回。

格蘭特譴責旨在「使有色人種淪落至類似奴隸處境」的「暴力和恐怖行動」，促成《三K黨法案》（KKK Act）和《執行法案》（Enforcement Acts）的通過；派聯邦部隊和司法部執法官和新成立的特工處（Secret Service）幹員前去破壞這些國內恐怖分子。在南卡羅萊納州，兩千名三K黨成員被捕。一八七三年，三K黨和另一個準軍事團體「白人聯盟」（White Man's League）橫行路易斯安納州的科爾法克斯（Colfax），殺害三百人左右；一八七六年，在南卡羅萊納州的埃倫頓（Ellenton），一百五十個黑人遭屠殺。在這兩樁慘案裡，格蘭特都出動軍隊打垮三K黨，只是對抗才正要開始。

格蘭特提出另一個解決辦法，採行林肯為南部黑人買下一個新州作為他們棲身之所的想法，藉此使他們免遭「三K黨罪行」傷害。當國會未批准多明尼加併吞條約，他隨即派道格拉斯前去加勒比海，調查美國吞併多明尼加共和國是否對美國和多明尼加都有益。這個共和國原是西班牙的殖民地，如今已挫敗海地總統布瓦耶和皇帝佛斯坦欲征服該地建立所屬小帝國的企圖，並贏得獨立。在道格拉斯支持下，格蘭特用一百五十萬美元買下，無奈國會阻止此購買案。道格拉斯為這些出賣內戰勝利成果的人既失望又憤怒。

格蘭特兩屆總統任期期間，在南部進行的崇高工作和對印第安人的良善用心，因他在高端政治領域的天真和無法約束美國在西部貪得無厭的帝國擴張而功敗垂成。他支持一「和平計畫」（Peace Plan），要把「文明、基督教化、公民身分」給予印第安人，然而當時印第安人想要的，係可以自由打獵、襲擊。南北內戰已使科羅拉多、南北達科塔州境內的拉科塔人、沙伊安人（Cheyenne）勢力重振，在南部，科曼切人則已重拾襲擊行動。

這時，兩方情勢同時惡化。格蘭特心存同情，但他的許多將領認同謝爾曼將軍（Sherman）的看法：「今年殺掉印第安人愈多，明年我們得殺掉的就會較少。」一八七〇年初，美國騎兵在蒙大拿州將一百七十三名皮根黑足人（Piegan Blackfeet）活活燒死、分屍，受害者大多是婦孺，暴露了該軍隊的種族滅絕本性。

一八七四年六月二十七日，夸納．派克，即佩塔．諾科納和他英裔妻子辛西亞．安所生的兒子，帶領三百個戰士攻擊德州鍋柄狀地區（Panhandle）土磚牆鎮（Adobe Walls）的一百名水牛獵人。有個新的精神領袖隨同夸納出擊，此人名叫伊薩泰（Isa-tai），是個巫醫，五月時的某場拜日舞（sun dance）期間，預見到白人移民被消滅，隨之把許多科曼切人統合成一支具有戰力的戰隊，共有戰士千人。「從未見過比這更壯大的野蠻人景象，」其中一個叫比利．迪克森（Billy Dixon）的水牛獵人憶道。「數百名戰士，西南部平原部族最精銳的戰士，騎著他們最好的馬，配備槍和長矛，帶著厚重的水牛皮盾，像風一樣奔來。」而他們的水牛獵槍擋住夸納的進攻，迪克森的幸運一槍擊斃伊薩泰；夸納負傷。

在西部，軍隊掠奪和移民淘金熱加劇緊張關係，迫使格蘭特雖然不願也不得不下令驅逐拉科塔人。一八六四年十一月，在科羅拉多州的沙溪（Sand Creek），美軍將一百六十名沙伊安人殺害、割下頭皮。一八六八年，一條約承認黑丘陵（Black Hills）這處聖地為拉科塔族奧格拉拉蘇人（Oglala Sioux）的領地，不過六年後，軍方派來喬治．阿姆斯壯．卡斯特（George Armstrong Custer）這個風頭甚健的上校和一千名第七騎兵隊的騎兵。這些騎兵證實當地的確有金礦層，勘探金礦者隨之湧入黑丘陵，建立枯木（Deadwood）等喧鬧的採礦營地。一八七六年六月，蘇人的最高領袖暨聖徒「坐牛」（Sitting Bull）舉行拜日舞，在出神狀態下，他看見「軍人落入他的營地，猶如蚱蜢從天上落下」。他和另一個領袖「瘋馬」（Crazy Horse）組成多部族同盟，開戰了。

在南邊的德州境內，科曼切人擄走一個白人男孩一事，當即引發軍事行動。謝爾曼將軍說，美國絕不可「屈服於這個付錢贖回被擄走之孩童的作法。最好是殺光印第安人。」在通卡瓦族偵察員支持下，美軍攻擊科曼切人村落，獵捕夸納。夸納投降，科曼切人自有領地的時代自此告終。[11]

在南北達科塔州，數支陸軍縱隊向拉科塔人村落分進合擊。格蘭特很討厭不聽話、自戀、善於自我推銷的卡斯特，這個人魯莽且愛做危險之事，留著長的金髮，身穿帶穗的鹿皮裝，原本反對南北戰爭後的南部重建，曾因射殺逃兵遭軍法審判，晚近則蓄意殺害了一百多名南部的沙伊安人婦孺。格蘭特不准這個「不怎麼冷靜理智的人」參與這些遠征，但遠征司令要求讓他參加時，格蘭特只能默許。

六月十七日，瘋馬打敗克魯克將軍所率領的一支縱隊。六月二十五日，在油草地區（Greasy Grass），過度自信的卡斯特和他所部遭遇坐牛、瘋馬和數百個印第安戰士伏擊，三十分鐘便遭殲滅，兩百六十七人喪命。卡斯特被發現時頭部中槍，衣服剝得精光，一支箭穿過他的陰莖。

美軍這場挫敗導致整個大平原區諸多印第安人村落被徹底消滅；事後，這些印第安部族進入專為他們闢設的居留地。黑丘陵被美國人奪下；而該地淘金熱的最大受益者是一頭散亂頭髮、生於密蘇里州、這時以舊金山為基地的採礦工程師喬治·赫斯特（George Hearst）。赫斯特參與過一八四九年加利福尼亞淘金熱，憑著他的洪史戴克礦場（Homestake Mine）成為最有錢的礦業大亨，後來選上聯邦參議員，一八八〇年接下經營不善的《舊金山檢查人報》（*San Francisco Examiner*）——原老闆和他玩撲克牌賭錢，賭輸卻還不起，於是以報社抵債——後來將報社交給他兒子威廉·蘭道夫（William Randolph）。

赫斯特只是乘著強勁的美國資本主義浪潮崛起的諸多強盜資本家之一而已。收益分成的黑人佃農掙扎求生之際，棉花生產復原。鐵路橫跨整個大陸，從一八六五年的三萬五千哩增至一八七〇年的七萬哩，總長增加了一倍。鐵路成為美國的主要事業，促使作家馬克·吐溫所謂的「鍍金時代」（Gilded Age）的寡頭統治集團的巨頭致富：[12]范德比爾特改行從事鐵路建設，與傑·古爾德（Jay Gould）、哈里曼（E. H. Harriman）這兩個對手交手。冷靜管理軍隊的格蘭特此時正是在他與企業家打交道時展現出天真卻專橫的作風，從而使他的總統任期蒙上污點。

鍍金時代以煤為燃料，以蒸汽為動力，但有個身材瘦削、做事一絲不苟的年輕人正投資於另一種碳燃料，而這種燃料看起來僅可供照明之用，但事實上將改變世界。一八七〇年一月十日，三十一歲的約翰・洛克斐勒（John D. Rockefeller）在俄亥俄州的克利夫蘭開辦了一家煉油廠，將該廠取名為標準石油（Standard Oil）。內戰結束時，他已開始收購其他煉油業者的全部股份。洛克斐勒的父親是巡迴小販、重婚者、蛇油推銷員*，洛克斐勒的儉樸刻苦特質，係看不慣父親的為人，而刻意與之區別的反彈表現，在他對秩序和整齊的執著中可清楚看到這項特點。長久以來家家戶戶點鯨油照明，但一八五七年，有人在賓夕法尼亞州的油溪（Oil Creek）岸邊土地發現石油滲出地面，人們開始改用洛克斐勒的主力產品煤油，用來為民屋和日益繁榮的城市街道照明。洛克斐勒玩起他所謂的「大博奕」，將石油業積極整合為一個「托拉斯」，此托拉斯控制了從石油開採、到船隻和煉油廠、再到向本地店鋪買進煤油罐的顧客的每個環節。煉油的副產品可用於製造機械用的潤滑油、皮製品和被稱作汽油的液體，但製造汽油無利可圖。汽油看起

---

11 夸納定居於奧克拉荷馬州基奧瓦—科曼切—阿帕契印第安人居留地，他離開他的傳統房子，建造了他的歐式「星屋」（Star House），取姓氏派克，擁抱他自己改造的基督教，成為事業有成的牧場主。他的基督教結合了食取具致幻作用的佩奧特仙人掌的習俗。

12 馬克・吐溫本身是促使鍍金時代更為熠熠生輝的人物之一，本名撒繆爾・克萊門斯（Samuel Clemens），來自密蘇里州的漢尼拔，靠己力出人頭地，在密西西比河上的汽輪工作過，在銀礦場幹過粗活，而後於一八七六年出版了以他個人經歷為本的《湯姆歷險記》（*Adventures of Tom Sawyer*），根據負責測量水深的測深員的叫喊聲「刻度（水深）兩潯」（mark twain）取了他的筆名。他主張廢奴，觀念開明，遊歷世界以發表遊記，後來寫出他的另一部小說大作《頑童歷險記》（*Adventures of Huckleberry Finn*），同樣以湯姆・索耶為主角。馬克・吐溫名利雙收，通常穿著招牌白西裝，但老是虧錢，不過他的智慧或詼諧始終不失。

* 譯注：蛇油是江湖郎中聲稱可治多種病但實無療效的藥油。

來沒有用處。

錢是格蘭特的罩門。這個總統得到什麼都想吞下的古爾德款待，而古爾德除了鯨吞鐵路，也正想壟斷黃金市場。古爾德體現了掠奪成性之資本家的光鮮和齷齪：馬克．吐溫寫道，美國人本就「想要錢」，「但他（古爾德）教會美國人趴下來崇拜錢」。如果說格蘭特的誤判壞了他的名聲，他真正的成就則被他之後的幾位總統浪擲掉。[13]

一八七六年共和黨全國代表大會上，道格拉斯說，「你們說，你們已解放我們。你們已辦到，我為此感謝你們，」但「如果黑人無法行使自由，且在擺脫奴隸主的鞭子後，會被奴隸主拿獵槍對著，這又算什麼？」

一八七六年，格蘭特引導美國走過一場競爭激烈的選舉，俄亥俄州共和黨總統候選人拉瑟福德．海斯（Rutherford Hayes），靠著將聯邦軍隊撤出南部並允許南部民主黨人「贖回」他們的州的兩黨交易，贏得總統寶座。南部民主黨人通過許多壓迫黑人自由的法律——被稱作「吉姆．克勞法」（Jim Crow），吉姆．克勞一名則源自白人所製作的一齣描繪黑人的舞台作品〈跳吧吉姆．克勞〉（Jump Jim Crow）——藉此在學校、娛樂、交通領域執行種族隔離，使黑人無法投票，助長將迫害視為常態的氣氛。這些法律。最惡毒的迫害是私刑處死，而且這類迫害愈來愈頻繁。一八六五至一九五〇年間，約六千五百名黑人（和一千三百名白人，通常是移民）遭私刑處死。海斯任命年邁的道格拉斯為聯邦華府司法區第一個黑人司法官一事，未能彌補他那個見不得人的交易所帶來的傷害。北部聯邦贏了內戰；南部邦聯則贏得和平。

一八七一年一月五日，俾斯麥終於得以完全照自己的主意行事，大毛奇的克虜伯炮開始炮轟遭圍的巴黎。

鐵血宰相和迪齊

路易・拿破崙下台後，巴黎迅即遭包圍。俾斯麥和威廉在西歐最奢華的住宅——詹姆斯・德・羅斯柴爾德在費里耶爾的宅邸——過著舒服日子。俾斯麥對他的妻子得意說，「我坐在這裡，坐在一幅描繪老羅特希爾德和其家人的畫作下方。」

「我太窮，無法給自己買到這樣的奢侈品，」威廉埋怨道。「像我們這樣的人爬不上這樣的位置；只有羅特希爾德家族辦得到。」俾斯麥與諸多德意志人國王商談統一德意志之事時，普軍司令部的氣氛變得黯淡。新成立的法國政府不接受溫和的條件，進而攻擊普軍；法國農民加入叛亂。大毛奇下令摧毀村莊，射殺平民，但不願炮轟巴黎。三個月後，與國王威廉進入凡爾賽後，俾斯麥主導大局：克虜伯炮朝巴黎城裡射發了一萬兩千枚炮彈。在這個遭包圍的城裡，有個工人帶頭造反，叛亂勢力掌權，宣布成立巴黎公社。

俾斯麥需要一個德意志籍君主出面提出讓威廉成為德意志皇帝的要求，而最佳人選是僅次於普魯士的第二大德意志人王國的國王：二十五歲的巴伐利亞國王路德維希二世（Ludwig II）。路德維希是蘿拉・蒙泰斯的贊助人的孫子，有點精神錯亂且不切實際的空想家，接掌王位後立即將他落魄且債務纏身的英雄——作曲家理查・華格納——邀來慕尼黑。自一八四八年革命以來，華格納投身於刺激冒險的通姦，還背了一屁股債。路德維希認同神話中的天鵝騎士（Knight of Swan）羅英格林（Lohengrin）的為人，而正在創作《尼布龍根的指環》（*Der Ring des Nibelungen*）這組新歌劇的華格納，從數個德意志民族英雄的故事

---

13 格蘭特也未從他的總統生涯學到教訓：退休後，他為自己手頭拮据感到丟臉，把自己的名聲和威望借給一個無恥的騙子用，結果導致破產。格蘭特因癌症而行將就木之際，迫於生計他著手寫回憶錄，而且得到馬克・吐溫這個貴人相助，為了回憶錄的出版，馬克・吐溫成了出版商。經過這個老將軍堅持不懈的口述，回憶錄寫成。出版後不但大賣，且為經典之作。

得到創作靈感，羅英格林正是其中之一。路德維希驚豔於威嚴、一頭蓬亂頭髮、尖下巴的華格納，華格納則無恥的和這個有斷袖之癖的君主調情。路德維希贊助他的新歌劇《特里斯坦和伊索德》（*Tristan und Isolde*），但華格納與其指揮家的妻子科西瑪・李斯特（Cosima Liszt）發展婚外情，令巴伐利亞人震驚且反感，而後華格納要求將此王國的諸大臣革職。為此不悅的路德維希將他打發走，不過最終還是資助他於拜羅伊特（Bayreuth）這個小鎮建造他自己的節慶歌劇院（Festspielhaus）和宅邸。在這座歌劇院裡，他把自己的《尼伯龍根的指環》搬上舞台，展示了他所謂的總體藝術（Gesamtkunstwerk）的高昂射程和音樂火力。總體藝術一如俾斯麥的新帝國，以其方式標舉了德意志人特質的獨特之處，而此時他需要路德維希幫忙打造此帝國。

這個天鵝王較中意由他的諸多哈布斯堡家族堂兄弟各自為政下的鬆散德意志，拒絕了威廉的要求，後來俾斯麥暗中給他六百萬金馬克，他這才改變心意。路德維希簽屬了他的「皇帝信」（Kaiserbrief），信中要求「威廉將總統權利擴及諸德意志人邦……並加上德意志皇帝這個頭銜。」一八七一年一月十八日，諸多國君和大臣在凡爾賽集會，俾斯麥於會中「帶著最嚴肅的心情走上前」，宣讀了他的「致德意志民族的講話」，然後一名大公喊道，「威廉皇帝萬歲！」「如雷的叫好聲撼動房間至少六次」。[14]這是「德意志詩人的夢」，這位新德意志皇帝的兒子佛里茨興奮說道。「德意志再度有了皇帝……」大炮猛轟巴黎，炮聲隆隆。最後，法蘭第三共和國接受德國的條件，同意割讓亞爾薩斯和洛林並支付五十億法朗的賠款。賠款由詹姆斯・德・羅斯柴爾德的兩個兒子，巴黎被圍期間協助守城的古斯塔夫（Gustave）、阿爾豐斯（Alphonse）籌得。

俾斯麥設計了一個具實驗性質的德意志國，該國的制度混合專制和民主，普魯士國王威廉在其中以皇帝的身分領導諸多德意志人王國和公國，並有依男性普選權選出的德國國會制衡他的權力——這個混合制君主國非常複雜，因此只能仰仗歐洲最厲害的操縱者俾斯麥本人來主導。它的矛盾使它不穩定，很可能無法運行，但立刻成了經濟的強力推手。主宰歐洲最偉大工業複合體的克虜伯為此雀躍不已。對他的產品來說，打贏普法戰爭是最有力的廣告。「鑄鋼已贏得如今作為戰時和平時最不可或缺之材料的地位，」這個火炮大王向德意志皇帝得意說道。「鐵路，造就德意志偉大之物，導致法蘭西垮台之物，這是屬於鋼的時代。」如今，克虜伯住在埃森城外有三百間房的新宅邸「山頂別墅」（Villa Hügel），雇用了兩萬名鑽孔的工人，人人身穿特別訂製的克虜伯公司制服，同時訓練他的兒子佛里茨接班。

被任命為帝國首相且晉升為侯爵的俾斯麥，擔心他八十多歲的老皇帝威廉去世：他的繼承人佛里茨先前已在普法戰爭中揚名立萬，本身屬自由派，受到他的英格蘭籍妻子維琪影響。俾斯麥對這兩人很反感，視他們為實現他計畫的絆腳石。管理他所發明的那個內部不協調的帝國必然很吃力，就連這個做事無所顧忌且足智多謀的首相都覺得吃不消。他七十多歲時能一連五小時讓下屬聽他口述撰寫備忘錄，同時鉅細靡遺親自監管他自己的許多陰謀算計。然而，這樣的壓力導致多疑、暴食、失眠這些精神病症急速加劇，差點要了他的命——仰使一名醫生拯救才保住性命。這個醫生煞費苦心的安排他節食，用毯子裹住他好讓他放鬆，握著他的手直到他睡著才鬆開。

這個鐵血宰相促使德國和另外兩個保守皇帝法蘭茨・約瑟夫、俄羅斯的亞歷山大二世結盟。這個沙皇默許德意志一統，換取廢除克里米亞戰爭所加諸的限制，這時，趁著東歐信仰東正教的斯拉夫人尋求獨立，整副心思都在將鄂圖曼帝國解體上。塞爾維亞和羅馬尼亞已自治。一八七七年，為打造保加利亞這

14 身材魁梧的普魯士軍官保羅・馮・興登堡出席了此典禮。巴黎的大敗也促使義大利走上統一：當法軍撤離羅馬，這個永恆之城落入薩伏依王室國王維克托・埃馬努埃爾之手。義大利自此為立憲王國，自義大利東哥德王國國王狄奧多里克（Theodoric）以來，義大利首度歸於一統。教宗庇護九世不願承認羅馬為義大利首都，為此生了老久的悶氣。

個新國家——以及奪取君士坦丁堡和博斯普魯斯、達達尼爾兩海峽——亞歷山大出兵攻打鄂圖曼王朝。羅曼諾夫王朝的軍隊奔向君士坦丁堡城郊時，時任英國首相的迪斯雷利派去皇家海軍，藉此止住俄羅斯的侵略，拯救了這個蘇丹國。俾斯麥支持他，唯恐俄羅斯攻占伊斯坦堡。

這兩人出身不同。迪斯雷利的祖父是從義大利移入的猶太人，父親則是作者彬彬有禮的作者和藏書家。迪斯雷利本人則是自羅馬人入主以來第一個統治英國的外人。他沒錢，沒地，沒關係，但憑藉不在乎他人非議的詭計和極聰明的頭腦而爬上這高位。「迪斯雷利先生是首相！」女王維多利亞寫信告訴她女兒維琪，「對一個『從平民崛起』的人來說，值得驕傲的事。」他雀躍說道：「我已爬上油滑竿子的頂端。」

迪斯雷利以他的猶太人身分為榮，曾信奉猶太教，直到十二歲那年，他父親和所屬猶太教社區有所齟齬，出於權宜之計，他這才改宗英國國教，由是，在基於反猶禁制的措施下，迪斯雷利得以投身政治。迪斯雷利身材細長，極注重外表，愛穿昂貴時髦衣物，黑眼珠，有著長鬈髮，常穿綠長褲、別著一朵報春花，先前以玩票心態涉足不合法的金融活動，和一個醜惡可恥的統治者、他的年輕情婦在同一屋簷下過三人生活一段時間，然後憑藉寫小說出了名。這時，他一心愛著比他年長十二歲、個性古怪但有錢的妻子。她叫他「迪齊」（Dizzy），他則開玩笑說她「不知道是希臘人、還是羅馬人第一個來」英國。他是第一個現代保守黨人，提倡貴族和人民團結在「一個國家」裡，熱中於推動英國稱霸世界，而且他在扮演這三個角色時無不表現出不知羞恥的自信從容。[15]

一八六七年，他智勝格萊斯頓的自由黨，使國會通過一道《改革法》，從而使具有投票權的男性增加了一倍，境內大多數男性成人有投票權的英國真正民主時代自此展開。他於一八七四年以壓倒性勝利贏得大選，獲晉升為比肯斯菲爾德伯爵（earl of Beaconsfield），眼下的他身形乾癟、疲累、倦怠，係英國最見過世面的領導人，去過開羅和耶路撒冷——第一個少數族群出身的英國首相。這時，在柏林會議上，他和俾斯麥聯手約束俄羅斯，聯手拯救君士坦丁堡，聯手重新安排東歐諸國版圖。

這兩人惺惺相措。「俾斯麥鶴立雞群，」迪斯雷利寫道，「六呎四吋高，有點胖但比例勻稱，說話聲輕柔悅耳，與他口中說出的那些極駭人的事，大異其趣，在這裡他是十足的專制君主。」俾斯麥嚴正表示，「這個老猶太人是老大。」柏林會議把賽普勒斯給了英國，斥責反猶主義，創造了一批新的民族國家：塞爾維亞和羅馬尼亞成為王國；保加利亞和蒙特內哥羅成為獨立的公國，各個都想重新創建已消失且往往虛構的國度。[16]但鄂圖曼王朝的衰敗、諸多新斯拉夫人國家的雄心、俄國和奧地利的對抗，使得巴爾幹半島眼下成為歐洲衝突的引爆點。俾斯麥預測，「總有一天，大規模歐洲戰爭會因為巴爾幹半島上某件十足愚蠢的事而爆發。」

迪斯雷利一回國，便受到國人歡迎：「我已把和平帶回來給你們，而且那是個我希望引以為傲的和平。」歐洲境內這個微妙的權力格局，於此迫使諸強權於歐洲境外的一個新競技場和對手交手：非洲。

---

15 迪斯雷利是從古至今言語最風趣詼諧的英國領導人：「世上有三種謊言，」他說。「謊言、可惡的謊言、統計資料。」他開玩笑說他是「《舊約》、《新約》之間的那張空白頁，」在下議院裡，他以聖經時代猶太人的顯赫地位來轉移反猶性質的攻擊：「沒錯，我是猶太人，而右邊諸位閣下的祖先是生活在一個不為人知的島上的殘暴野人時，我的祖先是索羅門聖殿裡的祭司。」如今他依舊鼓舞著所有作家。他說，「我想讀本好書時，我就自己寫一本。」

16 卡羅爾這時成為霍亨佐倫家族出身的羅馬尼亞國王，保加利亞的創建則讓薩克森—科堡家族得到其最後一個王位：面帶病容的斐迪南王公（Prince Ferdinand）被選為保加利亞的國王。由塞爾維亞人組成的小國蒙特內哥羅，在鄂圖曼帝國裡一直由世襲的佩特羅維奇王朝（Petrović）王朝統治，該王朝的統治者的稱號為伏拉迪卡（vladika），亦即公國國君暨主教，統治者之位採叔伯傳給姪子的方式繼承。公國國君暨主教達尼洛（Danilo）讓自己轉而為娶妻生子的世襲公國國君後，此神權統治體制自此告終。一八六〇年他遭暗殺身亡，他的姪子，身形巨大的尼古拉（Nikola）接位；尼古拉於一八七六年向君士坦丁堡宣戰，然後把兩個女兒嫁給羅曼諾夫家族的兩個大公，藉此確保得到俄國的保護。

第十八幕

世界人口
十三億人

索羅門家族、阿善提家族、哈布斯堡家族、薩克森—科堡家族

尚吉巴公主薩拉瑪和卡坦加的國王屍體

一八七一年十二月二十四日，偉人伊斯瑪儀在其位於開羅的歌劇院主持了威爾第的歌劇《阿依達》的首次公演，為了這齣歌劇，他已付了十五萬法郎給威爾第。劇情講述一個衣索比亞公主遭一名埃及武將俘虜，淪為奴隸，而此故事並非全然虛構。伊斯瑪儀決意征服東非洲，且率先鎖定衣索比亞。歐洲爭奪非洲領土一事，從許多方面來說，係這個埃及統治者所啟動。[1]為贏得西方支持，他支持反蓄奴運動，發兵南下奪取達富爾（Darfur，今蘇丹境內）。在大西洋地區，奴隸制已大衰，但在非洲境內卻是蓬勃發展。掌有實權的非洲人、阿拉伯人，以及，至目前為止，零星的一些形形色色的歐洲人，全都是權力、資源爭奪戰裡的玩家。在非洲大陸西部，索科托的哈里發和奴隸主擁有兩百五十萬個奴隸——占該地區人口四分之一；[2]在東非洲，混亂情勢正加劇。

憑藉武力打下一個非洲—阿拉伯帝國的傑出阿曼人蘇丹賽義德（Said）於一八五六年去世，他由尚吉巴、阿曼構成的蘇丹國即一分為二，分別由兩個兒子統治：其中之一統治阿曼，另一人，蘇丹馬吉德（Majid），在英國人支持下，拿下肯亞和坦尚尼亞兩地的諸多地方和尚吉巴，派人深入非洲內陸襲掠，以抓取奴隸並收集象牙。東非洲的奴隸貿易這時來到最盛。十九世紀期間，一百六十萬個奴隸被賣給阿拉伯、印度的奴隸主，其中三分之二是女性；每年六萬個奴隸被賣到尚吉巴境內的姆庫納齊尼（Mkunazini）奴隸市場，關在七十五個環境惡劣不堪的奴隸室裡。

在境內有十萬奴隸從事勞動的尚吉巴，馬吉德靠奴隸、丁香、象牙買賣發大財，把美國南部邦聯的軍艦仙納多號（Shenandoah）改造成豪華遊艇馬吉德號。但這個蘇丹的弟弟巴古什（Bargush）極度反感英國影響力的日增，一八五九年他企圖政變，並得到他十五歲妹妹薩拉瑪・賓特・賽義德（Salama bint Said）相助。[3]政變未得手，不過巴古什還是繼位為蘇丹；他買汽輪，建立自己的航運公司，往來於非洲、印度間。他同意關閉姆庫納齊尼奴隸市場，但暗中獲利於一批殘酷軍閥擄掠奴隸和建造帝國的作為。這些軍閥全都從事奴隸買賣，奴隸則被用來運送更值錢的商品：象牙。[4]

1 伊斯瑪儀娶了四個妻子，養了兩百個宮女，愛上後宮一個美麗女奴，卻發現她已因為偷竊被斷了一臂；他還是娶了她，她成為國王法德（Fuad）的母親，活到一九三〇年代。

2 索科托聖戰帝國會在十九世紀更晚時期鼓舞了非洲境內其他人，先是利比亞境內的塞努西教派（Senussi），然後是蘇丹境內的馬赫迪（Mahdi）。二十一世紀，該帝國促動了奈及利亞、馬里、查德、尼日四國境內的聖戰叛亂。

3 薩拉瑪特立獨行、熱情、美麗、聰明，靠自學識字讀書。她母親吉爾斐丹（Gilfidan）是喬治亞人，係她父親在君士坦丁堡買來的奴隸。母親去世後，她承繼了一座仰賴奴隸勞動的丁香園。馬吉德挫敗政變，把巴古什流放到孟買，但未懲罰他們的妹妹。巴古什繼位為蘇丹時，薩拉瑪打破流俗，與歐洲人為伍，出席他們的派對，愛上德意志籍商人海因里希・呂特（Heinrich Ruete）。蘇丹巴古什得知她懷孕後大為光火，下令將她處決。英國皇家海軍軍艦將她送到自由之地。她皈依基督教，改名埃米莉（Emily），嫁給呂特，在漢堡養大兩個孩子。當她丈夫死於有軌電車事故，埃米莉／薩拉瑪隨之失去生活保障，無法索取她在尚吉巴的土地，最終定居貝魯特，並寫下《來自尚吉巴的一個阿拉伯籍公主的回憶錄》（*Memoirs of an Arabian Princess from Zanzibar*）一書，可能是第一個寫下具現代精神之自傳的阿拉伯女人。

4 一八九〇年時，巴古什所賣的象牙已占全球象牙的七成五，每年六萬頭大象因他喪命。象牙賣到東、西方。在西方，象牙用於製造鋼琴等商品——鋼琴被用來美化歐洲人家居，用尼爾・福克納（Neil Faulkner）的話說，鋼琴是「維多利亞時代女性高貴身分的最高象徵」。

提樸・提普（Tippu Tip）這個阿曼裔尚吉巴軍閥打造出版圖達二十五萬平方哩的帝國。某記者寫道，他「高大，留著黑鬍子，黑人膚色，正值壯年，直率，聰敏」，「有著聰明好看的臉，眼睛緊張得猛轉」，始終一身亮眼的白色打扮，佩戴一把飾有銀絲細工的銀質小刀。他有句名言：「入手奴隸不用花錢；只需動手蒐集。」有艘載了女奴和童奴的船葬身於瀑布下時，他只說，「真可惜，那是艘很好的木舟。」

奴隸貿易並非全掌控在阿拉伯人手裡：兩個尼亞姆韋吉族（Nyamwezi）出身的軍閥統治剛果大片地區數十年。其中之一名叫米泰拉・卡桑達（Mytela Kasanda），他與阿曼人交戰，取名米蘭博（Mirambo，「屍體」），統領魯嘎魯嘎（ruga-ruga）民兵。這些民兵穿著用人皮製成的襯衫，戴著用人的頭皮製成的帽子，繫著用人腸製成的腰帶，掛著用人牙製成的項鍊。他的對手姆西里（Msiri）統治在卡坦加（Katanga）的耶凱王國（Yeke），仰仗來自安哥拉的非裔葡萄牙籍盟友科英布拉（Coimbra）提供武器，科英布拉的優雅姊妹瑪麗亞・德・豐塞卡（Maria de Fonseca）憑藉自己本事成為國內政壇要角。姆西里把女兒嫁給提樸・提普，以確立雙方的同盟關係。

在非洲東南部，最有力的統治者是布干達王國（Buganda，今烏干達境內）的卡巴卡（kabaka，即國王）穆泰沙（Mutesa）。穆泰沙是身形魁梧但有精神病的獨裁者，用銅環和珠寶裝飾身體，從一八五六年起，便在由諸多巨屋構成的都城臨朝聽政三十年，有一支龐大軍隊和一個木舟船隊供他驅策。他主持朝政時，他的母親、四百個妻子、諸位大臣、劊子手參與議事。他的船隊則從事象牙、奴隸買賣。穆泰沙十九歲時靠屠殺家族奪取大權，其所屬王朝統治該王國已兩百年，他本人靠恣意殺人和折磨維持其支配地位，並以每季八百人獻祭來聖化自己的地位。

這個卡巴卡統治兩百萬左右的人民，擴張其王國時操弄穆斯林和基督徒互鬥、尚吉巴人和埃及人互鬥，藉此從中得利。在更南邊，有個令人害怕的果阿籍軍閥，人稱戈維亞（Gouveia）的馬努埃爾・德・蘇札（Manuel de Souza），利用他叔伯的種植園，打造出他個人在葡屬尚比西亞（Zambezia）的奴隸、象牙買賣地盤，創建一支私人的非洲軍，接管嘎薩王國（Gasa），成為「馬尼卡之主」（Lord of Manica）；他娶巴魯埃王國（Barue）的國王之女，兩人的兒子成為王儲。這些都是為了奪取土地、奴隸、象牙而拚命從事掠奪性戰爭的奴隸國，而且這些戰爭眼下引來非洲最大的強權：埃及。

伊斯瑪儀和特沃德羅斯：東非爭奪戰

拿下蘇丹後，伊斯瑪儀更往前推進，進入中非洲，併吞赤道區（Equatoria，烏干達北部）。他擔任該地區總督時，聘用了為清廷打過太平軍、外號「中國人」的戈登將軍。伊斯瑪儀雖是奴隸主，但戈登還是接下打擊蓄奴的工作。

而後，伊斯瑪儀把矛頭轉向衣索比亞。衣索比亞是存在多個族群的地區，幅員遼闊，境內被數個信仰基督教的王國和信仰伊斯蘭教的蘇丹國割據。衣索比亞名義上由內古斯・內古斯特（negus negust）——基督教王朝的「諸王之王」，亦即皇帝——統治，內古斯・內古斯特聲稱是國王索羅門和女王示巴之後，但肯定是該王朝的中世紀創建者梅涅利克（Menelik）的後代。一八五五年，小貴族卡薩・海魯（Kassa Hailu）征服提格雷（Tigray）、戈賈姆（Gojjam）、修瓦（Showa）、沃洛（Wollo）諸王國，將這些王國的索羅門王朝王子囚禁於他的山中要塞馬格達拉（Magdala），自封為內古斯・內古斯特特沃德羅斯二世（Tewodros II）。特沃德羅斯「身高中等，但體格結實強壯，再怎麼疲累都耐得住」，「舉止高貴，步態威嚴，槍法、矛法、奔跑、馬術都是一流。」

在他的馬格達拉山中要塞，他對一個囚徒青睞有加，一個修瓦王國的年輕王子，名叫薩赫勒・馬里亞姆（Sahle Maryam）——後來人稱梅涅利克——他把女兒許配給他。梅涅利克尊敬特奧德羅斯，說他「教育我，我對他始終懷著子對父般深深的愛意」。特奧德羅斯的愛妻去世後，這個皇帝行事漸漸亂無章法。梅涅利克逃走，特奧德羅斯則把他的階下囚丟下懸崖，然後殺害、折磨更多人。一八六二年，這個難以捉摸的皇帝要求英國助他對付信仰伊斯蘭教的豪強，未如願後，他囚禁英國使者和傳教士。迪斯雷利派羅伯特・內皮爾爵士（Robert Napier）率一萬三千兵力前去征討。內皮爾是典型的帝國軍人，此前打過錫克教徒、印度人、中國人。一八六八年四月，內皮爾在馬格達拉要塞外打敗特奧德羅斯，殺死九百名衣索比亞人，而英方只損失兩人。窮途末路的衣索比亞皇帝隨之釋放被他押為人質的英國人，把他所關押的衣索比亞人丟下懸崖，然後，在內皮爾強攻要塞時開槍自盡。馬格達拉勳爵內皮爾獲賞貴族爵位，洗劫衣索比亞財寶，但在分別以修瓦的梅涅利克和提格雷的卡薩・梅爾洽（Kasa Mercha）為首的兩派王子爭奪皇位時撤兵。[5]卡薩勝利，獲加冕為約翰內斯四世（Yohannes IV）。

有個美國記者報導了英國人這場襲擊，詳述了英軍士兵的掠奪行為，而這時他愛上非洲，最終成為歐洲人冒險、剝削精神的代表性人物：亨利・莫頓・史丹利（Henry Morton Stanley）。他其實不是美國人，也不叫史丹利；他本名約翰・羅蘭茲（John Rowlands），是威爾斯人，身為私生子，他被母親遺棄，在教養所裡長大。十八歲搭船去美國，取了新名，在密西西比河上的船上工作，美國內戰時，既為南部邦聯打過仗，也為北部聯邦打過仗，而後信奉聳人聽聞的戰爭新聞報導風格，受《紐約信使報》（*New York Herald*）之聘，前來報導內皮爾的小型非洲戰爭。

史丹利忽視非洲的歷史和文化，稱非洲是「無人居住的鄉野」，把它看成待人塗抹的白畫布，看成商機，看成供這個愛撒謊且不知疲累為何物的冒險家展現維多利亞時代男子氣概並抗拒「成千上萬人在英格蘭所過的那種膚淺生活」的絕佳場域。他說，「在英格蘭，男人無緣展現真實且自然的本色」。眼下，他需要一個更精采的故事來報導。

與他同時代的名人無疑是不屈不撓的傳教士大衛・利文斯敦醫生（David Livingstone），他失蹤，恐怕已不再人世。還未滿三十歲的史丹利向他在紐約市的編輯暨老闆提議報導他，認為那足以引起轟動：藉由找到利文斯敦。

利文斯敦以其與眾不同的對待非洲的方式而著稱於世，帶領一支典型的維多利亞時代傳教團在非洲傳播基督教，消滅東非洲的奴隸主，找到尚比西河、尼羅河的源頭。他也是個想出風頭的人、缺乏幽默感且執著於自己信念、靠自己本事出人頭地、英國格拉斯哥的工人階級成員，這時育有五個孩子，在國內感到乏味，一逕的想追求他那種獨來獨往、行正道的精采傳教生活。他先是在二十七歲時於南非傳教，卻也急欲有所成且堅持不懈，進而成為遊歷非洲各地的「探險家」（英國報刊讚譽此成就，但一八〇六年時，已有兩個買賣奴隸的蓬貝羅人穿過非洲大陸）。利文斯敦心中湧動著維多利亞時代的死亡崇拜精神：「我會為我追求的大業殉難嗎？」倫敦、紐約蓬勃發展的報業密切關注他的勇敢作為，貴婦出席他的演說。他追求廢奴的精神崇高且真誠，但此精神和他本身的虛榮心、他認定使歐洲敞開大門接納「商業」——英國的事業——係消除奴隸制的最佳解方一事脫離不了關係。

在非洲的許多「冒險家」相信「文明開化使命」，其中大多是英國人和法國人，而這項使命則建立在認為非洲人較低劣的種族主義觀點上。甚至在這兩個國家把觸角伸到非洲之前，就已難以區分基督教傳教士、科學性—地理性探險家和帝國建造者、商業冒險家、掠奪成性的傭兵、性觀光客等——但他們都是冒

---

5 這個皇帝請求英國人保護特奧德羅斯的年幼兒子阿列馬耶胡（Alemayehu），阿列馬耶胡被當成英格蘭紳士養大。

著風險來到非洲者。他們的旅程往往會致命。史丹利後來從印度洋岸跋涉約七千哩，橫越非洲到剛果河，他一行人裡的每個白人（他本人除外）和一百七十三個非洲人全都丟了性命。

一八六六年，利文斯敦只帶著三十五個挑夫，便從東非海岸啟程，前去尋找尼羅河的源頭，卻陷入戰爭和獵捕奴隸的複雜情勢裡，他的人在此處境下或死或逃亡。憑著對尼羅河的執著，他奮力前進：「我看重尼羅河的源頭，只因那使我可以對眾人講話時很有說服力……可以治好一個很嚴重的弊害。」他受奴隸主支配，幾乎要斷絕必要物資，還是活了下來，只是患了痢疾。他消失的消息一傳出，世人隨之想確認他的下落。

一八七一年三月，史丹利啟程前去「拯救」利文斯敦，他帶著大批非洲籍挑夫和火力強大的武器，在這過程中他如同軍閥，一路向前打去，挺過阿拉伯籍、非洲籍奴隸販子間的衝突，用他的步槍射殺經過的非洲人。最後，十一月，他找到這個失蹤的冒險家，上演了充滿戲劇性且蔚為神話的帝國冒險一幕。史丹利說，「我想你是利文斯敦醫生吧？」為崇高傳教使命和無恥編造故事的相遇起了頭。利文斯敦沒了牙、身形消瘦，那時就「只剩骨架」。史丹利急奔回去發出他的報導文章，而利文斯敦不改其本色，堅持要繼續向尼羅河源頭推進，不顧自己已快死於痢疾。

然而，史丹利的報導使他名揚世界。更重要的是，該報導使東非奴隸貿易的「巨大人類災難」廣為人知，導致英國公眾要求廢除該奴隸貿易，而此廢奴運動——連同帝國擴張野心——會把歐洲列強拉進來。倫敦派海軍前去攔截奴隸販子，逼尚吉巴蘇丹巴古什停止奴隸買賣。

取得此轟動效果後，史丹利行至西非洲，在那裡，有支英國遠征軍讓世人見識到技術、科學上的新進展如何首度使歐洲人挺進非洲內陸變得可行。自葡萄牙人建造埃爾米納以來，四百年間，除了在開普殖民地的英國人—尼德蘭人、在安哥拉和莫三比克的葡萄牙人，歐洲人幾乎未曾試圖征服非洲內陸。受制於地形、氣候，以及最重要的，受制於奪走大多數歐洲人性命的瘧疾和黃熱病，歐洲人一直局限於沿海地帶。一八二四年，英國人試圖挑戰阿散蒂王國，結果落得英國總督的頭淪為阿散蒂國王的高腳杯的下場。只有百分之五左右的非洲地區落入歐洲人殖民統治。但那即將急遽改變：電報加快了信息傳遞；汽輪使歐洲列強得以集結兵力於遙遠異地；新武器發出摧枯拉朽的火力；而在安地斯山金雞納樹的樹皮裡所找到且這時在爪哇種植生產、能治瘧疾的奎寧問世等，一一改變了局面，使歐洲人在非洲內陸可以活命。

一八七一年，太后阿法·科比（Afua Kobi）統治下的阿散蒂人不服英國人購買荷屬黃金海岸一事。在母系的阿散蒂王國，太后是非常重要的決策者。此前，阿法·科比策畫殺害了與他兒子科菲·卡里卡里（Kofi Karikari）爭奪王位的諸多王子，而後將兒子送上王位。她說，「我只是個女人，但會用我的左手和英國總督交手。」然她有所不知的是，新科技已改變雙方的實力對比。一八七四年二月，加尼特·沃爾斯利（Garnet Wolseley）——大英帝國的建造所不可或缺的英格蘭裔愛爾蘭籍將領之一——利用汽輪將兩千五百名英軍送上岸，建設了通往內陸的鐵路。然後，他與數千名非洲范提族（Fante）傭兵聯手，攻向都城庫馬西。阿法·科比和阿散蒂人在激戰中落敗，著名的史丹利報導了此戰事。阿法撤退時，沃爾斯利摧毀都城，逼她以黃金賠償、解放數千名阿散蒂人奴隸、禁止人祭——但英國人未擄獲神聖的「金凳」（Golden Stool）。太后阿法·科比這時罷黜科菲，把另一個兒子扶上王位。沃爾斯利說，「年輕人要在軍中出人頭地，只有一個辦法，那就是必須竭盡所能往鬼門關闖。」他成為替大英帝國解決麻煩的能手，他的能幹衍生出一句俗語：「All Sir Garnet」，意味「一切都在掌握之中」。

在非洲東部，衣索比亞局勢的混亂則為赫迪夫伊斯瑪儀製造了機會。他占領位於沿海的馬薩瓦（Massawa，今厄利特里亞境內）和塞拉（Zeila，今索馬利亞境內），欲攻取尚吉巴，卻遭當地蘇丹擊退。一八七五年，由這位赫迪夫的兒子哈桑（Hassan）和美籍、瑞士籍、丹麥籍軍官所率領的一支埃及軍隊入侵衣索比亞，但在袞迪特（Gundet）和古拉（Gura）遭衣索比亞皇帝約翰內斯伏擊、殲滅；王子哈桑被擒。這場勝利給了約翰內斯號令群雄的權威。[6]戈登，伊斯瑪儀的總督正在附近擴大埃及帝國版圖，沿著尼羅河往南一路擴張三千哩，直到諸大湖和布干達才止住。在布干達，一路挺進的戈登遭遇卡巴卡穆泰沙（Mutesa）抵抗。戈登這個行事極正派的武將，以騎駱駝和搭尼羅河汽船的方式穿過廣闊的蘇丹，他嚴正表示：「我要打掉奴隸制」——但他打得很吃力。蘇丹當地諸位奴隸主哈比爾（khabirs）——一年將五萬人貶為奴隸——強力抵抗。

偉人伊斯瑪儀在衣索比亞和布干達都未能得手，不過，他這時統治一個龐大帝國，是為對非洲的第一次瓜分。但打了十場戰爭、建造了一千兩百英長的鐵路、花錢買克虜伯炮、和法國交際花廝混，使伊斯瑪儀入不敷出還不起債。他考慮賣掉他在蘇伊士運河的股份，而迪齊正想拿下那些股份。這個首相求助於他最好的朋友之一利奧內爾．德．羅斯柴爾德。[7]一八五七年十一月，在內閣會議上，迪斯雷利提議買下，隨後突然往會議室外伸出頭，向他的祕書蒙塔古．科里（Montagu Corry）說了句「成了」，科里隨即搭馬車趕去羅斯柴爾德投資銀行的全球總部（New Court）。羅斯柴爾德正在那兒等著。迪斯雷利「明天」需要四百萬英鎊。「羅斯柴爾德拿起一顆麝香葡萄，吃下後，吐出皮。」

「你們用什麼擔保？」羅斯柴爾德問。

「英國政府。」科里說。

「錢沒問題。」羅斯柴爾德把錢電匯給伊斯瑪儀時，迪斯雷利正受女王維多利亞接待。

「搞定了，」迪斯雷利以自負口吻說。「就這樣，夫人。」

凱奇瓦尤的勝利和最後一個拿破崙

迪斯雷利吹噓道，「這個仙子喜不自勝」——仙子是他對維多利亞的稱呼。一年後，他讓她當上「印度女皇」，藉此鞏固英國對印度的統治，然後他不得不保衛印度的邊界。帝國始終是易被識破的權力遊戲、騙人的把戲，仰仗霸權的神祕性打造而成，而且此神祕性有賴不從即迅即動手教訓的威脅才能保住。然而，歐洲列強——葡萄牙、尼德蘭、英國——都是小國，特別需要虛張聲勢的帝國作為來控制住遙遠殖民地和廣大人口。軍隊和基礎設施不久就吃掉獲利，要免於落入帝國漩渦並不容易：每靠武力拿下新的領土，都需要更多戰爭才能守住已保有的，然後需要併吞新的土地才能阻止肥肉落入對手口中。迪斯雷利買下蘇伊士運河只為將法國拒於門外，但俄國才是英國的最大敵人，羅曼諾夫王朝是自成吉思汗以來最成功的帝國建造者。一八六五年，俄國拿下塔什干，一八六八年拿下撒馬爾罕，布哈拉的埃米爾、希瓦（Khiva）的可汗成為俄國的藩屬。經過十年令人震驚的開疆拓土，亞歷山大二世已擴張到阿富汗邊界。亞歷山大受阻於英國而無法拿下君士坦丁堡後，著手與將領討論入侵印度一事。

---

6 與約翰內斯競爭的索羅門家族王子梅涅利克投降，被封為修瓦王國的國王；他的女兒札烏迪圖（Zewditu）嫁給皇帝的兒子。梅涅利克會成為現代衣索比亞的皇帝，對現代衣索匹的形成影響甚大；札烏迪圖則會成為女皇；她的攝政會是海爾．塞拉西（Haile Selassie）。

7 話說一八四四年，當迪斯雷利的長篇小說《康寧斯比》（*Coningsby*）初版大受好評之際，他已見過利奧內爾．德．羅斯柴爾德，那時他已繼內森之後接掌該家族在英國的銀行業務。他對利奧內爾的權力、對他的妻子夏洛特甚感興趣，聰慧的夏洛特來自羅斯柴爾德家族的那不勒斯分支。他寫道，「這個來自法蘭克福的年輕新娘高䠷、優雅、膚色深且光潔。」在《康寧斯比》中，迪斯雷利融合利奧內爾、蒙帖菲奧雷、他本人三人的特質，打造出他筆下那個西班牙猶太裔的統治者西多尼亞。利奧內爾經營銀行，同時為愛爾蘭饑荒募款，和他的舅舅蒙帖菲奧雷一起領導為猶太人爭取出任下議院議員之權利的漫長運動，在一八五八年通過《猶太人救濟法》（Jews Relief Act）之前，三次贏得選舉（但都未獲准進入下議院參與議事）。

羅曼諾夫王朝誠惶誠恐地試探阿富汗埃米爾席爾·阿里（Sher Ali）的意向且英國人要他保證效忠時，他既憂心於國家可能不保，又想驕傲的抵抗，拿捏不定主意。他最終拒絕英國的要求，迪斯雷利當即同意發兵入侵。比起一八三九年入侵阿富汗，這次英國計畫更周詳且武器更精良，英國人拿下喀布爾，扶立席爾·阿里的兒子為王，並派一名全權代表指導他。與此同時，英國人在非洲吃了敗仗，這個首相得處理這件事。

一八七九年一月，祖魯人的國王凱奇瓦尤（Cetshwayo）——姆潘戴的兒子暨夏卡的姪子——命令兩萬兵力的祖魯人部隊迎擊進犯的一萬八千名英軍，英軍漫不經心的駐紮在伊桑德熱瓦納（Isandlwana）。這場戰爭並非英國殖民地事務大臣卡納馮（Carnavon）所挑起的第一場戰爭，他在使加拿大成為自治領後，希望在南非建立類似的體制，即由白人移民統治的體制。但南非不是加拿大：祖魯人、科薩人、白種阿非利卡人無意配合。高級專員巴特爾·佛里爾（Bartle Frere）的傲慢要求，不久就把科薩人逼得造反。平定亂事後，他開始對付凱奇瓦尤，「一個頗能幹、很有毅力、舉止威嚴、能洞察事理的人」。正當凱奇瓦尤讓軍隊接受新訓時，佛里爾要他放棄領土，減少兵力。這個祖魯王拒絕，集結其戰士。佛里爾早準備好動手。

英國的侵略反映了南非的價值不同於以往。八年前，在瓦爾河（Vaal River）附近，開普敦東北邊，探礦者在格里夸蘭（Griqualand）境內德貝爾兄弟（de Beer）的農場上發現鑽石。格里夸蘭是黑白混血的格里夸人（Griquas）的世居地，格里夸人則由他們的世襲頭領（kaptein）安德里斯·瓦特布爾（Andries Waterboer）統治。隨著鑽石熱興起，五萬個想發財的人湧入，在這個所謂的「大洞」挖採鑽石。在這些鑽石探索者之中，有個來自倫敦東區（East End）的猶太裔拳擊手巴尼·巴納托（Barney Barnato），還有患有氣喘的英格蘭教區牧師之子塞西爾·羅茲（Cecil Rhodes）。格里夸人頭領和川斯瓦爾、奧蘭治自由邦這兩個阿非利卡人共和國的總統，都說這些鑽石礦歸他們所有，但英國人迅即吞併「新湧來」營地（New Rush），不久，該地被根據殖民地事務大臣慶伯利勳爵（Lord Kimberley）之名改為慶伯利。這時，佛里爾打算不只要對付凱奇瓦尤，還要對付阿非利卡人的川斯瓦爾共和國，不久便吞併了該共和國。阿非利卡人當下未抵抗英國人，因為他們也對東山再起的祖魯人感到憂心。

一八七九年一月，佛里爾派切姆斯福勳爵將軍（Lord Chelmsford）轄下的一萬八千人投入戰場，切姆斯福親自統領其中一支一千五百人的縱隊。凱奇瓦尤派其弟率領兩萬四千戰士攻打海姆斯福：「緩進，拂曉出擊，吃掉英軍。」過度自信的海姆斯福將其縱隊安置在伊桑德熱瓦納，並闢設築有防禦工事的營地，深信他的一千名英軍士兵和五百名非洲籍傭兵，配備馬提尼—亨利式步槍（Martini-Henry），足以輕易打敗祖魯人。就在他在外偵察時，祖魯人伏擊他的部隊，殺掉一千兩百一十名軍人——七百三十九個白人和四百七十一個黑人，一律遭劃開肚子——只是祖魯方也損失差不多的人數。後來，祖魯部隊在羅克渡口（Rorke's Drift）圍攻一支英軍部隊，該部隊力守了十二個小時。三月，在尹通貝（Intombe），凱奇瓦尤消滅一支英軍縱隊，殺掉八十人；但凱奇瓦尤冒然攻擊一個築有防禦工事的營地，雖然殺掉八十四個英國人和一百個非洲人，他自己也損失了兩千名祖魯人。在倫敦，迪斯雷利怒不可遏，但海姆斯福帶著兩萬五千人再度入侵，配備了加特林機槍這個新武器，藉此挽回他的名聲。[8]

有個年輕的法國人從倫敦趕來加入英軍：路易．拿破崙，即拿破崙三世和歐仁妮的獨子、二十二歲的盧盧。盧盧懇請入伍。迪斯雷利否決，但歐仁妮求助於女王維多利亞。迪斯雷利嘆道，「有兩個頑固的

8 美國發明家理查．加特林（Richard Gatling）發明了這第一款機槍，用以在美國內戰期間拯救性命：「如果我能發明一種機器——一種槍——憑藉這把槍發射的快速，能使一人發揮百人的作戰能力……那將使大兵力軍隊變得沒必要，從而使士兵不致身陷槍林彈雨和疾病上身。」結果並未如他所想望的。

女人需要處理，在這種情況下你能做什麼？」盧盧，綽號ＰＩ（prnice imperial，皇太子），很想打仗，他說，「我如果得倒下，我更希望倒在南非部落的長矛下，而非子彈下。」他的小部隊在外偵察時遭三十名祖魯人伏擊；他的馬受驚脫韁，他緊抓著馬，最終還是落馬，馬揚長而去，他連開手槍，最後不敵，挨了十八記長矛。

歐仁妮住在肯特郡，維多利亞登門拜訪安慰她的喪子之痛。後來，凱奇瓦尤求和時，把盧盧的拿破崙劍歸還。在英格蘭本土，他的死，激起公眾關注，幾乎和羅克渡口之役所激起的關注一樣強烈。他的死代表波拿巴家族自此淡出歷史舞台。

一八七九年七月四日，海姆斯福進攻位於烏倫迪（Ulundi）用柵欄圍起的祖魯王大院（kraal），正面迎戰以中空正方形陣式迎擊的祖魯軍隊，他的兩挺加特林機槍和大炮在三十分鐘之內撂倒一千五百人，傷數千人。事後，他燒掉烏倫迪。祖魯王被俘虜，押送到倫敦，祖魯王國解體。[9]凱奇瓦尤的垮台使阿非利卡人得以放手施為，這些槍法神準的突擊戰高手打敗英軍。英國承認他們獨立，但鑽石礦和接下來不久金礦的發現將使南非改頭換面。

迪斯雷利談到伊桑德熱瓦納之役時說，「這場慘敗令我無比震驚」——他在喀布爾的另一場大敗亦然。九月三日，遭欠餉的士兵叛變，升高為叛亂：英國全權代表被殺，七千英軍遭圍並落敗。伊桑德熱瓦納和喀布爾兩事件說明偉大的帝國會同時在不只一個戰線上遭擊敗，卻絲毫不失其帝國威望。

選戰進行期間，迪斯雷利的對手威廉・格萊斯頓這個向來精力充沛的七十歲老人，抨擊這個帝國主事者虛榮，愛出風頭，而比他年長五歲的迪斯雷利苦於痛風和氣喘，則嘲笑格萊斯頓這個「善於演說、陶醉於自己莫名興奮的囉嗦的老練之人。」但這種囉嗦作風奏效：一八八〇年四月，格萊斯頓壓倒性大勝，雀躍地說著迪斯雷利的慘敗，「就像義大利傳奇故事裡某個氣派大城堡的逐漸消失。」

格萊斯頓綽號GOM（Grand Old Man，「老前輩」），矢志讓動蕩不安的愛爾蘭享有地方自治。在愛爾蘭，信仰天主教的農民怒批新教的地主欺壓他們。但他躲不掉帝國漩渦：必須穩定阿富汗的局勢。這次英軍由綽號「鮑伯斯」（Bobs）、更懂得統兵作戰的佛雷德里克．羅伯茨（Frederick Roberts）統領，他是英格蘭裔愛爾蘭人，矮小，瘦而結實，在印度、衣索比亞打過仗，擊退包圍他營寨的敵人，然後奪回喀布爾。一八八〇年七月，一支兩千五百人的英軍部隊遭席爾．阿里的兒子所領導的阿富汗人擊潰，該支英軍的士兵大多是印度人。但鮑伯斯帶領其喀布爾和坎達哈野戰部隊前去解救坎達哈，並於九月擊潰阿富汗人。一如一八四二年時，英國人懂得阿富汗戰爭的原則：使勁狠打，然後迅速離場，留下一個友善的統治者。鮑布斯寫道，「這或許有損我們的自尊心，但……阿富汗人愈不常看到我們，就愈不討厭我們。」新埃米爾阿卜杜爾．拉赫曼（Abdur Rahman）同意阿富汗此後只與英國有外交關係，然後花十二年壓下叛亂。一八八五年，俄軍在本傑德（Panjdeh）攻擊一支阿富汗部隊，致使英俄瀕臨開戰，這時這個埃米爾和支持他的英國人臨危不亂。一八七八年開打的英阿戰爭以英軍戰勝收場，英國因而得以將阿富汗納為受保護國又四十年。

格萊斯頓的另一個帝國漩渦是埃及。一八八二年英國干預埃及，挑起一場民族主義叛亂。為保護蘇伊士運河，格萊斯頓不情不願地派沃爾斯利前去占領埃及，但在更南邊的蘇丹境內，英國的反奴使命感已挑起一場聖戰性質的叛亂。叛亂首領穆罕默德．艾哈邁德（Muhammad Ahmed）為尼羅河河船建造商之子，

9　凱奇瓦尤遭流放，但他的王國裂解，陷入內戰時，他以國王之姿回來。而六十歲的他作戰負傷，然後遭對手毒死。他兒子迪努祖魯（Dinuzulu）尋求阿非利卡人的騎馬民兵隊協助光復他的王國，最終還是遭俘虜，被英國人流放至聖赫勒拿島。祖魯王國被併入南非，但夏卡的家族如今仍居統治之位。

走過一段刻苦自持的隱居後見到神顯靈，自封為馬赫迪。「我們要摧毀當今世界，創造下一個世界，」他說。「凡是不相信我的救世主信念者，都要被劍淨化。」然後他命令旗下高手安薩爾人（Ansaris，源於當年先知穆罕默德前去麥地那後追隨他的人），「殺掉土耳其人（埃及人），不繳稅。」馬赫迪的叛亂得到反動奴隸販子支持，英國出於良善本意的廢奴主張，令這些奴隸販子感到威脅。

正當狂熱的安薩爾人打敗英國、埃及部隊時，英國報界呼籲「派戈登去！」格萊斯頓不情不願的派正氣凜然、特立獨行的戈登前去將人撤出蘇丹，這個將軍卻履行起自己的神聖使命。遭安薩爾人包圍時，戈登繼續與七千蘇丹人守住喀土木。「我非常希望祂的意志會讓我得救，」他告訴他的姊姊。「俗世的歡樂變得很黯淡，俗世的榮光已褪去。」戈登一心想殉難藉此名留青史，於是高調展現自己的英勇，這時，迫於民意，格萊斯頓派沃爾斯利率領遠征軍前去解救。戈登寫道，「與其沒沒無聞的消逝，不如頭部挨顆子彈。」在劫難逃的戈登猛抽菸，用藤杖打僕人，大喊著「去告訴喀土木所有人，戈登什麼都不怕，因為上帝在無所畏懼中創造了他！」

一八八五年一月二十六日，馬赫迪攻破喀土木，屠殺戈登所部。戈登被人用矛刺死在他的陽台上；他的頭被砍下，帶去給馬赫迪，馬赫迪將它掛在恩圖曼（Omdurman）的樹上：「他的藍眼睛半開」，有個被俘的歐洲人記載道。英國人欽佩此一展現基督徒英勇的行徑，要求報仇；格萊斯頓被趕下台（而此時的GOM意指「殺害戈登的凶手」／Gordon's Own Murderer）。馬赫迪統治蘇丹，把奴隸買賣納為政府國營事業，並由把數十萬人貶為奴隸的阿拉伯籍奴隸主輔佐此事業。他死後，接位的哈里發阿卜杜拉希（Abdullahi）掌控大局，把達富爾和赤道區當成獵捕奴隸的專用區，十五個童奴和四百個妾服侍他。他一心要擴大其帝國，於是，一八八八年，這個哈里發入侵衣索比亞，將數千人屠殺或貶為奴隸，然後洗劫都城貢德爾（Gondar）。皇帝約翰內斯反擊，發兵攻入蘇丹。一八八九年三月，在加拉巴特（Gallabat），十五萬衣索比亞人教訓了八萬蘇丹人——一個遭冷落的重大歷史時刻，或許因為對陣雙方都是非洲人，卻是非洲大陸上所進行過的最大戰役之一。蘇丹人落敗，仍從中摘下勝利的果實，殺掉約翰內斯四世——最後一個戰死的君主——把他的首級送回去恩圖曼，吊在那棵令人毛骨聳然的樹上，戈登頭顱的旁邊。

這一仗有多達三萬人喪命，卻只是某個國王的野心和其他因素所引發的瓜分非洲行動裡的一環而已。

屠夫萊奧波德、劊子手彼得斯、瘋上尉武列：征服非洲

比利時的萊奧波德二世身材瘦削、動作笨拙、長鼻子、頭髮濃密，行為古怪但善於操弄，一心想要有個帝國。這個年輕的布拉班特的公爵，父親是英國女王維多利亞的舅舅薩克森—科堡家族的萊奧波德，母親則是路易・菲利浦的女兒，他本人則為自己身為「一個小國和眼界窄小之人民的國王」感到難堪，卻又聲稱，「只要是了不起的人，其所置身的國家疆域再怎麼小，都總會找到做出大事的方法。」他想買下克里特、古巴、斐濟、砂勞越、菲律賓、越南，以及德克薩斯與中國兩地的部分地區。受到偉人伊斯瑪儀的啟發，他認為埃及「是個金礦，我們得不遺餘力開發，」然後建議「可在阿比西尼亞買個小王國。」他父親安排這個兒子娶哈布斯堡家族的女大公瑪麗・昂莉埃特（Marie Henriette），她對馬非常著迷：寶莉娜・梅特涅開玩笑道，這是「小馬官和修女（的婚姻），而這裡的修女，我指的是布拉班特的公爵」。一八六五年登基後，萊奧波德宣布他的目標是使比利時「富強，從而擁有自己的殖民地」。

一聽說史丹利的橫越非洲之行，他即宣布「我想見史丹利」。史丹利這個以軍閥自居的記者對他很有好感。這個國王成立剛果河上游研究委員會（Comité d'Études du Haut-Congo）——會名取得具慈善意味——而後找來史丹利為其效命。史丹利知道這個「精明」國王「披著一個國際協會的外衣，想要把剛果河

流域打造成比利時的附屬地」。在非洲，史丹利著手建立比利時的「貿易站」，其中最重要者是萊奧波德維爾（Leopoldville，今金夏沙），並在領土爭奪戰中打敗法籍探險家薩沃尼昂·德·布拉札（Savorgnan de Brazza）。萊奧波德說，「這塊非洲蛋糕裡該歸我的一份，我不想錯過。」

一八八二年，他成立國際剛果協會（Association Internationale du Congo），作為其所取得之土地的門面。他把這些土地稱作「自由邦」（Free States），聲稱「埃及所放棄且境內奴隸貿易未斷的中非洲」數大片地區為他所有，「為使這些地方能被一個新國家治理，將是釐清紛亂的根源並予以根除的最佳辦法。」

對萊奧波德非常反感的俾斯麥嗤之以鼻道，「騙人玩意！幻想！」說萊奧波德「展現了一個認為靠自己的魅力和帥氣外表就能做什麼壞事都得逞且不必付出任何代價的義大利人的做作和天真自私」。這個鐵血宰相，眼看連社會民主黨人都反感於德國未能擁有自己的帝國一事，如今他本身正受到卡爾·彼得斯（Carl Peters）施壓。彼得斯來自漢諾威，二十六歲的哲學系畢業生，他的父親是心術不正的神職人員，僑居倫敦期間得知英國從殖民地得到的好處，隨之創立了德意志東非洲公司（German East African Company），並前去尚吉巴以取得他眼中該歸德國所有的領土。彼得斯聲稱盧安達、蒲隆地、坦尚尼亞三地的部分地區為德國所有，但俾斯麥兩度拒絕他的這些主張。不過，一八八四年十一月，俾斯麥卻邀請所有在非洲角逐的國家派代表前來柏林討論如何瓜分這塊大陸，萊奧波德則在布魯塞爾靜待會議結果。歐洲，尤其是巴爾幹半島，情勢非常緊繃，因此，習於激烈競爭的列強，把他們的對抗戲碼轉到非洲：英法兩國「探險家」——通常是帝國軍人——趕去非洲分食這塊「蛋糕」，即使那只是為了使別人吃不到蛋糕。意識形態和宗教始終反映出政治上的偶然事件：基督教傳教和文明開化使命，仰仗種族主義優越論和優生學理論合理化，與帝國擴張野心和商業貪婪心理完全契合。[10]

但就在這時，在同一座城市裡，有個科學家正在為日後會證明此偽科學之不實的理論奠下基礎。一八六九年，在德意志的蒂賓根（Tübingen），瑞士科學家佛里德里希·米舍爾（Friedrich Miescher）從當地某醫院借來被膿弄濕、沾有血水的綳帶，藉此分析白血球，找出他稱之為核素（nuclein）的新物質。他還不知道那是什麼，但核素含有去氧核醣核酸（DNA），而去氧核醣核酸揭露了數千年間家族和遺傳特徵如何透過家系代代傳下來。正當俾斯麥在柏林總理府瓜分非洲之際，化學教授阿爾布雷希特·科塞爾（Albrecht Kossel）在柏林城另一頭的大學，觀察出這些核素的重要。科塞爾說，「生命的過程猶如一齣戲，我在研究演員，而非情節。」

情節仍掌握在俾斯麥手中。德、英、法三國各自支持萊奧波德，以防剛果落入他人之手。這個比利時國王將剛果納為他個人所有，剛果面積達一百萬平方哩，係比利時的七十六倍大，有居民一千萬。差點自封「剛果皇帝」後，他稱這個地方剛果自由邦，但首先他得用武力拿下。他下令開發剛果以牟利，成立稱之為共和軍（Force Publique）的私人軍隊，雇用比利時人和歐洲他國的許多冒險家為軍官，要他們統領

10 英國、德國、法國的思想家同時發展出這類思想。生物學家暨社會學家赫伯特·史賓塞（Herbert Spencer）在達爾文的《物種起源》問世前不久完成《進步：其法則和原因》（*Progress: Its Law and Cause*, 1857），主張人類靠爭奪領袖地位使自己臻於完善——「適者生存」。法蘭西斯·高爾頓（Francis Galton）——達爾文的有錢表弟——執著於如何培育出「世襲基因」（Hereditary Genius）——他一八六九年出版著作的書名——認為藉由選育可助長值得稱許的特性：必須鼓勵「較優越者」培育後代；不該允許「較劣等者」——靠慈善救濟過活或住在精神病院者——培育後代，不然社會裡會出現許多這類人。他把他的理論稱作優生學，該理論後來被廣為支持。與此同時，法國外交官戈比諾（Gobineau），極反感「國民平庸的年代」，在他出版於一八五五年的《論人種的不平等》（*Essai sur l'inégalité des races humaines*）中，他發明了具科學性的現代種族主義，並在書中主張「白種人最初獨占美麗、智力和力氣」，並使用「亞利安」一詞描述日耳曼民族（la race germanique）這個優等民族。他的朋友華格納接受這些理論，他的妻子則寫信告訴戈比諾，「我丈夫隨時願為你效勞，他一直在研讀《論人種的不平等》。」美國的種族主義者喬賽亞·諾特（Josiah C. Nott）和亨利·霍茨（Henry Hotze）以及德皇威廉二世，盡皆擁護他的看法，後來他的看法也啟發了希特勒。

兩萬剛果籍傭兵，主導象牙獵取，管理橡膠這個新財源。一八八八年，愛爾蘭籍獸醫約翰．鄧祿普（John Dunlop）發明橡膠輪胎，輪胎一開始用於腳踏車，不久後用於汽車。萊奧波德底下的惡棍，揮舞步槍、河馬皮鞭子（chicote）和大砍刀，捕殺任何抵抗分子，處死未能上繳規定額度的橡膠的工人。為萊奧波德效命的官員夏爾．勒梅爾（Charles Lemaire）憶道，「橡膠一成為最重要的原料，我就寫信給政府，說『為了收集橡膠，必須不惜砍掉人的手、鼻子、耳朵』。」共和軍以廉價強行收購橡膠，用暴力逼當地人從事廉價勞動，殺掉不願工作的人，或為了小過失砍掉人的手腳，以懲罰不從的人：共和軍的部隊甚至設置了「手掌保管員」（Keeper of Hands）一職，因為有些士兵靠著收集手掌（並省下子彈）領到獎金；還有些士兵收集手掌當戰利品。為萊奧波德效力的軍官有時射殺非洲人取樂，殺掉給他們戴了綠帽的情婦，強姦女人，買賣上了腳鐐手銬的「志願者」（實際上就是奴隸）。多少人死於非命，如今已算不出，但有數百萬人喪命。但這還不夠。

萊奧波德想要往東擴張拿下蘇丹。他命令史丹利找陷入困境的埃及赤道省省長埃敏帕夏（Emin Pasha）談——這位帕夏是改宗伊斯蘭教的德國猶太裔醫生——但這需要尚吉巴人協助才有可能實現。萊奧波德和史丹利與軍閥提樸．提普合作，任命他為當地行政首長。埃敏獲救，萊奧波德聲稱赤道區為其所有。這個國王問史丹利，「這下，你對拿下喀土木有何看法？」身為布魯塞爾反奴隸制大會的主辦者，萊奧波德因其和提樸結盟而受到批評。疾病纏身的提樸不久就隱退到尚吉巴，由他的兒子塞夫（Sefu）和姪子拉希德（Raschid）接位，他們和其他奴隸販子暨軍閥統治剛果的數大片地區。一八九〇年，英國、法國、比利時的使者找上獨立卡坦加的國王姆西里，與他說葡語的葡非混血老婆瑪麗亞．德．豐塞卡商談。

萊奧波德靠更無情的作風勝出：六十歲的姆西里向比利時中尉奧梅爾．博德森（Omer Bodson）拔劍時，博德森當即開槍，砍下這個軍閥的頭，喊道，「我殺了一隻虎！吾王萬歲！」然後，姆西里的侍衛殺了博德森。但姆西里的養子穆坎達（Mukanda）指控瑪麗亞向歐洲人出賣了姆西里。他逼她下跪，用大砍刀砍下她的頭。他說，「我是踩過敵人身體的穆坎達！」可惜他已失去其獨立地位：萊奧波德得到卡坦加。

俾斯麥接受較小塊的肥肉，他得到從卡麥隆至西南非的土地[11]，而臀大、皮膚柔滑、臉色蒼白、一身自己設計的軍裝、佩戴著多種槍的彼得斯，想要從布干達的卡巴卡手裡搶下烏干達，從尚吉巴的蘇丹手裡搶下坦干伊喀。他在坦干伊喀得手，然後，身為該地的總督（Reichskommissar）、人稱「沾滿血污之人」（Mkono wa Damu），他實行凶殘統治。當他的愛妾和他的男僕有染時，他把兩人都吊死，殺光他們村子裡的人，連德國人都為他的作法感到震驚且反感，於是將「劊子手」彼得斯召回，派兵前去平定因此引發的叛亂。[12]

非洲大半土地落入英法兩國之手，而事實表明法蘭西第三共和國對帝國的渴求絲毫不遜於前後兩個拿破崙皇帝。使純粹君主制和貴族統治體制注定敗亡的人民民族主義時代，在國內既催生中產階級價值觀，也催生日益代議制的政體，但基於對安全、利潤、威望的追求，法國得在海外建立帝國。一八七三年，法國——支持君主制的議員在國民議會裡占多數——問尚博爾伯爵（comte de Chambord，查理十世的孫子）願不願意出任國王，尚博爾不接受三色旗，從而丟了王位。在君主制付諸闕如的情況下，軍隊最終成為穩定、天主教、道德秩序（l'ordre moral）的象徵，而與另一個法國、世俗的、自由主義的、社會主義的法

11 德屬西南非的第一任總督是海因里希·戈林（Heinrich Göring），即希特勒的帝國元帥赫曼·戈林的父親。

12 但在德國，彼得斯依舊是許多人心中的英雄，在殖民地事務局保有職務，從事所費不貲的「探險」，寫了《權力意志和意志權力》（*Willenswelt und Welwille*）一書，闡釋具種族主義性質的社會達爾文主義哲學。一九一四年，他獲德皇威廉赦免，死後獲希特勒平反。

國處於對立面。軍隊是分裂對立國家的一統性象徵，帝國則是令不快樂的法國心情好些的象徵。

一八八四年三月二十八日，法國總理朱爾・費里（Jules Ferry）告訴國民議會，「較高等的人種有義務使較低等人種文明開化。」費里這個留著濃密絡腮鬍的律師吞併了巴巴里沿海地區最後一個國家突尼斯，在中南半島開疆拓土，拿下越南的其他地方和柬埔寨、寮國，但吞併越南之舉遭中國挑戰。費里於中法戰爭打敗清廷，這一戰使這個總理名譽掃地，但未敗壞帝國的形象。為征服阿爾及利亞，法國打了一場無休無止的戰爭，法軍在此戰爭期間殺了成千上萬人，而替法軍打頭陣者是招兵時不計較民族或地域出身的先行部隊，即嚴酷無情追求勝利的「外籍兵團」（Foreign Legion）。兵團的將領奧斯卡・德・內格里耶（Oscar de Négrier）於他們在越南開疆拓土時告訴他們，「各位兵團士兵，你們是為了死而從軍，這就是我派你們去做的事！」

在西非洲，法國消滅馬利、幾內亞境內的瓦蘇魯王國（Wassoulou），接著矛頭轉向達荷美。達荷美國王格萊列（Glele）、蓋佐的兒子，透過出兵襲擊維持權位，利用奴隸在他的棕櫚樹園勞動而生產棕櫚油，但他把科托努（Cotonou）、波多諾伏（Porto-Novo）兩鎮給予法國之舉，大傷他的權威。柏林會議把達荷美授予巴黎。格萊列遭暗殺後，他的兒子孔多（Kondo）取王名貝安贊（Béhanzin），成為符合達荷美傳統的戰士國王，製作了他自己的木雕像裝飾首都阿博美，藉此宣揚他的形象。一八八九年，他在法國領土上重操舊業擄人為奴，利用稱之為米農（Minon）的女子先鋒隊擄人為奴。一八九二年，法軍入侵，統兵者是法國、非洲、印第安混血的硬漢上校阿爾佛烈德─阿梅戴・多茲（Alfred-Amédée Dodds），此人先前在色當和中南半島打過仗。在阿戴貢（Adégon），國王貝安贊遭多茲擊潰，女戰士四百人喪命。一八九四年一月，多茲包圍阿博美時，貝安贊燒掉這座城，然後被流放至馬提尼克島。法國利用無情的非洲軍（Armée d'Afrique）和來自馬格里布地區的駱駝騎兵，以及二十萬名西非洲的「塞內加爾神槍手」

（Tirailleurs Senegalais）和來自中南半島、馬達加斯加的神槍手（Tirailleurs）奪取了數大片領土。其中的非洲軍由柏柏籍、阿拉伯籍騎兵組成，這些騎兵被稱作史帕希（Spahis）。這些部隊協助法國打出一個帝國，範圍自剛果南部綿延至查德和西北非洲大部。

正當法國大肆慶祝在海外的征戰成果時，國內人民卻為了一樁令人震驚的不義案件緩緩走向內戰。一八九五年一月五日，猶太裔軍官阿爾佛烈德・德雷福斯（Alfred Dreyfus）上尉——憑自己本事出人頭地的亞爾薩斯紡織品製造商之子——被裁定犯下為德國蒐集情報的罪，判處終身監禁於法屬圭亞那外海的惡魔島（Devil's Island）。然而，陸軍司令部知道他無辜，知道真正犯下此罪的，是個具貴族身分的軍官。為德雷福斯講話的小說家左拉（Zola）在寫給總統的公開信〈我控訴〉（J'accuse）中，揭露此離譜的惡行——這個小說家本有可能因這封信遭反德雷福斯的人士毒死。軍方偽造更多證據，再度裁定德雷福斯有罪，但總統赦免了他。德雷福斯事件揭露了法國的脆弱——和陸軍在維繫祖國和帝國的一統上所扮演的特殊角色。[13]

英國人也透過其慣用的武裝公司竭盡所能——且盡可能壓低成本——奪取領土。曾在迪斯雷利底下擔

13　一八九八年十一月，兩個精神變態的軍官——以「嗜血和殘酷」著稱的保羅・武列上尉（Paul Voulet）和「出於冷血和取樂而行事殘酷」的朱利安・夏努萬中尉（Julien Chanoine）——率領一支以非洲人為主、由塞內加爾神槍手和柏柏籍史帕希騎兵組成的軍隊，配備加特林機槍和大炮，前去完成征服馬利、查德的大業。靠著拿下瓦加杜古（Ouagadougou）揚名立萬並獲陸軍部部長給予便宜行事權後，他們的「窮凶惡極的縱隊」燒掉村莊，殺掉數千人，把男人吊起來，讓他們被鬣狗和兀鷲吃掉，強姦女人然後吊死，把小孩放在火上烤死，他們自己的軍官告發他們的惡行，他們這才罷手。軍方派一名上校去阻止他們，結果遭武列和夏努萬殺害。武列宣布，「我不再是法國人，我是黑酋長。我要和你們一起建立一個帝國。」但法國軍官和塞內加爾神槍手殺了這兩個人。一如在德雷福斯案裡所見，陸軍依舊安穩如山：有項調查斷定這兩個惡魔只是患了「非洲熱」（soudanite aiguë）所導致的精神失常。

任外長的英國首相索爾茲伯里侯爵（marquess of Salisbury）說，「英國政策係往下游緩緩漂去，偶爾伸出一端帶鉤的撐篙以免碰撞。」但他一再被擁護帝國主義的大臣和敢衝敢拚的武力征服者逼得出手。在非洲東部，當打造帝國的布干達國王穆泰沙一八八四年去世時，他兒子蓄意殺害改宗基督教的人民，激使一名強而有力的英國商人暨軍人智取精神變態的德國人彼得斯，將烏干達納入掌控。這個英國人名叫佛雷德里克·盧伽德（Frederick Lugard），也是教區牧師之子，參與過阿富汗戰爭和蘇丹戰爭。他之後的幾個繼任者把基庫尤人（Kikuyu）的領土（肯亞）納入版圖。尚吉巴的蘇丹哈利德（Khalid）毒死他有英國人當靠山的叔叔巴古什，站到英國人的對立面，英國皇家海軍立即開火，一百五十名海軍陸戰隊員攻進王宮，將他推翻，前後只花了三十八分鐘——史上最短的戰爭。哈利德之後的幾任蘇丹同意讓尚吉巴受英國保護，解放六萬個奴隸，保住了王位。

在西非洲，不愛表露心思、著迷於性愛且酒癮大的曼島（Manx）出身蘇格蘭裔商人喬治·戈爾迪爵士（George Goldie），正在英國的拉格斯（Lagos）殖民地以北的地方以武力打造帝國。戈爾迪說，「我懷有將該地區納入大英帝國版圖的抱負。」此前他一度「生活放蕩」，包括在埃及和一個阿拉伯籍情婦在一起幾年。數次走訪非洲期間，他和一個伊格博族女人生了不只一孩子。他善於政治遊說，為他在尼日河畔的皇家尼日公司（Royal Niger Company）協調好英國政府特許狀。該公司由剛完成對烏干達之征服的盧伽德經營，依賴皇家尼日警隊（Royal Niger Constabulary）貫徹公司的方針，皇家尼日警隊則是由英籍軍官和非洲籍傭兵組成的民兵組織，不時發動襲擊、處死唱反調者。此地的值錢原料是用於製造工業用潤滑油和肥皂的棕櫚油。

一八九五年，在黃金海岸，英國人強迫阿散蒂國王阿格耶曼·普倫佩（Agyeman Prempeh）受英國保護，同時把他流放到塞席爾群島（Seychelles）。沒想到才五年後，有個英國派來的總督粗暴要求坐上神聖的阿散蒂人「金凳」，從而激起一場叛亂。在阿散蒂國王不在國內的情況下，叛亂由六十歲的女領導人雅阿．阿散蒂瓦（Yaa Asantewaa）領導。她是豐族封地埃吉蘇（Ejisu）的太后，統領一萬兩千名阿散蒂戰士。經過凶猛戰鬥，她慘遭俘虜，但「金凳」依舊藏在某處。[14]

一八九七年，戈爾迪的民兵隊攻下畢達（Bida）、伊洛林（Ilorin）這兩個埃米爾國，此舉既為阻止這兩個小邦擄人為奴，也為打敗法國人。次年，戈爾迪勸倫敦先出兵拿下索科托這個位於北部的蓄奴埃米爾國，再把這個多族群、多宗教的地區合併為一個殖民地。他的股份被買下（他的公司後來成為聯合利華這個聯合大企業），但他的計畫得到落實：盧伽德和其西非邊境部隊（West Africa Frontier Force）攻下索科托，解放了兩百萬奴隸。主張將此殖民地叫作奈及利亞者是盧伽德的妻子芙蘿拉．蕭（Flora Shaw），盧伽德則成為此殖民地的第一任總督。

及至此時，法國在非洲的統治面積已居列強之冠，英國屈居第二。從人口來看，英國統治將近三成的非洲人，法國則統治一成五。在英法兩國，較具侵略性的帝國主義者都想要建立連成一片的帝國：東西橫貫的法蘭西非洲帝國，從塞內加爾至法國殖民地吉布地；南北貫穿的英國非洲帝國，從開普殖民地至開羅。而兩國的帝國野心即將相撞。

萊奧波德在剛果的獲利滾滾流出，他的暴行也如滾雪球般傳出，最初被約瑟夫．康拉德（Joseph Conrad）這個在剛果擔任汽船高級船員的波蘭人揭露在小說《黑暗之心》（*Heart of Darkness*）裡，而後又被英國領事羅傑．凱斯蒙特（Roger Casement）於痛斥萊奧波德罪行的報告裡揭露。在倫敦，有人在法庭

14 貝南王國的國王也躲不掉英國人的進犯。一八九七年一月，英國派代表團前來逼貝南開放通商，團員遭殺害，從而為早已蓄謀的入侵提供了藉口。用大炮轟擊貝南城後，英國軍官擒獲貝南國王奧維拉米（Overami），將其流放，劫走兩千件他的象牙雕、木雕、銅雕，把其中部分雕刻據為己有，其他則送去給英女王和幾家博物館；如今有些雕刻正要歸還。

上將萊奧波德稱作常光顧一家「妓院」的戀童癖者，說他每月付給妓院八百英鎊，以供應他十至十五歲的處女。在巴黎，這個六十五歲的國王迷戀上「豐滿但優雅」的十五歲妓女布朗什・德拉克魯瓦（Blanche Delacroix），派他的女皮條客傳口信給她：「夫人，有個有身分地位的人注意到妳，派我過來找妳。他是個大人物，但基於他地位的崇高，我不能透露他的名字。」布朗什被叫去接受可笑的晤談，晤談期間，這個被她誤稱為「國王奧斯卡」的「大人物」靜靜打量著她，她通過面試。布朗什成為他的情婦，生了兩個兒子，擁有數百萬剛果股份；她也被封為沃岡的女男爵（baronne de Vaughan）。

即便如此，他並未完全忽略他的家庭。一八八〇年，他意氣風發的將女兒斯特法妮（Stephanie）嫁給哈布斯堡王朝的皇太子魯道夫。婚禮在維也納舉行，出席者包括英國威爾斯親王柏迪和普魯士王儲威廉。但魯道夫即使不是精神失常，也是放蕩不羈；斯特法妮漸漸陷入絕望，但沒人料想得到接下來會發生的悲劇。[15]

魯道夫和瑪麗在邁耶林克；檢查員希德勒和阿道夫在布勞瑙

魯道夫長年以來受他一心只想著自己的母親茜茜忽視，而且飽受父皇法蘭茨・約瑟夫的冷淡說教，父親甚至不讓他就讀大學，但他本人聰明，具有令人意外的自由主義思想，傾向共和，費心尋求自由派人士、甚至和猶太人交往，他寫匿名文章抨擊貴族，寫下得到其父親肯定的奧匈帝國民族誌專著。每當茜茜來到宮中，闖進他的生活，「這個皇太子（總是）眼睛發亮……他崇拜他母親，和他母親很像。」

法蘭茨・約瑟夫無法理解他倔強難馴的妻子和疏離的兒子。茜茜把大部分時間用於在英格蘭打獵，執迷般追求身材苗條和健身，既想保有隱私，又想出風頭，但她至少在匈牙利幫得上他。對於一八四八至四九年奧地利鎮壓匈牙利革命、收復匈牙利一事，匈牙利人始終耿耿於懷。她與一個瀟灑的匈牙利前叛亂分子交情甚篤，兩人可能有婚外情。這個匈牙利人即久拉·安德拉希伯爵（Gyula Andrássy），他喜愛穿繡有金線圖案的阿提拉式虎皮貴族服裝。憑藉與他的交情，她促成一個新協議的談定，奧—匈二元君主國於焉成立。安德拉希成為此君主國的外長，上任後使奧地利靠向德意志，但匈牙利人的得勢，加上諸多新斯拉夫人國家的誕生，助長了捷克人等斯拉夫人一觸即發的民族主義。

茜茜鼓勵她行事緩慢乏味的五十三歲丈夫和一個已婚的女演員交往，藉此讓自己活得開心些。女演員是三十歲的卡塔莉娜·施拉特（Katharina Schratt），先前約瑟夫已在維也納城堡劇院（Burgtheater）的御用包廂欣賞過她的風采。這個皇帝是個慢郎中，勾引女人時也不例外。他寫信告訴她，「在四面八方都有人用觀劇鏡盯著看且到處有報社鬣狗的情況下，我沒有勇氣。」但兩人最終還是走在一起。「昨天，自我離開妳的床已整整六星期，希望兩天後我能再度坐在那床上！」約瑟夫寫信告訴卡塔莉娜。「屆時我們會有非常美好的重聚。」茜茜親自拜訪卡塔莉娜，藉此助他完成心願。約瑟夫向卡塔莉娜斷言，「妳會保持冷靜，我也會，儘管那對我來說不容易，」還說「皇后一再表達對妳的肯定之意。」茜茜私下認為施拉特遲鈍，但誠如他們的女兒瑪麗·瓦萊麗（Marie Valerie）所說的，「她冷靜、非常自然的作風，令爸爸著迷。」不久，施拉特就成了哈布斯堡家族的核心成員之一，而這是射擊之外唯一令法蘭茨·約瑟夫開心的事：「波卡（Poka）今晚會很高興，」茜茜如此告訴她女兒（波卡是匈牙利語的「火雞」，她為法蘭茨·約瑟夫取的綽號）。「我已邀請了他的朋友。」

---

15 萊奧波德持有剛果且殘酷對待當地人民之事招來公憤，導致比利時政府於一九〇六年開始談判接管該殖民地之事，為此花了四千五百五十萬法朗來完成他未竟的建造工程，付給這個國王本人五千萬法郎；而為讓這個掠奪成性的國王收山所花的錢，卻從剛果本身籌得。萊奧波德，當時世上首富之一，死於一九〇九年——但比利時在剛果的掠奪還遠未結束。

這對夫婦陪魯道夫的時間不多，魯道夫很厭惡茜茜的男朋友，那圓滑、愛打獵的貝・米德頓（Bay Middleton），嘲笑她那些相信人死後靈魂可和仍在世者溝通的算命仙。茜茜欺負她的兒媳，稱她是「大土包子」，以致母子關係更差。

這個皇太子缺少關愛，漫不經心，漸漸「迷戀女色」，吸毒成癮，和交際花廝混不能自拔，還記錄了他玩女人的戰績（處女名字以紅墨水寫下），按照他所征服的女人的地位高低——王族、貴族或平民——訂定了要送給她們的禮物的等級。

魯道夫和斯特法妮的關係日漸冷淡了下來。生下一個女兒後，魯道夫回他情婦身邊，愛上一個來自狼夫人（Madame Wolf）維也納妓院的少女演員暨交際花米齊・卡斯帕爾（Mitzi Kaspar）。不久他把淋病傳給斯特法妮。兩人毫不意外的反目，斯特法妮也開始和一個波蘭伯爵有染。魯道夫奉行他的自由主義觀念，與思想開明的伯迪友好，伯迪則和羅斯柴爾德家族等猶太裔大亨為友。兩人都是交際花方面的大玩家，只是就連伯迪都認為，「就他這個年紀的年輕男子來說，魯道夫對性事懂很多。」魯道夫很討厭同為王儲的怪胎普魯士的威廉，稱他是「本性難改的容克貴族和反動分子」，對斯特法妮開玩笑說，他會「只邀威廉同行……以便透過一場漂亮的狩獵冒險把他趕出世間」。

與此同時，魯道夫親眼目睹他的表哥巴伐利亞的路德維希的悲慘遭遇上演。二十年來，路德維希砸大錢在天鵝城堡和華格納的歌劇上，完全忽略國務，不顧已婚身分和男寵上床。得到皇后茜茜同情者，只有他的表哥一人。她堅信「這個國王沒瘋，只是個生活在夢想世界裡的怪胎。」路德維希打算撤換他的諸位大臣，於是大臣們求助俾斯麥。一八八六年，醫生的心理鑑定報告宣布他精神失常。那年六月，大臣和醫生前來罷黜他，有個忠心的男爵夫人試圖用雨傘打跑他們，路德維希讓他們下獄接著後試圖逃走。他無子女，他的叔叔盧伊特波德（Luitpold）出任攝政。「你宣布我精神失常？」路德維希問慕尼黑精神病院院長伯恩哈德・馮・古登醫生（Bernhard von Gudden）。「你從未幫我檢查過。」隔天，路德維希被轉送到施塔恩貝格湖（Lake Starnberg）邊的貝格堡（Berg Castle）後，他和古登沿著湖岸散步，就此一去不回。後來有人發現兩人死於湖中，古登遭勒死，國王死因至今仍不詳。[16]

魯道夫在腦子裡想像自己看著別人死去，從中得到快樂，並且向米齊提出一同自殺的協議，主要因為他篤定自己無望繼承王位。「爸爸永遠闔眼那天，奧地利的情勢會變得很糟糕，」他向他的妹妹示警道。「我勸妳移民出去」——一如數百萬德意志人所正在做的。[17]

先前，他和一個濫交的人妻上過床，這個人妻是晚近才成為貴族的男爵夫人海倫娜・費策拉（Helene Vetsera），他剛成年時，她就和他上床。如今，她把她的未成年女兒瑪麗介紹給他，瑪麗曾抱怨她母親：「自我年幼，她就把我當成像是她打算丟掉好取得最大好處的東西。」瑪麗愛魯道夫愛得神魂顛倒，魯道夫則著迷於「她豐滿且意氣風發之美、她深邃的黑眼睛、她猶如多彩浮雕寶石的側臉、她女神般的喉嚨、她令人著迷的肉感魅力」。他說，「我離不開她。」但她絕非他唯一的情婦。

一八八九年一月二十九日，魯道夫和他的真愛米齊共度春宵，而隔天，他和瑪麗前往他位於邁耶林克（Mayerling）的獵屋。瑪麗寫道，「如果能把我的生命給他，我會樂意為之，因為生命對我有何意義？」魯道夫則在寫給母親的信中把瑪麗說成「陪我至死後世界的純潔天使」。

16　在慕尼黑的王宮裡，諸王子受教於格布哈德・希姆萊（Gebhard Himmler）這個受人尊敬的當地校長。希姆萊是保王派大將，他最愛的學生是王子海因里希。他有一子時，且根據這王子的名字取名海因里希，後來這個海因里希・希姆萊成為納粹黨衛軍的最高領袖。

17　巴伐利亞有許多地方很窮。一八八一至九〇年，一百四十萬德意志人移入美國，其中許多人是巴伐利亞人。一八八五年外移的佛里德里希・德倫夫（Friedrich Drumpf）是其中的典型例子，他的家族從德國的卡爾斯塔特村（Kallstadt）進到美國白宮，造就一則典型的美國故事。後來，德倫夫把他的姓氏改為川普（Trump）。

隔天凌晨，十七歲的瑪麗躺在床上，頭髮披覆雙肩，手持一朵玫瑰；三十歲的魯道夫朝她的太陽穴開槍或給了毒藥讓她服下——詳情仍是謎團——然後伴著她的屍體數小時，接著開槍自盡。兩人被發現後，茜茜頭一個獲告知；她收到死訊時神情冷淡，堅稱「那個女孩毒死他」，卻又叫來施拉特，要她在把此消息告訴法蘭茨．約瑟夫時好好安慰他。接著茜茜叫來斯特法妮，不懷好意的告訴她，「如果他有個了解他的妻子，就不會發生這樣的事。」[18]瑪麗的母親海倫娜現身，想知道是否有人見到她女兒。茜茜告訴她這起慘劇。海倫娜當下啜泣了起來：「我的孩子，我漂亮的孩子！」

「但妳知道魯道夫也死了嗎？」茜茜說。

海倫娜跪了下來：「我不幸的孩子，她做了什麼？」

「切記，」茜茜說。「魯道夫死於心臟病發。」在邁耶林克，廷臣正拚命掩蓋此事：魯道夫的遺體被送回霍夫堡，但瑪麗的兩個叔伯將她的遺體偷偷運出去，她衣著完好，挺著身子坐在他們的馬車裡。宮廷宣布魯道夫在精神錯亂的情況下自殺，這意味著他可以安葬在嘉布遣會禮拜堂（Capuchin Chapel）裡。茜茜重拾她四處旅行的生活，她的行為變得愈來愈特立獨行。

墮落的維也納反映了哈布斯堡王朝這個多族群帝國，而這個極老派的奧地利皇帝透過由貴族和官僚構成且嚴格死板的等級體系，統治這個兼有帝制和王制（kaiserlich und königlich）的二元君主國。阿洛伊斯．希德勒（Alois Hiedler）是因河畔布勞瑙（Braunau am Inn）的海關稽查員，是此統治體系的典型成員。他是私生子，母親瑪麗亞．席克爾格魯貝爾（Maria Schicklgruber）未婚意外懷孕生下他，最初從母姓，後來改從他繼父（很可能是他的生身父親）希德勒的姓。

阿洛伊斯是個暴躁易怒、話不多、酒癮大的惡霸，但也能幹。他未受正規教育，靠本事出人頭地，自豪於身上的制服，總要人稱他高官希德勒先生。他的嗜好是養蜂、喝啤酒、追逐女色：他的愛情生活混亂而且半亂倫，因為他先是和數個女人生了孩子，其中一個叫安潔拉的女兒活了下來，而後在已婚的情況下開始和某個堂妹或半血緣姪女發展婚外情。這個堂妹或姪女名叫克拉拉．珀爾茨爾（Klara Pölzl），比他小二十三歲，受雇到他家當僕人。妻子去世後，他娶了克拉拉。兩人的前三個孩子都早夭，其中兩人都死於白喉。一八八九年四月，希德勒（這時改拼寫成Hitler／希特勒）五十一歲時，克拉拉生下第四個孩子阿道夫，接著生下女兒寶拉。又一個兒子則死於痲疹。阿道夫童年不苦，靠阿洛伊斯豐厚的薪水，在舒適環境中長大。阿洛伊斯偶爾打他，但這類管教在當時幾乎舉世皆然。阿道夫覺得學校作業「簡單得可笑」，受到他母親濃濃的關愛，從而讓他產生無比的自信和自我放縱的心態。無論如何，他就是被溺愛著。

高官希特勒五十八歲退休，在農場度過餘生，一九〇三年猝死，當時阿道夫十三歲，寶拉六歲。阿道夫鄙視他父親的官員架子，認為自己注定要當藝術家。充滿母愛且克盡人母之責的克拉拉搬到林茨（Linz），她親自撫養孩子，鼓勵阿道夫無所事事地做夢，支持他走他很想要的學藝之路。希特勒與其姊姊、妹妹不親，說她們是「蠢鵝」，但和安潔拉相對親近。大人老早就注意到他「非比尋常的眼睛」：「他有他母親的淺色眼睛……她看透人心的銳利眼神。」他逃離沉悶的家庭，啟程前往維也納，以實現他成為著名藝術家的志向，而在維也納，奧地利帝國有了一個新皇儲：法蘭茨．斐迪南（Franz Ferdinand）。

18　魯道夫下葬時，他的「友人」威廉、新任德國皇帝有感而發道，「精神錯亂隱伏在不為人所注意之處，對自殺的執著已對過度亢奮的腦子發揮了悄無聲息但十足把握的影響。」斯特法妮捱過茜茜的惡待，她改嫁，定居匈牙利，但一九〇八年，她發明了上菜用的推車——「結合了放在桌上烹調用的新輕便爐和酒精燈」——且申請到美國、英國專利，就哈布斯堡王朝的皇太子妃來說，確實是令人意想不到的創新作為。

現代君主：法蘭茨・斐迪南和蘇菲、佩德羅和伊莎貝爾、寶貝威利

他是當今皇帝的姪子，先前他父親在前往耶路撒冷朝聖途中，在喝下約旦河水之後離世，給了哈布斯堡王朝又一個打擊。法蘭茨・斐迪南對於國王的等級制和射殺各種動物有著異乎常人的執迷，據他日記的記載，他的槍下亡魂，從大象至二十七萬兩千五百一十一隻鳥和野獸，形形色色，但他至少恪盡本身的職責。儘管如此，他愛上非王族成員的貴族女子蘇菲・霍泰克（Sophie Chotek）一事，還是令皇帝震驚又反感。法蘭茨・約瑟夫最終同意他們結婚，前提是蘇菲放棄作為皇族成員的特權，他們的小孩不得繼承皇位。

法蘭茨・斐迪南脾氣壞、傲慢，但是個聰明的獨裁體制擁護者，他曾遊歷世界以作好繼承皇位的準備。他在寓所美景宮成立了軍事文書處（military chancellery），思考此君主國所必須解決的種種問題。他認為奧匈帝國必須讓境內斯拉夫人擁有類似匈牙利人所享有的合夥人身分：「如果讓我們的斯拉夫人過上舒適、公平、美好的生活，我們國內的領土收復主義……會立刻銷聲匿跡。」法蘭茨・斐迪南一再主張，切勿和會以俄羅斯為奧援的塞爾維亞對抗。

法蘭茨・約瑟夫的表哥——皇帝佩德羅——如今統治巴西已五十八年，而巴西幾乎是大西洋地區最後一個蓄奴的社會。佩德羅厭倦於權力，遊歷世界，把國政交給女兒伊莎貝爾掌理，未料她的法籍丈夫加斯東身為外人，竟是貪得無厭，處境如同過街老鼠。一八八一年，宮中的王室珠寶遭竊，兩個僕人被懷疑是竊者，佩德羅出面保護他們——卻引起眾怒。佩德羅打算慢慢廢奴，以免引發叛亂和農產量暴跌。一八八五年，《六旬老人法》（Sexagenarian Law）使滿六十歲的奴隸得到自由。最後，一八八八年五月十三日，伊莎貝爾廢奴，解放七十萬奴隸，她身為「黑人的贖主」，受人民愛戴的程度劇增。黑人支持君主制，組

成一支「黑人衛隊」（Black Guard）保護君主制，與此同時，許多種植園主開始擁護共和制。

政局陷入僵持。人人把目光投向陸軍，而陸軍司令戴奧多羅．達．豐塞卡元帥（Deodoro da Fonseca）元帥仍忠於佩德羅。佩德羅返國後，受到民眾熱烈歡迎，可惜此歡欣之情為時不久。一八八九年十一月，這個老皇帝為來訪的智利海軍舉辦舞會，佩德羅卻在抵達會場時絆了一跤。他開玩笑道，「這個君主國絆了一跤，但並未倒下。」豐塞卡元帥潑了支持共和制的軍官冷水——「我想護送這個皇帝的靈柩。他老了；我尊敬他」——沒想到，這些軍官還是往共和之路走。有個省政府宣布成立共和國。佩德羅在皇宮等這個元帥來，但元帥覺得太尷尬，並未現身。皇后不覺慌張失措了起來。「胡說八道，我的老婆，」佩德羅說。「那只是茶壺裡的風暴——我了解我的巴西同胞。君主國沒那麼容易倒下。」而君主國倒下就是那麼容易。

一到凌晨，下級軍官來到宮中，告知佩德羅他已被罷黜、放逐。「我不是逃走的奴隸，」他於登船時說。「我不要半夜離開。」無奈他身不由己。他激動說，「各位，你們全瘋了！」皇帝乘船前往歐洲之際，豐塞卡成為巴西第一任總統。

佩德羅曾以其現代觀點而著稱，但這時，在歐洲，有個狂妄的年輕皇帝，自豪於擁有科技知識和中世紀的騎士精神，他即將搶盡風頭。

一八八八年三月，威廉一世以九十歲高齡去世，他的兒子腓特烈三世（Friedrich III）——暱稱佛里茨（Fritz），於一八七〇年普法戰爭時統兵作戰，戰功彪炳——接位，但他的英籍妻子維琪，即英女王維多利亞的女兒，深知他病得太嚴重，無法實現他們建立自由主義德國的理想。當德國猶太人在反猶運動中遭受攻擊時，佛里茨和維琪蒞臨柏林的猶太會堂，藉此表達支持他們之意。

俾斯麥密謀毀了這對皇帝和皇后，尤其對維琪恨之入骨——「放蕩的女人……透過她眼睛散發出的那股淫欲，真是令他害怕」。而這個德國首相著實幸運：佛里茨一直苦於喉癌和兒子的背叛。他兒子威利（Willy，威廉的暱稱）受他祖父「威廉大帝」長年寵溺和資助，鄙視他軟弱的父親和抱持自由主義思想的母親，等不及要成為專制皇帝和歐洲的仲裁者。

腓特烈的皇帝之位只坐了九十八天，一八八八年六月十五日去世，二十九歲的威廉繼承皇位。老邁的俾斯麥稱他「年輕人」。

維琪以臀位分娩方式生下威利，致使威利左臂受損。他在正規學校受教育，在近衛軍（Guards）裡他過得最快意，很喜歡男人間的哥們情誼和充滿普魯士陽剛之氣且散發戀物心態的服飾——軍裝、高統靴、鷹盔。他去維也納尋芳獵豔，和某個情婦生了一個孩子，接著和自稱愛情小姐（Miss Love）的柏林交際花有了一段風流韻事——這兩個女人都盡情滿足他對戴手套之女人的強烈性偏好。二十二歲那年，威利娶了石勒蘇益格—荷爾斯泰因的唐娜（Dona）。本名奧古絲塔・維多利亞（Augusta Victoria）的唐娜同樣盡情滿足他愛從手套得到性歡愉的戀物癖。「我一定會徹底滿足你的小小歡愉，」她保證。「我現在夜裡始終戴手套……你這個頑皮的小丈夫……你知道我有多愛你……我多願意為你做任何事。我不會讓你失望的。」兩人生了七個小孩，但威利對她感到厭煩。

威廉接位後，俾斯麥續任首相，而俾斯麥這個打造出只有他本人真的管得住的混合型帝國的前朝重臣，竭力壓制社會黨人在帝國議會裡的壯大，竭力控制這個莽撞的年輕皇帝。只是這兩件事都很棘手：身為帝國全軍統帥（Supreme Warlord）的威廉簡直是天才，對什麼都感興趣，卻也有點精神錯亂、愛誇誇其談、衝動、愛說大話、有過動性格。威廉一開口就停不下來，且接下來三十年幾乎未有一刻停止講話和旅行，他告訴隨從，「你們每個人什麼都不懂，只有我懂一些。」

威利欺凌、迫害他的母親維琪，維琪派人將她的信偷偷送到英格蘭。「威利認為他什麼事自己都做得來，」她在信中告訴母親維多利亞女王。「他不可能什麼事都自己來。只要有些許謙遜和自知之明，他就會知道自己不是他所想像的天才或腓特烈大帝之流的人物。我擔心他會碰上麻煩，」因為他「愛充當專制君主又愛現。」她還說，「威利……腦子裡充斥偏見、虛妄觀念、錯誤看法……性格和判斷極不成熟，對我們所有人來說的確是大不幸……他大權在握而且經常濫用大權。」維琪也很有先見之明：「最糟糕的是，或許我們所有人都將得為他的無知和放肆買單。」她指的是戰爭。

德國正急速壯大，從某個意義上說是歐洲最現代的國家，在其帝國議會裡，有許多中產階級社會黨人；其產業，尤其製鋼和化學品，超越英國和法國。而從另一個意義上說，德國又是老式國家，由擁有不受約束之權力的普魯士國王統治，國王身邊圍繞著穿高統靴的容克貴族。他對這些貴族說，他會「始終謹記，我的祖先從來世俯看著我，總有一天，我得為軍隊的榮耀和名譽向他們作出交代。」威利相信他的權力是上帝所授。他寫道，「世上永遠只有一個真正的皇帝，那就是德意志皇帝，這並非因為其人品和特質，而是基於千年傳統。而且他的首相必須服從！」

俾斯麥不得不向愛情小姐買下威利寫給她的情書，但威利不久就對這個首相的霸道滿是憤恨。「我習慣於人服從我，」威利說。「我不和人商量。」

威利把一批個性嚴酷的容克將領和崇拜他且只有圈內人知情的同性戀友人聚在自己身邊，這些人的領袖則是他暱稱「菲利」（Phili）的寵臣奧伊倫堡伯爵（Count zu Eulenburg）。菲利是歌手、詩人和招魂術者，娶妻生了六個小孩，比威利年長十二歲。一八八六年兩人在一場狩獵屋派對上相識，當下惺惺相惜，互相欣賞。他們一起唱北歐日耳曼民族的神祕敘事詩歌，一起在湖中划船，一起參加旨在和亡靈交談的降靈會，一起討論種族並閒聊巴伐利亞的路德維希的祕辛——菲利是派駐巴伐利亞的外交官。但最重要的，他們計畫讓威廉當家主政。皇后唐娜立即吃醋，指控她丈夫和菲利不倫。

皇帝不理會她，坦承和他的波茨坦團裡「這個討人喜歡的年輕男子」在一起時最開心。他很看重夏季時以男人為伴乘遊艇霍亨佐倫號航遊的活動，盡情玩適合男人且通常意味著直腸和香腸的惡作劇。一八九四年，在海上，菲利被「門外皇帝又笑又叫、響亮持久的聲音（吵醒），原來他正在追逐海因茨、克塞爾、朔爾等高官老頭，穿過船上的走廊，直追到床上。」[19]

奧伊倫堡很喜歡威利，叫他「寶貝」（Liebchen），甚至當著他面這麼叫，說他是「歷來最親切的德意志皇帝、最契合的朋友」，他所「思慕」的人；威利則說他是「我的知己、我唯一的知己」。然而，這個性取向受壓抑的皇帝對菲利諸多密友那不為人知的生活知之甚少。伯爵庫諾・馮・莫爾特凱（Kuno von Moltke）是這些密友之一，而當關於這個柏林司令的流言傳到威利耳中時，他攔住這個小圈子裡的另一個成員。「前天『寶貝』在（柏林的）蒂爾加滕向我搭訕，」男爵阿克塞爾・馮・法恩比勒（Axel von Varnbüler）寫道。「他不失禮數的讚賞了我的黃靴子和配色協調的騎馬裝，然後問我『你對庫諾有什麼了解？』」

為了確保德俄兩國不兵戎相向並防止德國陷入包圍，俾斯麥和俄羅斯結盟，而此舉受到威利嘲笑。俾斯麥禁不住抱怨道，「那個年輕人想要對俄羅斯開戰，如果能拔劍，會想立即拔劍。一旦開戰，我不會支持。」這時，菲利把他的「寶貝」視為「德意志的化身」，稱讚「這個皇帝兼具兩種不同的特質——騎士精神……和現代精神」。他這時力勸威利將這個專橫的老怪物革職。一八九〇年三月，皇帝和首相為工人的權利起衝突時，威利果然將俾斯麥撤職，並指派一個較聽話的將領接首相之位。

威利想要「自己當俾斯麥」，充分利用了令人敬畏的皇帝權力。他告訴奧伊倫堡，在國外，他的夢想是讓德國稱雄，「某種拿破崙式的霸權地位……不動干戈式的霸權」，但他也接受條頓人（德意志人）和斯拉夫人（俄羅斯人）相互對抗的種族理論。菲利已和種族主義理論家戈比諾私通，而威利接受戈比諾關於雅利安優等民族的理論，而且這些理論逐漸大行其道。

威利維持俾斯麥與奧匈帝國締結的同盟關係，晚近又有義大利加入，但他的浮誇空談卻也製造了困擾和驚恐：他既眼紅英國的自由主義和權勢（分別以他的母親和她母親的弟弟伯迪為代表），又佩服英國的帝國和海軍（以他受敬重的外祖母維多利亞為代表）。

類似的矛盾心理使他對俄羅斯的看法背離了現實。一八八一年三月一日，六十七歲的沙皇亞歷山大二世在哥薩克人和祕密警察的圍繞下，乘坐馬車穿過市區，欲前去檢閱近衛隊，途中赫然有個激進分子丟出一枚炸彈。那是個特別的日子：這個羅曼諾夫王朝皇帝剛簽下一道旨在成立俄國第一個由民選代表組成的諮詢性議會的敕令，而「我坦承（那）是走向立憲的第一步」。但他緩慢的改革，先是鼓舞了俄羅斯的激進分子，後來令他們大為失望，從而為自己招來殺身之禍。激進分子的「人民意志」（People's Will）派四次暗殺他未遂。這次，亞歷山大未受傷，但他不顧勸阻堅持要安慰傷者。就在他這麼做時，另一個恐怖分子把炸彈丟到他腳邊，炸掉他一條腿。數小時後，他在他高大的兒子亞歷山大三世和他驚嚇得說不出話的孫子尼古拉的注視下，撒手人寰。

亞歷山大三世，六呎三吋高，言行粗魯，嗜酒，愛穿農民短上衣和靴子，終止他父親的改革，對民族主義者和自由主義者的追求都予以壓制，擁抱另一種傳統——警察獨裁統治、帝國擴張、與斯拉夫文化優

---

19 威利樂於欺凌他的容克將領。「那是很奇特的景象，」菲利輕笑道。「那些守舊的老軍人全得張著不自然的臉做出本能反應！皇帝有時放聲大笑，戳他們的肋骨，催他們做出愚蠢的事。」威利鼓勵他的廷臣——容克軍官——打扮成貴賓狗或芭蕾舞女演員。「你必須當馬戲團的貴賓狗，被我帶著遊行示眾！——那會最『轟動』，」伯爵格奧爾格・馮・許爾森（Georg von Hülsen）寫信告訴某個廷臣同僚。「只要想想：在緊身衣後……背後一根貨真價實的貴賓狗尾巴下面，有個明顯的直腸口，前面有塊遮羞布，你『像狗那樣坐著舉起前腳作乞求狀』的情景。只要想想，你吠叫，配合樂聲嗥叫，開手槍或做出其他把戲的情景。簡直太棒了！……我已能看到陛下和我們一起大笑的模樣……陛下肯定會很滿意。」

越論掛鉤且相信社會秩序會徹底改變的民族主義。俄羅斯化——禁說喬治亞語、芬蘭語、烏克蘭語——把這些民族趕入民族主義政黨或社會主義政黨的懷抱。猶太人，地位最低的族群，受到嚴重迫害。這個大塊頭是個能掌控全局且能幹的獨裁者，始終知道自己想要什麼：他曾弄彎一把叉子，並告訴奧地利大使，「那就是我要對你們的軍隊做的。」他認為，抓住其大臣的後頸不值得大驚小怪，欺凌他害羞、瘦小的兒子——暱稱尼基（Nicky）的尼古拉——把他叫作「孩子」。但他也支持商業，建設鐵路、發展工業，促成經濟榮景。[20]

威利想要贏得這個大塊頭好感（亞歷山大三世則對他深感厭惡），接著卻中止俾斯麥與這個沙皇帝國的結盟。就連菲利都猜不透威利真正的意圖。英俄在亞洲是對手，都想稱霸亞洲，而威利到底是想要和俄國結盟對付英國，或與英國結盟對付俄國？[21]他的盟友法蘭茨·斐迪南說，這個讓人摸不準的自戀者是二十四年來「歐洲最了不起的人」。

亞歷山大三世以兩個深謀遠慮的決定作為回應，從而改變了世界。一八九一年七月，他使俄國和共和制法國結盟，達成威廉一心要避免的對德包圍；約略同時，他找人建造五千七百七十二哩長的西伯利亞橫貫鐵路，讓俄羅斯的力量投向正逐漸解體的中國。

威利也關注種族主義者戈比諾所謂的「黃禍」的出現。一八九四年九月十七日，在鴨綠江口，新興的海上強權日本擊沉十艘中國戰列艦裡的八艘，而後入侵中國，奪下旅順港並屠殺平民。

20 資金的籌得，除了靠在市場上取得借款，也仰仗賣穀物。而由此導致伏加爾河畔饑荒時，亞歷山大則否認有此事，他繼續出口穀物，以致三十五萬人喪命——一九三二至三三年饑荒的前兆。

21 威利善變，在不同時候分別打算奪取伊拉克、中國、拉丁美洲。一九〇三年，他甚至下令海軍部為入侵古巴、波多黎各、紐約（作戰計畫三）作準備，他同時尋求與其他幾乎每個國家結盟，也幾乎是對付其他每個國家。

霍亨佐倫家族和羅斯福家族、索羅門王朝、大清

慈禧太后、閔妃、孫中山：太陽還是升起

那年七月，已還政外甥光緒帝五年的七十歲慈禧太后，獲光緒帝告知一場戰爭即將開打，對手是日本。時年二十三歲的光緒帝太過六神無主，以致難以取信軍機處，仍以慈禧太后馬首是瞻。光緒帝驚惶失措：他無知、漫不經心、怕打雷（暴風雨期間，太監會高聲喊叫以掩蓋住雷聲），已廢掉慈禧的改革，不重視她的海軍，同時他尚未成年的珍妃則把官職賣給出價最高的買官者。清朝皇帝統治四億人民，認為四千萬日本人是較低等的倭人。中日開打時，光緒帝直接宣布，倭人違反萬國公法，耗盡清廷耐心，要軍隊將倭人揪出其巢穴。只是日本人已非吳下阿蒙。

三十年前的一八六七年十一月，自德川家康上台以來，世襲統治日本三百年的德川將軍家族還政於天皇。經過一場短期衝突，新天皇宣布王政復古，追求「富國強兵」。

少年皇子睦仁接位，取年號「明治」，就此擔任一批改革派菁英的無實權領導者。這些改革者意在推翻舊體制，打造新國家。首都從京都遷到江戶（改名東京）；年輕的改革派武士伊藤博文兼採德國、英國憲法的特色，起草了新憲法，載明設置內閣總理大臣一職和成立民選議會，為「神聖不可侵犯」的天皇效力，天皇的「神聖之座設立於天地開闢之時」。對天皇「必須尊敬」。但伊藤的《五條御誓文》載明，「要求知於世界，以振皇基」。英國、德國軍官來到日本，以訓練出結合現代技術和中世武士道的新軍隊，新軍隊則會和天皇本身構成「國體」的核心，「國體」則是由君主、神道教、社會所構成且將統治日

本直至一九四五年的基體。[22]

經過二十年時間，日本徹底改頭換面，成為亞洲工業化程度最高的國家，與此同時，中國漸漸解體，為歐洲列強提供了難以抗拒的下手目標——對日本來說，此現象既是誘惑，也是警訊。

歐洲人和日本人搶著趁中國衰落占中國便宜之際，朝鮮則將在這場較量中首當其衝。一旦歐洲人拿下朝鮮，朝鮮會是「刀尖對著日本心臟的匕首」。朝鮮自一三九二年受朝鮮王朝統治，歷來是中國的藩屬。朝鮮國王高宗聽進他具有群眾魅力的妻子閔妃的建議，走中道路線。兩人的婚姻係高宗的霸道父親大院君所安排，大院君擔任攝政，想要將所有外來勢力拒於門外，而隨著走擴張路線的日本、俄國盡皆鎖定這個隱士王國下手，這項政策愈來愈不可行。

最初，高宗夫婦互看不順眼，新婚夜閔妃不願圓房，但儘管失去第一個孩子，兩人關係卻愈見親密。有個來過朝鮮的英格蘭人說，閔妃（死後追謚為明成皇后）是個「身形苗條、舉止非常優雅的女人」，博學且非常漂亮。「頭髮烏黑亮麗，皮膚透明呈珠灰色……才智煥發」。大院君主政十年後，高宗成年，在閔妃的支持下，逼大院君退休。閔妃和中國、俄國談判，促使這個隱士王國開放門戶接受現代化，抵抗日本控制。但這時，一八九四年四月，農民叛亂迫使中日兩國都出手干預朝鮮。

在東京，內閣總理大臣伊藤博文說，為了將中國拒於門外，「除了開戰」，別無選擇。光緒帝驚訝於此背信行為，坦承難以和倭人講理。日本將二十四萬士兵送上朝鮮半島，拿下平壤和高宗，接著在陸上和海上打敗清軍，日本軍官將中國人比喻為「垂死的豬」。一八九五年四月，在下關，伊藤逼中國同意讓朝鮮在日本勢力控制下「獨立」，割讓台灣這座富庶的島嶼和具戰略價值的北部城市旅順口。日本在突然間搶下中國身上最肥美的肉，令德皇威利大為光火。

德皇擔心出現「統一的亞洲，中國被日本控制」此一局面，於是尋求聖彼得堡幫忙，而在聖彼得堡，才四十九歲但戒不掉酒癮的亞歷山大三世——把被禁用的伏特加容器藏在他的靴子裡——就要死於肝硬化。他死後由他的二十六歲兒尼古拉繼位，尼古拉忍不住啜泣道，「我完全沒有心理準備。俄羅斯會怎麼樣？」掌權一事很難事先準備——大多數民主國家領袖經民選上台時都沒有掌權的經驗——而且獨裁統治所需的種種天分又訓練不來。他不像父親那樣身形高大，也不像威利那麼愛作秀，但他的神祕莫測及英俊、教人痛苦的多禮、溺愛妻子且忠於婚姻，再再掩蓋了他要推動東正教獨裁統治和俄羅斯霸權的決心。在日本戰勝中國一事中，尼基看到了機會，羅曼諾夫王朝大可繼續他們的所做所為：擴張。

尼基和他具有一半英格蘭血統、一半德國血統的妻子，黑森—達姆施塔特的亞歷珊德拉（Alexandra of Hesse-Darmstadt），兩人自懂事以來便相熟。暱稱阿歷克絲（Alix）的亞歷珊德拉是維多利亞女王的外孫女，因此是威利的表妹，尼基則是威利的表弟。尼基和阿歷克絲小時候相識，青春期時相愛，但阿歷克絲是虔誠的新教徒，不願改信東正教——一八九四年四月，兩夫婦，連同維多利亞女王和德皇威廉，出席她哥哥的婚禮，這才同意改宗。阿歷克絲拒絕尼基的求婚後，向威利詢問意見，威利則鼓勵她接受。在亞歷山大去世後的不幸日子裡，尼古拉與亞歷珊德拉成婚。

這時，尼基心懷在西伯利亞橫貫鐵路沿線打造亞洲帝國的願景。威利發給他一封信，附上一幅稱之為〈抵抗黃禍〉的速寫。一八九五年四月，威利寫信告訴尼基，「我會竭盡所能使歐洲平靜無事，守住俄羅斯的後方，讓你可以不受任何人阻撓的對遠東動手。因為，開化亞洲大陸，使歐洲免受黃種人侵犯，係俄羅斯未來的重要任務。」

22　哈布斯堡家族幾百年來幾乎不與家族以外的人通婚，導致嬰兒死亡率高、脊椎畸型、凸顎，但明治天皇把他的下巴藏在鬍子後。明治的妻子未生下孩子，而他和妃嬪所生的十五個孩子裡，有十個早夭，他的皇太子嘉仁（後來的大正天皇）身有殘疾。所幸大正娶妻，生下健康的孩子，而一九〇一年生下的第一個孩子，是個男嬰，即迪宮親王，後來被稱作裕仁。

在威利支持下，尼基逼日本吐出一部分到手的肥肉，透過行賄讓大清同意比照給予法國、德國的在華特許權給俄國——將旅順租借給俄羅斯。向藏族、蒙族的密契主義者徵詢過意見後，這個沙皇打算奪取滿洲和朝鮮，閔妃則熱中於爭取俄國支持，以免遭日本人宰制。日本人憤懣於失去到手的中國肥肉，決意報仇，並發動「獵狐行動」，閔妃就是狐狸。

一八九五年十月拂曉，五十名刺客闖進景福宮，抓住高宗，然後獵尋閔妃：她的女性氣質令他們尤其惱怒。他們發現她藏身在她的侍女之間，這些女人全遭殺害。這些浪人輪姦了這個四十三歲的王妃，再將她殺害，割下她的雙乳，然後將她的屍體展示在俄國使者面前，接著將屍體搬到林中，用煤油燒掉。高宗恐懼、傷心。朝鮮叛亂分子於是攻擊日本人，以表達對閔妃遇害的強烈憤慨。東方霸權爭奪戰於焉展開。

在北京，年輕的光緒帝一開始是想退位，並召回慈禧。接著，他仿效日本明治維新，採行全新的自強改革運動，創立立憲君主制、代議制議會以及男女教育機會，並在新任大臣的協助下，於一八九八年親自頒布新措施——「百日維新」。慈禧原本支持這些改革，直到她從李鴻章的門生袁世凱口中得知，這些維新者計畫謀殺她。於是，在軍機大臣榮祿的建議下，慈禧逮捕光緒帝，將他終生軟禁，維新者中有六中遭斬首。而滿清的腐敗無能正啟發一名學醫的廣東人決意推翻政權。

二十九歲的孫中山說，絕不可錯過這個千載難逢的機會。他厭惡滿人，深信自己應是自由中華共和國的革命領袖。這個信仰基督教的年輕醫生是裁縫師暨挑夫之子，協助創立了興中會，並得到上海商人宋嘉澍支持。宋嘉澍原是基督教傳道師，他其中一個女兒日後會嫁給孫中山。他們的造反以失敗收場。慈禧逮捕叛亂者，將其斬首。

孫中山一心一意、念茲在茲，在政治上既能屈能伸且無情，他逃到夏威夷投靠他的有錢的哥哥。而在此，另一個掌權的女人、一位不凡的女王，正為夏威夷的獨立而對抗太平洋地區的另一個新強權美國。

女王莉莉沃卡拉妮和泰迪・羅斯福：美國的富饒和足智多謀

莉莉沃卡拉妮（Lili'uokalani）暨唱歌也寫歌，彈烏克麗麗，熱中於追求男歡女愛，對夏威夷滿懷愛鄉愛國之情，五十五歲那年接掌她開朗的哥哥卡拉考阿（Kalakaua）留下的王位，成為女王，但她老早就以攝政身分主宰夏威夷。莉莉沃卡拉妮不情不願地嫁給一美商的兒子，與他一同住在帶有柱廊的豪宅「華盛頓宅」（Washington Place），她與卡梅哈梅哈一世所建立的王朝有親戚關係，長年效命於不只一位國王，本身也是有錢地主。她以她的諸多戀愛之一為題，寫下她最出色的歌曲〈與汝告別〉（Aloha Oe）。[23]

莉莉沃卡拉妮決意止住美國的擴張並打敗美籍糖業大亨。一八八七年，這些糖業大亨在「檀香山步槍隊」（Honolulu Rifles）這支白人移民民兵隊支持下，逼莉莉沃卡拉妮和她哥哥接受受謂的《刺刀憲法》（Bayonet Constitution），依此進一步削弱這個君主國，讓所有白人擁有投票權，但只給某些夏威夷人投票權，而亞洲人完全被排除在外。

至於美國，一如日本，正將其新組建的海軍武力投射到太平洋各地。一八六七年，美國利用《瓜諾法》（Guano Act）[24]併吞了夏威夷王國的中途島，莉莉沃卡拉妮的哥哥，亦即國王卡拉考阿，也把珍珠港給了美國。這時，在華府，新任的海軍助理部長觀察局勢變化，打算加入瓜分太平洋的行動。

23 「與汝告別，與汝告別，／遮蔭棚裡迷人之人，／深情款款的擁抱／然後我走了，／直到我們再次相見為止。」

24 瓜諾曾是值錢商品，只是為時不久：這是海鳥和蝙蝠的糞便，既被用來當肥料，也用來製作火藥。一開始是在祕魯、玻利維亞的海岸和太平洋島嶼等地發現瓜諾，且需求甚殷，因而曾有國家為爭奪而兵戎相向，也曾有國家靠此發財，而同時也曾有國家為了它而併吞土地。一八五六年，《瓜諾法》使美國得以併吞任何在境內找到瓜諾的島嶼。一八七九年，智利在瓜諾戰爭（Guano War）中擊敗祕魯和玻利維亞，奪下玻利維亞的沿海地帶——世上唯一為糞便而打的戰爭——但不久，製造肥料和火藥的新化學方法問世，這些排泄物隨之變得不值錢。

老泰迪・羅斯福小時候從自家窗子外，曾目睹林肯的出殯隊伍走過，他患有氣喘，身體虛弱，在家自學。他想成為科學家，於是在他房間裡擺了許多填充動物玩具，他的手足為他的房間取了綽號「羅斯福自然史博物館」。恢復健康後，他在哈佛大學學習拳擊，成為公認的怪胎，表現出狂暴般的充沛精力——而這樣的行為表現往往可消除抑鬱。他活力十足且好鬥，似乎總是精力充沛，戴著圓框眼鏡，嗓音粗嘎刺耳，有著「像響板般劈啪作響的牙齒」。父親死後，他進入「競技場」：他說，「我打算成為統治階級的一員。」

在畢業派對上，年紀比他大了許多的堂哥，綽號「鄉紳」（Squire）的詹姆斯・羅斯福（James Roosevelt），遇見高傲的年輕女子莎拉・德拉諾（Sara Delano），而且娶了她。她父親是從事對華貿易的有錢人。不久，她生下兒子富蘭克林，富蘭克林（即小羅斯福總統）的人生將受到其堂兄小泰迪・羅斯福（即老羅斯福總統）的啟發。詹姆斯・羅斯福在經濟急速成長的美國靠鐵路和煤致富，「門洛帕克的奇才」（Wizard of Menlo Park）愛迪生則是這樣的美國的具體表現，日後，他會錄下泰迪講的話，並支持他從政。

一八八二年，湯瑪斯・阿爾瓦・愛迪生（Thomas Alva Edison），一個來自美國俄亥俄州的教師之子，半聾，於美國內戰期間擔任報務員，二十二歲登記了他的第一項專利，並在他的銀行家摩根（J. P. Morgan）的辦公室裡打開一道開關，開始生產電力供曼哈頓五十九戶人照明之用，創辦了後來成為愛迪生照明公司（Edison Illuminating Company）的公用事業公司。

為一千零九十三項發明取得專利的愛迪生，係在二十世紀技術的改良真正開始改善一般人的日常生活時，靠一己之力完成諸多重要的創造發明。他為了在競爭中勝出而冷酷無情，容不下任何反對意見，[25]他平均每四天就登記一項專利，穿著他皺巴巴、髒兮兮的西裝擺弄他發明的物品，他不吃肉，靠牛奶填飽肚子，有時一連工作七十二小時，常晚上只睡四小時。他的家人被他擺在第二位。他的第一任妻子死於嗎啡意外服用過量，之後他娶了二十歲的妻子。但他忽略他的孩子，對酒癮甚大且以不實手法販賣無用東西的兒子們非常惱怒，不願雇用他們到他的實驗室工作。

此前，科學發明和應用始終各走各的，而愛迪生體現了這兩者的結合。「我們得不斷製造出具商業價值的物品，」他說。「不能像那個把一輩子都用在研究蜜蜂身上之絨毛的老德國教授！」他創造了讓創意性思考大展身手的新環境：利用他從多路傳輸電報系統這項發明得到的利潤，他在紐澤西州的門洛創辦了一間實驗室，想像出研發的概念。「我從未發現什麼，」他開玩笑道，「天才是百分之一的靈感，加上百分之九十九的努力。」

愛迪生的電力公司並非建立在某個突然的發現上。那之前不久，電力仍被視為某種娛樂玩意，而正用得以照明房子、街道並與油燈一較高下的燈泡進行試驗的人有好幾人，他只是其中之一。[26]而後他致力於研究能產生並配送電力的技術。他並非事事都做對。他堅稱，直流電是配送電力的保險方法，但他雇用了很有才華的年輕塞爾維亞人尼古拉・特斯拉（Nikola Tesla），後來特斯拉出走，轉而去為他的對手喬治・威斯汀豪斯（George Westinghouse）效力，發展出交流電。特斯拉是對的。愛迪生被威斯汀豪斯超越，他的諸多銀行家將他的公司和其他公司合併，並成立愛迪生與通用電氣聯合公司（Con Edison General Electric Company）。但他也在嘗試錄下聲音和傳送語音（於是有了開啟音樂業的留聲機和作為電話前身

25　有部新問世的傳記指他謀殺了某個競爭對手。

26　愛迪生的成就驅使某個對手投入一截然不同的事業：殺人。他在研發燈泡方面的對手是來自緬因州的希蘭・馬克沁（Hiram Maxim）。苦於支氣管炎的馬克沁，他的第一個發明是蒸汽吸入器，但比愛迪生更早將燈泡安裝於建築裡。不過，愛迪生打敗馬克沁，登記為他自己的專利，並成立公開招股公司。馬克沁離開美國，定居於英國，著手致力於另一項發明，一個會使戰爭徹底改變的機會：機關槍。後來愛迪生說，「我很自豪我從未發明殺人機器。」但他們兩人都只是在他人的成果上精益求精、更上層樓。

的碳精式送話器）、嘗試製造可充電的電池和電影攝影機（於是有了創造出電影業的活動電影放映機／Kinetograph）。他甚至創立了第一個拍片廠「黑色瑪麗亞」（Black Maria），後來攝製了一千兩百部默片。

後來，他曾考慮製造一款用來對死者說話的裝置。他或許在開玩笑，但靠電力驅動的其他小機器徹底改變人類生活，只是時間問題罷了。冰箱大大改善了養分的攝取，因而幾十年後美國人的平均身高增加了百分之五．一。而在世界另一端，幾乎同一時間的一八八二年二月，有個紐西蘭人首開先河研製出一艘冷凍船，並將冷凍的羔羊肉從丹尼丁（Dunedin）運到倫敦，經過八十九天的海上航程，那些羔羊肉仍可食。[27]這些發明全都成了時時存在之物，因而它們的無所不在也就幾乎不為人所察覺；不靠它們生存的能力也跟著失去。但沒有它們，現代生活會瞬間崩潰。這些改善營養攝取的東西，與保健和農產力的提升同時問世，從而一起促成世界史上最大的人口暴增。

燈泡使煤油顯得落伍——就在洛克斐勒開始掌控美國煤油市場之時。一時之間，洛克斐勒似乎即將變成接收無價值產業的落魄企業家的代名詞，沒想到，底特律愛迪生照明公司的總工程師亨利．福特有個將使這一切改觀的構想，他辭職研發出使用汽油副產品來驅動無馬馬車之內燃機的交通工具。

依賴發動機驅動的四輪車最初行進得很慢，因而愛說笑打諢的人總會說，「給我來匹馬！」亨利．福特是來自密西根州的農場小伙子，長年摸弄以汽油為燃料的農場引擎，從而創造出自己會動的福特四輪車（Ford Quadricycle），然後，與愛迪生結識後，得到愛迪生鼓勵。一如愛迪生，福特並非這領域唯一有著天馬行空之創意的人：在德國的曼海姆（Mannheim），工程師卡爾．賓士（Carl Benz）已於一八八五年研發出一個汽油引擎，並設計出賓士汽車。這些發明家都為男性，但一八八六年八月，貝爾塔．賓士太太（Bertha Benz）把她丈夫發明的汽車偷偷開出去，而且車上還載著她的兩個兒子。她開了六十五哩的路去探視她母親，途中還去藥房買了汽油。那是汽車的第一次上路，而貝爾塔也用襪帶讓電線絕緣，用髮夾疏通管子，發明煞車片，藉此開車更安全。福特注意到這些發明。在其福特汽車公司，他發展出大量生產廉價汽車的經營方式——他的對手賓士也在曼海姆如法炮製。愛迪生和福特這個惡毒反猶人士和陰謀論者結為朋友，每年一同開汽車遠行露營。[28]

隨著德州、加州和波斯境內發現新油田，汽車——接著巴士和卡車——打開了世界，迅即大受歡迎，汽油隨之變成不可或缺。洛克斐勒成了世界首富——就在泰迪・羅斯福這個日後會質疑他的壟斷地位的政治人物，首次選上紐約州眾議員之時。

這個狂妄、富有、一笑就露出牙齒的共和黨人招來民主黨人敵視，民主黨人打算把他拋到空中再用毯子接住，以此惡作劇羞辱他。泰迪得知後警告道，「我跟你保證，你只要試圖做任何類似那樣的事，我會踢你，會咬你，會狠狠踢你的褲襠。」有天，一封緊急電報把他叫出議場。

---

27 這些電器——電話、冰箱、收音機——有賴一種質輕、可塑造、便宜且不導電的物質為外框。直到一九〇七年，已憑藉創造出史上最早的相紙而致富的比利時物理學家萊奧・貝克蘭（Leo Baekeland），嘗試結合酚和甲醛以製造出電木（Bakelite），此物質這才問世。貝克蘭根據希臘語詞plastikos（可塑造的），把這種新發明的產品稱作塑膠（plastics），電木則是史上第一款塑膠。貝克蘭取得專利，靠其通用電木公司（General Bakelite Company）又一次致富。而後來的發展表明，塑膠也可用於食物的包裝和保存，用於將水存放於瓶中——意味著塑膠幾乎永遠不會壞。為世界帶來浩劫的塑膠時代於焉展開：據估計，自一九五〇年代以來，已有數十億噸塑膠遭丟棄，破壞了環境、奪走動物性命、滲入海底——甚至滲入人的血液裡。

28 另一項新機器的問世改變了日常生活：一八八〇年，十六歲的維吉尼亞中學生詹姆斯・邦薩克（James Bonsack），心動於菸草農所提供的賞金，離開學校，發明出一分鐘能捲出兩百根香菸的機器。他把獨家使用權授予北卡羅萊納的香菸製造商詹姆斯・杜克（James Duke），杜克成立英美菸草公司（British American Tobacco），啟動有計畫的行銷，使香菸變成時髦玩意：至二十世紀中期，世上許多人已染上香菸癮（八成的英國男性、四成的女性），以致肺癌發生率增加為原來的二十倍，而直到一九五〇年代才全面證實香菸和肺癌有聯帶關係。一九六五年，美國香菸盒上才放上危害健康的警示語——第一個這麼做的國家。即使今日，菸草仍每年奪走九百萬條性命。

他趕回位於曼哈頓的家，且迎來一場雙重悲劇：他母親米娣已死於傷寒；他暱稱「陽光」（Sunshine）的年輕愛妻艾莉絲．李（Alice Lee）生下女兒艾莉絲後，死於腎臟炎。他在日記裡寫道，「我的人生已失去陽光。」他幾乎精神崩潰，把女兒艾莉絲丟給親戚照顧，自己到達科塔領地（Dakota Territory）裡一處法紀蕩然卻又激蕩人心的「惡地」（Badlands）平復傷痛。在這處領地，印第安人慘遭摧毀，水牛群已被獵殺到絕跡，靠養牛和採金便足以致富。他在那裡與科曼切人的最後一個酋長夸納．派克結為朋友。

泰迪這個愛裝腔作勢的有錢人，在北達科塔買了駝鹿角牧場（Elkhorn），一身牛仔打扮——「我戴寬邊帽，穿絲質領軍、帶穗的鹿皮襯衫、海豹皮護腿套褲、短吻鱷皮靴，（佩戴）珍珠柄左輪手槍和加工精美的溫徹斯特步槍，」加上一把刻有「T.R.」字樣的鮑伊獵刀（Bowie）。離這座牧場不遠處，拉科塔族領袖「坐著的駝鹿」（Sitting Elk）這時即將遭遇美國人的報仇雪恨——為了已遇害的卡斯特。

一八九〇年十二月二十九日，在南達科塔的傷膝（Wounded Knee），正當第七騎兵隊正在解除某個拉科塔人村落的武裝時，有個聽不見命令的聾戰士擊發步槍，似乎是不小心擊發。情勢隨之失控。軍人射殺疾病纏身的酋長坐著的駝鹿。事後，軍人休．麥吉尼斯（Hugh McGinnis）憶道，「無助的小孩和抱著嬰兒的女人從最初的遭遇地被追到兩哩外，然後被騎兵毫不留情砍倒……軍人根本像發瘋一樣。」三百名拉科塔人遇害；也有二十五個軍人死亡。「我至今仍看得見遭屠殺的女人小孩成堆、零散的躺在整條彎曲的峽谷裡，」倖存的拉塔科人「黑駝鹿」憶道。「一個民族的夢死在那裡。」

美國這個既自由民主又靠武力開疆拓土的國家，國土已增長至獨立時的十倍大：大陸征服行動在此畫下句點，而因移民人數之眾，大陸征服又是勢所必然。羅斯福每天騎馬十三小時放牧他的牛群，冒著被人用槍指著的危險獵捕偷牛賊，他領悟到「表現出不怕的樣子，我漸漸就不再害怕。」他活出貴族版的邊區生活，但在較低的社會階層，正有數百萬人搭汽輪來到美國，那是亞歷山大二世遭暗殺所引發的一波移民潮。

謠傳刺客是猶太人（雖然那些刺客沒一個是猶太人）。在基輔、華沙、敖德薩，以及另外兩百個左右的地方，猶太人遭俄羅斯人群起攻擊，在對猶太人的集體迫害（pogrom）中（pogrom一詞來自意為「摧毀」的俄語pogromit），約有數百人遭強暴、殺害。亞歷山大三世痛恨猶太人，把他們受迫害歸咎於他們的不忠，推出新的限制自由的法律，他兒子尼古拉二世抱持一樣的偏見，維持這些法律。由此，俄羅斯帝國境內許多猶太人成為信仰馬克思主義的革命分子，迫使另外數百萬猶太人外移，其中有些回去耶路撒冷，接受新的猶太民族運動，更多人於接下來二十年期間往西奔走：十四萬人抵達英國，但大多（兩百五十萬至四百萬人）遠赴美國。[29]

這波由貪婪、冒險之人構成的龐大移民潮，不再是「走投無路後孤注一擲之舉」，而是紐西蘭歷史學家詹姆斯・貝利赫（James Belich）所形容的，「滿懷希望之舉」。約四百五十萬愛爾蘭男女、三百萬義大利人、兩百萬波蘭人、兩百萬德意志人、[30]一百五十萬斯堪的那維亞人來到異鄉。外移的目的地不只美

---

29 一八八八年，典型的猶太裔移民本雅明・沃恩斯科拉瑟（Benjamin Wonskolaser）、來自俄屬波蘭的猶太裔補鞋匠，他帶著兒子來到北美，遷居於加拿大安大略省的倫敦和美國俄亥俄州的揚斯敦（Youngstown）之間，靠補鞋、賣鍋盤、經營食品雜貨店和腳踏車店為生，而後開了一家地滾球戲球場，從而促使他們在賓州的紐卡索（New Castle）經營起一家戲院，靠典當一匹馬籌得開戲院的資金；這家戲院變成電影院，他們因此從事起電影相關產業。本雅明把他的姓氏改成華納（Warner）；他的三個兒子什穆埃爾（Szmuel）、希爾什（Hirsz）、阿隆（Aaron）各自改名為山姆、哈里、艾伯特，在他們的弟弟傑克（一個「唱歌、跳舞的男人」）加入他們行列後，四人將成為好萊塢電影業的一方之霸。

30 典型的巴伐利亞籍移民佛里德里希・德倫夫（Friedrich Drumpf），最初在曼哈頓以理髮為業，然後，一如羅斯福，往西走，在西雅圖創辦「貴賓狗」（Poodle-Dog）這家妓院兼奶品店暨酒吧（「女士專用房間」），接著跟隨最新的淘金熱，先後去了華盛頓州的基督山（Monte Cristo）、加拿大的克隆戴克（Klondike）。在克隆戴克，他的北極飯店（Arctic Hotel）以小時計價的方式提供砂金秤和房間，擴張為一天提供三千份餐食的白馬飯店（White Horse Hotel）。德倫夫回卡爾斯塔特娶補鍋匠的女兒伊莉莎白・克萊斯特（Elizabeth Christ），再帶她到紐約的布隆克斯，一九〇五年，他的兒子佛瑞德在那裡出生，佛瑞德正是日後美國總統唐納德・川普的父親。

國：在漫長的十九世紀期間，共有三千六百萬人來到澳洲和北美洲，而這波以說英語者居多的移民潮，應和馬其頓人、阿拉伯人、蒙古人、西班牙人的征服—遷徙之舉同等看待。[31]這些移民大多湧入城市。一八三〇年，芝加哥居民不到百人；一八九〇年增至百萬人；在同一時期，墨爾本人口從零增加到三十七萬八千人。一八五〇年時紐約已有百萬人；一九〇〇年時已增至三百五十萬人，到了一九三〇年則又增加了將近一倍。一八五〇至一九二〇年，兩千多萬移民來到美國——史上最大的遷徙，憑藉理直氣壯的破壞和出於崇高信念的創造力，為美國的崛起助一臂之力——而且一個真正互聯互通的全球市場問世。然而，這個新世界市場也帶來新風險。霸菱（Barings）這家行事不顧後果的英國銀行破產，引發史上第一場全球經濟危機，從而促使數百萬人轉而投入馬克思主義、無政府主義懷抱。從一八九四年暗殺法國總統起，無政府主義者殺了一連串西方領袖。世界性經濟蕭條鼓勵了詩人艾瑪．拉札勒斯（Emma Lazarus）於一八八三年所謂的「你們的那些擠在一起、渴望自由呼吸的大眾，／你們的擁擠海岸上不幸的廢物。／把這些人，無家可歸、被暴風雨吹上岸的人，送來給我。」美國歡迎巴伐利亞的德倫夫家、猶太裔沃恩斯科拉瑟家之類的家庭移民過來。

德倫夫和沃恩斯科拉瑟雖是凶狠但就是合法。泰迪．羅斯福回到紐約的「競技場」時，既遭遇作奸犯科的移民勢力，也遭遇富豪統治階級勢力。他損失了不少資本，並靠著暢銷書《一個大牧場主的狩獵之行》（*Hunting Trips of a Ranchman*）彌補部分虧損後，他娶了青梅竹馬伊迪絲．卡勞（Edith Carow）兩人生下五個兒子。而後，他說服總統班傑明．哈里森（Benjamin Harrison）指派他任職於紐約的公務員事務委員會（Civil Service Commission）。一八九四年，好鬥的羅斯福成為紐約市警察局局長，查抄不法活動的場所，與政黨派系老大起衝突。與揭發醜聞的記者雅各．里斯（Jacob Riis）——著有《另一半人如何生活》（*How the Other Half Lives*）——結交後，他也努力改善糟得嚇人的移民處境。里斯憶道，「有兩年時間，我們是（黑幫橫行的）桑樹街上的兄弟。」成千上萬移民湧入紐約，先是愛爾蘭人，然後義大利人、德意志人、猶太人。到了一九〇一年，紐約已是地球上最大的口岸，而這個拚命工作卻只能勉強餬口的地方，催生出美國文化的另一個代表性特色，而且是通常為世界史著作冷落的特色：犯罪活動。

羅斯福開始巡邏「小義大利」後不久，有個好看且很出風頭的少年向一個身子極為弱小的猶太裔男童放話，如果不繳一星期十分錢的保護費，就要讓他好看。這個少年的父母剛從西西里島來到美國，他父親原在島上的硫磺礦場辛苦工作。而這個不久前才從俄羅斯帝國的格羅德諾（Grodno）來到美國的猶太裔男孩不願屈服。這個名為薩爾瓦托雷・盧卡尼亞（Salvatore Lucania）的西西里人佩服這個名為馬耶爾・蘇霍夫蘭斯基（Meier Suchowlánski）的猶太人，於是邀請他加入他的五角區幫（Five Points Gang）。盧卡尼亞此時自稱幸運兒盧西亞諾（Lucky Luciano）；蘇霍夫蘭斯基則把名字縮短為邁爾・蘭斯基（Meyer Lansky），兩人和蘭斯基那暴力、短小精幹的友人班傑明・西格爾（Benjamin Siegel）合夥闖天下。而西格爾更是個凶狠、有嚴重精神病的殺手，雖衣冠楚楚，有著亮藍色眼珠，卻有個綽號「狂人」（Bugsy），在紐約市拉法葉街從事收取保護費的勾當。

他們是街頭小混混，但盧西亞諾知道西西里有悠久的黑社會歷史。西西里黑社會由農民發展出來，農民不接受貴族和國王的審判，實施自己的規則，創造出由天主教教義拼湊而成的儀式，但黑手黨（Mafia）一詞可能源自阿拉伯人埃米爾國的基督徒子民，這些基督徒聲稱自己免繳稅（ma'afi），拒絕繳交吉茲亞

31　英美歷史多的是令人充滿敬意的紀念性時刻——《大憲章》、五月花號、光榮革命、《獨立宣言》等。然而，這一切都和人口、移民密不可分：一七九〇至一九三〇年間，全球英語使用者從一千六百萬增加到兩億人，成長了十六倍，這還不包括四億的殖民地居民。英國之統治世界，不只透過工業化及征服，同時也有移民及繁衍後代。如同詹姆斯・貝利赫所言：「十九世紀的精采擴張，無疑促使英語使用者人數來到世界高峰。」

稅（jizyah）。在老羅斯福擔任警察局局長時的紐約，義大利人的犯罪活動由綽號「爪子」（Clutchhand）的朱塞佩．莫雷洛（Giuseppe Morello）掌管。莫雷洛是來自義大利科萊奧內（Corleone）的流氓，打敗了來自那不勒斯的卡莫拉（Camorra），把死在他手裡的人塞進桶子裡，但他被捕入獄，最終讓位給打造出美國黑手黨的狠角色：綽號「喬老大」（Joe the Boss）的朱塞佩．馬塞里亞（Giuseppe Masseria）。眼下，盧西亞諾、蘭斯基、西格爾這三個小伙子靠拉皮條、偷竊、收保護費賺錢，而他們三人最終將組織起美國的全國性犯罪活動，腐化紐約市和古巴的政治，創造出拉斯維加斯的賭博業、娛樂業。

老羅斯福巡邏這個幫派橫行的紐約底層社會，同時在紐約報刊宣揚他的政績，藉此贏得新總統威廉．麥金利（William McKinley）注意。一八九七年，麥金利任命他為海軍助理部長。老羅斯福受了《海權對歷史的影響》（*The Influence of Sea Power upon History*）一書的影響，該書作者為美國軍官阿爾弗雷德．瑪翰（Alfred Mahan）。而最能彰顯掌握海權之益處的事，莫過於夏威夷當下的情勢。

一八九三年，女王莉莉沃卡拉妮欲藉由修改夏威夷憲法推翻美籍糖業大亨的勢力，沒想到，此舉激由桑福德．道爾（Sanford Dole）領導的公共安全委員會。身為美籍傳教士之後裔的道爾，下令檀香山步槍隊攻打王宮。女王的軍隊司令查爾斯．威爾森（Charles Wilson），一個忠於夏威夷王國的美國人，掌管著五百兵力的禁衛軍，並保衛女王。委員會求助美國領事，並請協美國海軍陸戰隊協助。莉莉沃卡拉妮從陽台遠望海軍陸戰隊架起兩門大炮、兩挺加特林機槍，隨之同意談判，卻拒絕退位。道爾被宣告為總統；但美國總統克利夫蘭斥責「美軍以不實藉口非法占領檀香山之舉」，下令如果女王赦免這些造反者，就讓女王復位。而她拒絕。

一八九五年一月，在莉莉沃卡拉妮的華盛頓宅發現數門要用來反政變的大炮。她被捕、受審，判處五年勞役。道爾揚言她若不退位，就要處死她的支持者。她說，「就我個人來說，如果可以，我會選擇一死。」但她還是簽了字。總統麥金利保證「絕不動武征服」，卻也「不能讓那些島落入日本手裡。」[32]美國國會併吞夏威夷群島，時值老羅斯福在古巴這個西班牙尚存的殖民地之一看到下一個機會：古巴的三十五萬奴隸十年前才得到解放，而且西班牙人正殘酷鎮壓得到許多美國人支持的叛亂分子——叛軍領袖，詩人暨哲學家荷塞·馬提（José Martí）戰死時，鎮壓更是不留情。麥金利和老羅斯福派戰列艦緬因號前去古巴，一八九八年二月十五日，戰艦在哈瓦那港爆炸，兩百六十六名軍士官兵遇害。老羅斯福對他的姊妹說，「如果對外戰爭不是壞事，我會樂見來這麼一場。」

老羅斯福和莽騎兵

老羅斯福說，一場西班牙戰爭「會使美國往徹底擺脫歐洲宰制這個目標更向前一步」，也「會使我們的人民思考並非實質性益處的某種東西，從而令我們的人民」受益。在威利·赫斯特（Willie Hearst）名下那些渴望戰爭的報紙助陣下，老羅斯福引導麥金利加入此戰局。赫斯特是金礦業大亨之子，經營從《舊金山檢查人報》到《紐約日報》（*New York Journal*）的一系列報紙，以粗魯的標題、煽情的報導、聳動的八卦消息等吸引讀者（最風光時有讀者三千萬）。這時，他的「黃色」辦報作風（以低俗的文字或聳人聽聞的報導吸引讀者），在老羅斯福成立他自己的部隊——第一義勇騎兵團（First Volunteer Cavalry）——時，煽動對西班牙開戰。他把該團稱作「莽騎兵」（Rough Riders），組成分子為美國東岸貴族、不折不扣的牛仔、德州騎警等。

32 日本的確曾考慮占領夏威夷群島。一九一七年，莉莉沃卡拉妮七十九歲去世。一九三一年，珍珠港才發展成完備的海軍基地。

一八九八年七月，上校羅斯福騎著他的馬「小德克薩斯」（Little Texas）登陸古巴，攻向位於聖胡安嶺（San Juan Ridge）的西班牙人。他下令衝鋒，在八十九名手下戰死之際，騎馬帶頭往前衝。老羅斯福射殺了一個西班牙人：「我發過誓要殺掉至少一人，」他說。「看看那些死掉的西班牙人。」赫斯特宣揚老羅斯福在解放古巴的那個「人馬雜沓時刻」的英勇表現，而在太平洋彼岸，老羅斯福的艦隊於馬尼拉灣大敗西班牙艦隊，並奪下菲律賓。西班牙把波多黎各、關島、菲律賓等地割讓給美國，然而菲律賓人在民族領袖埃米利奧·阿圭納多（Emilio Aguinaldo）領導下宣布獨立。麥金利保證要為了「被治理者的最大利益」實施他所謂的「善意的同化」——用以指稱帝國征服行動的全新委婉用語——然後發動殖民地戰爭，動用了水刑、殺戮、拘留營等擊垮菲律賓人的抵抗作為。約二十萬人喪命。這時已是麥金利之副總統的老羅斯福協助將美國打造成海軍強權和太平洋強權。然心心念念於建設海軍者，不只他一人。

德皇威廉也讀了瑪翰的著作，他告訴母親，「納爾遜於我是『大師』，我根據他的海軍理念和計畫，打造我的海軍理念和計畫。」對於未能把英國拉攏過來，他深感挫敗，於是啟動他名為「世界政策」（Weltpolitik）的權力政策：他告訴維琪，「我所採用並奉行的軍事原則，大多師法自拿破崙。」若德國想要根據這些原則執行「世界政策」，德國必須打造和英國不相上下的海軍武力。為施行此「艦隊政策」（Flottenpolitik），威利任用他的友人佛里茨·克虜伯建造了十九艘戰列艦、八艘裝甲巡洋艦、十二艘大型巡洋艦、三十艘輕巡洋艦。

一八九八年秋，他將「世界政策」應用於東方，帶著大批隨從（包括八十名女僕和僕人）、阿拉伯式花飾的全新制服（靴子、鞭子、面紗特別顯眼）啟程，前去訪問鄂圖曼帝國蘇丹阿布杜哈米德二世（Abdulhamid II）。這個蘇丹已撤銷短命的自由主義憲法，恢復鄂圖曼王朝對已失去其大部分歐洲省分的帝國獨裁統治。阿布杜哈米德個頭矮小、戒心又重且神經質，留著用散沫花染劑染成紅色的鬍子，是做木工、彈鋼琴、寫歌劇曲子的能手，愛狂飲香檳，嗜讀福爾摩斯偵探小說，愛看法國戲劇，追求技術上的現代化。他以哈里發的形象示人，鼓勵伊斯蘭民族主義，以團結他躁動不安的阿拉伯裔、土耳其裔子民。他利用祕密警察謀殺改革者，祕密警察則以鄰國俄羅斯的祕密警察機關為師成立。他是玩族群政治的高手，對於俄羅斯支持亞美尼亞人和保加利亞人一事忿恨難耐，於是鎮壓庫德族叛亂（散居於鄂圖曼帝國轄下之伊拉克、敘利亞以及伊朗全境的伊斯蘭遜尼派山居民族），接著提供武器給新成立的哈米德騎兵團（Hamidiye regiments）裡的庫德人，任他們去對付基督徒。他緊盯著那些討論阿拉伯民族覺醒的新阿拉伯人社團，希望築新鐵路通到巴格達、進入阿拉伯半島，藉以發射鄂圖曼王朝的武力。

在阿拉伯半島，哈希姆、紹德這兩個對抗了三個世紀的家族平息了阿布杜哈米德的怒氣，卻也強烈譴責他的權力。兩家族都會產生許多王國的國王，也都會占據統治之位直至二十一世紀的今天。哈希姆家族和紹德家族各有一名成員將在日後改造阿拉伯世界。

阿布杜阿濟茲——紹德家族重出江湖

在麥加，獲蘇丹提拔的哈希姆家族埃米爾阿里·奧恩·拉斐克（Ali Awn al-Rafiq）出身於自薩拉丁以來一直治理這座聖城且為先知穆罕默德之後的家族——只有一八〇三至一八年曾遭另一個家族——紹德家族——趕出麥加時，失去此地位。

阿布杜哈米德深知哈希姆家族所擁有的威望，並注意到這個埃米爾的姪子胡笙（Hussein）正陰謀不利於埃米爾，於是把胡笙喚到伊斯坦堡。在伊斯坦堡，祕密警察向蘇丹報告了他和他的親戚會晤之事，說他是個「任性、不願服從命令的人，其難得同意表達的觀點顯示他具有危險的獨創性思考能力」。這個蘇丹警告他小心，但讓他任職於國務院。胡笙在阿拉伯半島的小綠洲、在沙漠營地（在那裡用獵鷹獵殺動物、研究動物）、在博斯普魯斯海峽畔的咖啡館等處過著愜意日子。他非常矮小，個性頑固，很有禮貌又精明，他很清楚自己的家世，正等待時機大展身手。

在阿拉伯半島另一端的科威特，另一名卓越不凡的王子阿布杜阿濟茲・伊本・紹德（Abdulaziz ibn Saud）——在西方被稱作伊本・紹德——打算拿回他失去的家產。他在充斥陰謀、混亂的環境中成長，而他的家族此前曾和薩拉菲派（Salafist）純粹主義者所組成的瓦哈比派合夥下，先是贏得兩個王國，而後再度失去。一八九〇年，阿布杜阿濟茲十五歲時，親眼目睹自己的父親被對手趕出利雅德，失去一切；所幸這些難民得到他們的友人薩巴赫家族（al-Sabah）庇護。薩巴赫家族原在伊拉克以搶劫為生，後來被鄂圖曼王朝趕走，並奪下科威特。這些位於波斯灣地區且曾被伊朗控制的小地盤，與英國駐印度總督結盟，而這個總督對阿拉伯半島上的情勢不大在意。阿布杜阿濟茲鷹鉤鼻，身材魁梧，六呎四吋高，精於騎駱駝作戰，槍法神準，有部分時間由他的姑姑養育。「她愛我更甚於愛她自己的小孩，」他憶道。「只有我們兩人在的時候，她會告訴我該做的大事：她一再告訴我，『你必須重振紹德家族的榮光』，她的話語像充滿愛意的輕撫。」

阿布杜阿濟茲二十六歲時，他手持短彎刀和馬提尼—亨利步槍，數次領軍攻入內志（Nadj）。某次襲擊時，他和六個部屬襲擊利雅德，殺了行政長官，拿下要塞。阿布杜哈米德派兵前去驅逐阿布杜阿濟茲，後者受傷，但未就此死心：他再度襲擊，這次直接殺掉他的對手，並拿下內志：紹德家族回來了，但阿布杜哈米德計畫靠威利的協助控制阿拉伯半島。

一八九八年十月，那躁動的德皇來到君士坦丁堡，滿腦子想著要和阿布杜哈米德商談的構想：建造他的鐵路、訓練他的軍隊，以及猶太復國主義。在國內時，已有維也納記者特奧多爾・赫茨爾（Theodor

Herzl）找他談。赫茨爾觀察到，反猶主義（antisemitism）——一八八〇年才造出來的詞語——不只在俄羅斯興起，也在巴黎、維也納興起，而他推斷猶太人在歐洲將永遠不安。「我所構思出的想法」——他稱之為猶太復國主義（Zionism）——「古已有之：恢復猶太人國家。」原本，西元前第一個千年期間，猶太地區（Judaea）由猶太人統治；自西元一三五年西蒙．巴爾．科克巴垮台以來，各地的猶太人一直尊崇耶路撒冷和猶太地區，而且一心想著回去。有一群人數不多且貧困的猶太人住在耶路撒冷和鄂圖曼帝國轄下的巴勒斯坦已久。一五六〇年代至一八六〇年代期間，耶路撒冷遭冷落、劫掠，雖築有城牆，卻是個充滿歷史滄桑之感但半無人居的村子，當地土耳其籍專制統治者掠奪這個地方，但也是數千阿拉伯人和數百猶太人的居住地，直到穆罕默德．阿里攻占耶路撒冷和鄂圖曼王朝施行改革，這才重燃英國和歐陸列強對這座城的尊崇，局面才有所改觀。歐洲列強重建耶路撒冷，建造教堂和廉價旅店。羅曼諾夫王朝每年送來數千名朝聖的俄羅斯人——然而該王朝在自己帝國內的反猶措施，也把俄羅斯猶太人推向耶路撒冷。阿拉伯人和猶太人遷入城內。一八六〇年，摩西．蒙帖菲奧雷在城牆外建起第一個猶太人自治村，與此同時，身為阿拉伯籍權貴的胡笙家族建起第一個阿拉伯人聚居地。一八八三年，愛德蒙．德．羅特希爾德，即詹姆斯的么子，協助俄羅斯籍移民創建了猶太人鎮里雄萊錫安（Rishon LeZion），及至一八九〇年代，猶太人占耶路撒冷人口比例已稍稍過半。赫茨爾想要建立由羅特希爾德家族領導的貴族制猶太人共和國，於是找上歐洲最文明、現代的國家德國，經人介紹認識了菲利．奧伊倫堡，再經奧伊倫堡和威利搭上線。

威利和菲利都瘋狂的仇視猶太人。「我非常贊成毛舍爾人（Mauschels，對猶太人的貶稱）去巴勒斯坦，」威廉回道。「他們愈快離開愈好。」但他向正忙著在阿拉伯人世界宣揚其哈里發正統身分的阿布杜哈米德提及此事時，竟遭對方不客氣拒絕。接著威利前去耶路撒冷，並為一座龐然的德國人教堂主持啟用儀式，他嘲笑貧困的猶太人「一身油污且骯髒、畏縮又怯懦……有許多人是狠毒的放高利貸者」——

並接見赫茨爾，同時告訴他，他的構想「很好」。只是一說到出錢，他嗤之以鼻道，「這個嘛，你錢很多！」[33]在大馬士革，威利自封為「所有穆斯林的保護者」，支持鄂圖曼王朝，搶先出手而占了英國人上風。這時，英國人在非洲已擴張過度而顯得力不從心。

最初，拜一種所向披靡的新殺人武器之賜，英國人一副銳不可當的樣子。一八九三年十月二十五日，由鑽石礦業大亨塞西爾．羅茲控制的英國準軍事部隊首度使用式新武器——馬克沁的機槍——對付向他們衝來的馬塔貝萊族戰士。

羅茲、馬克沁式重機槍、洛本古拉

羅茲自認為活不久了。一如克萊夫和盧伽德，他是神職人員之子，來自英格蘭哈福德郡的城郊，他心臟不好且患有慢性氣喘。他渴望冒險；他的家人認為南非的炎熱會保住他的性命，於是，自少年時期起，他便開始在充斥暴力、犯罪的慶伯利採礦營地闖天下。在那裡，他打敗競爭對手，把其所劃界據有的諸多土地合併，而後贏得羅斯柴爾德的支持，將他的德貝爾公司打造為最大的鑽石生產商。他沒結婚，和女人相處起來很彆扭，被一個幾乎使他破產的女騙子操縱，他本身大概是同性戀，摯愛他的祕書內維爾．皮克靈（Neville Pickering）。但他感興趣的是大英帝國，他所熱中的是沿著擬興建的鐵路線——自開普至開羅——擴大大英帝國版圖，使非洲人受白種人支配。他在遺囑裡寫道，「我認為，我們是世上最優秀的人種，我們所定居的地方愈多，對人類愈好。」

一八八六年，隨著在川斯瓦爾這個阿非利卡人共和國境內發現黃金，這裡成為更不容失去的肥肉。不久，這個共和國就被英籍淘金客（uitlanders）完全控制。一八九〇年，三十七歲的羅茲當選開普殖民地首相，著手限制非洲人的權利。「要把土著當小孩對待，否絕他們的選舉權，」他說。「我們必須採行專制體制。」然後，為準軍事性質的英國南非公司取得經營執照後，他將英國勢力推進到川斯瓦爾境內，往北推進到洛本古拉（Lobengula）的非洲人王國境內。洛本古拉是恩德貝萊人的國王，王國創建者姆齊利卡齊的兒子。姆齊利卡齊原是夏卡麾下的將領，一八二〇年代征服此王國。洛本古拉擁兵兩萬，有二十個妻子，一八六八年起出任國王，成功限制了英國人的滲入，但羅茲和其準軍事部隊挑起戰爭。該部隊的組織者是躁動的得力助手林德・詹姆森（Leander Jameson），一個帶槍的醫生。[34]洛本古拉動員抗敵。在尚加尼（Shangani），六千名配備馬提尼—亨利步槍和長矛的非洲戰士攻擊羅茲的地方武裝部隊，而該部隊有個優勢：馬克沁機槍。

馬克沁在燈泡專利權之爭敗給愛迪生後，一八八二年離美來到英格蘭，接著遇見一美國人，對方力勸他「去你的化學和電！如果你想賺大錢，去發明會使這些歐洲人互相割喉割得更俐落的武器。」

在尚加內，五挺馬克沁機槍幾分鐘就殺掉一千五百個馬塔貝萊人，「就像割草機」；一週後，又有兩千五百人死於這些機槍下。羅茲說，「射擊威力想必很強。」公眾歎服於英國的科技。英國政治家希萊爾・貝洛克（Hillaire Belloc）寫道，「無論如何，我們有／馬克沁機槍，而他們沒有。」但這個新科技產品有個麻煩，那就是競爭對手也買得到，不久英國人也將嘗到其威力。洛本古拉威信盡失，且遭毒死，

33　這個德皇寫道，「閃族的精力、創造力、效率會被轉移到比榨乾基督徒的錢更正當的目標上，許多社會民主黨人會離開德國前往東方。」只是他也說，「有鑑於『國際猶太人資本』所代表的那股龐大且極危險的勢力，那將大大有利於德國。」反猶主義有著一個自相矛盾的二元性：波蘭什泰特爾（shtetls，猶太人占人口多數的小鎮）和耶路撒冷的舊城因為其格格不入的信仰和骯髒貧窮遭鄙視，羅斯柴爾德家族和「國際猶太人資本」則因其神祕莫測的力量而遭鄙視。

34　詹姆森既投身殖民地開拓，同時也執醫，他不只替羅茲治過病，還替國王洛本古拉、川斯瓦爾總統克魯格治過病。

在精明的鄰邦茨瓦納王國（Tswana）的國王「偉人」卡瑪（Khama the Great）助陣下，洛本古拉的王國遭滅。英國移民大舉湧入，把這處領土稱作羅德西亞（Rhodesia），沒想到，羅茲轉而開始打擊卡瑪之卻是一敗塗地。已皈依基督教的卡瑪前去倫敦求助英國政府，英國政府恥於羅茲的掠奪，允許這個國王保有貝專納蘭（Bechuanland，今波札那）。[35]羅茲不住埋怨道，「被這些黑人徹底擊敗，真是丟臉。」

一八九五年十二月，羅茲組織了入侵川斯瓦爾的行動，支持醫生詹姆森和六百名傭兵動手，結果這些傭兵很快就倒在阿非利卡人農民的槍下。英國首相索爾茲伯里勳爵怒不可遏。羅茲辭去開普殖民地首相之職。詹姆森擔下此挫敗的責任。[36]德皇威廉命令德軍阻止英國，可惜又受制於他的大臣而無法放手施為。

詹姆森襲擊行動過了幾星期後，有個非洲本地國王讓世人見識到歐洲人征服能耐的極限。一八九六年三月一日，在阿杜瓦（Adowa）的河谷，一萬四千名義大利士兵攻擊衣索比亞軍隊。

梅涅利克和皇后泰圖：非洲的勝利

一如德國，義大利是個很玻璃心的新國家，拚命想要趕上英法。義大利首相法蘭切斯科．克里斯皮（Francesco Crispi）是個咄咄逼人的帝國主義者，威權型民族主義者和演技一流的民粹主義者，人稱「獨來獨往者」（Loner），與加里波底並肩作戰過。義大利國王文貝托（Umberto）曾開玩笑道，「克里斯皮想要占領每個地方，甚至占領中國和日本。」還說「克里斯皮是隻豬，卻是不可或缺的豬。」克里斯皮和義大利的盟友俾斯麥過從甚密，奪下馬薩瓦後，取名厄利特里亞（Eritrea，源於拉丁語Mare Erythraeum／紅海），但打算擴張到衣索比亞境內時，遇上帝國時代最具天分的非洲籍領導人：梅涅利克二世。

他是修瓦王國的年輕王子，曾是善變的衣索比亞皇帝特沃德羅斯的階下囚，後來成為這位皇帝的女婿。特沃德羅斯自盡後，他悲痛於先皇的遭遇，卻也臣服於新皇帝約翰內斯，約翰內斯立他為修瓦王國的國王。他再婚，娶了他管不住的貴族女子貝法娜公主（Befana），兩人維持了十七年的婚姻。貝法娜提拔她與前夫所生的幾個兒子，而且一再想要推翻他。兩人離婚後，他仍難以忘懷於她：「你們要我用當年凝視貝法娜的眼睛看這些女人？」而幸運的是，第三次婚姻他娶了泰圖．貝圖爾（Taytu Betul），一個掌有實權的女人，來自北部的戈貢姆、貢德爾，此前結過三次婚，有自己的部隊可投入戰場。

皇帝約翰內斯遭馬赫迪派殺害後，自稱是索羅門和示巴女王之直系男性後裔的梅涅利克終於在一八八九年成為皇帝。他既有帝王的威嚴，又平易近人，「表現出極高的智力」和「孩子般的好奇心」，尤其對西方武器好奇：有個來到衣索比亞的義大利人記載道，他「非常友善」，是個「軍火迷」。他講話很快且簡潔，以「是的，或許」回應所有請願者。把士兵訓練到懂得使用法國、英國、俄國的大炮和步槍後——有些大炮和步槍為戰利品，有些則是買的來——他從位於衣索比亞中部的阿姆哈拉（Amhara）地區往外擴張，經過十年征戰，併吞了提格雷等北部省份，但也痛擊南部的卡法王國和其他王國，屠殺敵人，將數千人貶為奴隸。梅涅利克把根據地設置在妻子所創建的新都阿迪斯阿貝巴，打造出衣索比亞帝國。該帝國存續至一九七〇年代，但在此期間，其國祚有幾次顯著的中斷。這些戰爭和義大利牛隻的引進帶來牛瘟和一場可能是非洲歷來最嚴重的饑荒，奪走一千萬條性命。

梅涅利克樂於把厄利特里亞讓給義大利人，但這時，克里斯皮下令併吞衣索比亞，試圖誆騙梅涅利

35　卡瑪的孫子塞雷采（Seretse）將成為波札那這個新國家的首任總統；他的曾孫則會在二十一世紀當上總統。

36　後來詹姆森獲平反，選上開普的首相；接著又獲封為準男爵。拉德亞德．吉卜林（Rudyard Kipling）以他身處逆境時的樂觀為題，寫下〈如果……〉（If...）一詩。

克。他宣布，「這個國家是我的，其他國家都不能把它據為己有。」克里斯皮誇稱義大利會大敗非洲「野蠻人」，把衣索比亞皇帝「囚在籠裡」，押到羅馬。

梅涅利克宣布，「有個敵人已渡海，像鼴鼠般在我們的領土底下挖地道……我和這些人談判，」但「夠了！我要擊退這個入侵者。」義大利將軍奧雷斯帖·巴拉蒂耶里（Oreste Baratieri）輕敵，梅涅利克迅即擊敗一支義大利部隊，然後集結大軍向北進發。他騎在猩紅馬鞍上，身穿白袍，一把金色陽傘為他遮陽。克里斯皮斥責巴拉蒂耶里敗於非洲「猴子」之手：「這是在消耗軍力，不是戰爭……為了挽救軍隊的名譽和我君主國的威信，我們準備好不計代價作任何犧牲。」巴拉蒂耶里和他的兩萬兵力，包括他的厄利特里亞盟友，試圖對阿杜瓦的高地發動奇襲，於是派三個旅摸黑循山徑上行，希望引梅涅利克交戰。這個皇帝與皇后泰圖從山頂上指揮作戰，將三個義大利旅各個擊敗。皇后泰圖突然跳了起來。「鼓起勇氣！」她說。「我們勝券在握！動手！」她派她的部隊參戰，梅涅利克帶兩萬五千名後備兵力跟在後頭，當下殺掉四成三的義大利人和五個義大利將領裡的三個，締造了非洲人在被殖民統治的歷史上前所未有的一場勝利。克里斯皮下台。梅涅利克繼續攻城略地，同時使歐洲人互鬥以從中得利。眼下，他支持建造從阿迪斯至法屬吉布第港的鐵路，把特許經營權授予他極有權力的瓜德魯普籍醫生維塔列（Vitale）。[37]正當義大利人想著「為阿杜瓦之役報仇」時，在鄰邦蘇丹，英國人正要為戈登將軍報仇。

一八九八年九月二日，在蘇丹喀土木城外的恩圖曼，有個年輕騎兵和他所配屬的英國第二十一長矛輕騎兵團（21st Lancers），準備衝向哈里發的軍隊。哈里發的軍隊兵力龐大且令人生畏，共五萬持矛士兵和騎兵身穿長開襟外套和鎖子甲，揮舞著旗幟。更早些時候，這個年輕騎兵透過雙筒望遠鏡掃視了敵軍陣容。二十三歲的溫斯頓·邱吉爾寫道，「這樣的景象，我這輩子再看不到。」他是個咄咄逼人、自以為是、有著老派哈羅公學畢業生作風的記者，馬爾博羅公爵約翰·邱吉爾的後代，蘭道夫勳爵這個死於梅毒且特立獨行的政治人物的兒子。

這支埃及軍的統帥（sirdar）赫伯特・基欽納（Herbert Kitchener）不想讓邱吉爾參與此役，無奈邱吉爾的母親珍妮・傑羅姆（Jenny Jerome）透過私人關係，促使邱吉爾加入基欽納這支兩萬五千兵力的英埃聯軍。珍妮美麗動人，與威爾斯親王和其他許多人有婚外情，她的父親是美國鍍金時代的一個投機商。

基欽納冷漠、孤僻、執著，六呎兩吋高，金髮，青灰色眼睛（一眼斜視），臉如面具，是憑己身奮鬥出人頭地的英裔愛爾蘭籍軍官，獨身，很可能是受壓抑的同性戀者，具有堅毅且果決明斷的能力、帶報復心態的野心，還喜歡蒐集瓷器。此時，這場計畫非常周詳的軍事行動會讓他贏得「蘇丹機器」（Sudan Machine）的綽號。英軍的長矛輕騎兵團衝鋒之際，邱吉爾也騎馬衝了過去。

甘地、邱吉爾、蘇丹機器

「此事似乎在全然無聲中過去，」邱吉爾憶及人類史上最後的騎兵衝鋒行動之一時說道，「敵人的吶喊、士兵的叫喊、數不清槍炮的發射、劍矛的碰撞……無法一一銘記在腦海裡。」他與敵廝殺時，「緊抓著馬鞍的士兵無力的前後搖晃，身上滿是從或許十二個傷口流出的血。馬兒跛腳，步履蹣跚，血從巨大的口子汩汩流出……」蘇丹馬赫迪軍衝鋒時，被馬克沁機槍成群撂倒，然後英軍前進，喊著「記住戈登！」

37 梅涅利克所規畫的接班人原是他的堂弟公爵馬孔嫩・沃爾德・米凱爾（Ras Makonnen Wolde Mikael），他是某個修瓦國王的孫子，阿杜瓦之役期間，衣索比亞方的統帥，但他先離開人世，留下一子塔法里・馬孔嫩（Tafari Makonnen），即後來的皇帝海爾・塞拉西。一九〇四年梅涅利克中風時，他的妻子泰圖代他掌理國政，他死時，泰圖欲阻止他的孫子利吉・伊亞蘇（Lij Iyasu）繼承，卻未能如願。

「蘇丹機器」殺掉敵軍傷兵，說「我們已狠狠擊敗他們」。邱吉爾認為，「無人性屠殺傷兵，令（英國人）顏面掃地。」一萬兩千個蘇丹人陳屍戰場。誠如某個在場者所說，「這不是打仗，而是處決……屍體未成堆——屍體很少成堆——而是平均散布在廣闊的大地上。」英軍只死了四十八人。基欽納「掘馬赫迪的墳，再把馬赫迪的頭放在煤油罐裡當紀念品帶走，此等野蠻舉動」，加上又打算拿他的頭當墨水台一事，更是令邱吉爾「震驚又憤慨」。迫於清議，基欽納只好埋葬了這顆頭顱，但他仍獲晉升為貴族，蘇丹哈里發兵敗喪命。

南蘇丹是非洲大地上最後一個未被歐洲人據為己有的角落。基欽納得知有個法國上尉和一百二十名塞內加爾神槍手從布拉札維爾千里迢迢過來，而且已抵達蘇丹法紹達村（Fashoda），要建立一個橫跨非洲大陸的法蘭西帝國。基欽納於是乘船順尼羅河而下，與法蘭西人對峙，而他的陸軍中尉邱吉爾則南奔至南非，於此，英國將慘敗於大不相同的敵人之手。

一八九九年十月，英籍淘金客要求在阿非利卡人的諸共和國裡享有投票權，這些共和國的布耳人部隊（commandos）為配備馬克沁機槍的一流戰士，立即先發制人攻擊英國人的城鎮，圍攻慶伯利和雷迪史密斯（Ladysmith），打敗行動緩慢的英軍。羅茲協助防守慶伯利。為某報報導此戰爭的邱吉爾被俘，但想辦法逃脫，他的冒險事蹟令他聲名大噪。在這期間，有個印度律師在雷迪史密斯城外的戰場上擔任英軍的擔架兵。莫罕達斯·甘地（Mohandas Ghandi）出身中產家庭，父親是拉賈斯坦境內某個小土邦的宰相。甘地已在倫敦取得律師資格，卻在一八九三年他二十三歲那年受邀接下南非一樁官司。他搬到德爾班（Durban），在此一身整齊乾淨的打扮，穿著漿硬領子的襯衫和西裝，留著經修剪的唇上髭，度過二十一年，為印度人的權利發聲。邱吉爾以帝國英雄之姿回到倫敦並選上國會議員時，甘地發展出他的非暴力抗議（satyagraha，「真理之力」）概念，日後會將此概念應用於印度獨立運動。

無能的英軍打得灰頭土臉，索爾茲伯里隨之派「蘇丹機器」過去。一八九九年十二月，基欽納抵達，目的在摧毀阿非利卡人。他燒掉他們的農場，把他們的家人「集中」在新營地，兩萬六千個左右的婦孺在這些拘留地上病死。基欽納最終攻下他們的首府，打敗他們的軍隊。[38]德皇威廉和沙皇尼古拉欣見維多利亞女王差點顏面掃地——就在另一個女皇慈禧的危機給了歐洲列強鯨吞中國更多土地的機會之際。

兩位年邁女皇：慈禧、維多利亞

慈禧太后後來曾說，她常自認是自古以來最聰明的女人，但也坦承她就要犯下她平生最嚴重的錯。她殺不了她厭惡的外甥，即遭軟禁卻仍居帝位的光緒帝，於是轉而對付他的珍妃，揭露她的貪腐，逼她目睹她的太監遭折磨。慈禧支持直隸總督李鴻章的改革，興辦大學、修築鐵路，未想在一九〇〇年，由於滿清暴政、敗於日本之手、傳教士的厚顏無恥以及歐洲列強的入侵等，激起義和團叛亂。義和團習武術，相信武術使洋人子彈傷不了他們。這些所謂的拳民，二十五萬個纏紅頭巾、持長槍的農民，以「滅洋」為目標，進向北京，要驅逐洋人。西方人在本國公使館避難時，許多滿、漢武將支持、同情拳民，並與他們合作。慈禧說，拳民是上天所派來，要把可惡的洋人趕出中國。

正當慈禧本人猶疑不決之際，由一德國將軍領導的八國軍隊出手，以保護本國子民。「一旦遇敵，絕不留情，不留活口，」德皇告訴他的士兵。「一如一千年前匈人在其國王阿提拉領導下揚名立萬……願你們使中國人再也不敢斜眼看德國人，從而申明德國的名號。」就連奧伊倫堡私底下都對威利感到憂心忡

38　此戰後不久，羅茲去世，得年四十八，留下根據他名字而命名的北羅德西亞、南羅德西亞（今尚比亞、辛巴威）。在恩德貝萊族戰士行禮致敬下，他下葬於今日的辛巴威境內，財產留給牛津大學作為獎學金，培養羅茲學者。

忡，因為他「已不再能於滿腔怒火時控制住自己。我認為這情況非常危險。」

慈禧支持拳民，說他們的法術或許不管用，但人心豈不可恃？儘管中國積弱，她仍對世上最強的八個國家宣戰。兩名大臣提出忠告，認為戰爭萬萬不可，她下令將這兩人斬首。不過，她所能指揮的兵力不多；兵戎多受制於有權勢的將領，而這些將領下令無視於她。八國聯軍一路打進北京時，慈禧帶著光緒帝北逃，甚至向遭她囚禁的珍妃直言，她年輕貌美，可能遭洋士兵強姦，說她相信珍妃知道該怎麼做——意指自盡。但最終，反而是她把珍妃丟進井裡。她逃到西安，有時飢寒交迫，有時難過得啜泣，向列強求和——並回到紫禁城。

在遙遠的倫敦，另一個女王身體日漸衰弱。一九〇一年一月，維多利亞的醫生從她位於懷特島（Isle of Wight）奧斯本（Osborne）的王宮，發出一封密電給德皇威廉：「令人不安的症狀已出現。」威利一直想得到外祖母維多利亞的愛——「大家都不知道我多愛女王，她和我的回憶有多密切」——這時他表示，他擔心得知「她病入膏肓……卻無法再見她一面」。他趕往倫敦，而一到倫敦，伯迪一味的想轉移他的注意力，但維多利亞病情惡化，於是這對舅甥（伯迪和威廉）趕去奧斯本。眼瞎、半清醒的女王醒來之際，她的孩子未提到威廉到了。他感到痛心，而最終女王的醫生帶他去病榻前探視她，事後她低聲說，「這個皇帝很和善。」只見威利跪在床邊，用右臂扶住她，「他的眼睛一動不動盯著他的外祖母」。德皇威利和此時已是國王暨皇帝愛德華七世的伯迪，把嬌小的女王抬進棺材裡。

慈禧說，「雖然我聽了不少關於維多利亞女王的事，但我認為她的人生不到我人生一半有趣、精采……她不過問國政。現在看看我。我有四億倚賴我裁斷的臣民。」在袁世凱及維新大臣的建議下，慈禧終於支持新政，只是太晚，也太慢了：一九〇年，她承諾君主立憲制，下令選舉以成立議會，明定改革，禁止纏足和凌遲之刑，同時為女孩創辦學校，發獎學金給出國留學的女孩。這些取得獎學金的女孩中，有宋美齡、宋慶齡二人，她們是信仰基督教的企業家宋嘉澍的女兒，這會兒，她們動身前去就讀美國麻塞諸塞州的衛斯理學院。宋嘉澍的祕密盟友孫中山試圖再起事推翻滿清，還是失敗。孫中山在日本等待機會。

慈禧保住性命，未想沙皇尼古拉不願將軍隊撤出滿洲，而且加速滲透朝鮮。[39]日本人把滿洲和朝鮮都視為他們的地盤。雙方開始談判。尼古拉本可能談定協議，拿下滿洲，割讓朝鮮，結果，惑於他的亞洲帝國、神聖使命的願景，他嘲笑日本人竟敢挑戰俄羅斯，堅稱「絕不會有戰爭」，因為「那些獮猴」絕不可能打敗俄國人。

尼基在位以來建樹不多。他的經濟成長快速，他的巴庫油田正生產世界所產石油的一半，但湧入城市至新工廠和煉油廠工作的工人[40]處境糟得嚇人，且漸漸接受馬克思主義革命。沙皇不願同意任何改革，使反對勢力除了擁抱革命別無他路可走。他提拔信仰東正教的俄羅斯人以為羅曼諾夫王朝爭取支持，但此政策讓他失去一半子民——信仰天主教的波蘭人、信仰新教的芬蘭人、猶太人、亞美尼亞人、喬治亞人——的民心。

一九〇一年，有個年輕的喬治亞人開始在巴統的羅特希爾德煉油廠工作，他祕密組織罷工和破壞活

---

39 這是俄羅斯領導人的一貫作為。自羅曼諾夫家族於一六一三年掌權以來，俄羅斯平均一天擴張五十五平方哩，一年擴張兩萬平方哩，疆域從兩百萬平方哩增為八百六十萬平方哩，只有一八五六年、一八七八年遭遇少許挫折，俄國因此是世界史上最成功的征服機器之一。

40 一八七三年，事業有成的槍炮製造商路德維格・諾貝爾（Ludwig Nobel）從聖彼得堡過來，在巴庫買下一座煉油廠。他的父親是在俄國致富的瑞典發明家，他的弟弟阿爾佛烈德則已發明了最初用於採礦、後來用於戰爭的硝化甘油炸藥。諾貝爾發明了第一座油輪，以運送「黑金」，並為油輪取了適切的名字「瑣羅亞斯德」（Zoroaster）。諾貝爾家兄弟不久就有了競爭對手：巴黎的阿爾豐斯・德・羅特希爾德（Alphonse de Rothschild）投資建造一條鐵路，藉此把石油運到黑海的港口巴統（Batumi），並在巴統興建了一座煉油廠。

動：此人叫約瑟夫．朱加什維利（Josef Djugashvili），父親是個酗酒、喝醉就打妻兒的補鞋匠，而母親則是恪盡母職、信教虔誠，且打定主意要他成為主教，為了讓他進梯弗里斯（Tiflis）神學院，多苦都願意。梯弗里斯神學院禁說喬治亞語，學生一旦說喬治亞語就會挨打。在那裡，約瑟夫．朱加什維利，一如成千上萬的其他年輕人，接受了其他的信仰——馬克思主義。他加入社會民主黨，仰慕政黨領袖之一的弗拉基米爾．烏利雅諾夫（Vladimir Ulyanov）。烏利雅諾夫自稱列寧，是個有文化素養且富有的貴族，一心想革命，他改造馬克思的思想以符合俄國的需要，創立了一個小型先鋒隊，實行以恐怖為後盾的「無產階級專政」。朱加什維利把列寧當英雄崇拜：「我的山鷹」。後來他取名史達林。

尼基的內政大臣維亞切斯拉夫．馮．普列韋（Vyacheslav von Plehve）建議，「我國所需要的是一場短時間就取勝的戰爭，以遏止革命浪潮。」[41]許多政治人物都想要一場「短時間就取勝的戰爭」，但能如願的政治人物不多。而尼古拉確信自己即將拿下滿洲和朝鮮。

有個美國新總統從華府密切注意這場危機。一九〇一年九月，總統麥金利在水牛城演講時，遭一名無政府主義者開槍射殺。正在佛蒙特州度假的副總統老羅斯福趕赴醫院探望漸漸康復的麥金利，接著回到阿迪朗達克山脈（Adirondacks）。沒想到，麥金利傷勢猛地急劇惡化。而老羅斯福成為總統。

杜博依斯、華盛頓、老羅斯福

這個自以為是且愛現的總統是新一類總統，他享受著國力蒸蒸日上的美國的富足和壯麗風景，把總統一職說成這個國家的嚮導，抱著只有那些承繼了顯赫權勢者才擁有的道德自信，從他「可據以向眾人表述其個人看法的要職」向國民說教。

他透過至交好友治國，而這些至交被稱作「網球內閣」（Tennis Cabinet）。與此同時，這一家人成為名人，出現在許多攝影鏡頭裡。泰迪堅持玩家庭遊戲和家庭健行，健行時他們反覆喊著「翻過，從底下鑽過，穿過，但絕不繞過！」他的獵熊活動甚至催生出一種玩具：泰迪熊。但為管束好他狂野、活潑的長女艾莉絲，他簡直傷透腦筋。艾莉絲跳舞到深夜，抽菸，和男人調情，把蛇繞在頸子上。他送她去中國、日本旅行，想藉此讓她的青春活力有個宣洩的管道。而此趟旅行期間，她見到了慈禧太后，卻又和眾議員尼古拉斯·隆沃思（Nicholas Longworth）調情，從而引發又一樁醜聞。儘管她後來嫁給隆沃思，老羅斯福還是相當惱怒。

艾莉絲總是抱怨她父親「想要當每場婚禮的新娘、每個葬禮上的遺體、每個洗禮命名儀式上的嬰兒」，他則激動說道，「有兩件事，我只能做到其中一件：當總統……或管好艾莉絲。我不可能兩件事都做到。」

老羅斯福轉而對付起勢力過大的托拉斯，是為第一個認為政府得限制壟斷性企業之勢力的總統。泰迪說，「在各種專制中，最不討人喜歡且最粗俗者是錢財的專制。」他認為，限制富豪的勢力是政府的職責。他說，「一如所有美國人，我喜歡大東西，大平原……麥田、鐵路、工廠、汽船。但……如果富裕

41 普列韋的民族主義煽動作為新一波對猶太人的迫害產生了推波助瀾的作用。這些迫害始於一九〇三年復活節，地點在基希內夫（Kishinev，今摩爾多瓦境內），進而導致更多猶太人外移。普列韋遭暗殺，但迅速外移者中，有猶太裔牙醫馬克斯·雅夫（Max Jaffe）和他的兒子亨利。他們離開維爾紐斯（Vilnius），買了前往紐約的船票，幾天後卻在愛爾蘭上岸。他們不禁抱怨起來到不對的地方，卻也發現自己誤買了往紐科克（New Cork）的票。父子倆在利默里克（Limerick）城裡一處稱之為「小耶路撒冷」的居住區住下，直到一九〇三年一月，當地神父克雷（Father Creagh）煽動農民攻擊猶太人為止。這些猶太人隨之大多前往英格蘭。而亨利·雅夫正是本書作者的祖父。

腐化了道德，沒有人會受益於富裕。」這個總統在司法部部長查理．波拿巴（Charlie Bonaparte）[42]協助下對洛克斐勒下手，逼迫標準石油公司和銀行托拉斯、鐵路托拉斯、菸草托拉斯分家。

然而，老羅斯福最持久不墜的成就是在公共衛生上往前踏出的一大步。這一大步挽救了無數人的性命，而且受惠者不限於美國境內。那時，藥房仍把帶有部分毒性的一些蛇油飲劑當藥品販售，其中許多飲劑含有成分頗高的砷、古柯鹼、海洛英。一九〇六年，在社會運動人士和醫生的鼓勵下，老羅斯福創辦了一全國性的機構，以執行藥物和食物的規範。此舉表明科學發現係挽救生命所不可或缺，但若沒有真能讓人民受惠於改善的領袖、組織者、社會運動者，這些發現派不上用場。一八六三年，法國科學家路易．巴斯德（Louis Pasteur）在他的里耳實驗室試驗時，發現了使葡萄酒壞掉的細菌。他把牛奶拿來實驗後，發現加熱可使牛奶安全無虞——一項革命性發現。而四十年後，巴氏消毒法才得以挽救生命。

數十年以來，成千上萬的孩子因喝了「殘渣牛奶」（swill milk）而中毒身亡。生產這種牛奶的母牛平日被餵食蒸餾穀物製造威士忌所產生的廢渣。直到梅西百貨的猶太裔老闆納唐．史特勞斯（Nathan Straus）開始用巴氏消毒法消毒牛奶，並廉價賣給窮人，才不再有人死於毒牛奶。老羅斯福支持史特勞斯，並下令展開調查，從而使巴氏消毒法得到認可。其他挽救生命的科學發現也有類似的發展軌跡。[43]然而，在對付種族主義方面，他就沒那麼大刀闊斧了。

當上總統後不久，老羅斯福邀黑人領袖布克．華盛頓（Booker T. Washington）前來白宮和他的家人一同用餐——美國建國以來頭一遭。華盛頓生為奴隸，係阿拉巴馬州塔斯基吉大學（Tuskegee College）的校長，得到多個白人富翁支持，是個受尊敬的溫和派，提出要南部黑人把政治留給白人、以換取受教育機會和法律平等的《大西洋折衷方案》（Atlantic Compromise），默然接受對黑人的種族歧視。他支持以奧塔瓦．格利（Ottawa W. Gurley）為首的一批黑人企業家建造他所謂的「黑人華爾街」（Negro Wall Street）。

格利是阿拉巴馬州奴隸之子，搬到州內的塔爾薩（Tulsa）的格林伍德區（Greenwood），興建了格利飯店，開發房地產，成為第一個黑人百萬富翁。但在黑人世界，他是特例：《吉姆・克勞法》（Jim Crow laws）依舊在美國南部強制施行種族隔離，取消黑人的投票權。

宴請華盛頓之舉激怒南部白人。不久後將成為密西西比州州長的詹姆斯・瓦爾達曼（James Vardaman）怒斥道，白宮此時「充斥黑鬼的臭味，導致老鼠已躲藏在馬廄裡」。老羅斯福擔心反彈太嚴重，不敢放手去做。他坦承，「我對邀他一事一時心生疑懼，為此我感到羞恥，」而他從此未再做過同樣的事。

華盛頓的妥協遭到原本支持他的杜博依斯（W. E. B. Du Bois）抨擊。杜博依斯是富有遠見的博學之

42 「壞蛋剋星」（Crookbuster）查理創立調查局（聯邦調查局前身），本身是國王傑羅姆的孫子和皇帝拿破崙的姪孫。

43 一八八二年，柏林的德國教授羅伯特・科赫（Robert Koch）發現結核（奪走最多人性命的疾病之一）是某種細菌所致，而這種細菌常透過牛奶傳給人。科赫以巴斯德的研究成果為本才有所發現。他也發現了導致霍亂的細菌。細菌理論改變了世界——因為此理論，加上麻醉法和抗菌、滅菌設備的問世，侵入式手術首次得以發展出來。即便如此，細菌理論仍遭許多人質疑。第一個創造並使用疫苗預防霍亂和鼠疫者，係年輕的猶太裔俄羅斯微生物學家沃爾德馬爾・哈夫金（Waldemar Haffkine）。他生於別爾江斯克（Berdiansk），在敖德薩接受教育，本名弗拉基米爾・哈夫金（Vladmir Chavkin）。一八八一年俄羅斯境內猶太人開始受到迫害時，二十一歲的哈夫金協助保護敖德薩的猶太人，可惜受傷同時被捕，後來在他的教授的協助下獲釋。他逃離反猶迫害，加入「巴斯德研究院」（Pasteur Institute），以自身測試自己的疫苗。印度境內大流行病頻發，促使他在該地著手執行其計畫。一八九六年，孟買爆發鼠疫。太平天國之亂加劇鼠疫爆發，鼠疫從中國口岸經香港傳到印度，而亞歷山大・耶爾森（Alexandre Yersin）終於在香港發現鼠疫病原體。在英國人試圖控制這場鼠疫時，已有一千多萬印度人死於鼠疫。哈夫金最終為數百萬人注射了疫苗，協助剷除這些疾病。一九〇二年，一個受到污染的小瓶疫苗導致十九人喪命，隨之導致他在反猶的氣氛下遭指控處理不當，隨之被革職。但這些指控查明為誣告，他重拾印度的工作。他的哈夫金研究院是孟買最大的細菌學研究中心，他出現在印度的郵票上。而在美國，巴氏消毒法直到一九一五年才完全獲得接受，而用於預防結核病的卡介苗（Bacillus Calmette-Guerin）直到一九二一年才獲使用——距科赫的發現已過了四十年。

士，第一個拿到哈佛大學博士學位的非裔美國人，後來去了柏林留學。二十多歲時，杜博依斯調查了費城貧窮非裔美國人的高結核病死亡率，發現他們的死亡——有色人種可能比白人早死十五年——係因為他們受到指示，前去生活在最不衛生的區域。

他出版《黑人靈魂》（*Souls of Black Folk*）這本研究非裔美國人經歷的社會學專著，把華盛頓斥為「十足的討好者」，在尼亞加拉（Niagra），他發動反擊，不只鼓吹反對《吉姆．克勞法》，還反對他後來所謂的無形的「種族界線」（color-line）、非裔美國人所自覺必須戴上的「面紗」、他們所被迫接受的「雙重意識」。[44]但私刑處死之事未絕，而當德州布朗茲維爾（Brownsville）的白人誣陷黑人士兵時，老羅斯福未查明真相就將其中一百六十七人革職。

在國外，老羅斯福更勇敢。「我始終很喜歡這則西非諺語，」他說。「輕聲說話並帶著一根大棒；你會大有成就。」他掌控了巴拿馬運河的建造，在俄日危機中看到機會。

一九〇四年二月八日，艦隊司令東鄉平八郎率領日本海軍艦隊突襲旅順口的俄國海軍基地，並圍攻旅順，其他日軍則奪取朝鮮，然後攻擊滿洲境內的俄軍。懷疑俄國會威脅印度而正集結兵力以入侵西藏的英國，一直助日本壯大。[45]最初，已當了四任內閣總理大臣的侯爵伊藤博文支持和俄羅斯妥協，親赴彼得堡談判，但沙皇害事的傲慢使這位「元老」——已成為寡頭統治集團一員（「藩閥」）的權貴——相信必須開戰。年輕的日本皇太子裕仁密切注意此情勢的發展。他的祖父，時年五十一歲的明治天皇，對裕仁和其弟秩父宮來說，絕非慈祥的家戶長，接見他們時要他們著軍裝立正站好。秩父宮說，「我從未體驗過一般祖父給予孫子的那種溫暖且無保留的愛。」

「不會有戰爭，」尼古拉重述他的看法。得知自己判斷錯誤時，他正在劇院看戲。他趕緊透過西伯利亞橫貫鐵路派兵過去，但部隊運送太慢而且指揮系統紊亂，日軍則組織完善。旅順口俄軍在遭包圍後投降，艦隊司令東鄉平八郎在黃海擊潰俄羅斯艦隊，俄軍敗於瀋陽。這場為避免革命而打的速戰速決戰爭反而引發革命：一九〇五年春，沙皇已控制不住波蘭、高加索地區、波羅的海地區。阿列克謝出生，令尼古拉喜出望外，皇位總算後繼有人，不久後，尼古拉孤注一擲，派波羅的海艦隊經英吉利海峽，繞過非洲大陸，穿過印度洋，遠赴東亞，試圖打敗日本。結果，五月時，在對馬，反遭日軍殲滅。日軍擊沉八艘俄國戰列艦，殺掉五千俄國水兵。儘管俄國陸軍仍軍容壯盛，派到滿洲的兵力正接近其在當地所需的全部兵員，尼古拉的聲望和羅曼諾夫王朝的威望卻跟著他的艦隊一起急沉。

老羅斯福主動表示願當調解人。一九〇五年八月，他歡迎俄國、日本代表團的到來，卻發覺談判很折磨人。老羅斯福說，「和沙皇、德皇、日本天皇見得愈多次，我愈是滿意於民主制度。」他最初靠向處於劣勢的日本，但漸漸理解到日本是即將到來的威脅。尼古拉被迫放棄旅順，撤出滿洲，承認日本控制朝鮮。老羅斯福雀躍說道，這個和平協議「對俄國、對日本、對我都是天大的好事！」

一九〇五年聖派翠克節那天，他出席了姪女愛蓮娜（Eleanor）的婚禮，新郎是他極有志向的堂弟富蘭克林．羅斯福。這個總統說，「嗯，富蘭克林，人生最快意的事就是讓姓羅斯福的人繼續當總統。」

44 杜博依斯首度提出「白人至上」（white supremacy）之說，建議以有色人種一詞，而非以黑人，指稱「各地的深膚色人」，後來他將女黑人也納入其維權對象。

45 尼基心心念念要在東亞建立俄羅斯帝國，由此令英國的印度總督喬治．柯曾（George Curzon）深感驚恐。柯曾是難得一見的伊頓公學出身的權貴，此前已遊歷過伊朗和中亞。就在日軍攻擊俄國之前不久，柯曾派兵討伐，以保護西藏使免受沙俄干預。這支軍隊由上校法蘭西斯．揚哈茲本（Francis Younghusband）統領，共三千兵力，其中大多是錫克教徒和帕坦人。一九〇四年三月三十一日，只配備滑膛槍的西藏士兵阻擋入侵的英軍，揚哈茲本隨之動用馬克沁機槍：「我厭煩於殺戮，於是停火，但將軍的命令是大開殺戒，殺愈多愈好，」馬克沁機槍隊的隊長憶道。「我希望從此不必再射殺走開的人。」執政的達賴喇嘛逃到蒙古，揚哈茲本拿下拉薩。西藏同意受英國保護。但此次出兵並無必要。日俄戰爭則打消了俄國在東亞的野心。

富蘭克林、愛蓮娜、裕仁

他們兩人成為夫妻，其實教人意想不到。愛蓮娜童年悲慘，生活在混亂喧鬧的舅舅家，未得到應有的關愛，而且舅舅酗酒、精神錯亂。她父親艾略特，即總統泰迪・羅斯福的弟弟，有酒癮且暴力，叫她「小內爾」（Little Nell）；她母親早逝，艾略特都叫她「老奶奶」（Granny），而泰迪・羅斯福的妻子則只說，「真可憐，她長得很平凡。」

直到在倫敦求學，愛蓮娜才找到自己。富蘭克林在家接受教育，而後就讀格羅頓（Groton）私立高中和哈佛大學，與愛蓮娜截然相反的是，他和善親切且彬彬有禮，體格好且開朗、活力十足，鬢髮蓬鬆如獅子，笑起來很迷人，但老愛糾結於小事且被寵壞。他長成很有禮貌只是禮貌到讓人覺得做作的人，深得他的父親——死於一九〇〇年的鄉紳詹姆斯——和強勢母親莎拉的喜愛。莎拉給了他絕對的自信，但莎拉本人很討厭愛蓮娜，愛蓮娜則擔心「我會永遠守不住他，他太迷人。」愛蓮娜認為性是「該忍受的苦難」，但兩人婚後生了六個小孩。富蘭克林看中她，在某種程度上反映了他對泰迪的英雄崇拜：他也夢想當上總統。

泰迪輕率承諾他會遵照首任總統華盛頓立下的傳統不尋求二連任，因此，一九〇八年他離開白宮時才五十歲——而後他啟程獵殺大型動物，赴拉丁美洲旅行。這是他日後會非常懊悔的決定，也是他的堂弟富蘭克林樂於避掉的決定。打敗俄國，造就了侵略性的日本，而日後對付這個日本的，即是富蘭克林。

年輕的裕仁由將軍乃木希典和艦隊司令東鄉平八郎輔導。一九〇七年，明治簽署「第一號軍令」，該軍令授予軍方「不受內閣節制的行事權」，同時規定政策的指導原則會是「我們在滿洲和朝鮮所植入的權利和利益」。[46]一九一二年明治天皇去世，他病弱的兒子繼位，裕仁的老師乃木和乃木妻子向天皇肖像行禮，接著她拿刀自刺頸子，他則剖腹自殺。不久前還被視為中世習俗的儀式性自殺，在日本的新戰爭崇拜文化裡再度流行開來。

一九〇五年十月，洶湧的革命浪潮迫使沙皇尼古拉同意立憲。他所深愛的繼承人阿列克謝卻被發現得了血友病，因此有可能早死。尼古拉和亞歷珊德拉辛苦隱瞞這個祕密，不讓兒子知道。來自西伯利亞的密契主義者格里戈里・拉斯普丁（Grigori Rasputin）則緩解了他們的傷痛。拉斯普丁的質樸農民性格、宗教信念、對沙皇的忠貞不貳，恢復了他們的信心。尼古拉決意拿回獨裁統治並傳承給他兒子，在恐怖主義和混亂橫行於帝國各處時，他被困在皇宮中，但他的軍隊依然忠於他。這時，他主導收復帝國的行動，手段凶殘，而他幸災樂禍的對手德皇威廉則看到可迫使這個沙皇與他結盟的機會。這一結盟改變了世局。

威利樂見俄國的衰微，邀請尼基各自乘遊艇前來波羅的海會晤。威利仍以菲利為顧問，正值其權勢頂峰，並任命奧伊倫堡所提攜且逢迎諂媚的伯恩哈德・馮・比洛（Bernhard von Bülow）為總理。威利將菲利升為侯爵，任命他為駐維也納的大使，告訴他，「自從有了比洛，我睡得很安穩。」比洛被取綽號「鰻魚」自然有其緣故，他和菲利調情，就和他拍威利馬屁一樣用心。[47]

西南非境內黑雷羅人（Herero）、納瑪人（Nama）、桑人（San）叛亂後，威利鼓勵他的指揮官洛塔爾・馮・特羅塔（Lothar von Trotha）走種族滅絕路線。特羅塔說，「我認為應該消滅這個民族」。確切數

46　一九一〇年，日本徹底併吞朝鮮，宣布「開明治理」，同時鎮壓日漸升高的朝鮮人抵抗。許多朝鮮人越界進入中國東北，以躲掉日本人的壓迫，其中有身為朝鮮長老會教友的夫妻金亨稷、康磐石和他們的八歲兒子金成柱。金成柱少年時將加入反帝國主義組織，後來以金日成之名投入共產主義陣營。二〇二〇年代的今天，他的孫子仍統治著北韓。

47　一九〇一年，菲利介紹威利認識戈比諾的種族主義弟子休士頓・斯圖爾特・張伯倫（Houston Stewart Chamberlain）。此人是華格納的女婿，宣揚種族優越論：「我們若不（對）我們充斥猶太人的藝術生活有堅定的省思，我們日耳曼種族終將不保。」

字不詳，但從一九〇四年十月起，多達六萬個男女小孩遇害，而年老的參謀總長阿爾佛烈德・馮・施里芬（Alfred von Schlieffen）認同此決定。施里芬說，「種族戰爭一旦開始，只有走到一方遭殲滅或徹底受奴役的地步才能結束。」此外，他也致力於謀畫一場歐洲戰爭。

在波羅的海，兩人各自的遊艇上，威利使計讓這個沙皇與他結盟，從而牴觸了俄國和法國的結盟關係。後來尼基被迫取消與德國的結盟。威利則大張旗鼓建造艦隊——打算至一九一八年時建成由六十艘戰列艦組成的本土艦隊——引來強烈反彈，激使英國更加緊鑼密鼓建造其無畏級戰列艦並靠向法國，就在英法兩國差點為法紹達兵戎相向的僅僅六年後。一九〇四年，那個彬彬有禮且熱愛法國文化的英王愛德華七世鼓勵締結英法協約（entente cordiale），不久協約談成，其中可見矛頭指向德國的祕密條款。

施里芬認為德國要打贏歐洲戰爭，只有一個辦法，那就是擊潰法國，同時把俄羅斯拒於門外，而要擊潰法國，或許該取道中立的比利時，直搗法國。一九〇七年八月，英俄兩國簽署同盟條約，結束兩國半個世紀來在中亞的對抗，施里芬的計畫對德國來說隨之變得更不可或缺，但也變得風險更大。威利的失策已使德國陷入包圍。

但沒有戰爭的必要。德國的經濟靠鋼和化學品推動，即將超越英國，稱霸歐洲。[48]只有在不可一世的威廉宮廷裡，才有人莫名的忽而滿腦子戰爭狂熱，忽而萎靡不振，唯恐來自其他國家和種族的挑戰——尤以來自斯拉夫系俄羅斯人的挑戰最需要盡快應付。在偉大的美利堅共和國，泰迪・羅斯福深信「任何和平成就都不如最大的戰爭勝利來得偉大」——偉大政治家就是如此被打造出來。在維也納、君士坦丁堡、聖彼得堡，領導人相信只有戰爭能使衰老的王朝重現活力；在貝爾格勒、雅典、索非亞，充滿幹勁的新國家則相信戰爭會帶來新帝國；甚至在民主國家，男人無不興高采烈接受軍事訓練，以為即將到來的衝突作準備。諸多王朝想要透過衝突拯救自己，未想衝突真的到來時，反而摧毀這些王朝，並且透過鮮血、火藥、泥土重新塑造掌權的家族。

在柏林，德皇的陽剛戰爭機器的最高層爆發醜聞，加劇男子氣概的危機。

48 醫藥、農業這時都和化學品離不開關係，而德國在化學品方面特別先進。一八九七年，有個在埃爾伯費爾德（Elberfeld）的染料製造公司拜耳（Bayer）工作的德國化學家，創造出現代生活所不可或缺的兩種藥：那年八月，二十九歲的費利克斯・霍夫曼（Felix Hoffman）將從柳樹皮提取出來的古老止痛藥物水楊苷合成，製造出阿斯匹靈這款解熱、消炎、止痛的藥，從而讓拜耳公司大發利市，風行全世界。他也將海洛因（diamorphine）合成，創造出比較不會讓人上癮的嗎啡，並因其能讓人異常欣快，而根據heroisch（「英雄的」）一詞，將該藥取名海洛英（heroin）——海洛英被當成止咳藥水行銷直到一次世界大戰後，一九二四年才在美國被禁。一九〇七年，科赫的德籍猶太裔伙伴保羅・埃利希（Paul Erlich），希望找到他所謂足以殺死某種細菌卻不致殺掉其他細胞的「神奇子彈」，結果他發現合成化合物可治昏睡病，繼而發現可以治梅毒；他和化學聯合大企業赫克斯特（Hoechst）合作大量生產最早的合成抗生素。一九〇八年，德籍猶太裔化學家佛里茨・哈貝爾（Fritz Haber）創造出硝酸銨，取代鳥糞之類的天然硝酸鹽，充當肥料。化學業大亨卡爾・博施（Carl Bosch）發展出哈貝爾—博施工序，用以製造出一種有助於使現代農業集約化並養活數十億人的物質。這的確是一場劇烈的農業革命，改善了養分的攝取，再加上較適度的保健、較乾淨的水、疫苗注射、電力、冷凍貯存、燃油引擎等問世，一同推動了人口急速成長。食物產量據認成長了十七倍，而且大多成長於西元一九〇〇年後。一八〇〇年時，地球上有九億人；一九〇〇年時已有十六億五千萬人——而且此後有增無減：二〇二二年，達八十億人。城市人口的成長非常顯著，尤以英語世界裡的城市為然。一八九〇年，倫敦和紐約是兩個人口整整百萬的城市，芝加哥則緊追在後。到了一九二〇年，已有二十個人口破百萬的大都市；一九四〇年時有五十一個；一九八五年時有兩百二十六個。據估計，哈貝爾—博施工序協助生產了全球食物產量的三分之一，而這些食物餵飽了三十億左右的人。但這些保命的化學品也是殺戮所不可或缺。這些肥料被用於製造爆裂物；哈貝爾發展出一次大戰時被用來當武器的氯；博施接著主持巴斯夫（BASF）化學品集團，一九二五年創立法本公司（IG Farben）。法本這家新的企業集團也和邁爾（Mayer）合併，後來製造齊克隆B（Zyklon-B），即納粹屠殺猶太人期間用來殺害猶太人的毒氣。科學的用途就是如此多樣。

第十九幕

世界人口
十六億人

霍亨佐倫家族、克虜伯家族、鄂圖曼王朝、天皇、宋家

心愛之人、彈豎琴者、圖圖、孔且蒂娜：威利和其友人

首先是佛里德里希・克虜伯（Friedrich Krupp），即火炮製造大王之子、德皇威廉在武裝軍隊和建造船艦上的事業伙伴、埃森五萬工人的老闆。克虜伯已婚，有小孩，但多數時間都耗在卡布里島上和柏林飯店裡享受濫交的同性戀生活。在德國，一如在其他每個歐洲國家，同性戀實為非法，可被根據不人道的刑法第一百七十五節予以起訴。在這個看重男子氣概且虔誠派（Pietism）當道的社會裡，同性戀也是禁忌，男同性戀者因此既易遭逮捕，也易遭勒索。

當社會主義報刊開始散播謠言，威廉奉勸克虜伯不要再去卡布里，但接著，這個大老闆的老婆瑪加蕾特（Margarethe）收到揭露克虜伯性愛派對的匿名信和照片。她求助於德皇，想要沒收這家公司。沒想到，德皇反而和克虜伯合謀，將她關在精神病院裡，克虜伯感謝「陛下替我出面解決事情的好心和善意」。一九〇二年十一月，社會主義記者揭露「克虜伯在卡布里島上」的淫行，指稱一個年輕的理髮師是他的情人。一星期後，克虜伯自殺。德皇出席了這個「道地德意志男人」的喪禮，攻擊社會主義者，而後，他認定克虜伯家族是戰略資產，於是主導了這個家族的接班事宜。出席喪禮前，有人向德皇保證，克虜伯雖然本性「格外溫柔」，卻「沒有性欲」。克虜伯留下兩個女兒：十四歲的貝爾塔（Bertha）是唯一繼承人。威廉替她挑了丈夫，即外交官古斯塔夫・馮・博倫─哈爾巴赫（Gustav von Bohlen und Halbach）。一九〇七年兩人結婚時，這個新郎改姓為克虜伯，成了很有經營手腕的大亨，為第一次世界大

戰提供大炮——士兵替這些炮取了綽號「大貝爾塔」（Big Berthas）——之後，更是支持希特勒。

一九〇七年，有個社會主義記者在一名為自己遭遇忿忿不滿的外交部官員協助下，揭露某貴族同性戀圈子，圈子的主事者是「彈豎琴者」（Harpists，即奧伊倫堡）和其情人「甜心」，外號「圖圖」（Tutu）的庫諾·馮·莫爾特凱將軍。誠如奧伊倫堡夫人所理解到的，「他們在打擊我的丈夫，但他們的目標是德皇。」威利命令其友人以誹謗罪告發。一九〇七年十月，莫爾特凱發動七件訴訟案裡的第一件，這些訴訟案則揭露了不為人知的世界，其中的構成包括帶有俏皮情色意味的綽號、寓言人物的服裝、祕密權力以及一票權貴、侍者、漁民幽會上床。迪特里希·馮·許爾森—黑澤勒（Dietrich von Hülsen-Haeseler）將軍是德皇「軍事諮詢機構」（Military Cabinet）的負責人，他嚴厲批評在幕後為菲利陰謀計畫的智囊團。德皇聽從許爾森—黑澤勒的建議，將莫爾特凱革職，將介紹他認識「名聲不好之紳士」的菲利打發走。菲利垮掉，然後被捕。另一個記者指控綽號「鰻魚」的總理比洛，雖然結了婚，暗地裡卻是個同性戀，在同性戀圈子裡有綽號「孔且蒂娜」（Concettina），把他的年輕情人送進樞密院任職。

威利頓時精神崩潰。在英格蘭療養期間，他接受了一次訪談，訪談內容引發軒然大波，幾乎要毀了他。在國內，他對民選政治人物、工會、報刊，甚至應該說對現代世界的許多事物，抱持與時代脫節的仇視心態，而此心態，加上不光彩的菲利醜聞，削弱了他至高無上的地位——就在巴爾幹半島的緊張情勢升高之際。

德國的盟邦奧地利為控制其騷動不安的斯拉夫裔子民而焦頭爛額時，遭遇國王彼得·卡拉喬治維奇（Peter Karađorđevic）所領導的塞爾維亞挑戰。[1]彼得立場親俄，行事受民族主義公眾和一票很有勢力且作

1 塞爾維亞受兩個相對抗的王朝支配，即奧布雷諾維奇王朝（Obrenovići）和卡拉喬治維奇王朝。先前，國王亞歷山大·奧布雷諾維奇因為親奧政策，並且和他得民心的王后離婚，改娶德拉伽（Draga）——比他年長十二歲，已故的丈夫是經驗豐富的工程

風隱密的領土收復主義者引導。這些領土收復主義者懷抱著奪取哈布斯堡王朝領土建立大塞爾維亞的夢想。威利的友人法蘭茨·斐迪南認為，塞爾維亞威脅到奧地利的生存，而這時沙皇尼古拉起而支持塞爾維亞人。

如果說這個難題有個解決辦法，那辦法會在維也納找到。在維也納，在位已五十年的老皇帝法蘭茨·約瑟夫作息仍一如往常。他女兒瓦萊麗寫道，經過這麼多悲劇和挫敗，他「依舊站得筆直，一個單純且正直的人。」

一八九八年九月，茜茜在日內瓦下渡輪時，一名路人擦撞到她。她當下跌倒，而後再度起身，邊聊著天走了一百碼。「那個男人想幹什麼？」她問某個廷臣。「或許想拿我的表？」而後她突然喘著氣說，「哎呀不好，我這怎麼了？」接著便倒下。原來是一名無政府主義者用鐵銼刀刺向她的心臟。「你怎能殺害一個從未傷害人的女人？」法蘭茨·約瑟夫問。「你不知道我多愛這個女人嗎？」

這個彎腰駝背、頭髮灰白、留著絡腮鬍的君主為喪妻而哀痛之際，法蘭茨·斐迪南尋找解決之道，而他們那個流行穿靴子、替衣服鑲綴飾帶和肩章的哈布斯堡王朝宮廷——歐洲最沉悶乏味的宮廷——則置身翻騰洶湧的維也納。維也納是最令人振奮的城市，係造就二十世紀諸多種族觀、革命觀、藝術觀的實驗室。

維也納：法蘭齊、佛洛伊德、克林姆、希特勒和其他藝術家

帝國就要畫下句點的感覺，賦予這座城市緊張不安、極度亢奮且幾乎性欲高漲的氣氛，而作家、醫生、藝術家表達了此激昂的氣氛，其中許多人是猶太人。

加利西亞籍的猶太裔醫生西格蒙德・佛洛伊德（Sigmund Freud），羊毛商之子，既典型又例外。佛洛伊德深受母親喜愛、教育程度高且懂多種語言，他最初研究古柯鹼的作用，差點染上可卡因癮，而後抽起雪茄。一八八六年，已娶了某拉比的孫女又有孩子的佛洛伊德，開始專門針對神經疾病私下行醫，在治療一個患有離奇病痛的病人時，他鼓勵病人討論孩提時性衝動所引發的事，藉此減緩了她的神經機能病症。這個病人「安娜O」（Anna O），其實是個有錢的猶太裔女權主義者，名叫貝爾塔・帕彭海姆（Bertha Pappenheim）。佛洛伊德稱這種療法為「精神分析」，而精神分析最終改變了二十世紀的意識。他的《夢的解析》（*Interpretation of Dreams*）出版於一八九九年，主張潛意識和意識並存。接著他提出受欲力（libido）和死亡衝動支配的性格是孩提時性心理經驗（psychosexual experiences）所形成之說。尤其值得一提的是，他定義出戀母仇父的伊底帕斯情結，以及男孩的閹割焦慮和女孩陰莖羨妒。

就在佛洛伊德首度發表對夢的看法時，另一個猶太裔醫生，阿圖爾・施尼茨勒（Arthur Schnitzler），正著手撰寫《輪舞》（*La Ronde*）。施尼茨勒是匈牙利喉醫之子，認識佛洛伊德。《輪舞》以一個妓女開頭，也以一個妓女作結，講述發生在墮落的維也洛的十件私通之事。施尼茨勒被控撰寫色情著作，而他回應道，「我寫愛和死，此外還有什麼主題？」想要在文壇出人頭地的斯特凡・茨威格（Stefan Zweig），係猶太裔銀行家之子，他置身於狂熱的種族主義和普世自由主義大行其道的國際性都市裡，鄙視各方，矢志當個世界主義者。在陸軍部的檔案室工作期間，他在其自傳《昨日世界》（*The World of Yesterday*）裡寫

師——由此受到仇視。有個化名阿皮斯（Apis）的軍官創立了名為「黑手」（Black Hand）的祕密組織，並決意除掉這個國王。阿皮斯本名德拉古丁・季米特里耶維奇（Dragutin Dimitrijević），他禿頭，肌肉發達，如公牛般強壯（他的化名是埃及的公牛神），一九〇三年六月十一日他衝進王宮，找到藏身於櫥櫃裡的亞歷山大和德拉伽，當場將他們射殺，而後毀損他們的身體，割掉她的雙乳，丟到窗外一堆糞肥裡。阿皮斯立卡拉喬治（「黑喬治」）家族成員為王，在一次大戰的悲劇裡將扮演特殊角色。

道，「從一開始我就由衷確信自己身為世界公民。」古斯塔夫．克林姆（Gustav Klimt），奧地利金雕刻師之子，畫出情色意味濃厚的畫作〈吻〉（The Kiss）和〈金衣女人〉（Woman in Gold）。〈金衣女人〉煥發著金箔的光彩，描繪他的情婦阿黛勒．布洛赫—鮑爾（Adele Bloch-Bauer）——猶太裔金融家之女，丈夫是年紀較大的銀行家。克林姆揚名於世，但許多有志於在藝術界闖出名號者一文不名。

奧地利官員之子阿道夫．希特勒想進入維也納藝術學院攻讀藝術，只可惜兩次報考都落榜，他隨之於一九〇七年十八歲時搬到維也納，住在提供住宿和早餐的旅館裡，在床上閱讀關於腓特烈大帝和日耳曼民族神話的書——「書是他的全世界」——並赴劇院聽華格納歌劇。

那年十二月，希特勒的四十七歲母親克拉拉（Klara）死於癌症，希特勒驚訝得說不出話。他口袋裡時時放著母親遺照，房間裡時時擺著她的畫像，直到他去世為止。他對照顧她的那個猶太裔醫生心存感激，說他永遠不會忘記此恩情；許久以後，布洛赫醫生仍是他唯一保護的猶太人。有一段時間，他靠母親的遺產過著舒服日子。母親的錢用完後，他住在工人的平價旅館，做粗活，靠賣畫在明信片上的素描為生，同時一直密切觀察德意志人、猶太裔中產階級、斯拉夫人之間的緊張關係。

維也納本地人幾乎被大量移入的捷克人、猶太人、波蘭人所淹沒。一八八〇至一九一〇年，城裡人口增加一倍；五分之一的居民是捷克人，猶太人占比為百分之八．七，比例高居歐洲所有城市之冠。外號「帥卡爾」（Handsome Karl）的盧埃格爾（Lueger），亦即以粗俗的種族主義思想令法蘭茨．約瑟夫瞠目結舌的長年市長，重振了以這些移民為對付標的的新德意志民族主義：哈布斯堡王朝的多族群帝國，使該王朝成為唯一不能擁抱民族主義的王朝。盧埃格爾說，「絕不可讓維也納成為耶路撒冷！」不過他也開玩笑說，「我來決定誰是猶太人，」還說「我有些最好的朋友是猶太人。」

年輕的希特勒尊敬帥卡爾，日後回憶時將他稱作「口才一流之人」，不過他尤其敬佩格奧爾格．里特・馮・舍納勒爾（Georg Ritter von Schönerer）。此人是貴族，某個反猶、反天主教運動團體的領袖（Führer），喜愛羅馬式敬禮。希特勒經常觀看奧匈帝國議會裡的辯論，極反感於喋喋不休的斯拉夫系議員，也注意到坐御車來往於不同王宮間的衰老皇帝法蘭茨。

在同樣的幾條街道、幾座咖啡館裡，綽號科巴（Koba）的喬治亞籍布爾什維克約瑟夫・朱加什維利住在申布倫宮（Schönbrunn）隔壁供膳食的寄宿舍裡，正為列寧寫一篇關於俄羅斯帝國之諸民族的文章。朱加什維利是進修的神職人員、不成材的詩人，結交了許多女友，麻子臉但英俊，性喜孤獨，一隻手臂萎縮和淡褐色眼睛，狂熱信仰馬克思主義，先前在西伯利亞度過數年的流放歲月，頻頻出逃。沙皇的祕密警察機構「保衛局」（Okhranka）——俄羅斯帝國裡唯一有效率的組織——已擊垮革命分子，把其中許多人送到西伯利亞，也流放了更多人。

一九一二年晚期，朱加什維利前去哈布斯堡王朝轄下加利西亞境內的克拉科夫（Kraków）面見列寧。列寧的布爾什維克派系裡，充斥著饒舌且言語乏味之人，列寧把這些人稱作「飲茶人」。而在他的派系中，列寧欣賞朱加什維利和其匪幫的狠勁。他命令科巴襲擊銀行，藉此為他的黨籌得資金：一九〇七年六月，在梯弗里斯神學院，朱加什維利完成一起驚人（但凶殘）的搶劫案。列寧稱讚這個「很優秀的喬治亞人」，說他「正是我們所需要的那類人」。為了在維也納寫的那篇文章，朱加什維利選了一個新名字，仿效列寧取了一個無產階級的假名：史達林——意為「煉鋼工人」。在維也納期間，他遇見一個頭髮蓬鬆、胸部厚實發達的馬克思主義記者，傲慢但討人喜歡的一九〇五年革命英雄萊昂・托洛茨基（Leon Trotsky），一個烏克蘭有錢猶太裔農民之子。兩人一見面就互看不順眼，也從未見過希特勒。

在同一條路上不遠處，法蘭茨・斐迪南在他漂亮的美景宮裡尋求一個別出心裁的辦法來解決斯拉夫人問題。一九〇六年，他晉升法蘭茨・康拉德・馮・赫岑多夫（Franz Conrad von Hötzendorf）為新任參謀總長，此人同樣一心要消滅塞爾維亞人和併吞波士尼亞以拯救帝國。但沙皇和他懷抱民族主義思想的公眾支持他們同樣信仰東正教的斯拉夫兄弟。這兩個千瘡百孔的帝國都指望透過凶狠且不受控制的巴爾幹半島諸國來提振他們已大不如前的帝國威嚴。

一九〇八年九月，法蘭茨·斐迪南與俄羅斯談成一個略過塞爾維亞的協議：如果俄國完全掌控鄂圖曼帝國的達達尼爾、博斯普魯斯兩海峽，同樣受俄羅斯保護的保加利亞將成為獨立國，[2]奧地利則併吞波士尼亞。法蘭茨·斐迪南向德皇威利吹噓道，「此協議處處有他參與，他是此協議的推手。」一個月後，法蘭茨·斐迪南宣布併吞波士尼亞，而讚賞斯拉夫文化和習俗的俄羅斯人，憤慨於塞爾維亞遭出賣，隨之逼尼古拉否認此協議。塞爾維亞人以俄羅斯為靠山揚言開戰，哈布斯堡王朝不得不求助於其盟友德皇威廉。威利向法蘭齊保證，「不管情況多糟，我都支持你。」而歐洲瀕臨戰爭。

十月下旬，倫敦《每日電訊報》刊出德皇威廉數個月前接受訪談的那篇驚人內幕，威廉在其中向英國人保證，他的艦隊要對付的是黃禍，說他已保護「瘋野得像三月野兔」的英國人。英國驚恐於威廉的想法，而在德國國內，威廉的統治則受到威脅；他將「叛徒」比洛革職，將穩健的特奧巴爾德·馮·貝特曼·霍洛維格（Theobald von Bethmann Hollweg）升為總理。這個德皇不只支持哈布斯堡王朝，還鼓勵動武：「快點！」

十一月，威利和「親愛的法蘭齊」一起打獵，接著參加他最好的朋友菲斯滕貝格公（Prince of Fürstenberg）馬克斯（Max）在多瑙埃興根堡（Donaueschingen Castle）所舉辦的狩獵派對。在那裡，人人正喝著餐前雞尾酒之際，許爾森伯爵將軍現身，他是德皇之軍事諮詢機構的首長，身材魁梧，留著濃密的八字鬍，穿著借自派對女主人的亮粉紅色舞會連身裙，戴著飾有鴕鳥羽毛的帽子。據某位在場者所憶道，他「就著音樂優雅起舞，手裡拿著一把扇子作賣弄風情狀。贏得如雷掌聲後，他往後退，向諸位女士投以飛吻」，而後退場——接著倒下。「這個適才還洋溢著生命歡愉的男人，死了！德皇站在他的頭旁邊，站在這個與他過從最密的男人的身體旁。」當這樁引人注目的死亡事件遭到掩蓋，俄羅斯則揚言支持塞爾維亞。為此，威廉於一九〇九年二月向法國示警道，「一旦俄國插手對付奧地利，要我們履行盟約義務的情況即立刻出現：動員。」眼見要和德國兵戎相向，一場歐洲戰爭就要爆發，被革命弄得元氣大傷的尼基讓步。「德國所扮演的角色令人厭惡、反感，」他告訴母親。「我們不會忘記此事。」威利和法蘭齊為俄國後退而慶幸。「難得幫你一個大忙，真是我人生一大快事，」威利告訴其友人。「攤牌前的一場漂亮測試。」

絕望和時間流逝之感助長極端的解決辦法。尼古拉奪回獨裁權力，重建起軍隊；下一次，他將得戰鬥。在貝爾格勒，阿皮斯想找到辦法加快塞爾維亞東山再起。在君士坦丁堡，鄂曼圖王朝軍官設法阻止帝國解體。在帖薩洛尼卡這個有九萬猶太裔居民的國際性鄂圖曼帝國城市，軍人得到一少有人知的宗教性少數族群的商人[3]支持，紛紛加入祕密的統一與進步委員會（Committee of Union and Progress）——「青年土耳其黨」（Young Turks）——該組織接管第三兵團，迫使阿布杜哈米德同意成立國會。這個鄂圖曼王朝的末代獨裁者遜位；國會經選舉產生：個性消極的六十五歲鄂圖曼王朝成員穆罕默德五世（Mehmed V）被

---

2 拜波士尼亞協議之賜，保加利亞公斐迪南自封為沙皇。薩克森—科堡家族的斐迪南係在與俄羅斯磋商後被選為保加利亞大公，但因其長鼻子（威利稱他「大鼻子」）、女孩子氣的怪癖、公開的雙性戀行為，而在家族裡受盡嘲笑。一八八七年他二十六歲被選為保加利亞大公時，英女王維多利亞認為此事「應該立刻打住」，因為他「完全不適合……秀氣、行為古怪、女人氣」，結果，綽號「狡猾」（Foxy）的斐迪南其實是個精明之人。威廉很討厭這個大鼻子，在某場家族婚禮上拍了他的屁股，為此差點引起外交事件。

3 敦梅人（Dönme）是個異端教派，融伊斯蘭、猶太教儀式為一體，深信具有救世主情懷的十七世紀猶太裔密契主義者薩巴泰・策維（Sabbatai Zevi）的確是救世主。敦梅人既不為猶太人所接受，也不為穆斯林所接受，已成為帖薩洛尼卡城裡有錢的紡織商。許多青年土耳其黨人，包括日後的統治者安維爾（Enver）、塔拉特（Talaat）、凱末爾（阿塔圖克），皆以該城為行動基地。

立為王。青年土耳其黨裡，瀟灑的年輕軍官安維爾貝伊（Enver Bey）鄙視民主：只有戰爭能恢復帝國。穆罕默德緊抓著權柄之際，另一個衰敗帝國就要失去其在位多年的君主：那年十一月，慈禧太后意識到自己行將就木，伸手去拿砒霜。

我要奶媽：幼皇帝、孫中山、宋氏姊妹

慈禧先是下令毒死她的外甥光緒帝，[4]然後派太監將醇親王的兩歲兒子溥儀搶了過來。溥儀被帶離母親身邊（七年後才又見到母親），尖叫著被放進轎子裡，送到慈禧太后跟前。溥儀寫道，「我記得自己身邊突然圍著陌生人，眼前掛著一道褐色簾子，隔著簾子我看見一個枯槁、令人害怕、醜惡的臉。那是慈禧。我當下放聲大叫。慈禧命人給我一些甜食，但我全丟到地上。」

「我要奶媽。」溥儀喊道。

「真是個頑皮的小孩，」慈禧說，「把他帶走。」

慈禧去世兩星期後，在太和宮中，溥儀被鼓聲和樂聲嚇到，一路哭泣著完成他的登基儀式，是為宣統帝。「別哭，」他父親攝政王醇親王說。「很快就會結束。」宣統長成任性、壞透的小孩——後來他坦承「鞭打太監是我的日常活動之一」，而且他會朝廷臣開氣槍。

現年四十四歲、一再密謀造反的孫中山，決意「驅逐韃虜，恢復中華，建立共和，平均地權」，並從他流亡處關注情勢。他已遊走各地十年，在這期間尋找支持者和意識形態，以助他問鼎中原。清廷一度將他困在倫敦的中國大使館裡，而就在他即將被送回國斬首時，報刊的抗議迫使清廷放人。他已至少發動七次革命未得手，一九一一年十月十日，他在美國籌畫下一次革命時，武漢清軍譁變。攝政王派長年效命於

慈禧的將領袁世凱前去平亂，任命他為內閣總理大臣，只是叛亂迅速擴散。孫中山趕回國。

十二月，革命黨代表在南京選孫中山為中華民國臨時大總統。孫中山抵達上海，在宋嘉澍的大宅立總部，宋的兩個女兒宋慶齡、宋美齡仍在美國求學，但長女二十三歲的宋靄齡深深吸引著這個娶了數個妾、而且對待這些妾非常惡劣的新總統。不過，宋靄齡並不中意孫中山。而且孫中山無實權：他不是唯一的中國總統。

在北京，革命黨人向將軍袁世凱表示，如果他推翻帝制，願把總統之位給他。一九一二年二月十二日，他促成溥儀退位——兩百五十年滿清王朝和兩千年帝制就此告終——而隨著孫中山辭職，袁世凱成為總統。[5]袁世凱生於官宦之家，生活在傳統中國家庭裡，有纏足的一妻九妾，為了健康，他喝人奶，人奶來自乳母。這時，這個保守的武將鄙視孫中山這個見過世面、願意接受新事物的政治門外漢，擁抱權力和隨著權力而來的威儀，出行有一隊身形魁梧、穿著豹皮鑲邊制服的侍衛簇擁著保護。一票煽動家、將領、流氓奪取權力。在上海這個優雅時髦的資本主義城市，青幫這個黑幫跨足商業和政治：與這些黑幫分子有關係的革命黨人陳其美為孫中山拿下上海。有個先前支持孫中山的人挑戰孫時，陳其美命令殺手將對方暗殺。而這個刺客是孫中山的追隨者，名叫蔣介石。蔣介石出身窮人家，先前在日本留學過，日後會成為中國的統治者。

中國第一次真正的選舉，有四千萬人投票，孫中山的國民黨拿下位於北京之國會的多數席次。雙方都

---

4 二〇〇八年對光緒遺體進行了法醫檢驗，發現體內的砷濃度是平常濃度的兩千倍。

5 溥儀這個年幼的暴君繼續在紫禁城裡對太監作威作福。他獲准退位後以皇帝身分住在紫禁城和頤和園裡，有段時間，他根本不知道自己已退位。他一直未得到母親的關愛，但英籍教師莊士敦（Reginald Johnston）的到來，改變了他的人生。莊士敦替他取英文名亨利。他娶了滿族格格婉容，婚姻不美滿但維持了很久。

和黑幫結盟，並試圖殺掉對方。袁世凱捱過一次暗殺，找青幫殺孫中山。一九一三年三月，袁世凱殺害了孫中山提名的總理人選，並解散國會。

孫中山在宋教澍陪同下逃到日本，宋的女兒跟著赴日和父親會合，成為孫中山的祕書。孫中山愛上宋靄齡，但她嫁給和她同年紀的人之後，他轉而追求他的新助手，即剛從麻塞諸塞州衛斯理學院畢業的宋家二女兒宋慶齡。他坦承，她的身影在他腦子裡盤旋不去，遇上她讓他首度遇上愛情。宋慶齡和他打情罵俏，並警告他，她說不定會嫁給袁世凱，「當上皇后」。孫中山找上她父親，她父親直截了當的說，「我們是基督教家庭；女兒不當任何人的妾，國王、皇帝或總統的妾都不當。」但二十一歲的宋慶齡開始和五十歲的孫中山、她口中的「大忙人」談戀愛。兩人私奔東京，而後結婚。

隨著袁世凱解散國會並稱帝，孫中山看來不可能東山再起。

家族婚禮：三皇帝、三帕夏

但袁世凱的獨裁路走不遠。他死於尿毒症，中國隨之四分五裂，境內有三個弱勢政府，而實權掌握在軍閥和黑幫分子手裡，其中為首者是個兼具這兩種角色的人。自稱瀋陽虎的張作霖最初是個骨瘦如柴的土匪，小名「老疙瘩」，此時他憑藉三十萬兵力稱雄中國北部。他掌控北京，考慮過恢復滿清，可惜眼下的清王室已無足輕重。[6]

而在歐洲，王朝依舊是舞台要角。一九一三年五月，德皇威廉叨絮著戰爭即將爆發，卻還是在柏林為他的獨生女維多利亞．路易茲（Viktoria Luise）舉辦的千人婚禮上，招待他的兩個表弟沙皇尼古拉二世和英國國王暨暨皇帝喬治五世。新郎漢諾威王子恩斯特．奧古斯特（Prince Ernst August of Hanover）則是英、俄當朝君主的表弟。

喬治恪盡職責，卻也脾氣壞，屬於嚴格要求他人照章辦事的那種人。他和王后瑪麗一同抵達，而尼古拉隻身前來。喬治和尼基都穿普魯士龍騎兵制服，頭戴尖頂盔，威利則一身英國龍騎兵裝扮，戴著俄國勳章；但在王朝的威儀氣派和彼此各在穿著上表現對賓主的看重背後，三位皇帝各自懷著忐忑心情關注動蕩不安的鄂圖曼帝國。忐忑的心情肇始於一九一一年義大利奪取黎波里和班加西（Benghazi）、卻因急欲取得殖民地而受挫於衣索比亞之際。青年土耳其黨人安維爾試圖守住的黎波里，然後在急欲擴張版圖的巴爾幹半島諸多新王國——保加利亞、羅馬尼亞、希臘、塞爾維亞、蒙特內哥羅——加入瓜分鄂圖曼帝國的行動時，趕去保衛土耳其本土。在這第一次巴爾幹戰爭中，保加利亞軍隊奪下最多領土。

一九一三年一月，自認是土耳其拿破崙的安維爾偕同他兩個同志塔拉特、凱末爾奪下政權。為拯救土耳其民族和鄂圖曼帝國，人稱「三帕夏」的這三人擁抱有害的思想：土耳其極端民族主義、社會達爾文主義（包括他們的德籍軍事教官所教導的優生學和種族優劣等級體制）、窮兵黷武的好戰心態。他們極度厭惡居人口少數的基督徒，尤其是亞美尼亞人和希臘人，他們的觀點和後來納粹所擁護的觀點差異不大。安維爾成為王朝一員，娶了蘇丹的女兒。

威利向（未出席婚禮的）法蘭茨．斐迪南得意說道，在這場霍亨佐倫家族的婚禮上，「喬治五世、皇帝（尼古拉）和我三人一致認為」，巴爾幹半島諸王國可能攻擊保加利亞。[7]德皇威廉把喬治的私人祕書

6　張作霖復辟，讓溥儀再當上皇帝，幾星期後又將他罷黜。一九二四年，溥儀遭逐出北京，帶著皇后投奔日本人翼下。他和某個男愛人在一起時最為快意，對待妻子和情婦甚為殘酷。婉容則染上鴉片癮。

7　在沙皇的同意下，希臘、羅馬尼亞、塞爾維亞此時攻擊保加利亞；安維爾加入攻擊一方。在這第二次巴爾幹戰爭中，保加利亞失去先前所取得的領土，安維爾拿回阿德里安堡（Adrianople，今埃迪爾內／Edirne）。

拉到一旁，發出不妙的預測：「斯拉夫人已開始騷動，會想攻擊奧地利，德國必須力挺其盟邦。俄國和法國會加入，英格蘭隨後也會到來。」

在英國，許多人相信戰爭此時已不可避免。自由黨籍財政大臣大衛．勞合．喬治（David Lloyd George）樂於羞侮貴族，向貴族徵稅，以為工人階級籌得社會福利經費，但這時他示警道，萬一和平變成「偉大國家所無法忍受的羞辱」，英國會開戰。勞合．喬治是憑本事出人頭地、口才甚好的律師，人稱「威爾斯巫師」（Welsh Wizard），又因性欲旺盛，有綽號「山羊」（Goat）。他的三十七歲友人、剛被任命為第一海軍大臣的溫斯頓．邱吉爾，加訂了四艘戰列艦「以為彷彿隔日就會發生的德國攻擊作準備」，並作出一關鍵決定：他要海軍艦艇棄煤改用石油，買下已在四年前發現石油的英國—波斯石油公司（Anglo-Persian Oil）五成一的股份。而由卡札爾王朝統治且晚近因一場革命而國力衰退的伊朗，攸關著英國霸權的存續，因為擁有石油如今已是大國所不可或缺。邱吉爾宣稱，「支配本身就是值得追求的事物。」

甚至在為新郎、新娘祝酒致辭時，威廉都忍不住將家族和種族放在一塊談。「心愛的女兒，我要由衷感謝妳曾帶給我的種種歡樂，」他說。「只要德語不斷，德語都會講述屬於德國貴族的歸爾甫派（Guelphs）和霍亨佐倫家族在我們祖國的重大發展上所扮演的突出角色。」舞會結束時，尼古拉走向新娘，輕聲說，「希望妳會和我們一樣快樂。」

這三個皇帝從此未再碰面。威利維持他和法蘭茨．斐迪南的密切關係，在這次婚禮後寫信表達「對你，親愛的法蘭齊，堅定不移的信心」，並鼓勵奧地利參謀總長康拉德將軍消滅塞爾維亞。康拉德急欲大展身手，一九一三年二十三次要求開戰。奧地利的政策最終仍由法蘭茨．約瑟夫作主，而威利對於奧地利決策的遲緩拖沓大發雷霆，他向康拉德說道，「我贊同你的看法！」他忿忿說道，「斯拉夫人和德意志人之爭再也避不掉，勢必會發生。至於何時？我們拭目以待。」

一九一四年六月中旬，威廉與法蘭茨・斐迪南一同待在布拉格的科諾皮施特堡（Konopischt Castle）。這位德皇建議動武：如果奧地利人「不動手，處境會更糟」。返國兩天後，威廉告訴總理貝特曼・霍洛維格，俄國打算先發制人。六月二十八日，在基爾（Kiel），威利在古斯塔夫・克虜伯的陪同下登上他的遊艇流星號（Meteor），準備參加一場競賽，法蘭齊和蘇菲則前往塞拉耶佛為一間博物館主持開幕儀式。

霍亨佐倫家族、哈布斯堡家族、哈希姆家族

你們就是那樣歡迎你們的賓客：法蘭齊和蘇菲在塞拉耶佛

當兩夫婦乘坐Gräf & Stift公司Double Phaeton敞篷汽車行駛於塞拉耶佛市區時，塞爾維亞籍恐怖分子內德柳科・恰布里諾維奇（Nedeljko Čabrinović）朝車子丟出一顆炸彈；司機加速駛至省長官邸。這個刺客是上校阿皮斯所成立的塞爾維亞殺手隊的一員，殺手隊有三名成員是未滿十八歲的少年，而少年始終是當恐怖分子的最理想年紀。法蘭齊喊道，「所以你們就是那樣歡迎你們的賓客——用炸彈！」

另一個恐怖分子，十九歲的加夫里洛・普林西普（Gavrilo Princip），則持手槍在斐迪南預計行經路線的另一段等著，他意識到暗殺未得手，當下收手，決定去咖啡館用餐。在省長官邸，法蘭齊堅持探視那些遭炸傷者。明眼人都看得出很可能還有別的刺客——畢竟一八八一年五月沙皇亞歷山大二世就是在捱過第一顆炸彈、卻忽視第二顆炸彈的可能時遇害——因此，原擬的路線有所更動。正當法蘭齊和蘇菲坐進Double Phaeton時，還未回過神的司機竟誤走上原定的路線。司機往一小街倒車以便轉彎，接著熄火，法蘭齊和蘇菲就停在一咖啡館前，而普林西普就坐在啡啡館裡。普林西普猛然起身，穿過街道，拔出手槍開火，他先是打中蘇菲腹部，再打中法蘭齊頸部。汽車重新發動，倏地後退，急駛向市政府大樓，血流下法蘭齊臉頰。

「天啊！你怎麼了？」蘇菲說，隨即她體內大出血，倒在他兩膝之間。

「蘇菲，別死，親愛的，」他懇求她。「為我們的孩子活下去。」他的帽子落下，他往一邊倒去，但被

他的副官哈拉赫上校（Harrach）扶住。

「殿下傷得很嚴重嗎？」哈拉赫問，想要解開他的領子。

「沒事，」法蘭齊答。「沒事。」兩人過不久盡皆死於失血過多。已輸掉兩場戰爭且自己的弟弟、妻子、兒子都死於非命的法蘭茨．約瑟夫，一得知他不受喜愛的姪子喪命時，只說，「人絕不要違抗上帝。」而後他思忖道，「一個更厲害的強權已恢復了我深感遺憾未能維持的秩序。」即便如此，又該如何回應塞爾維亞呢？

「你覺得我們是不是把競賽取消比較好？」威利在基爾的賽船大會上問。他趕去柏林，與此同時，在維也納，法蘭茨．約瑟夫和將軍康拉德決定攻擊塞爾維亞，這個老皇帝寫信請求威利支持。「需要好好教訓塞爾維亞人——而且要盡快，」威利寫道。「機不可失。」他立即告訴奧地利人，「動手絕不可耽擱。」甚至，「如果我們不好好利用當前的時機，」法蘭茨．約瑟夫會後悔。衝動且無一貫思想的威利，在貝特曼．霍洛維格和他神經質的參謀總長小毛奇（Helmuth von Moltke）輔佐下，具體表現了德國決策中心的思維。小毛奇依恃著他戰無不勝的伯父的庇蔭，受到德皇重用。照他們的設想，最起碼要消滅塞爾維亞；最佳情況則是掀起一場歐洲戰爭，透過經修改的施里芬計畫打敗法國，奪下法國的帝國和工業區，把比利時變成附庸國，把俄羅斯拆解為數個公國，由德意志人稱霸。

貝特曼．霍洛維格於七月六日思忖道，「對塞爾維亞動武可能引發世界大戰。」在此後極度緊張不安的幾星期裡，針對該採何戰術有過爭執，但德國諸領導人間和奧地利諸領導人間，卻都出奇一致認為必須把握此機會，而這不只為了榮譽——此後我們會稱之為公信力——也為了冷酷的權力。康拉德向他的情婦私下透露，「那會是無望成功的博鬥，卻又非做不可，因為如此古老的一個君主國和如此光榮的一支軍隊不能不光彩的倒下。」就在帝國的軍力來到巔峰且自以為是的優越感來到最高點時，帝國揮不去對國力漸退和衰落即將到來的焦慮不安。這些帝國早就過了正午，已來到薄暮時分。

威廉啟程展開他一年一度的挪威航遊，藉此提供外交上的不在場證明，他告訴克虜伯，「這次我不會倒下。」而在奧地利，諸位大臣和將領在維也納擬出對塞爾維亞的最後通牒，法蘭茨．約瑟夫則在他位於巴特伊施爾（Bad Ischl）的阿爾卑斯山區城堡等待，一得知法國總統普恩加來（Poincaré）正在彼得堡拜訪盟友尼古拉時，他們將這道蠻橫的最後通牒延遲至普恩加萊踏上回程、人在海上時才發出。此一推遲使得戰爭爆發的機率升高。七月二十三日，哈布斯堡王朝將最後通牒交給塞爾維亞，從而引發一連串致命發展。在主要靠語氣生硬平板且溝通緩慢的電報（而開世界事務處理上的風氣之先，且偶爾藉由電話）來執行的複雜外交折衝中，沒有哪個政治家真正掌控正在開展的危機所帶來的後果或其涉及多方面的進程。

七月二十六日，貝特曼．霍洛維格告訴威廉，「不管在什麼情況下，都務必要無情的將俄羅斯打造成不公義行徑的根源。」威廉希望俄羅斯人退讓，結果尼基反而準備開戰。威利推斷英國人會保持中立，於是派他的弟弟海因里希前去白金漢宮會見喬治五世。無奈英國君主無實權。七月二十五日，塞爾維亞拒收最後通牒。二十七日，德皇回到柏林，與貝特曼．霍洛維格會面。貝特曼．霍洛維格主張等俄國動員才動手，因為「必須讓人覺得，我們是被迫開戰的一方」。三十日，法蘭茨．約瑟夫對塞爾維亞宣戰，他咕噥道，「我只能這麼做，」並告訴康拉德，「我們如果必亡，也該亡得體面。」尼古拉下令動員。威廉通電沙皇，請求他自制，此舉甚為奸詐，因為是他堅決要奧地利攻擊塞爾維亞。

「很高興你回來了，」尼基在電報上說。「有人宣布要對一個弱國發動可恥的戰爭……我會挺不住壓力，且將不得不採取會引發戰爭的措施。懇請你看在我們老交情的份上阻止你的盟邦……」

威利發電報回覆，「俄國的軍事措施會加快一場災難的發生。」尼基請威利出面調解。尼古拉拿起新問世的玩意，亦即晚近安裝在彼得霍夫宮的電話，中止動員——他的將領因此至為惱怒。但在他發給威利的某份電報中，他說他五天前就已啟動「軍事措施」——此一不實陳述凸顯了遣詞用字清楚明晰的重要和個人外交的危險。

「那比我們早了將近一星期！」威利驚呼道。「我不能再出面調解……要求調解的沙皇背著我暗中動員。我的任務結束了！」他又說，「那意味著我也得動員。」他要求俄國停止任何這類措施。沙皇眼看著奧地利動員，無法推遲動員，於是允許其外長打電話告知參謀總長重啟動員。

這個將軍說，「從此我的電話就壞了。」

外長將沙皇的決定告知參謀總長，並要他「砸爛你的電話」，以使沙皇無法改變心意，數百萬俄羅斯人則在此時奉命向所屬部隊報到。法國此時也不得不動員。在位於波茨坦的「新宮」（Neues Palais），威利受到他言語浮誇的兒子和皇后鼓動。他們全都「好戰到令人害怕」，都希望俄國的侵略會使英國得以置身事外——儘管英國兩次表明絕不會容忍法國被毀。

七月三十一日，威廉證實俄國動員後，透過他的新電話要小毛奇出手。小毛奇留下一個兵團防俄，而後命令部隊穿過比利時殺進法國並拿下巴黎。威廉幾乎是命令法蘭茨．約瑟夫對俄宣戰：塞爾維亞此時不過「次要問題」。只有英國角色不明：英國插手變得可能時，小毛奇驚慌失措了起來，威廉因此嗤之以鼻道，「若是你的伯父在世，會給出不同的答案。」小毛奇挺不住壓力，禁不住哭道，「我很樂於對法國人和俄羅斯人開戰，但不樂意對這樣的德皇開戰。」喬治發來一通有修好之意的電報，「雀躍」的德皇隨之舉起香檳祝賀英國中立。但八月四日，德軍入侵比利時，英國竟於歐洲各地歇斯底里的群眾歡呼慶祝之際宣戰：沙皇和亞歷珊德拉出現在冬宮陽台上；德皇告訴群眾，「我眼中沒有政黨，只有德國人」；在慕尼黑的音樂廳廣場（Odeonsplatz），二十五歲的希特勒加入歡欣鼓舞的群眾。那時他已搬到慕尼黑，繼承了父親的豐厚遺產，且已因病理上的理由被奧地利陸軍拒收。他憶道，「我滿心狂暴的熱情，跪下謝天……

很幸運生在這些時代。」他旋即加入皇家巴伐利亞陸軍，「我一生最難忘、最振奮的時期已然展開。」

疲累的德皇在床上待了四十八天。「安定神經的小療法」，他說。俄軍進逼德國東戰線時，小毛奇拿下列日要塞，隨後揮師南下，指向巴黎。原已退休的老將保羅・馮・興登堡奉召復出，戍守東線，並由憑自身能耐出人頭地的雄心軍官艾里希・馮・魯登道夫（Erich von Ludendorff）輔佐。興登堡在坦能堡（Tannenberg）包圍俄軍，與此同時，在西線，德軍遭阻於馬恩河（Marne）。施里芬—毛奇計畫失敗。九月十四日，執掌戰時兵權六個星期後，小毛奇精神崩潰；威廉將他革職，要陸軍部部長艾里希・馮・法爾肯海恩（Erich von Falkenhayn）接掌其職。而法爾肯海恩續行此計畫，發動「奔向大海」（race to sea）軍事行動，希望包圍法軍，而不久後，法軍就得到一支英國大軍助陣。知識分子出身的英國首相赫伯特・阿斯奎斯（Herbert Asquith）這個每天花數小時寫情書給年輕貴族情婦的自由黨籍律師，任命基欽納伯爵為陸軍部部長。這場戰爭將耗時數年，需要用到由應徵入伍兵組成的「新軍隊」，而且這些入伍兵必須願意為了勝利打到「最後一百萬人」，這個「蘇丹機器」是最早體認到這點的人士之一。他的青灰色眼睛的凝視和他「國家需要你」的口號，吸引數十萬人志願入伍。這場戰爭的規模反映了全球人口的激增、民族主義理念的神祕性、現代武器的多樣、歐洲人帝國的幅員遼闊、火車和汽輪運送大量兵力至世界各地作戰的能耐：所謂「大眾時代」（Mass Age）。[8]在西戰線，戰士被困在野蠻、慘烈的僵局裡：可怕的壕溝戰。翠綠的鄉村和以前所未見的規模動員來的數百萬平民士兵，被維克斯（Vickers）機槍和克虜伯榴彈炮打爛打碎，血肉橫飛，斷手斷腳。

西戰線上的一名德國二等兵：大眾時代的集體殺戮

有個德國二等兵參與了其中一次戰役——第一次伊普爾（Ypre）之役——並寫下親身經歷，從而為西戰線對峙雙方共有的經歷留下最生動的文字紀錄之一。他憶道，「我們在大戰壕就定位，然後等待」，「『向前衝』的命令終於到來。我們爬出洞，往前猛衝……炮彈在左右側爆炸，英國人的子彈咻咻作響……我方的第一批人這時倒下。英國人的機槍對準我們。我們往地上一趴……不能永遠待在那裡。」他們猛衝過戰場，跳進英軍的戰壕：「我身邊是來自符騰堡的弟兄，我身下是已死、負傷的英國人。我突然間理解為何我著地之處那麼軟。」接著是近身肉搏。「凡是未投降的人都被砍倒。」死屍遍地。槍炮構成一場「極刺耳的音樂會」，他們身邊盡是「炮彈的呼嘯聲和炸裂聲」。卻又有某種美：「只有照明彈仍在發光，西邊遠處可以看到探照燈，聽到重型裝甲艦不斷的炮擊聲。」他所屬的那群人只剩他一個士兵還活著；然後，「一顆子彈打穿我右袖，神奇的是我毫髮無傷」——多次幸運的死裡逃脫，讓他相信自己得到上天保佑，而這是其中第一次。二等兵希特勒已捱過戰火洗禮。

在東戰線，法蘭茨．約瑟夫的部隊把塞爾維亞國王逼到流亡並攻入俄屬加利西亞時，他邀請他的新繼承人和家人到申布倫和他團緊。二十六歲的卡爾收到法蘭茨．斐迪南死訊時，可想而知他非常震驚。「我

8　共有六千五百萬軍人投入戰爭——一千兩百萬俄國人、一千一百萬德國人、七百八十萬奧地利人、兩百八十萬鄂圖曼人，英法兩國則分別動員了八百九十萬人、八百四十萬人，其中包括從他們的非洲帝國、亞洲帝國和自治領召募來的士兵，即加拿大人、澳洲人、一百三十萬印度人、兩百多萬非洲人。加拿大人和澳洲人頗忠於宗主國英國，或頗服膺國家—帝國觀念，因而願意為英國而死。鑑於協約國陣營方面殖民地人力投入規模之大，人們不禁好奇如果沒有加拿大人和澳洲人助陣，協約國能否打贏，更別提協約國還有志願參戰的印度人、非洲人。非洲籍部隊協助拿下德國在非洲的殖民地時，有些非洲士兵在西戰線作戰。

看到他的臉在太陽下變得慘白。」他的年輕妻子齊塔（Zita）憶道。卡爾告訴她，「我是軍官，十足的軍官，但我沒看過哪個眼見自己最親的親人前去前線者有辦法愛戰爭。」他先是統兵打義大利，然後打俄國和羅馬尼亞，因其盡忠職守且和善親切而受到尊敬。齊塔慶祝奧地利拿下一場初期勝利時，八十四歲的法蘭茨．約瑟夫聳肩，表露不以為然之意。「沒錯，打了一場勝仗，但我的戰爭始終都是這樣開場，卻以失敗收場。這次情況會更糟……革命會爆發，然後就此結束。」

「但那肯定不會發生，」二十二歲的齊塔高聲說。「那是一場正義的戰爭！」

「沒錯，看得出妳很年輕，妳仍相信正義會勝利。」

西戰線如今是「蜘蛛網般分布的地下掩體，設有槍眼、坑道、鐵絲網、地雷的戰壕——幾乎堅不可摧。」希特勒憶道。在歐洲，東、西兩戰線呈現互為消長的態勢，其中一戰線有變動時，另一戰線便陷入僵持。法爾肯海恩在法蘭德斯全境攻擊，但遭擊退且付出龐大傷亡；在東戰線，奧軍和德軍拿下波蘭和加利西亞；然後，在西戰線，法爾肯海恩欲在凡爾登（Verdun）以慘重傷亡擊潰法軍——十四萬五千德國人和十六萬三千法國人戰死。一九一六年七月至十一月，在索姆河畔，英法為打破僵局而聯合發動的攻勢，為機械化屠殺紀錄創下新高：第一天就有兩萬英國軍人喪命；在此役五個月期間，英軍死傷四十二萬人，法軍二十萬人，德軍五十萬人。

這時擔任傳令兵，「每天冒生命危險」且已拿到二級鐵十字勳章的希特勒，也在索姆河畔戰場。英國人在此試用了一種柴油驅動的新武器：有炮塔、靠履帶走動的鋼製箱子。為取得突破，邱吉爾倡議動用這種武器，將它稱作「陸船」（landship）。結果，反而取了一個平凡無奇的化名：坦克。經過改良的坦克，安裝了榴彈炮，徹底改變了戰法，在機械化時代重現了騎兵衝鋒那股勢頭，與此同時，經過改良的飛行機器，即飛機，首度被用於偵察敵情。沒想到，講究男子氣概的將領竟嘲笑此武器，法國元帥福煦（Foch）激動說，「這些根本都是消遣用的。」只是才過幾個月，飛機便以手擲方式丟炸彈，然後，先後安裝上機槍和炸彈，與敵軍飛機爭奪制空權。在海上，另一種新式武器——克虜伯建造的潛艇（U-boats）——試圖藉由擊沉糧食運送船，讓英國餓到屈服。

德國原指望得到義大利、羅馬尼亞支持，結果義大利加入協約國陣營，在阿爾卑斯山區對奧地利進行了極艱苦的「白色戰爭」。令威廉大為氣憤的是，他的霍亨佐倫家族堂兄羅馬尼亞的卡羅爾不願支持他。

一九一四年十月二十九日，自豪於擁有「副大元帥、伊斯蘭軍隊總司令、哈里發駙馬」這些稱號的安維爾加入德國一方。在高加索地區，他對俄軍發動攻勢，損失了八萬人，俄軍在此役中得到同信仰東正教的亞美尼亞人支持。他的伙伴傑馬爾（Jemal）進攻英屬埃及未能得手。

而在廣闊的鄂圖曼王朝領土的其他地方，鄂圖曼軍隊打出佳績。邱吉爾認為，藉由打倒鄂圖曼王朝，可以抵銷西戰線的僵局和俄軍的撤退，於是促成協約國派兵於達達尼爾海峽登陸，以奪下君士坦丁堡。穆斯塔法．凱末爾（Mustafa Kemal）這個能征善戰的上校——後來被稱作阿塔圖克（Atatürk）、土耳其的創建者——擊潰協同不良的協約國陸海軍（儘管鄂圖曼一方蒙受重大損失）。此次大捷使凱末爾一戰成名，使邱吉爾心情低落。當英軍保護波斯境內的新油田時，有支協約國軍隊從巴斯拉進向巴格達，卻在庫特（Kut）遭鄂圖曼軍隊包圍，被迫投降。[9]

大馬士革、貝魯特、耶路撒冷的阿拉伯民族主義者終於看到擺脫鄂圖曼王朝統治的機會，於是密謀不利於三帕夏，三帕夏隨之對叛國的少數族群成員發動種族滅絕戰役。一九一五年一月，安維爾、塔拉

9 一九一六年二月，五十八歲王儲優素福．伊澤丁（Yusuf Izzedin）自殺可謂不祥之兆。他生前曾就鄂圖曼軍隊的損失，親自質問過安維爾。

特、傑馬爾將他們先前的幾場挫敗歸咎於亞美尼亞人，懷疑他們站在俄羅斯那邊，於是下令殺掉所有亞美尼亞人。最初，他們謀殺伊斯坦丁堡城裡的顯要，然後出動他們準軍事性質的「特別組織」（Special Organization）——一百萬左右的亞美尼亞人死於這個組織之手。[10]塔拉特吹噓道，「亞美尼亞人的問題不再。」亞述人——基督教一個教派——也遭「特別組織」屠殺。哈米德騎兵團裡的庫德族加入屠殺行列；其他庫德族則遭流放、殺害。在大馬士革和貝魯特，帕夏吊死阿拉伯民族主義者，在阿拉伯半島，兩個王朝採取行動：麥加的胡笙，先知穆罕默德的第三十七世後代，為了在漢志（Hejaz，阿拉伯半島西海岸地區）掌權，已等待許久。六十一歲的胡笙頑固、自負且獨裁，深信他和他的哈希姆家族應接掌鄂圖曼蘇丹之位，而且認為他的蘇丹轄地應不只阿拉伯半島。他派他精力旺盛的長子阿卜杜拉去找英國人，獻上阿拉伯人向土耳其人造反之議。但他的密謀令位於內志（阿拉伯半島東部）、與哈希姆家族相抗衡的紹德家族驚恐不已。身材高大又有氣力的阿布杜阿濟茲・伊本・紹德痛恨哈希姆家族的謝赫，力促英國人承認他的地盤為獨立王國。

一九一五年，英國人眼見在法蘭德斯損失許多兵員，在庫特和達達尼爾海峽受挫，隨之鼓勵哈希姆、紹德兩家族加入協約國陣營。阿布杜阿濟茲不願，但胡笙透過兩個兒子阿卜杜拉、費瑟（Faisal）進行談判，這時要求建立一個幅員廣闊的世襲王國，其版圖不只涵蓋阿拉伯半島，還包括今日的伊拉克、敘利亞、黎巴嫩、以色列。英國人將耶路撒冷和巴勒斯坦部分地區排除在外，但原則上同意此要求。[11]與此同時，英國人開始和猶太復國運動領袖、在俄國出生的化學家海姆・魏茨曼（Chaim Weizmann）進行談判，在巴勒斯坦建立猶太人家邦之事。魏茨曼得到多莉（Dolly）、羅姬卡（Rózsika）這兩個羅斯柴爾德家族女子協助，[12]並發現勞合・喬治和貴族出身、曾任首相、現為第一海軍大臣的亞瑟・貝爾福（Arthur Balfour）業已支持猶太人返回猶太地區。

這兩個談判都是為了在危急時刻爭取最大支持，兩者都受傳統帝國權力遊戲擺布，而在這些權力遊戲中，英法俄三國簽訂《賽克斯—皮科—薩札諾夫協定》（Sykes-Picot-Sazanov pact），同意瓜分鄂圖曼帝國，巴勒斯坦和伊拉克歸英國，大馬士革和貝魯特歸法國，鄂圖曼帝國領土的數大片地區和君士坦丁堡這顆明珠則歸沙俄。

德皇的陰囊：獨裁者興登堡

一九一六年六月，西戰線戰事來到最危急時刻，沙皇尼古拉的部隊擊潰奧軍，德軍及時趕到，奧軍得救。尼古拉的羅曼諾夫王朝禁衛軍（Guards）遭殲滅，對戰局產生決定性影響。在每個國家，怠惰的政治人物都會被已準備好發動總體戰的軍閥取代。德皇幾乎立即就失去理智，在被爛泥和炸藥支配的戰爭裡下

10 許多亞美尼亞人克服萬難逃走，移民到西方。某年輕亞美尼亞人的遭遇便是其中的典型例子。他的家族長年住在卡爾斯（Kars）附近，而自一八七八年起，卡爾斯就是俄羅斯的領土。他本人於一次大戰前不久離開家鄉，定居洛杉磯。塔托斯·卡爾達修夫（Tatos Kardashoff）與同屬亞美尼亞裔的女子結婚，靠收垃圾過著舒服日子，後改名湯瑪斯·卡戴珊（Thomas Kardashian）。八十年後，他的曾孫女金·卡戴珊（Kim Kardashian）讓世人見識到美國消費主義和娛樂業所具有的獨特機會。

11 同一時間，英國承諾庫德族領袖謝赫·馬赫穆德·巴贊吉（Sheikh Mahmud Barzani）一獨立自主的庫德族國家。

12 諸多猶太裔銀行業家族為猶太復國運動而分裂為兩個陣營：新任羅斯柴爾德勳爵瓦爾特立場不明；法蘭西斯·蒙帖斐奧雷爵士支持；克羅德·蒙帖斐奧雷（Claude Montefiore）反對；英國印度事務大臣愛德溫·蒙塔古（Edwin Montagu）激烈反對。魏茨曼注意到羅斯柴爾德家族走到這一代，女人是家族裡真正的意見領袖。匈牙利籍的羅姬卡·羅特希爾德頭一個結識魏茨曼，然後魏茨曼寫信給二十歲的多莉，她嫁給詹姆斯——法國人愛德蒙·德·羅特希爾德（Edmond de Rothschild）的兒子——已是猶太復國運動的贊助人。兩人就如何對英國社會發力向魏茨曼提供了意見，但最重要的是，她們成功拉攏公認的猶太界領袖——羅斯柴爾德勳爵。

達了愚蠢的指示：「下令上刺刀，把這些壞蛋打回去。」但他的確體認到前所未見的殘暴，要求將法國平民「無情吊死」，把俄籍戰俘活活餓死。威利依舊待在司令部，與外界不通聲息。他苦於陰囊腫脹，同時苦於臉上長癤。陰囊腫到周長達十二．五吋，最後他的醫生替他動手術處理，臉上的癤則可能是紫質症的跡象。對法爾肯海恩的表現失望，令他病情加劇。法爾肯海恩質問他六十四歲的對手——東戰線司令興登堡——是否「有念頭和勇氣接掌」他的參謀總長一職。

興登堡回道，「念頭，沒有，但勇氣，有。」一九一六年八月，威利任命興登堡為參謀總長，以魯登道夫為副參謀總長（quartermaster-general）。他們兩人把持德國國政，先是坐鎮於波蘭的普萊斯堡（Pless Castle），繼而坐鎮於比利時的斯帕（Spa），每天向帝國全軍統帥報告。在倫敦，阿斯奎斯從未掌控軍火生產，也控制不住基欽納和諸將領。勞合．喬治解決了炮彈短缺問題；陸軍元帥基欽納溺死於前往俄國途中，基欽納問題隨之自行消解；十二月，勞合．喬治成為首相，決意打贏戰爭。在俄國，情況正好相反：沙皇尼古拉任命消極且無能之人——他自己——為總司令，要愚蠢且歇斯底里之人——他妻子亞歷珊德拉——管理戰時錯綜複雜的帝國事務。亞歷珊德拉則以無知、貪污且道德敗壞的西伯利亞密契主義者拉斯普丁為顧問。哈布斯堡王朝也逐漸垮台。威廉逼他們承認興登堡為最高指揮官。一九一六年十一月，苦於支氣管炎的法蘭茨．約瑟夫嘆道，「為何必須是現在？」而後離世。卡爾成為皇帝。

一九一六年十二月三十日，一群祕密行事的羅曼諾夫家族成員和貴族利用一名美麗的公主將拉斯普丁誘至某王宮，在那裡對他下毒並槍殺，接著將他推到結冰的涅瓦河（Neva）冰面下。這個好色的農民被說成是羅曼諾夫沙皇夫婦治國無能的禍首，但其實治國無能，錯不在他人而在他們兩人自己。他們本就每下愈況的權威，隨著他的死更為低落。尼古拉回到總司令部時，麵包短缺引發人民自主上街示威，示威潮襲捲首都。沙皇下令射殺參與暴亂者，沒料到士兵變節。他急返回時，被困在火車車廂裡且眾叛親離，遭他的將領逼迫退位。不過接掌政權的「臨時政府」決意繼續對德作戰。

羅曼諾夫王朝垮台的同時，威廉正接受睪丸手術。威廉康復期間聽聞尼基下台，震驚得說不出話，但對德軍攻入俄國一事相當振奮：「如果我們能使俄羅斯發生革命，瓦解聯盟，我們就勝券在握，隨之將贏得勝利的獎賞，即世上第一強國之位。」他的外長找到使俄國染上革命之病的絕佳細菌：列寧。這個布爾什維克領袖人在蘇黎士幾乎快斷了革命念頭。他說，「我認為我們有生之年不會有革命。」革命真的發生時，他反問，「是騙局吧？」

這時，德國人安排一列密封火車（亦即跨越國界時車上乘客不需接受護照查驗的火車），將這個布爾什維克和三十名革命同志送到彼得格勒——為避免彼得堡一名的德語色彩，俄國首都已改名為彼得格勒。在火車上，列寧立即展現獨裁控制作風，強行擬定了眾人輪流抽菸、上廁所的時間。他的抵達俄國，使情勢全然改觀。

一九一七年七月，艱苦的西線戰爭再度奪走雙方多人性命時，哈希姆家族王子費瑟和他的顧問上校勞倫斯（T. E. Lawrence）拿下阿卡巴（Aqaba）。

阿拉伯半島上的一個國王、彼得格勒城的一名布爾什維克

沙里夫胡笙從他麥加宅邸的窗子開槍，藉此發動叛亂，然後派他的兩個兒子攻打阿拉伯半島上的鄂圖曼王朝軍隊。阿卜杜拉拿下位於沿海的吉達，費瑟拿下位於敘利亞邊境上的沃季（Wejh）。胡笙高估了自己的勢力和魅力，自封為阿拉伯人的國王，從而激怒他的對手阿布杜阿濟茲・伊本・紹德。後者向英國人抱怨此事，英國人於是逼胡笙自貶為漢志國王。

英國人派來一名情報官，隨即成為哈希姆家族的支持者。二十九歲的湯瑪斯．勞倫斯是個以局外人身分深深打入群體內部的典型人物，一個鄙視英國上層人士但尊崇大英帝國的阿拉伯主義者，一個話不多、離群索居、編造不實情事且喜歡自我吹噓之人，某個準男爵的私生子，鑽研阿拉伯史的學者，文筆優美且以一個阿拉伯男孩為其摯愛的作家。而事實表明他也是天生的沙漠戰士。結識哈希姆家族的王子後，他折服於三十二歲的費瑟，折服於他的阿拉伯騎士精神理想，並以誇張口吻讚道：「他是極了不起之人。」勞倫斯支持哈希姆家族，然而身為帝國的僕人，他認為費瑟該表現出應有的感激之意。勞倫斯說，「這些部族」「充滿活力，行事幾乎不顧後果，」這場戰爭是「伊斯蘭苦行僧對抗正規軍的戰爭，而我們站在苦行僧那一邊。我們的教科書不管用。」他誇大了他的事功。十一月，他遭鄂圖曼人逮捕且被強暴，不過他想辦法逃脫：「那一夜守護我的完整性的城堡無可挽回的失守。」一支英國軍隊拿下伊拉克時，另一支軍隊，這時得到哈希姆家族助陣，從埃及攻入巴勒斯坦。而在巴勒斯坦，被興登堡派去的法爾肯海恩強化了鄂圖曼軍隊的抵抗力量。

威廉和興登堡眼下面臨食物短缺的問題，而且隨著社會主義、自由主義政黨要求改革，也面臨了人民對政治不滿的問題。一九一七年一月，德皇出動潛艇攻擊民間運輸船，企圖餓死英國，但這些潛艇擊沉美國船隻和柏林鼓勵墨西哥侵略之舉，反而激怒了美國。四月，美國總統伍德羅．威爾遜（Woodrow Wilson）請求國會宣戰，展現美國人的正氣，以壓制歐洲人的貪婪。「我們不為一己之私，」他宣布。「我們只是人類權利的諸多擁護者之一。」但在國內，他就沒那麼高風亮節。對於《吉姆．克勞法》，他完全悶不吭聲，而且還出兵干預美洲各地事務。[13]

威爾遜是南卡羅萊納州某神學家之子，極優秀的歷史學家，曾擔任普林斯頓大學校長，遲遲才投身政壇。他之所以在一九一二年贏得總統大選，係因為泰迪．羅斯福與接任其總統之位的威廉．塔虎脫

（William Taft）失和後創立第三政黨，由此分裂共和黨選票，從而給了這個民主黨候選人可乘之機。但威爾遜體察到羅斯福之名的吸引力，任命剛選上紐約州參議員且對船非常執迷的富蘭克林・羅斯福（小羅斯福），接掌泰迪的舊職——海軍助理部長。美國集結軍隊時，富蘭克林・羅斯福用心將海軍武力增長了三倍。[14]富蘭克林在此職務上如此盡心盡力，出於另一個原因：曾是他小孩的家庭教師的露西・默塞爾（Lucy Mercer）如今是他的同事，而且兩人迸出愛的火花。艾莉絲・羅斯福發現兩人姦情後說，「富蘭克林理該過上快活日子，他的老婆是愛蓮娜。」

「她是不是很討人喜歡？」富蘭克林這麼說。艾莉絲殘酷折磨愛蓮娜，並暗示富蘭克林有小三。

美軍來歐洲來得正及時。法國正舉棋不定，且軍隊裡譁變四起；隨著列寧準備奪權，俄羅斯正解體。

一九一七年十一月二日，時為英國外長的貝爾福發了封信給羅斯柴爾德勳爵，承諾在巴勒斯坦建立一個

13　美國的銀行已取代法國，成為海地的最大債權人。海地無法如期償還借款，局勢日益動蕩；一九一一年後的四年間，四個總統不是遇害，就是遭罷黜，美國擔心德國把手伸進海地，華爾街要求有所作為。一九一四年十二月，威爾遜派美國海軍陸戰隊查抄海地的國家銀行，沒收價值五十萬美元的金塊。海地總統紀堯姆・山姆（Guillaume Sam）遭推翻且遭令人髮指的肢解，引發兩個星期的混亂，威爾遜隨即再度派兵進入海地，開啟長達十九年因貪污、種族歧視、壓制人民自由而遭詬病的占領。查理曼・佩拉爾特（Charlemagne Péralte）帶頭造反。此人是將軍之子且是官員，他的戰士抵抗美軍和美國飛機。佩拉爾特最終遭出賣，釘在門上示眾，猶如美國三K黨將人釘死在十字架上。眼看美國人施行暴力並提拔黑白混血上層人士管理居人口多數的黑人，有個海地法官之子深受刺激，逐漸相信非洲人不該受人擺布，相信非洲文化有其價值。具有醫師資格的法蘭索瓦・杜瓦利耶（François Duvalier）後來被他的病人取了綽號「醫生老爸」（Papa Doc）。在位許久的墨西哥獨裁者波費里奧・狄亞士（Porfirio Diaz），一個曾反對皇帝馬克西米連統治的將領，在革命中遭罷黜，威爾遜隨之派兵參與血腥的墨西哥內戰。

14　小羅斯福在麻塞諸塞州的昆西時，有個作風咄咄逼人的年輕企業家為其助手——即約瑟夫・甘迺迪。他擁有無限的活力和野心，他的父親ＰＪ是來自愛爾蘭韋克斯福德郡（County Wexford）的移民之子，靠經營酒吧致富，選上眾議院議員。一九一三年，二十五歲的約瑟夫利用父親在當地某銀行裡的股份，成為他所謂的「美國最年輕的銀行總裁」。已是民主黨員的約瑟夫反對歷來掌控波士頓、身為英國新教徒後裔的社會上層白人。這時的他才剛起步，但日後將利用自身與小羅斯福的交情闖蕩政壇。

「猶太民族家園」，同時保證「絕不會做出會損害既有之非猶太裔群體（即巴勒斯坦阿拉伯人）之權利的事」。這封信得到美國總統威爾遜認可且在類似的法國聲明裡得到重述，旨在打動美、俄兩國境內的猶太人。胡笙和哈希姆家族則已獲英國承諾給予阿拉伯世界的許多地方。若非戰爭陷入死傷慘重的僵持局面，上述兩個承諾都絕不可能出現，而即將瓦解的俄羅斯，眼下更是加劇此僵局。

正當勞倫斯循著鄂圖曼帝國鐵路襲擊時，有支英軍攻向耶路撒冷。勞合・喬治鼓勵拿下這座聖城，作為獻給英國人民的「聖誕節禮物」，而當耶路撒冷市長揮舞一張充當白旗的毯子，向吃驚的英國人做出欲投降三次的可笑舉動，接著，其降意終於得到英軍接受，英國人如期收到這項大禮。上校勞倫斯和英國軍官畢恭畢敬的走入城內。

十一月八日，在彼得格勒，戴假髮喬裝改扮的列寧遭自己的紅衛兵拒於他位在斯莫爾尼學院（Smolny Institute）的總部門外。但最終他讓他們相信，他的確是列寧，隨後執掌布爾什維克武力，發動政變。自四月抵達起，他祭出「土地、麵包、和平」的精明政綱，令總理亞歷山大・克倫斯基（Alexander Kerensky）——矮小但衝勁十足的社會主義律師——不堪其擾。七月，自比為拿破崙式軍閥的克倫斯基對德軍發動數起攻勢，只可惜這些攻勢的失敗助長了公權力的瓦解，而列寧決意填補因此造成的權力真空。克倫斯基追捕列寧，列寧走入地下。列寧為其兩個激進的得力助手托洛茨基和史達林安排了任務，然後拿下冬宮。[15]冬宮守衛極薄弱，但布爾什維克終於衝了進去後，卻劫掠沙皇的葡萄酒窖，喝得酩酊大醉，以致不得不叫來消防隊將酒瓶砸破，結果消防隊員自己也喝醉。布爾什維克同時奪下莫斯科，但帝國其他地方落入德國人、鄂圖曼人之手。與此同時，波蘭人、喬治亞人、芬蘭人、烏克蘭人、亞美尼亞人和其他許多民族一一宣布獨立。

眼見德軍攻勢銳不可當，自己得做出難以承受的決定，於是列寧和德國談成和約，割讓烏克蘭、波羅的海地區、高加索地區的許多地方，德皇振奮不已。威利分封國王時（要某個哈布斯堡家族成員統治信仰天主教的立陶宛，要某個黑森王公統治芬蘭），他大放厥詞的說，「波羅的海地區土地不可分割，我會是那些地方的統治者。我已攻下這些地方。」但他把布爾什維克稱作「猶太小子」，譴責這個「要基督徒為之互毆致死的『猶太國際』」。[16] 興登堡已取代德皇成為國家象徵，為他七十歲生日發了一份聲明：「肌肉緊繃，神經剛強，目光向前！」興登堡向威廉下了一道帶有恭敬之意的命令時，德皇回道，「我不需要你家長似的意見」——但還是從命。

一九一七年十一月十六日，苦於軍隊譁變且國家瀕臨瓦解的法國，尋求激烈批評法國領導階層的前總理喬治・克里蒙梭（Georges Clemenceau）出面收拾亂局。綽號「虎」（Le Tigre）的克里蒙梭，當時七十七歲，[17] 以顯然在二十年後啟發了邱吉爾的漂亮言語，團結起法國人心：「在國內，我開戰；在國外，我

15　這三個領導人構成一個凶殘但知識程度甚高的小集團，而且這個小集團即將取得最高權力：當他們已統治帝國，在黨的問卷調查裡被問及所從事的職業時，三人都自稱是文人或記者。

16　在基輔，德軍攆走已宣布烏克蘭獨立的中央拉達（Central Rada，「中央議會」），扶立由帕夫洛・斯科羅帕茨基（Pavlo Skoropadsky）領導的新哥薩克酋長國。斯科羅帕茨基是俄羅斯裔將領，出身自彼得大帝的哥薩克酋長國首領（黑特曼）的家族。一共和國在梯弗里斯成立，控制外高加索地區，幾個月後該共和國裂解為獨立的喬治亞、亞塞拜然、亞美尼亞三國。喬治亞由孟什維克（Mensheviks）——布爾什維克的對手——統治。

17　克里蒙梭是言語最犀利的現代領導人之一，「戰爭太重大，不可交給將領負責」正出自他之口。他此前的人生精采不凡。在美國當騎馬教練時，愛上他的學生，而且兩人結婚。他高調炫耀他的眾多情婦，但一回到法國，他的妻子有了情夫，他讓人將她拘留，並送回美國。他學過醫，卻成為激進記者，報導美國內戰，然後批評拿破崙三世，遭拿破崙逮捕下獄。他與莫內、左拉為友，支持德雷福斯，不過他嘲笑法國文壇菁英：「給我四十個屁眼，我會給你法蘭西學院。」他將元帥霞飛（Joffre）革職時，評論道，「傻瓜不會因為掛上軍階、戴上帽子就變聰明。」七十多歲時，他仍自豪於自己的情愛生活。他說，「戀愛最美好的時刻是上樓梯時。」遭某刺客槍擊時，他嘲笑刺客開了幾槍卻只一發擊中，忍著槍傷繼續行走。

開戰；我到處開戰。」他還說，「死還不夠，我們必須征服！」他每天練擊劍、見他的情婦，將數個將領革職，逮捕批評者，保證「戰鬥到底」。邱吉爾把他比喻為「一頭踱步的野獸」。百萬美軍開始抵歐時，法蘭西挺住了。

在另一頭，鄂圖曼王朝正搖搖欲墜。一九一八年初，鄂圖曼王儲穆罕默德帶著最高階將領凱末爾來到德國，告知威廉和興登堡，鄂圖曼帝國撐不住了，並怪罪於安維爾。三月，於俄國戰勝、於西線受挫、在國內快撐不住的魯登道夫，為突破協約國防線，發動米夏埃爾軍事行動（Operation Michael），結果挺進了四十哩。德皇得意道，「這一仗打贏了，英國人徹底落敗。」戰爭損失令德國元氣大傷：希特勒所屬的部隊光是四月就損失一半的人；下士希特勒贏得一級鐵十字勛章。而殺戮使軍人獸性大發。「要擊敗死亡，只能靠死亡，」相信社會達爾文主義的希特勒推斷。「人生是一場持續不斷的可怕鬥爭，而且此鬥爭有助於保存物種——得有人死，其他人才能活下去。」但他也很喜歡他和士兵（以及和一隻狐狸）的同志情誼——他所欠缺的家庭親情——儘管當他們打算在法國妓院慶祝保住性命時，希特勒激動說，「如果看見一個裸身的法國女人，我會羞愧而死，」其他人因此相信這個絕不碰酒、不抽菸的處男「有點古怪」。希特勒來到食物短缺的柏林時，聽到猶太人要暗中破壞軍隊的陰謀論，儘管猶太人和其他每個人一樣上戰場為國殺敵。七月，法國人反攻；德國人漸漸撐不住，後備兵力用盡；八月，在亞眠（Amiens），四百五十六輛新英國坦克粉碎德國防線，接著在得到美軍增援下開始前進。

十月，得到勞倫斯支持的王子費瑟騎馬進入剛解放的大馬士革；在阿拉伯半島，他的哥哥阿卜杜拉圍攻麥地那城裡的鄂圖曼人。但哈希姆家族的抱負和英法瓜分中東的現實局勢相牴觸，儼然就要爆發衝突。大馬士革屬法國的勢力範圍，而費瑟代表其父王胡笙悍然率先聲稱敘利亞為其所有。同月，威廉去埃森的克虜伯工廠拜訪古斯塔夫．克虜伯（戰時口號：「敵人愈強大，榮譽愈大！」）德皇戴著他的金鷹頭盔，穿著陸軍元帥制服，從礦渣堆上對工人講話，痛斥「叛徒」，勸勉工人「要像鋼一樣強！」卻又不智的補充說，「每個工作者都有自己的職責，你們的職責在車床上，我的職責在皇位上。」經過長長的沉默後，工人大喊「飢餓」、「和平！」威利大受震撼。

在司令部，魯登道夫精神崩潰，一邊大聲嚷嚷，一邊被興登堡帶出會議現場。興登堡不願將他革職：「軍人生涯常常把堅強的性格耗光。」但這時，這兩人把實情告訴威廉。只見目瞪口呆的威利說，「這場戰爭得結束。」

德皇的垮台

毫無起色的戰事依舊繼續。一九一八年十月，被芥氣弄得短暫失明的希特勒在醫院養傷，威廉則任命抱持自由主義思想的巴登的馬克斯（Max of Baden）——巴登大公之位的繼承人——為總理，要他談成停戰，而諷刺的是馬克斯是拿破崙三世的表弟。但這時，大權轉到社會民主黨手上，該黨的領導人是裁縫師之子同時擔任帝國國會領袖甚久的佛里德里希．艾伯特（Friedrich Ebert）。艾伯特贊成保住君主制，卻又害怕共產主義革命。海軍於威廉港（Wilhelmshaven）造反時，艾伯特同意君主制必須廢掉。抱持共產主義立場的斯巴達庫斯派（Spartacists）在柏林創立工人會議時，馬克斯前去斯帕（Spa）請求威廉退位。只見威利嗤之以鼻道，「我絕不會為了幾百個猶太人或一千個工人退位。」

艾伯特告訴馬克斯，「如果皇帝不退位，社會革命無法避免。但我不想要社會革命，我對它恨之入骨。」十一月九日，艾伯特要求由他本人擔任總理，請求馬克斯擔任威利次子的攝政。那天下午，艾伯特的同志菲利浦．沙伊德曼（Philipp Scheidemann）出現在德國國會陽台上。他宣布，「古老腐爛的君主制死了，德意志共和國萬歲！」

艾伯特喊道，「你沒有權利宣告成立共和國！」然而，共和國還是成立了。隔天，威廉啟程流亡尼德蘭，[18]二十二個德意志人王朝也跨台。薩克森國王佛里德里希・奧古斯特三世（Friedrich August III）退位時說，「接下來，你們自己去解決這坨屎！」他話中的「屎」就是即將爆發的馬克思主義革命。

在維也納，卡爾提議諸多民族共建一聯邦國家，讓波蘭獨立。但這個君主國終究解體為幾個新國家（一民主共和國捷克斯洛伐克；以彼得・卡拉喬治維奇為國王的君主國南斯拉夫）和幾個較古老的國家。波蘭——從哈布斯堡、羅曼諾夫兩王朝的領土上出現——宣布獨立，以約瑟夫・皮烏蘇茨基（Józef Piłsudski）為國家元首。皮烏蘇茨基是個看來始終精神煥發的愛國者，貴族出身的社會主義者，他曾因參與對抗亞歷山大三世的陰謀而被判刑至西伯利亞，並藉由銀行搶劫支助他的政黨，他也曾愛上同為反抗者的同伴，從俄國監獄逃出後，他指揮一奧地利—波蘭軍團對抗俄羅斯，這會兒，他被選為國家元首（head of state），將重塑波蘭為一個多族群並存的「多民族的家園」。匈牙利和奧地利則站到哈布斯堡王朝的對立面。

十一月十一日停戰日，卡爾聲明不再「參與治國」，但仍待在申布倫宮，直到社會主義領袖卡爾・倫訥（Karl Renner）前來喊道，「計程車已在等，哈布斯堡先生，」他這才離宮。而離去之際，這個前皇帝堅稱，「我沒退位……」仍在醫院的希特勒從醫院牧師處得知停戰消息，說道，「一切再度變得黯淡，我蹣跚走回病床……白忙一場。」

這場戰爭的慘烈改變了每個人，戰爭的規模推動「大眾時代」。共有九百七十萬士兵戰死；或許一千萬平民喪命。[19]返鄉的士兵希望自己對未來有發言權。這場戰爭也改變了家庭的面貌：戰後，女人，甚至中產階級女人，紛紛投入工作，而且想要工作。男人太少一事，把權力交回給女人。這時，許多地方才施行完整的民主——所有成年男性和愈來愈多的成年女性享有選舉權。[20]

一如其他許多人，希特勒自問，「這一切的發生只為了讓一幫犯罪之徒得以掌握我們的祖國？……我的恨意愈發強烈了。」只有被叛徒和猶太人「暗算」（Dolchstoss）一說，足以解釋德國為何崩潰。那時，「我決定從政。」

虎、羊、耶穌基督

小羅斯福奉命前往歐洲視察海軍設施，他走訪了巴黎、倫敦，在倫敦見了邱吉爾——小羅斯福憶道，「無禮對待我的少數人之一。」德國潰敗之際，小羅斯福乘船返美，而後便發燒病倒，可能感染了A型病

---

18 霍亨佐倫家族仍擁有一個王位——羅馬尼亞國王。該國的開國君主卡羅爾去世後，他的姪子斐迪南加入協約國陣營，遭德國人重擊，但這時保住其王位。科堡家族仍統治比利時——和保加利亞。在保加利亞，狡猾的斐迪南退位並傳位給年紀還很小的兒子鮑里斯（Boris）。

19 就士兵來說，英國失去八十萬人，傷兩百萬人；另有兩百二十萬俄國人、兩百萬德國人、一百三十萬法國人、一百二十萬奧地利人、五十五萬義大利人、三十二萬五千鄂圖曼人、十一萬五千美國人喪命；此外，七萬四千印度士兵和七萬七千非洲士兵喪命。

20 在俄國、德國、英國、美國，女人得到投票權（在英國，二十一歲以上男人和三十歲以上女人，即五百六十萬男人和八百四十萬女人，獲授予選舉權）。至於美國，威爾遜宣布，「我們已在此戰爭中讓女人成為我們的伙伴」：《憲法第十九修正案》給予兩千六百萬女人選舉權，只是七成五的非裔美國人依舊沒有投票權。法國直到一九四四年才給予女人選舉權，但開啟了反映新獲得之自由的諸多時尚。一九一九年，三十七歲、綽號「Coco」的加布里埃爾·香奈兒（Gabrielle Chanel）——動人的前歌手，生於首都之外的孤兒院，她的父母是沿街叫賣的小販和洗衣婦——靠她兩個有錢情人的資助，創立了她的巴黎工作室。這兩個情人一是法國人，一是英國人。這個女設計師拒斥緊身褡、窄底裙、長連身裙，多使用針織，提倡隨興且較短的連身裙、長褲和兩款永恆的經典——她的黑色小禮服和香奈兒針織套裝或粗花呢套裝，以及她的五號香水，由此改變了女人的穿著風格。

毒流感H1N1亞型——流感（flu）一詞則源自一七四三年在義大利爆發的流感疫情，當時據稱因星星的影響（influentia of stars）所導致。這是新病毒株，最早在美國堪薩斯州瑞利堡（Fort Riley）的某個陸軍軍營裡被注意到，然後透過美軍士兵傳到歐洲。西班牙國王阿方索十三世染上此病，此流感因此得名西班牙流感（不過在非洲，則稱作巴西流感，在波蘭，稱作布爾什維克流感）。軍人往來於大西洋兩岸，有助於流感迅速傳遍世界，第一波可謂溫和，第二波則足以致命，殺死無數年幼小孩和二十至四十歲這個年齡層裡的無數人。五億人感染；三千萬人死亡。在莫斯科，奪走列寧的得力助手雅科夫・斯維爾德洛夫（Yakov Sverdlov）的性命；在阿拉伯半島，奪走阿布杜阿濟茲的三個兒子和一個愛妻的性命；在衣索比亞，年輕的攝政、公爵塔法里・馬孔嫩——不久後成為海爾・塞拉西——染上流感，所幸保住性命。[21]

在美國船隻「利維坦號」（Leviathan）上，也有許多人喪命；小羅斯福被用擔架抬下船，而後康復。[22]愛蓮娜檢視他的行李，發現他的愛人露西・默塞爾寫給他的情書。她甚為心痛，於是提議離婚，而小羅斯福的新政治顧問，那身材矮小、長得很醜、喧鬧又難以掌控的記者路易斯・豪（Louis Howe）對他示警，一旦他離婚，他將與總統大位無緣，他母親莎拉則揚言要把他的名字從她的遺囑上拿掉。小羅斯福承諾絕不再和露西見面；但他食言。

一九一九年一月，總統威爾遜乘船赴歐，決意要英法兩國接受美國的道德觀——他的《十四點原則》表達出的民族自決主張——這兩個國家都因為戰爭而半破產，但出於積習、使命、野心，仍把心思放在帝國上。羅斯福和愛蓮娜重建兩人婚姻，前去巴黎和威爾遜會合。他們的兒子詹姆斯稱兩人此後的婚姻關係為「直到他死那天才廢除的武裝休戰」。

勞合・喬治和克里蒙梭（「山羊」和「虎」）同意威爾遜的《十四點原則》——承諾「全面且徹底解放諸民族」——同意他要成立新國際組織（國際聯盟）以杜絕戰爭的提議。只是這兩個好色的激進分子都熱中於打造帝國。「威爾遜拿他的《十四點原則》把我煩得要死，」這頭虎笑道。「上帝也才只有十誡！」威爾遜認為勞合·喬治「圓滑」，但喜歡他甚於克里蒙梭。勞合·喬治開玩笑道，「我坐在耶穌（威爾遜）和拿破崙（克里蒙梭）之間，表現得還算合人意。」

貝爾福論道，「三個權力無比大且無比無知的人分割諸大陸」，決定了許多事——但仍有諸多問題懸而未決：他們的《凡爾賽條約》使波蘭復國，承認捷克斯洛伐克和南斯拉夫這兩個從霍亨佐倫王朝、羅曼諾夫王朝、哈布斯堡王朝的地盤抽出領土建立的多族群並存國家，懲罰奧地利和匈牙利，使奧、匈兩國領土大幅縮水。他們縮小了德國的版圖，將亞爾薩斯還給法國，使萊茵蘭去軍事化，要德國賠款，使數百萬德裔成為新成立的斯拉夫人國家的國民。要讓人人滿意是不可能的。反觀義大利、日本為協約國打仗，所得卻甚少。在亞洲，協約國陣營的三強把威爾遜的《十四點原則》完全拋諸腦後：在中國，他們把德國的條約口岸賞給日本，當日本代表近衛文麿要求聲明非白人民族享有平等地位時，三強竟拒絕，從而激怒日本人和中國人。[23]至於鄂圖曼帝國該如何處置？勞合·喬治和克里蒙梭為了他們對阿拉伯人土地的所謂的

21　梅涅利克死後，衣索比亞的皇位繼承不順利。皇帝伊亞蘇搖擺不定的宗教立場和親德的政策，在一九一六年導致他遭罷黜，由梅涅利克的女兒佐迪圖（Zewditu）接位。她被迫提名公爵塔法里·馬孔嫩為攝政暨繼承人。

22　總統川普的祖父，出生於巴伐利亞、在淘金熱時代開妓院的佛雷德里克·川普，這時死於西班牙流感，得年僅四十九。他生前在紐約市的皇后區買了房地產。他的遺孀伊莉莎白接管此事業，取名為E. Trump，不久她的兒子加入經營。次子佛瑞德十八歲時蓋了他的第一間房子。

23　在巴黎，有個越南社會主義者寫信給英法美三強，要求讓越南脫離法國獨立，並在請願書上簽上「阮愛國」之名。二十八歲的阮生恭，他的父親曾在鄉村教書，後來當上知縣，阮生恭本人痛恨法國人統治，但上過法語學校。他申請就讀法蘭西殖民地行政學校，去了法國，沒想到申請遭拒——儘管他很可能已是社會主義者，這依舊是法蘭西帝國史上最嚴重的失策之一。他轉而做起侍者和洗碗工，甚至說不定曾做糕點師傅的工作，他也寫文章、求學，接著前去布爾什維克主政下的俄國求學。後來他取名胡志明。

「託管權」，有如下討價還價：

虎：「告訴我你要什麼。」

山羊：「我要摩蘇爾。」

虎：「就如你所願。還有別的？」

山羊：「對，我還想要耶路撒冷。」

虎：「如你所願。」

克里蒙梭聲稱敘利亞為其所有，因為十字軍國王是法國人，而且兩個拿破崙皇帝都曾派兵去該地區。勞合・喬治打算找個王國給費瑟統治，勞倫斯於是介紹他是「自薩拉丁以來最偉大的阿拉伯籍領袖」。土耳其的心臟地帶會被分割成國際性的君士坦丁堡、殘餘的土耳其領土、庫德斯坦和亞美尼亞這兩個新國家，士麥那（Smyrna，伊茲密爾／Izmir）和小亞細亞西部則會成為新希臘帝國的一部分。[24]

凡爾賽條約有諸多瑕疵，但最大的瑕疵是將德國、俄國這兩個歐洲東部強權拒於門外。此條約自始就注定成不了事。勞合・喬治承認，「託管」是「舊帝國主義的替代品」。然而，這場戰爭也鼓動了對帝國的抵抗。一九一九年四月，四十九歲的甘地宣布對全印英國人發起非暴力抵抗運動，但使他的非暴力運動升級為革命活動者是英國人的暴力。在阿姆利則，他的兩名追隨者被捕，引發暴亂。十一日，英國人朝群眾開槍；參與暴亂者殺死五名歐洲人；兩天後，群眾聚集於賈連瓦拉庭園（Jallianwala Bagh），其中某些人正慶祝春季豐收的白薩基節（Baisakhi）。有個不清楚狀況的英國將領——雷金納德・戴爾（Reginald Dyer）——帶著九十名印度兵來到賈連瓦拉庭園，決意「以不服從為由懲罰印度人」。

只要印度在我們手裡：甘地和尼赫魯

甘地於旅居南非二十一年後回到故土，在南非時，他已分析過英國的支配地位：他在其《印度自治》（*Hind Swaraj*）一書中主張，英國得以支配印度，純粹因為大多數印度人和英國人合作；協助英國人脅迫印度人者是印度籍軍警。甘地把自己從西裝筆挺、躋身社會上層的出庭律師，搖身一變為赤裸著上身的行動主義者，身穿纏腰布和披巾——家紡印度棉布。家紡印度棉布是他自給自足的「愛用國貨」運動（Swadeshi）的一部分，他在該運動中，呼籲人民自己紡織手工土布（khadi），抵制削弱印度紡織業的英國紡織廠所生產的織物。二十年前，國大黨已在印度總督同意後創立，可惜分裂為溫和派和激進派，而且許多印度權貴鄙視這項運動。身為有錢律師的莫提拉爾·尼赫魯（Motilal Nehru），出身自婆羅門階級的潘迪特（pandit，印度教的榮譽頭銜）、蒙兀兒王朝官員的後代、首席部長的弟弟，住在阿拉哈巴德的豪宅，他便認為，英印理應合作，於是送他兒子賈瓦哈勒爾（Jawaharlal）前去哈羅公學就讀，好讓他成為英國紳士。

完成劍橋大學學業、取得律師資格的賈瓦哈勒爾和妻子卡瑪拉（Kamala）住在豪宅裡，擁抱社會主義，加入國大黨，為甘地的返國而振奮不已：「我們所有人都敬佩他在南非英勇作戰之事，但他似乎非常疏遠、與眾不同、不關心政治。」當三十歲的尼赫魯遇見甘地時，「我們看出他已準備好將他的方法應用在印度，而且這些方法有可能成功。」人稱聖雄（Mahatma）的甘地最初對國大黨敬而遠之，由此讓人見識到他的方法可行。英國人表示，願讓印度人有限度的參與地方治理，即便如此，倫敦的大多數領導人咸

24　這是所謂的「大理念」（Megali Idea），即要在鄂圖曼蘇丹國的廢墟上重建東羅馬帝國的領土收復主義計畫。提倡者是埃萊夫塞里奧斯·韋尼澤洛斯（Eleftherios Venizelos）。他支配希臘政局，八度擔任首相，在凡爾賽講述古希臘史事和他本人於一八九七年在克里特島攻打鄂圖曼人的功績，而勞合·喬治聽得入迷。

認為，印度是英國稱雄世界所不可或缺。現為外長的前印度總督柯曾說，「只要我們統治印度，我們就是世上最強的國家。」、「我們完全無意放棄我們在印度所擁有的。」當英國人基於緊急情況限制印度人的抗議活動之際，甘地組織起他第一次的抵制運動。

一九一九年四月十三日，在賈連瓦拉庭園，戴爾將軍命令印度兵朝群眾開火，當場殺死五百至一千人，傷一千兩百人。[25]這場屠殺打碎了英國人慈善、有能力的表象：莫提拉爾・尼赫魯在庭園裡燒掉他的英式西裝、霍姆堡氈帽、倫敦家具，賈瓦哈勒爾的兩歲女兒英迪拉（Indira）在旁觀看。在尼赫魯支持下，甘地執掌國大黨。

而其中仍有道鴻溝：印度穆斯林居為人數眾多的少數：英國人懂伊斯蘭教甚於印度教，以蒙兀兒王朝為其統治印度的基礎；一次大戰時，一百三十萬印度人志願參軍，其中大多是穆斯林。甘地刻苦自持、很能體察他人看受、具有群眾魅力，以宗教人物自居，他尋求透過「對肉體的克制」，即擺脫尋常規則的束縛，以得到解脫（moksha）。後來他以篤定口吻說，「對我來說，證明我那時所說的正確並沒必要，只有認識我今日的感受才是必要。」他決意團結印度諸族群，但國大黨雖是個世俗化組織，黨員九成七是印度教徒。由賤民（Dalits）組成的一個團體要求有自己的代表為己發聲時，甘地禁食以阻止他們。他主張，「種姓制度不是建立在不平等上」，反而是將印度教印度結為一體的結構。甘地體現了和平抗議，卻也知道「族群問題」或許只能靠暴力解決。他於一九三〇年寫道，「我寧可親眼目睹印度教徒和穆斯林相殺，也不願每天目睹我們鍍金的奴隸制。」[26]

改造世界後，威爾遜精疲力竭的回到華府。一九一九年十月二日，他中風，自此半身不遂且半盲。他的第二任老婆伊迪絲・嘉爾特（Edith Galt）對他的健康狀況祕而不宣，掌理總統之職——「我本人從未做出決定；我唯一做出的決定，係什麼是重要的……何時該把事情提交給我丈夫。」

一如威爾遜，美國人的心態轉為自掃門前雪，不管國外事務。那年九月，在阿肯色州的伊萊恩（Elaine），收益分成的黑人佃農想要組織工會時，動用私刑的白人暴民和新版三K黨在州長支持下，聲稱「黑人叛亂」正在發生，在三天暴亂裡殺了兩百個黑人。另有七十三個無辜黑人被以謀殺、叛亂罪名受審，十二人被判死刑。全國有色人種促進協會（National Association for the Advancement of Colored People，簡稱ＮＡＡＣＰ）以有計畫的行動抗議不公，死刑判決最終被阿肯色州最高法院推翻。一九二一年五月，在奧克拉荷馬州的塔爾薩（Tulsa），一個幫人擦鞋的黑人男子被控攻擊一個白人女孩後，有人欲用私刑處死黑人囚犯，從而導致監獄旁兩方人馬交火。一批白人暴民衝進「黑人華爾街」，將該地區燒掉，殺了許多人，而格利等黑人企業家的財產化為烏有。國民衛隊羈押了六千名黑人；十萬黑人無家可歸。在喬治亞州鄉村目睹一場私刑的眾人中，有個年輕的浸信會教徒名叫麥可．金恩，即日後小馬丁．路德．金恩的父親。他決意取得牧師資格，以打擊種族不公。

25　戴爾的軍旅生涯未就此結束。就在這場屠殺後不久，阿富汗的埃米爾阿瑪努拉（Amanullah）率領正規軍入侵英屬印度，並得到普什圖人叛亂和印度籍軍隊譁變助陣。此入侵意在使淪為受英國保護八十年的阿富汗恢復獨立。憑藉著統領一個旅的戴爾，英國人輕易擊退來犯之敵，但阿瑪努拉還是贏得阿富汗獨立，他仿杜拉尼王朝國王，自封為「沙」（shah），即國王。但他師法西方，進行改革，導致他遭推翻並爆發內戰。一九二九年十月，國王的表兄弟納迪爾．汗（Nader Khan）成為國王。

26　另一個由英國人培育出來的律師阿里．真納（Ali Jinnah），是個身穿倫敦訂製西裝的伊斯瑪儀派教徒，他身材細長，講究穿著，喝威士忌。有次他發言時，國大黨代表大聲叫喊，完全掩蓋過他的發言，他憤而走出會場，全心投入新成立的穆斯林聯盟（Muslim League）。也並非所有印度教徒都遵循甘地的包容異己主張：印度教民族主義（Hindutva）的理想，由維納雅克．達莫達爾．薩瓦卡爾（Vinayak Damodar Savarkar）所構思。他啟動反穆斯林暨追求獨立的暴力運動，一九一〇年他遭英國人逮捕、入獄，後來創立印度教徒大會（Hindu Mahasabha），最初該組織處於國大黨內。一九二五年，他成為印度教國民志願服務團（ＲＳＳ）這個準軍事組織的創辦人之一，該組織穿制服，在集會造勢場所提供保護，旨在建立一個印度教國家（Hindu Rashtra）。

除了種族關係緊張，美國興起一股類似清教主義的新作風，和在多年戰爭、流感大流行後迸發的盡情享受生活樂趣的風氣相抗衡。

腦子、蠢尼德蘭人、幸運兒盧西亞諾

一九一九年十月，在福音派覺醒運動的推波助瀾下，禁酒的《沃爾斯泰德法案》（Volstead Act）在國會通過。此決議使民間許多人因此成為犯法之人，卻使一個殺了西西里裔傳統黑手黨教父（padrino，即黑幫老大）的新黑幫合法化。全國有數個在國內各大城活動，且已準備好輸入烈酒、在新的祕密酒吧裡販售的黑幫，而幸運兒盧西亞諾在其猶太裔盟友邁爾．蘭斯基和「狂人」西格爾輔佐下掌理的黑幫，也只是其中之一。五角區幫的成員艾爾．卡彭（Al Capone）因講究穿著而被稱作「時髦男」（Snorky），因臉頰上有刀疤，而被稱作「疤面」（Scarface）。他搬到芝加哥，暗殺了當地的黑幫老大，自己當上黑幫頭子。他有出身上流社會且特別善於操縱人、事的阿諾德．羅斯斯坦（Arnold Rothstein）作為他的良師益友。羅斯斯坦的父親是奉公守法的猶太裔商人，他本人混黑幫則係出於自主選擇而非迫於環境。羅斯斯坦被稱作「腦子」（Brain），靠賭博業賺了錢——據說對一九一九年的棒球世界大賽動了手腳——然後用自己的船和卡車輸入威士忌：經營企業般的從事犯罪活動。

腦子支持盧西亞諾，甚至教他如何穿著。羅斯斯坦協調各方勢力，腐化彼此互通聲息的一群法官、警察、政治人物等。烈酒事業，與攸關他們利益的其他事物——賭場、妓院、毒品、賭博、工會、碼頭、保護等——相輔相成，促使這些愛逞凶鬥狠的移民突然間成了黑幫老大。

在由伊迪絲．威爾遜操持的白宮裡，海軍助理部長小羅斯福親眼目睹不良於行的總統時至為惶恐：畢竟熱愛運動的威爾遜所煥發的活力，係他魅力的一環。一九二〇年總統大選，小羅斯福以副總統候選人身分下場角逐，未料民主黨敗選。[27] 一九二一年八月，三十九歲的小羅斯福謀畫他的下一步時，到他位於加拿大坎波貝洛島（Campobello Island）的濱海房子度假。在那裡，他感覺肌肉、脊椎猛然劇痛，而後發燒、癱瘓倒下。他瞬間完全不能動，甚至無法起身去大便。他鼓足勁保住性命，醫生則為診斷結果而起爭執，最終判定是小兒痲痺症——小羅斯福說，「小孩的病。」燒退時，他腰部以下癱瘓。他幾乎從孩子的生活裡消失。他兒子詹姆斯說，「第二個父親的時期就此開始，雙腿廢掉的父親。」

靠自身的「一流性格」之助，小羅斯福專心重建自己，在佛羅里達待了數個月，然後去喬治亞州的溫泉鎮（Warms Springs），欲藉由泡溫泉治療雙腿。他買下該地，打造成水療中心，以他尤其開朗的自信招待前來治療的病人：「爸爸不在身邊期間你們都乖吧？」

小羅斯福學習拄著T字形拐杖忍痛逼自己走動，鍛練出有力的胸膛、肩肌肉，逐步以腿部支架站立。但他的雙腿依舊無力，走起路隨時可能倒下。他想重執律師業時，在眾人面前倒下。他說「沒什麼好擔心的。」笑著被人扶起。「幫我一下。」他用毅力克服了病痛，並以令人難以抗拒且不可思議的樂天風趣掩蓋他這股毅力。這個膚淺的貴族，經受苦痛的磨煉而更加堅強，受了苦痛所產生的同理心薰染而變得親切溫暖。愛蓮娜照料他，但任他隨心所欲，他的新伙伴是幫他將輿論導向有利於他之方向的政治化妝

27 新任的共和黨籍總統華倫·哈定（Warren Harding）任命老羅斯福的長子泰德為海軍助理部長，是為這個家族第三個擔任此職務的成員。泰德·羅斯福缺乏他父親那種開朗活力，卻有他父親的抱負，也想當總統，只是他涉入茶壺岩（Teapot Dome）石油醜聞，毀了他的政治生涯。他和他妹妹艾莉絲·隆沃思（Alice Longworth）極反感於遠房親戚富蘭克林·羅斯福的得勢，企圖阻止他出頭。艾莉絲已是共和黨華府甚有威望的夫人，而且將扮演這樣的角色直至尼克森當總統期間。她總愛說，「如果你說不出某人的好話，就來坐我旁邊。」

師路易斯・豪（豪稱他「主子」或有時稱他「你這個蠢尼德蘭人」）和崇拜他的年輕祕書「小姑娘」勒韓（'Missy' LeHand）。愛蓮娜想要成為行動派自由主義者，藉此尋找自己的生活之道，而她在公開演說方面，同樣受到豪的指導。

豪告訴愛蓮娜，「我相信總有一天富蘭克林會當上總統。」小羅斯福竭力重建自身時，根據威爾遜原則在歐洲打造的和平已逐漸崩解。情勢看來德國，甚至歐洲許多地方，就要落入布爾什維克之手。

在俄國，德軍的撤出引發一場帶有族群互鬥性質的激烈內戰，但無比精明務實的列寧逐一打敗不服他的人，接著開始收復原屬羅曼諾夫帝國的領土。他把他的蘇維埃政權的首都遷到莫斯科（蘇維埃政權之名係根據已在俄國大部分城市裡出現的革命會議之名而取，這時則作為他的獨裁統治的遮羞布），他命托洛茨基組建一支新紅軍，要刻苦自持的波蘭裔貴族費利克斯・捷爾任斯基（Felix Dzerzhinsky）組建名叫契卡（Cheka）的祕密警察機構以肅清政敵。

列寧的敵人並非他幻想出來而已：一九一八年八月，他的激進派盟友發動政變，他僥倖逃過一劫；他某次演說時中槍，所幸保住性命。他的紅軍為了生存和保守的白軍在戰場交手。民族革命分子宣布喬治亞、烏克蘭、芬蘭、波蘭、愛沙尼亞、波羅的海地區獨立。美國、英國、法國、日本步調不一且無足輕重的干預，為這個前沙俄帝國的解體推波助瀾。但據有人口最眾之中央地區的托洛茨基，一九二一年時已強制徵召到五百萬男丁，貫徹嚴格的命令，奮力將敵人各個擊破。[28]

各方都表現出別出心裁的殘暴，而且是規模甚大的殘暴：一千兩百萬人喪命。白軍未表示要將土地授予農民，未表示要建立新的俄羅斯帝國，而列寧則把工人拉攏到他旗下，誆騙農民，表示願讓少數民族自治。列寧放棄芬蘭和波羅的海地區，卻出兵奪取烏克蘭。烏克蘭所生產的穀物占俄國總產量三分之一，煤產量占了三分之二，鋼產量占了一半以上，為他的新政權所不可或缺[29]。波蘭元帥皮烏蘇茨基和烏克蘭的黑特曼佩特柳拉（Petliura）達成協議，要建立結盟的波蘭國和烏克蘭國，類似新版的波蘭—立陶宛聯邦。而後，一九二〇年四月，皮烏蘇茨基揮兵入侵烏克蘭，五月拿下基輔。列寧反攻。六月基輔陷落。烏克蘭一被莫斯科控制，波蘭和德國就是下一個。

當列寧為爭奪烏克蘭而用兵之際，德國共產黨欲在柏林奪權，而且占領了慕尼黑，但總統艾伯特安撫德國軍人，告訴他們，「你們沒有被打敗。」艾伯特與陸軍、準軍事性質的「志願軍」（Freikorps）結盟，志願軍殺害柏林的馬克思主義領導人，然後一九一九年四月奪回慕尼黑，殺了六百人。[30]

---

28 據說拿破崙曾說，「打仗，一如賣淫，業餘的往往比專業的出色。」

29 德軍撤走後，德國人所扶植的烏克蘭傀儡黑特曼斯科羅帕茨基，一九一八年十二月遭民族主義督政府（Directorate）推翻——此督政府之名根據法國大革命時的督政府（Directoire）而來。烏克蘭督政府為社會主義記者暨烏克蘭民族主義者西門·佩特柳拉（Symon Petliura）所掌控，此人取號大阿塔曼（otaman），一九一九年五月獲選為督政府的獨裁領袖。布爾什維克和白俄軍都入侵烏克蘭，兩方勢力都很想將烏克蘭重新納入俄羅斯控制。佩特柳拉反擊這兩股勢力，可惜幾乎管不住他的下屬，即那些對猶太人施以迫害的軍閥。殺猶太人者不只烏克蘭人——布爾什維克哥薩克人和白俄也如出一轍——而遇害的猶太人裡，六成五死於烏克蘭軍閥之手。他們的藉口在於，有些布爾什維克領導人——最著名者是來自赫爾松（Kherson）的烏克蘭籍猶太人托洛茨基——是猶太人。布爾什維克設法阻止這些殺戮。在烏克蘭方面，只有抱持無政府主義的軍閥內斯特·馬赫諾（Nestor Makhno）有時對抗白軍，有時對抗紅軍，曾認真的設法阻止殘殺猶太人。馬赫諾身材很矮小但勇敢，一度控制哈爾基夫（Kharkiv）、頓巴斯（Donbas）之間的地區。十五萬左右的猶太人遇害，更是早於日後納粹對猶太人的屠殺，先前沙俄對猶太人惡名遠播的迫害相較之下只是小兒科。佩特柳拉禁止迫害猶太人，卻對做此惡事的人幾無懲罰。他流亡後，在流亡地遭一個報仇心切的猶太人暗殺身亡。

30 在匈牙利，具有布爾什維克身分的保險公司職員貝拉·庫恩（Béla Kun）奪權，發動「紅色恐怖統治」，但一九一九年十一月，他遭一個曾任法蘭茨·約瑟夫之副官的人瞬間推翻。一九一七年五月時，這名副官靠一支小小的哈布斯堡王朝艦隊，打贏了和義大利海軍的小衝突。具有貴族身分且掌控「國軍」（National Army）的艦隊司令米克洛什·霍爾提（Miklós Horty），誓言要讓皇帝卡爾在維也納和布達佩斯都復辟後，騎白馬進入布達佩斯，殺了六千個左右的共產黨人和猶太人（他下令，「不要再騷擾無足眼下，希特勒仍是軍人，現年二十九歲，同樣對德國戰敗深感憤怒，開始擁抱德意志民族至上論和狂熱的反猶主義。在某堂軍事教育課上，他首度公開表達自身看法。有個教官憶道，「我看到一張蒼白、憂心的臉，臉上方是明顯不符軍人風格的蓬亂頭髮，唇上髭修剪整齊，還有一雙大得出奇、淺藍色、極端冷靜、炯炯有神的眼睛，」他也聽到他對同學講話時粗嘎的嗓音：「我有種奇怪的感覺，覺得他讓同學們很興奮，同時又覺得他們的感興趣促使他以這樣的嗓音講話。」這個教官告訴某個同僚，「你的學員裡有個人是天生的公開演說高手。」希特勒接受德國「遭暗算」之說，聲稱叛徒是猶太人，並把猶太人和共產黨人扯在一塊，於是而有猶太—布爾什維克主義。

列寧說，「我們必須用刺刀摸索，藉此釐清波蘭境內的社會革命是否已成熟。」一九二〇年夏，他揮兵入侵波蘭，任命祕密警察傑爾任斯基為待上任的獨裁者。華沙似乎劫數難逃。歐洲焦慮不安的等著此事到來。

用刺刀摸索：慕尼黑、敘利亞、伊拉克三國王

一九二〇年八月十六日，以英法軍官（其中包括年輕法國軍官戴高樂）為顧問的皮烏蘇茨基，摧毀進犯的布爾什維克軍隊。列寧承受住這個重大打擊。在南邊，史達林奪下獨立的喬治亞、亞美尼亞、亞塞拜然和亞塞拜然的巴庫油田。[31]布爾什維克不會拿下歐洲，無論如何還不會，但此時列寧得使其政權順利運行，與此同時，在憑藉血腥行動擺脫共產黨統治的慕尼黑，為陸軍情報機關偵刺情報的希特勒，正在監視一個小型民族主義組織——德國工人黨（German Worker's Party）。他於列寧的軍隊在維斯圖拉（Vistula）河畔遭擊潰時離開軍隊，而後接管德國工人黨，並改名為國家社會主義德國工人黨，即納粹黨。後來他

說，「那是很棒的時刻，最棒的時刻。」

希特勒發展出自身的演講術，像演員般練習他狂放的頭手動作，掌握片語和主題，演講內容結合偽科學的種族理論、偽歷史、中世紀騎士精神、宗教意象等，抨擊「十一月的犯罪分子」、腐敗的政治人物、猶太人，在擠滿人的巴伐利亞酒窖裡的酒吧中贏得聽眾熱烈回響。他問，「我們為何反猶？」然後答道，猶太人是「其他民族身上的寄生蟲」，受「貪欲和拜金心態……猶太人的唯一目標——支配世界」驅動，唯一的解決辦法是「把我們身邊的猶太人除掉」。一九二一年初，他組成準軍事性質的衝鋒隊（Sturmabteilung），用以打擊「我們的敵人猶太人」，配給他們褐色制服。納粹吸引來兩名人脈很好的戰爭英雄，即三度負傷、臉上帶疤的衝鋒隊長恩斯特・勒姆（Ernst Röhm）和德屬西南非總督之子赫曼・戈林（Hermann Göring）。戈林是得過勳章的優秀飛行員，娶了女男爵。隨著極度通貨膨脹、暴亂、罷工製造出反烏托邦般急劇惡化的社會氣氛，希特勒成為「慕尼黑之王」，而且有魯登道夫將軍加入奪權計畫。給予他們啟發者是義大利。

輕重的猶太人，殺一些有分量的猶太人」，意即布爾什維克），成立保守暨軍事性質的獨裁政權，由擔任攝政的他本人領導，但有攝政一職，卻沒有國王。他老是說，碰上麻煩時，他總自問法蘭茨・約瑟夫會怎麼做。但誠如他所寫的，「關於猶太人問題，我一輩子都反猶。」他當即展開外交談判，以收復匈牙利的失土——以及開始透過反猶法律壓迫匈牙利境內為數眾多的猶太人。

31 蘇聯試圖征服原不屬沙俄帝國的三個新國家。一九二〇年，蘇聯收復中亞，奪取獨立的布哈拉埃米爾國和希瓦汗國。在希瓦汗國，蒙古汗賽義德・阿卜杜拉（Sayid Abudullah）、弘吉剌王朝（Khongirads）的後代，是最後一個身居統治之位的成吉思汗家族成員。這個汗國被納入烏茲別克、土庫曼這兩個新的蘇聯加盟共和國。精神錯亂的波羅的海軍官、自認是成吉思汗轉世的男爵羅曼・馮・恩琴—斯滕貝格（Roman von Ungern-Sternberg）奪取蒙古，屠殺猶太人和布爾什維克，宣布成立一佛教帝國，直到俄、蒙兩國的布爾什維克攻打他的新國度，此帝國才結束，是為俄國這場紅白內戰的最後一場戰事。一九二一年八月，他入侵西伯利亞之舉，以他被俘並處決告終。結果，蒙古，而非波蘭，成為蘇聯第一個附屬國。

一九二二年十月，方下巴、壯如公牛的老戰士暨記者貝尼托．墨索里尼揚言向羅馬進軍奪權，以掌控這個經歷過戰時慘重損失而正分崩離析的王國。他創立國家法西斯黨（National Fascist Party），自任該黨領袖，得到準軍事性質的黑衫軍（Squadrismo）支持。墨索里尼堅稱「富豪統治的民主國家」（英法）使義大利未能得到其於戰後應得的戰利品。墨索里尼的法西斯主義，根據fasces一詞而取，fasces指的是一捆木頭和一把斧頭，象徵羅馬執政官的權威；他提倡建立新的羅馬帝國，以取代民主政體並徹底打敗馬克思主義。法西斯主義得到許多企業家和貴族激賞。當墨索里尼揚言進攻羅馬時，國王埃馬努埃爾三世邀他至羅馬，進軍之事隨之變得沒必要。

這個國王五呎高，綽號「小劍」（Sciaboletta），他認為墨索里尼是類似克里斯皮那種不可或缺的「強人」。[32]墨索里尼運用典型的陰莖崇拜意象，蔑稱這個國王為他的「避孕器」，還說這個國王「太矮小，配不上注定偉大的義大利」。墨索里尼認為，他公牛般的欲力是他的權力的延伸，吹噓說「過人天賦源於生殖器」。他搭火車來到羅馬，獲任命為總理，接著使用恐怖統治使義大利人民順從。但對超人暨獨裁者的這股新崇拜，係對瑣碎平凡事物的超驗式拒斥，係大眾所能體認的非凡精神的投射。希特勒相信自己能如法炮製：他打算奪權。

在東邊，費瑟和勞倫斯也正設法推翻協約國的決議。一九二〇年三月七日，在大馬士革，費瑟受到歡呼並擁立為大敘利亞的國王。這個敘利亞將包括今日的敘利亞、黎巴嫩、以色列。

費瑟知道這個國家被託付給法國統治，欲和克里蒙梭談判，但敘利亞人不接受法國人，逼他提早動手。勞倫斯接受英國要讓猶太人在這個阿拉伯人王國裡擁有自己家邦的承諾，促成猶太復國運動領袖魏茨曼和費瑟會晤，費瑟支持猶太人移入，前提是由他掌管此事。這全是勞倫斯之計畫的一部分，而費瑟的哥哥阿卜杜拉會得到伊拉克。

但法國人決意據有他們的新帝國，而且打敗了衣衫襤褸的費瑟軍隊。費瑟認為該「先拿再問」，懂得「靈活政治之術：敘利亞人堅持要麼全得，不然什麼都不要，因此失去獨立地位。」

一九二一年三月十二日，在開羅的塞米拉米斯飯店（Semiramis Hotel），時為勞合·喬治殖民地事務大臣的邱吉爾，參與其「四十個小偷」（Forty Thieves）的聚會，他甚為快意。四十個小偷指的是日後將重劃西亞地圖的諸多專家，包括勞倫斯、珀西·考克斯爵士（Percy Cox）、葛楚德·貝爾（Gertrude Bell）。但貝爾女士認為，「翻遍我們的歷史，可能找不到比勞合·喬治和溫斯頓·邱吉爾更不善於此事的人。」

邱吉爾的第一個任務是打垮伊拉克境內什葉派、遜尼派、庫德族的反英叛亂。庫德人的謝赫馬赫穆德·巴贊吉（Mahmud Barzani）已自立為王。邱吉爾命令皇家空軍轟炸叛軍（「絕佳的訓練場」），同時想到一個更低成本的辦法來治理這些託管地。英國會直接治理巴勒斯坦——歡迎猶太人移入，儘管沒有針對任何型式的「猶太人家邦」的建立擬定計畫——並表示願把伊拉克給哈希姆家族。而邱吉爾很快就知道，哈希姆家族不是他們所聲稱的那回事：「我未看出國王胡笙之地位的固有弱點……伊本·紹德強了許多」。

國王胡笙可謂阿拉伯世界的李爾王，坐鎮在他的麥加王宮，不只怒斥英國人的出賣，還怒斥兒子的出賣。胡笙心態傲慢，鄙視阿布杜阿濟茲，但這個紹德家族出身的謝赫仍有一支狂熱的瓦哈比教派軍隊可用。這支軍隊稱「伊赫萬」（Ikhwan，「兄弟們」），其戰鬥口號是「天上的風吹起來了！」這個紹德家族成員自吹自擂他的瓦哈比主義是「世上最純正的宗教」，還說「我是伊赫萬——其他人都不是。」

一九一九年五月，阿卜杜拉進向紹德家族首都利雅德。阿布杜阿濟茲聽聞英國人要把伊拉克給費瑟的

32 維克托·埃馬努埃爾的父親為國王文貝托（Umberto），一九〇〇年遭一名無政府主義者暗殺身亡。生前，他曾勸告這兒子：「要當國王，你只需要懂一件事，就是如何簽名、讀報、騎上馬。」

傳言，有感而發道，英國人「使我四面受敵」。他的伊赫萬軍悄悄潛入過度自信的阿卜杜拉的營地，大喊「天上的風吹起來了！」當下殺掉他八千士兵的大半，這個王子劃開帳篷後部，穿著長睡衣騎馬跑掉，這才躲過一劫。胡笙完了，紹德家族得勢。

這下子，邱吉爾表示願把伊拉克的王位給費瑟，若他接受，屆時他的王位會得到公民投票確認，但要在英國保護下統治伊拉克。費瑟接受：一九二一年八月，他在巴格達登基，英國派駐的總督考克斯於英國多西特團（Dorset Regiment）鳴禮炮時喊道，「國王萬歲！」長臉、眼神透著悲傷、善於審時度勢做出明智決斷的費瑟，透過由遜尼派顯貴、猶太裔權貴和他的副手努里·賽義德（Nuri al-Said）組成的內閣治國。努里·賽義德自阿拉伯人叛亂（Arab Revolt）起便擔任他的副手，而他將主宰伊拉克，直至三十年後失勢慘死為止。

阿卜杜拉怒斥費瑟。「即使伊拉克歸他弟弟所有」，他還是對於失去伊拉克一事深感憤怒，他率領三十名軍官和兩百名貝都因人進入巴勒斯坦東部——外約旦（Transjordan）——攻下馬安（Maan，今安曼／Amman）。費瑟說，阿卜杜拉是生活舒適講究吃喝之人，「言談迷人且讓人開心，喜歡開玩笑和大笑，懂得欣賞詩，」他喜歡把蘋果擺在僕人頭上，然後開槍射下蘋果，藉此取樂。

邱吉爾把阿卜杜拉拿下的地盤給了他。邱吉爾寫道，「埃米爾阿卜杜拉人在外約旦，一個週日下午，我把他放到那裡的耶路撒冷。」結果他成為最能幹的哈希姆家族成員——他的家族統治約旦直至二十一世紀——只是他們不久便失去阿拉伯半島。[33]

一九二四年三月，胡笙自立為哈里發，在對麥加管理不善後激怒大多數穆斯林，而且令他的幾個兒子感到難堪。阿布杜阿濟茲進攻麥加的度假城鎮塔伊夫（Taif）。伊赫萬把胡笙的兒子阿里趕走，屠殺了三百名平民。阿里逃到父親所在之處，遭父親厲聲叫罵，但惡兆已現。胡笙把王位讓給阿里，阿里成為漢志國王，胡笙本人則帶著車隊離開，車裡堆放著塞滿錢幣的煤油罐，他的黑人侍衛站在汽車的腳踏板上護駕。

阿布杜阿濟茲的駱駝騎兵衝進麥加時，國王阿里在吉達等著。這些騎兵高喊著「麥加人民——真主的鄰居——受真主和伊本・紹德保護。」那年十一月，阿布杜阿濟茲騎駱駝進入麥加，然後以卑微的聖城朝覲者身分跪下。他用心替自己打造兩聖地的新守衛者的形象。國王阿里乘小船逃走之際，阿布杜阿濟茲獲宣告為內志的國王和漢志的蘇丹。暌違一百一十二年，紹德家族回來了。

至於其他西亞地區的安排，一九二二年七月，新成立的國際聯盟基於國際法確認英國、法國託管地，指定在巴勒斯坦成立一「猶太人家邦」，同時，對該地區所有居民的公民權、宗教權提供保護。而此項計畫為美國國會所支持。勞合・喬治和克里蒙梭對阿拉伯人的安排維持了二十年，但他們對鄂圖曼帝國的分割——給予希臘一帝國之舉——已然失敗：瀟灑的鄂圖曼將領凱末爾帶頭喚醒土耳其人，從而毀了他們的計畫。

33 這些託管地係將鄂圖曼帝國的幾個彼此格格不入的行省（vilayet）合併而來，而且這些託管地此前並不存在：法屬敘利亞涵蓋大馬士革、阿勒頗、貝魯特這三個行省，區內住著馬龍派基督徒、什葉派和遜尼派穆斯林、德魯茲教徒（Druze）、阿拉維派（Alawites）。法國人打算將其託管地一分為四——以大馬士革為中心的遜尼派敘利亞；以貝魯特為首府、名為黎巴嫩的基督教國家；位在拉塔基亞（Latakia）的阿拉維派國家；以及為德魯茲教徒成立的另一個國家。後來，令阿拉維派和德魯茲教徒大為憤怒的是，法國人把這些合併為敘利亞和黎巴嫩。外號「獅子」的阿里・阿薩德（Ali al-Assad）為阿拉維派首領之一，他致信法國總理：「阿拉維派保有獨立地位已數代，擁有和遜尼派穆斯林不同的宗教信仰、傳統、歷史……阿拉維派不願成為穆斯林敘利亞的一部分。」他兒子哈菲茲（Hafez）會統治阿里所希望永遠不會存在的那個敘利亞。英屬伊拉克係將巴格達、巴斯拉、摩蘇爾三行省合併而成。三省土地上有什葉派、遜尼派、庫德人、耶茲迪教徒（Yazidis）、猶太人，而事實表明，如此混雜的人口組成，英國人難以招架，索性換伊拉克人來管，同樣也無濟於事。勞合・喬治和克里蒙梭因為這個晚期帝國主義的分割之舉遭受理直氣壯的批評，但他們頗明智，未把這整個地區交給某個家族。鄂圖曼王朝四百年統治為此地區帶來極大傷害，英法二十五年統治則笨拙無能。獨立七十年來，伊拉克人、敘利亞人、黎巴嫩人、以色列人、沙烏地人、巴勒斯坦人、約旦人等治理成績也都不盡理想。

巴勒維王朝和宋家、羅斯福家族、黑手黨成員、甘迺迪家族

阿塔圖克、禮薩、列寧：土耳其人之父、伊朗人之光、最了不起的天才

金髮藍眼、身軀柔軟靈活的凱末爾，他的父親是土耳其族士兵，母親是阿布哈茲人（Abkhazian）。凱末爾在帖薩洛尼卡長大，加入青年土耳其黨，一九一一年義大利人奪取利比亞時，他在戰場上和義大利人交手，一九一二年在色雷斯和保加利亞人交手。一次大戰時，他力勸安維爾勿加入德國一方以免招來禍害，而在加利波利一役他揚名立萬，接著又在高加索地區止住俄國人前進，在敘利亞抵擋住英國人。眼前，他得解決英法分割鄂圖曼帝國心臟地帶，企圖把數大片領土給予希臘的問題。熱愛古希臘羅馬文學藝術的勞合・喬治，極為支持抱持「大理念」的希臘藉此建立新希臘帝國。

一九二一年九月，元帥凱末爾、安卡拉大國民議會（Grand National Assembly）的議長，止住希臘人前進，然後於一九二二年八月，在雙方共投入四十萬兵力的杜姆盧珀納爾（Dumlupınar）之役大敗希臘人，衝進士麥那這個國際性的土耳其人—希臘人城市。城內隨之爆發令人髮指的殺戮，希臘人在他們所謂的「浩劫」（Catastrophe）中被趕出士麥那。這場大敗把勞合・喬治拉下台。十一月，凱末爾廢除君主制：末代蘇丹穆罕默德六世搭英國軍艦離開，但有個堂弟暫時被立為哈里發。四十三歲的凱末爾獲選為土耳其這個新共和國的總統，並得到協約國承認。凱末爾同意人口交換，三十五萬土耳其人和一百一十萬希臘人離開居住地，遷徙到祖國。[34]他也撤銷了獨立的亞美尼亞和庫德斯坦。

凱末爾對反對者毫不寬容，將他們暗殺或吊死，[35]並屠殺、轟炸威脅到他政權的庫德族叛亂分子。

凱末爾有著建立土耳其人國家的抱負，拒斥鄂圖曼王朝的墮落，將宗教與政治分離，請人用拉丁字母創造出土耳其語字母表，創辦安卡拉大學，廢除女人出外戴面紗的規定，給予女人受教權和選舉權。他遷都安卡拉，在正式改名為伊斯坦堡的那座城市裡，將原是查士丁尼所建的教堂、後來被穆罕默德二世改為清真寺的聖索非亞改為博物館。他同時命令土耳其人首度取姓氏：他成了阿塔圖克（Atatürk）——「土耳其人之父」。

阿塔圖克是個具有蘇丹作風的獨裁者，住在鄂圖曼蘇丹的舊王宮裡，搭乘他的總統遊艇巡遊；雖然他落拓不羈，好美食，好女色且頻換女人，愛情生活複雜，嗜飲拉克酒（rakı）且酒量大，不過他也很有父愛，領養了十三個孤兒。[36]他從未成為蘇丹，但他的事蹟鼓舞另一個將領成為伊朗國王。

34 自決是崇高的理想，至今仍被公認為組織現代世界時所應遵照的堅實基礎——民族國家是理想完整的結構，反之，帝國則是過時又腐化。然其核心卻又自相矛盾：民族國家的創建，實屬痛苦且殘忍。這些新民族國家得根據長久以來被多族群帝國統治的領土劃建。民族歸屬感的慰藉有其代價：那些無歸屬感者會被排除在外。帝國大多保護少數民族，反觀民族國家，則反其道而行：新興民族國家的創建，向來涉及隔離和驅逐。在愛爾蘭，英國面臨天主教籍愛爾蘭人叛亂和內戰問題，從此透過談判達成島嶼的南北分割，亦即南部成為獨立的天主教共和國，北部則成為英國轄下一個新教省分。一如一八二〇年代希臘的創立導致境內穆斯林離開，這時，土耳其的創立使境內希臘人遭無情驅趕。二次大戰後，這類殘酷的分割於一九四五年在德國、波蘭境內創造出新國家；一九四七年創造出印度、巴基斯坦；一九四八年創造出以色列。

35 曾是鄂圖曼帝國副大元帥但這時為凱末爾擊垮的安維爾前往柏林，再轉往莫斯科、中亞，在中亞，他自立為突厥斯坦的埃米爾，發動突厥人叛亂，遭遇正想要取得中亞的列寧的紅軍抵抗。在距杜尚別（Dushanbe，今塔吉克境內）不遠處，他於小衝突中命喪布爾什維克之手。另外兩個帕夏，塔拉特和傑馬爾，則遭亞美尼亞人暗殺。

36 一次大戰期間，阿塔圖克的祕書費克莉耶夫人（Fikriye Hanım）是他的主要情人，而這時他遇見有文化素養的拉提斐·烏夏克勒吉爾（Latife Uşaklıgil），成了三角戀，費克莉耶舉槍自盡（手槍係凱末爾所贈），結束此畸戀。一九三八年，阿塔圖克五十七歲那年，在伊斯坦堡的鄂圖曼多爾瑪巴赫切宮（Dolmabahçe Palace）死於肝硬化。他的立國願景長年受到頻頻干政奪權的軍方守護，直到二〇〇三年。那年，雷傑普·塔伊普·艾爾段（Recep Tayyip Erdoğan）這個先後擔任總理、總統的伊斯蘭主義者，貫徹伊斯蘭主義獨裁統治，將聖索非亞象徵性改回清真寺。

一九二六年四月二十五日，在德黑蘭的古列斯坦宮（Golestan Palace）的大廳裡，有個出身不詳的高大軍人把王冠戴在自己頭上，被歡呼擁立為伊朗國王。幾年時光，他就從小馬官登上國王之位，創造出將統治伊朗直至一九七〇年代的王朝，使伊朗再度富強，儘管為時不久。禮薩（Reza）個性嚴厲，未受過教育，要人遵守他的規則和命令，站和坐時身子都挺得筆直，暴躁易怒，其父親和祖父都是軍人。他生於裏海邊的馬贊達蘭省（Mazandaran），曾加入俄籍顧問所成立的波斯哥薩克團（Persian Cossack Regiment）。他騎術精湛，善於操作馬克沁機槍，升上指揮官之位，娶了最高階將領的女兒——就在波斯分崩離析之時。波斯的石油係英國稱雄世界所不可或缺。一九〇六年，卡札爾王朝國王已被迫頒布憲法，但這位王國受英俄兩國支配。列寧革命後，蘇聯人遭英國將領愛德蒙·艾恩賽德（Edmund Ironside）趕出伊朗。艾恩賽德想要一個強人，於是他首度遇見禮薩。艾恩賽德記載道，「他身高六呎多，肩膀寬厚，鷹鉤鼻和明亮的眼睛讓他的外表與眾不同。」

禮薩看起來是擺在檯面上的理想人選。一九二一年，他提議奪權。禮薩的某個軍官憶道，英國人同意此議後，「他跳起舞，吹口哨，捻手指打榧子。」禮薩和六百名騎兵馳入德黑蘭，推翻了總理，由他所中意的人接替總理之位，自任陸軍部部長；他以海報宣告自己的到來，海報開頭寫道，「我號令天下」。擊潰造反軍閥後，禮薩成為公認具遠見的改革者、熱情的愛國者、疑心病甚重的獨裁者，而昏庸的年輕國王則在歐洲生悶氣。

一九二五年十月，馬吉利斯（Majlis，國會）正辯論終止卡札爾王朝、立禮薩為國王之事時，有兩個日後將成為統治者的人在場：一個是在巴黎求學過的有錢地主穆罕默德·摩薩台（Mohammad Mosaddegh），一位是在庫姆神學院（Qom）研究伊斯蘭和歷史且有時作詩的二十三歲學生魯霍拉·何梅尼（Ruhollah Khomeini）。當時四十三歲的摩薩台已是外長，他示警禮薩能力太強，不適合當立憲君主。

反觀何梅尼，則是看了議場裡的辯論後，對外國干預不自覺的反感，一如對這個不信教的將領的得勢所萌生的反感一樣強烈。禮薩的打手在馬吉利斯的入口楷梯上暗殺了一個反對他登基的人。雖然這些打手殺錯了人，至少是達到目的。十二月，馬吉利斯同意成立新的君主國。

在加冕典禮上，阿布杜胡笙．泰穆爾塔什（Abdolhossein Teymourtash）這個溫文有禮的貴族，把王冠獻給四十八歲的禮薩，眼前的禮薩穿軍服，披國王披風。泰穆爾塔什愛女色且身邊女人常換，愛賭且嗜酒，為人非常世故，曾在彼得堡求學，主導設計了這個新君主國：典禮上朗誦了費爾多西（Ferdowsi）的《列王紀》，引用居魯士和大流士的名言。禮薩受其盟友阿塔圖克的啟發，命令波斯人取姓，穿西式服裝，女人拿掉面紗、上學；他也建築鐵路、工廠、道路、世俗性學校，在德黑蘭創建一所大學。他揮舞手杖，對「有著頑固偏見且無知」的子民咆哮，毆打任何對他唱反調的人。他踢下屬的腹股溝；口頭上贊同很有權勢的毛拉，但有個阿亞圖拉（ayatollah，對什葉派領袖的尊稱）對這個國王的女兒的穿著發表看法時，禮薩當即甩他巴掌。

有件事為禮薩所看重：他的六歲兒子穆罕默德必須繼承他——穆罕默德有個雙胞胎妹妹名叫阿什拉芙（Ashraf）。禮薩替這王子取了綽號「吉祥鳥」（Bird of Good Omen）。只是禮薩認為任何溺愛的行徑都可能助長同性戀傾向，於是這對父子以「先生」互稱，而穆罕默德認為他的父親「無比嚇人」。但他母親塔姬．莫魯克（Tadj ol-Molouk）要他知道，他是命定之人。

泰穆爾塔什也很有影響力——穆罕默德的第一個情人是這位大臣的女兒。泰穆爾塔什建議這個男孩去瑞士的羅西學院（Le Rosey）求學，藉此逃離他父親掌控。從十一歲起，這個王儲便在瑞士見識到西式奢靡逸樂的快意——而且終於找到一個朋友，即二十三歲的歐內斯特．培隆（Ernest Perron）。歐內斯特是校內的園丁暨詩學助理老師，帶他認識拉伯雷（Rabelais）和莫札特。這和禮薩指望他的接班人受到的那種充滿陽剛氣息的教育大相逕庭。

阿塔圖克和禮薩塑造他們的新國家時，第三個創造國家者列寧正在打造新俄羅斯，他不計人命代價。他說，「沒有行刑隊的革命沒意義。」在下給打手的命令中，盡其所能的要他們成就集體殺戮。這時，他設計出的國家，是由他以人民委員會議主席（即總理）身分親自統治，由人數不多的共產黨一手控制，實際上由一小撮領導人把持。這個被稱作政治局（Politburo）的內閣，由甚有才幹的托洛茨基和史達林支配，具有代人民作出全知之決策的特權。列寧把這個在許多方面神聖不可侵犯的特權稱作「無產階級專政」。列寧暫時施行軟性資本主義以因應毀於戰火的國家所需，同時和史達林辯論本國的族群面貌，欲保有烏克蘭並控制他們所謂的「接壤國家」（limitrophes，源自古羅馬的 limitrophus）。身為喬治亞人的史達林提議，建立俄羅斯蘇維埃聯邦；烏克蘭人、喬治亞人等族群的布爾什維克則想脫離俄羅斯自立。厭惡「大俄羅斯沙文主義」的列寧和這些人意見一致。他欲把烏克蘭人留在其中，把波蘭人拒於門外，提議成立歐亞蘇維埃社會主義共和國聯邦，在該聯邦中四個主要民族各有自己的共和國。此方案旨在滿足當初支持革命以逃離沙俄「民族監獄」的烏克蘭人和喬治亞人的想望。其高明之處在於嚴格來講，加入聯邦的民族可以想什麼時候「退出」就什麼時候退出，但他們「絕對離開不了」。其缺陷在於如果黨衰弱了，諸共和國可以得到理論上的獨立，成為現成國家。只是那時沒人這麼想，只覺得那絕不可能發生。[37]

這番費心費力把列寧累垮了。一九二二年五月，他在莫斯科郊外的鄉間別墅休息時中風，導致半身不遂，無法說話。十二月二十八日，在波修瓦劇院（Bolshoi Theatre），史達林督導蘇維埃社會主義共和國聯邦（簡稱蘇聯）的創立，烏克蘭人或喬治亞人之類民族獲鼓勵在各自的共和國裡發展自己固有的文化。當列寧回到克里姆林宮時，又一次中風。一如所有領袖，他相信自己不可取代：他任命專橫但自我貶抑的喬治亞籍左右手史達林為總書記，以制衡高傲、大出風頭的戰爭人民委員（即陸軍部部長）托洛茨基。而此時，他請求史達林給他氰化物以便自殺，史達林拒絕了。而托洛茨基幾未著手打造自己的派系，反觀好與人交談、易接近、謙遜的史達林，和莫斯科以外作風凶悍的實踐派（praktiki）結盟。面對史達林的陰鬱深沉和托洛茨基的高傲，實踐派更喜歡前者。此外，俄羅斯人絕不會支持猶太裔領袖。史達林展露他赤裸裸的奪權意向之際，癱瘓的列寧企圖除掉他，可惜已經太遲。當托洛茨基等傲慢的理論家依舊低估史達林的實力時，史達林已在當家作主：一九二三年一月，他支持孫中山。奔走了三十年的孫中山終於找到說到做到的靠山。

宋氏姊妹：孫中山、蔣介石、毛澤東

此前五年間，孫中山和妻子宋慶齡飽嘗權力和災難的此起彼落、循環往復。一九一七年，孫中山在德國人支持下於廣州奪權，自封為大元帥，但不久就遭拉下台。列寧病倒時，孫中山以總統身分回到廣州，但一九二二年六月他的某個將領欲暗殺他，孫中山逃往港口，無情留下他年輕的孕妻宋慶齡當誘餌，以掩護他逃亡：她憶道，那是生死交關的搏鬥，「我們無異葬身於炮火連天的地獄裡，槍聲沉寂之後，我化裝為一村嫗，而剩餘一衛兵扮作販夫……」經此磨難，她流產，但她和孫中山團聚，得到國民黨年輕將領蔣介石保護。蔣介石安排他們避難於上海，孫中山於此時求助於莫斯科。

37 二〇二一年，一名俄羅斯歷史小品作者寫道，「共和國自由脫離聯邦自立的權利明載於文本裡，」但此文本的「撰寫者這麼做，無疑是把一顆危險的定時炸彈放在我們國家的基礎裡。」這個小品文作家是弗拉基米爾·普丁。最早的四個加入聯邦的共和國是俄羅斯、烏克蘭、白俄羅斯、外高加索（Transkavkazia）。接著，中亞諸共和國加入，外高加索一分為三。一九四〇年後，加入聯邦的共和國為十五個。

列寧政變後不久，孫中山就已發電報表達他對這個「偉人」的欽敬之意。孫中山和列寧有相似之處。宋美齡說，「妳知道嗎，我注意到最成功的人通常不是有過人天賦的掌大權之人，而是對自己有絕對信心、從而必然使自己還有他人都不假思索這麼相信的人。」列寧已下令創建中國共產黨，可惜該黨仍不成氣候：莫斯科於是支持孫中山。

一九二四年一月二十一日，才五十三歲的列寧去世，生前下令葬禮從簡。就讀過神學院的史達林朗誦道，「我們向你，列寧同志發誓」，忠於「最偉大的無產階級天才」，他命人將列寧遺體做防腐處理，安置在紅色斑岩陵墓中，當成類似基督的蘇維埃「親愛父親沙皇」（tsar-batiushka），供人瞻仰。「我們共產黨人是用特殊模子造出的人，」史達林說，「我們是用特殊材料造出的人。」明眼人都已看出確是如此。當他操弄黨內對手互鬥以從中得利並提倡「一國社會主義論」（socialism in one country）時，他送錢給孫中山，使他得以創立黃埔軍校並訓練軍隊；孫中山的回報則是允許他控制蒙古、新疆，把新成立的中國共產黨納入他的國民黨。孫中山以宋慶齡和其弟宋子文為顧問，靠史達林取得武器，打算攻取軍閥盤據的中國北部，並由三十七歲的蔣介石領導北伐。這時來到國民黨總部的諸多共產黨人中，有個身材高大、外表邋遢、頭髮蓬亂之人：三十一歲的毛澤東。這兩人和孫中山將決定二十世紀此後歲月中國的命運。

蔣介石暴烈、易怒、剃光頭卻也情緒化，係窮鹽商之子，受他信佛母親影響而奮發上進，對其母甚為敬愛。他就讀日本軍校，而後於一九一一年加入上海青幫，支持孫中山的革命大業。這時，孫中山派他去莫斯科，在那裡他對傲慢的布爾什維克（尤其托洛茨基）、他們的教條、他們對中國隱藏的野心生起強烈反感。他隱瞞自己心中的疑慮，派他唯一的兒子——他和第一任老婆所生——蔣經國，前去新創辦的莫斯科中山大學求學。宋慶齡的弟弟是熱中賺錢的資本家，但她擁抱馬克思主義。

就在五十八歲的孫中山正準備北伐時，他被診斷出肝癌。即將不久於人世之際，他支持與蘇聯結盟，並告訴宋慶齡，「我希望照我友人列寧的方式死後將我屍體防腐處理」，並堅持要將他的墓建在南京紫金山上，明朝開國皇帝朱元璋墓旁邊。孫中山幾乎被神化為中國國父和民族解放者，與列寧所受到的崇拜無異——蔣介石則成為領導大位的角逐者。他告訴妻子，他有地位，但缺威望，還說他需要貼近宋家。而宋家也同意了。

一九二六年六月，嫁給有錢銀行家孔祥熙的宋家長女靄齡設宴款待蔣介石，蔣坐在女主人和她的小妹美齡之間，兩姊妹都穿著亮麗的旗袍，儀態萬千。宋美齡驚訝的發現這個粗野、壞脾氣的將軍嚴肅且敏感，蔣介石則看到和孫中山的小姨子結婚的機會。

不久，擔任國民革命軍總司令的蔣介石率軍北伐，將勢力打進北方，但他的成功讓共產黨人在這個政府裡跟著擁有權力。既是激進馬克思主義者也是民族主義者的毛澤東，以國民黨中央執行委員會候補委員的身分和國民黨合作：有張團體照呈現他站在宋慶齡和宋子文後頭。毛澤東是湖南富農之子——他始終保有湖南口音——總和父親起衝突，但坦承「我崇拜我母親」。他母親信佛、纏足，當時人認為女人擁有纏成「三寸金蓮」的小腳就是美。他受到母親溺愛，童年無憂無慮，寫詩，而後加入一支共和軍，接著就讀師範學校，閱讀關於歷史、鬥爭的書：「大凡英雄豪傑之行其自己也，發其動力，奮發踔厲，摧陷廓清，一往無前，其強如大風之發於長谷，如好色者之性欲發動而尋其情人，決無有能阻回之者，亦決不可有阻回者。」這段話最是淋漓盡至說明了衝突和主宰生死所予人的興奮快感。他主張，「革命戰爭是一種抗毒素，它不但將排除敵人的毒焰，也將清洗自己的污濁。」

共產黨在上海創立時，他出席了共黨第一次會議。即使在與國民黨合作時，他仍把重點放在土地改革上，他的觀念和本性無可救藥的激進。他衝動且為達目的而無視道德規範，極善於人身攻擊又精於表達，嗜讀書，愛看歷史書，記憶力驚人，具有頑強的支配意志。毛澤東一如許多人，受到與馬克思主義的階級鬥爭觀相契合的社會達爾文主義影響，他相信「持久和平是人所無法忍受的」；人「反而喜歡航行於劇變之海上」。中國必須「被打破並改革」，才能再度崛起。

蔣介石拿下武漢時，在宋夫人的支持下由共產黨接管，並發動恐怖統治，數小股紅軍則於此時奪取領土。國民黨全國代表大會遭黨中居少數的共產黨人劫持，上海的共產黨人在善於謀略的年輕領導人周恩來領導下沒收店鋪：蔣介石就要失去對中國的控制。宋家力促採取行動：蔣介石找來他身為黑幫老大的盟友「大耳」杜（杜月笙），打算發動反政變，並且擬定奪命名單：毛澤東和周恩來都名列其中。

蔣介石兒子蔣經國仍在莫斯科，但蔣介石說，「為了我兒犧牲國家利益並不值得。」一九二七年四月十二日，他突然動手：「大耳」杜和其幫派成員在上海街頭斬首共產黨人。一萬人遇害。蔣介石說，「寧可錯殺千人，不可放過一人。」毛澤東隨即逃走，與一支共軍會合，後來發動叛亂遭弭平。毛澤東因「軍事機會主義」被貶，他逃到江西的共產黨根據地，但他從蔣介石的清黨得到教訓，並告訴史達林派來的使者，「槍桿子出政權」。[38]他在江西掌兵權時注意到一個非常瘦且神經質的黃埔軍校畢業生，二十一歲的林彪。後來林彪成為最善戰的共軍將領和毛澤東指定的繼承人，卻死於試圖推翻毛澤東時。毛澤東於其妻子遭國民黨斬首時感受到鬥爭的凶狠，而不久就娶了一個年輕同志，且生了孩子。周恩來於上海組織地下工作時，毛澤東在共黨群眾大會上公開處決地主，他宣布「革命不是請客吃飯，不是作文章，不是繪畫繡花，」而是「一個階級推翻另一個階級的暴力行動。」史達林注意到毛澤東「不服從但做出成績」，於是開始支持他。

眼下，蔣介石展開追求宋美齡，連續數次邀她約會。他同意研習基督教教義，送走他的妾。一九二七年九月，兩人訂婚，十二月結婚。宋美齡寫道，那是「上海所見過最盛大的婚禮」。她馴服蔣介石，成為他公認的首席顧問，避穿洋服，始終以兩側往上開叉至膝的絲質旗袍示人。而這絕不是濃情蜜意的愛情。

「我的機會在此，」她寫道。「我會和我的丈夫一道為中國強大而不斷努力。」

蔣介石在南京成立獨裁政權，被稱作國民政府主席和軍事委員會委員長。他斥責中國人懶惰、冷漠、腐敗、墮落，「行屍走肉」，對任何人都不信任，成立彼此相制衡的諸多祕密警察機關。這些機關的特工暗殺反對者，拷打他的敵人。蔣介石處決某個共產黨人時，孫夫人厲聲對他說，「屠夫！」事後，他打算製造假車禍將她除掉，後來取消該計畫。[39]

而在北方，有個氣勢洶洶的帝國正急切的擴張地盤。外號瀋陽虎的大帥張作霖仍把持滿洲，以日本人為靠山。一九二六年十二月二十五日，裕仁於他的麾下將領想要主導國家時繼承天皇之位。陸軍的皇道派認為，新皇上台實為不可錯過的良機，可藉此除掉謹小慎為的自由派政治人物，並在天皇親政下施行軍國主義民族主義獨裁統治：在中國建立帝國是身為大國的日本的權利。

只是，有兩個人橫擋在皇道派的路上：在滿洲，是大帥張作霖；在中國其他地方，則是蔣介石。日本將領未得東京允許，自行解決第一個問題。一九二八年六月四日，他們炸掉張作霖的列車。滿洲由張作霖的兒子、人稱少帥且有鴉片癮的張學良繼承，但張學良對滿洲的掌控遠不如其父親。接著，皇道派得解決蔣介石。眼下，他已是公認的國家領袖，同時是最終會支持張學良的人。

一九二八年十一月六日，小羅斯福令人刮目相看的竟東山再起。民主黨提名的總統候選人艾爾·史密斯（Al Smith）提議小羅斯福角逐紐約州長之位，並認為一個不良於行的人絕對無法在全國性選舉舞台挑

38 毛澤東體現了西元前五世紀哲學家孫子的理念，說道「敵進我退，敵駐我擾，敵疲我打，敵退我追。」

39 蔣介石在他出奇流露內心情感的日記裡寫道，天底下沒有真正的友誼或好心或愛，只有母子關係是例外。他只信任宋美齡，說「除了妻子，沒人能為我分攤一點責任或工作。」蔣介石資助支持他的軍閥，由宋美齡處理資助的送達，宋子文和孔祥熙則擔任行政院院長和財政部部長。刺客欲殺害蔣委員長和蔣夫人時，邊喊道「宋家王朝去死！」

戰他。小羅斯福被人抬下汽車，再被人攙扶上演講台，而他卻以實際行動證明史密斯錯了。「站在這裡的正是我的對手所說的那個無法自立的跛子，」他在演講台上說。「今天是我的第十六場演說。」

爵士樂：小羅斯福、約瑟芬．貝克、幸運兒盧西亞諾、興旺的二〇年代

令眾人意外的是，甚至連他自己都很意外，小羅斯福贏得州長寶座，史密斯則大敗給赫伯特．胡佛。有個記者問愛蓮娜作何想法，她回答，「我不為丈夫當選感到興奮。我不在意。那對我有何差別？」小羅斯福承諾創造「一個好心情的時代」。

雖然美國未加入威爾遜所打造的國際聯盟，但經濟急速成長，股市飆升，二〇年代一片狂放，美國的「好心情」征服世界。在美國國內仍是禁酒，不過美國人在非法經營的酒店（blind tiger）聽著爵士樂、喝著酒。爵士（jazz）一詞源自jasm，而在紐奧良的黑人樂師眼中，jasm意味著性能力。爵士樂結合了非裔美國人的藍調、散拍樂（ragtime）、輕吉格舞曲（jig piano），在紐奧良發展出來。影響甚大的紐奧良民歌〈怪水果〉（Strange Fruit），由比利．哈勒戴（Billie Holiday）所唱，講述一樁私刑處死事件：襲捲二十世紀歐美的諸多音樂運動，大多深受非裔美國人所經歷的恐怖和苦難影響。年輕小說家費滋傑羅（F. Scott Fitzgerald）在他的小說《大亨小傳》（*The Great Gatsby*）中記述新興權貴無憂無慮的富裕和神祕的過往，稱此時為爵士樂時代。與此同時，在芝加哥和紐約，高到令人暈眩的摩天大樓拔地而起。一些美國人接受並支持爵士樂。這些人花著從事工業生產所賺的錢、在股市所賺的錢、或靠在亮麗迷人的俱樂部裡的犯罪活動所賺的錢，這些俱樂部則被義大利裔、愛爾蘭裔、猶太裔幫派控制，提供蘇格蘭產和加拿大產威士忌。幸運兒盧西亞諾被矮胖、講究美食的紐約黑幫老大喬．馬塞里亞（Joe Masseria）找來當打手；邁

爾・蘭斯基和狂人西格爾經常幫他殺人。有人不服馬塞里亞，找來殺手要他的命。殺手站在行駛中的一輛汽車的腳踏板上連發衝鋒槍，他逃過一劫（只在他帽子上留下兩個彈孔）。他成為公認的所有黑幫的老大（capo di tutti capi），逼來自底特律、水牛城的其他黑幫繳交保護費。

腦子羅斯斯坦是「狂放的二〇年代」行使優雅暴力的典型人物，在賽馬場、餐廳、非法經營的酒吧，坐在老大的位置上，身邊圍著保鑣，但就連他都控制不了自己的賭癮，積欠大筆債務，因此招人開槍。一九二八年躺在醫院垂死之際，他不願透露殺他的人是誰。他告訴警察，「你們有你們的行規，我們有我們的，」他開玩笑說，「是我那隻善於在泥濘賽道上奔馳的賽馬（mudder）幹的。」

在巴黎，戰爭、流感疫情的結束，催生出生活之樂（joie de vivre），瘋狂的年代（années folles）。在那期間，退出行伍生涯的黑人吉姆・歐羅普（Jim Europe）和他的哈林區「地獄戰士團」（Hellfighters），演出《黑人歌舞團》（*Revue Nègre*），把美國的散拍樂和查爾斯頓舞（Charleston）帶到這座城市。巴黎人驚豔於一個十九歲美國黑白混血舞者的舞技，她叫約瑟芬・貝克（Josephine Baker），來自密蘇里州，最初在聖路易市的街角跳舞，但痛恨美國人的種族歧視。她說，「我實在受不了美國，我是最早搬到巴黎的有色人種美國人之一。」她風靡巴黎，幾乎全裸跳舞，只靠用人造香蕉製成的腰布遮住重要部位。美國小說家歐內斯特・海明威（Ernest Hemingway）憶道，「任何人所見過最能引起轟動的女人。」她不只在音樂界大放異采：一九二七年，貝克是第一個擔任電影主角的非裔美國人，演出法國默片《熱帶女妖》（*La Sirène des tropiques*），但此際征服世界者是美國電影。如果說有個俄裔移民家庭開創了「有聲電影」，第一個靠電影致富，從而助其家族踏上成為美國政治世家之路的人，則是個行徑如海盜的愛爾蘭裔銀行家。

任丁丁：甘迺迪、小凱撒、小羅斯福

一九二七年十月六日，在華納兄弟位於紐約的電影院，華納兄弟首度公開放映他們的第一部有聲電影《爵士歌手》（*The Jazz Singer*），使用了新的維他風（Vitaphone）設備（用唱片伴音的有聲電影裝置）。主角艾爾・喬爾森（Al Jolson）說出其招牌台詞「等等，好聽的還在後面」時，觀眾先是震驚，繼而幾乎歇斯底里。這齣電影讓華納兄弟賺進兩百六十萬美元，開啟了一個新時代。

憑藉個人的專利，愛迪生得以壟斷電影業直到一九一五年壟斷權遭廢除為止，但已有他人在製作默片。愛迪生於一九一八年去世時，已有一代的俄裔猶太人——皮貨商、手套商、補鞋匠——受陽光明媚的氣候吸引搬到好萊塢，而這樣的氣候極適合拍電影。一九一七年，華納家四兄弟創立華納兄弟公司，憑著一部以德國人暴行為主題的電影首度獲利，而後在以性病為主題的一齣電影中虧損了更多錢，接著靠一系列以名叫任丁丁（Rin Tin Tin）的狗為主角的電影賺了更多錢。傑克・華納認為這隻狗比他旗下大多數演員聰明。

全美一萬五千家戲院放映電影且數百萬人聽收音機時，這個行業吸引來自波士頓的銀行家喬・甘迺迪（Joe Kennedy）投入。這個金髮、精力無比充沛的波士頓人，自封是「美國最年輕的銀行總裁」，同時在股市賺了大錢。甘迺迪知道電影和收音機會改變生活，說「這是另一種電話，我們必須懂它。」

不只他這麼想。蘭道夫・赫斯特（Randolph Hearst），這位「枯木」採礦鎮的黃金財富的繼承人暨新聞業巨頭正在製作電影，藉此捧紅他身為女演員的情婦瑪麗恩・戴維斯（Marion Davies）。甘迺迪結識赫斯特，提議兩人聯手——「促成有聲革命和企業控制、垂直整合的典範」——而當這個報業大亨不願上鉤之際，他出錢入股一家破產的製片廠，搬到洛杉磯，不久掌控三個製片廠。甘迺迪以正派好人之姿娶了久任波士頓市市長的哈尼・費茨（Honey Fitz）的女兒羅茲・費滋傑羅（Rose Fitzgerald），生了九個小孩，包括四個兒子，但他把他們留在波士頓，以便自己享受好萊塢的生活。在好萊塢，他很快就讓茫然、帶著迷人男孩子氣的電影明星葛蘿莉亞・史旺森（Gloria Swanson）迷上他。他極愛玩女人，常要他的左右手替他找來「貌美的女孩」，因為他得「吃野味」，他的勾引手法類似他的經商風格：他闖進史旺森的臥室，清楚且大聲的說，「別再那樣，別再那樣！就現在！」葛蘿莉亞憶道。「他像一匹被套索套住的馬，火爆、難搞、為了自由而疾奔，匆匆得到高潮。」

一九二八年十月，甘迺迪將其名下幾家製片廠合併為電電華電影公司（Radio-Keith-Orpheum Pictures，簡稱RKO），而後變現，得到五百萬美元，以四百萬美元的價格將他最後一個製片廠賣給帕泰（Pathé）。他突然拋棄史旺森和洛杉磯回到紐約，而紐約股市正在飆升，交易非常熱絡。甘迺迪總愛說，當擦鞋童告訴他股票的內幕消息時，他知道他該出脫他的所有持股。

一九二九年十月二十九日，「黑色星期二」，華爾街股市崩盤，緊接著全球股市崩盤，隨後是痛苦萬分的經濟蕭條和心理低落，股票大量拋售，而後價格、需求、信貸下跌，導致美國工業和農業受重創，一千三百萬人失業。美國失去信心了。

股市崩盤加劇美國另一項產業的危機：幫派犯罪。喬老大的對手薩爾瓦托雷・馬蘭查諾（Salvatore Maranzano）說服盧西亞諾殺掉這個老大。馬蘭查諾來自西西里島的戈爾福海堡（Castellammare del Golfo），凶殘且愛吹噓自己的成就，自視為幫派界的尤利烏斯・凱撒。一九三一年四月，盧西亞諾邀喬到科尼島一家餐廳打牌，盧西亞諾去洗手間時，狂人西格爾帶著另外三人衝了進來，殺掉喬老大，後來被稱海堡戰爭（Castellammarese War）的一場廝殺就此告終。「小凱撒」馬蘭查諾高調自封為所有幫派的老大，把黑手黨組織成紐約五大「家族」，以及全美各地的諸多城市「家族」。[40]馬蘭查諾著迷於古羅馬頭五個皇帝的事蹟，對猶太裔的邁爾、西格爾心存懷疑，眼紅他的副手，於是下令除掉盧西亞諾。結果，九月時，反而是西格爾和邁爾派四名猶太裔殺手喬裝成警察前去馬蘭查諾的公園大街辦公室，當場將他捅死。犯罪活動的規模大到讓盧西亞諾一年進帳數百萬美元，但他未自封為教父，卻是成立一個委員會充當董事會，接下來五十年，由這個委員會掌管組織犯罪。

在正派的紐約（有別於黑幫橫行的紐約），州長小羅斯福嘗試以進步措施打擊經濟大蕭條，在華府，總統胡佛應對紛至沓來的問題則顯得進退失據。一九三二年，小羅斯福與胡佛競爭總統之位。他宣布，「我向各位保證，我必然為美國人民施行新政，」承諾大規模支出並廢除禁酒令。胡佛稱他是「披著蘇格蘭彩格呢布的變色龍」，但美國人民渴求一份希望：小羅斯福贏得總統寶座。他就職前，就有一個瘋子企圖槍殺他，但小羅斯福向美國人保證，「我們唯一必須害怕的，是害怕本身。」為實行他的新政（New Deal），他推出一連串法案並獲得通過，藉此恢復對銀行的信心，並大舉支出。他成立新的證券交易委員會，以規範導致崩盤的股市，挑選喬．甘迺迪擔任委員會主席。甘迺迪是最成功的投機商之一，早已把他的收益投入房地產，並在禁酒令遭國會推翻後投入蘇格蘭威士忌業。他打算親自出馬角逐總統之位，但小羅斯福私下嘲笑這個「紅髮愛爾蘭人」。

小羅斯福以其洪亮的嗓音和瀟灑叼著的菸嘴的姿態散發出輕鬆自得的自信，他本人自小兒麻痺康復的故事更是強化了他的自信。他充滿貴族氣息的談話，經由火爐邊的收音機傳給美國的千家萬戶，證明他是演技無懈可擊的政治人物，讓人察覺不到溫文爾雅的微笑背後那個陰險的政治操作者。

小羅斯福鼓勵愛蓮娜成為「新政的良心」，她則在每日的專欄文章裡推廣新政。當她遊走全國各地，對小羅斯福的助益無可估量：她找到最佳的人選主掌公共事業振興署（Works Progress Administration），而在他主持下，該署創造了三百萬個工作機會。這個人是個社會工作者，名叫哈里·霍普金斯（Harry Hopkins），在豪死於癌症後成為小羅斯福不可或缺的助手。羅斯福需要家人襄助治國，但他知道「世上最糟的事之一是身為總統的小孩」。吉米擔任他的助理，為此變得緊張不安；艾略特成為名聲不佳的花花公子；安娜兩度結婚，但後來回來，成為他最中意的伙伴。

愛蓮娜承認，「我知道羅斯福很了不起，對我很好，但就個人來說，我和他很陌生，而我只想維持這樣的關係。」這或許是小羅斯福外遇令她心碎後的心理表現，但她在一個特殊友人身上找到溫暖。此即身材結實、常抽雪茄的前記者洛蕾娜·希考克（Lorena Hickock），人稱希克（Hick），愛蓮娜和她保有近乎愛情的關係。她寫道，「我很想說我愛妳、喜歡妳，而我不能，」但「我去睡覺時想著妳。」兩人很可能有性愛關係：愛蓮娜寫道，「我對妳所做的，我絕不會和其他任何人做。」小羅斯福的白宮是座總統宮廷：小姑娘勒韓穿著睡衣作筆記，而搬進白宮的希克則「像聖伯納犬」般緊跟著愛蓮娜。

一九三三年一月三十日，小羅斯福準備就職時，阿道夫·希特勒拜訪德國總統——陸軍元帥保羅·馮·興登堡。早上十一點十五分，在興登堡宣誓下，希特勒成為德國總理。一如位在地球另一邊的小羅斯福，希特勒是股市崩盤所造就的人物，而儘管他堅稱他的得勢是天意，那也絕非必然。終究是興登堡這個身材高大的「老頭」、最偉大的在世德國人，希特勒才得以掌權。

40 每個家族都有由老大、隊長、士兵組成的等級體系。在準天主教的儀式中，會往「正式入會者」的手指扎一下，讓血滴在阿西西的聖方濟畫像上，然後在以如下話語發誓「嚴守口風」（omertà）時，將畫像點火燒掉：「這位聖徒燒毀之際，我的靈魂也將如此。我活著進來，只會死著離開。」犯罪家族重現了真實家族的忠誠，但家族的老大其實是經推選產生；唯有佛羅里達的特拉斐坎特家族（Trafficante）的老大之位是由父親傳給兒子。

陸軍元帥和下士

已退休撰寫回憶錄、經營莊園、享受打獵之樂的興登堡嚴正表示，「我完全不想理會當今政治。」而事實並非如此。一九一九年，這位雄心勃勃的老容克聲明，德國未敗——只是被不為人知的叛徒「暗算」。一九二〇年，他想出馬角逐總統之位，然妻子去世令他心碎，當下無心於此。

接著，一九二三年後期，他的老副參謀總長魯登道夫揣著一個不尋常的構想找他談：他要用一個能蠱惑人心的政客奪權。興登堡堅拒這樣的莽撞之舉。

那年十一月八日，希特勒、魯登道夫和兩千名納粹黨黨員進向慕尼黑啤酒館，巴伐利亞邦務委員正在該處演講。希特勒朝天花板開手槍，隨後跳上椅子，喊道，「國民革命已爆發！這裡已被包圍……任何人都不得離開。」經過漫長一夜的混亂，魯登道夫和希特勒帶領革命分子前往巴伐利亞國防部，但在音樂廳廣場，駐守路障的士兵開火。十四名納粹黨黨員和四名警察倒地身亡；希特勒朝一條小街跑去，跳上一輛車，車拋錨時，他跛著腳逃到一支持者家中。「我一開門，」海倫·漢夫斯滕格爾（Helen Hanfstaengl）寫道。「只見他站在門口，臉色蒼白如鬼，沒戴帽子，臉和衣服上布滿塵土……」他說，他肯定會自殺。

興登堡呼籲全民團結。希特勒因叛國罪被判刑五年。他在蘭茨貝格監獄（Landsberg Prison）待了九個月，把那段經歷稱作就讀「邦立大學」，他就在那裡寫下他非常重要的著作《我的奮鬥》（*Mein Kampf*），並題獻詞送給他忠心耿耿的祕書魯道夫·黑斯（Rudolf Hess），富商之子。此書以無視他人觀感的明晰，闡明他從要「根除」猶太人到要為亞利安人在俄國、波蘭攻取「生存空間」所擬的計畫，字裡行間透露出他超乎尋常的野心和凶殘無比的心態，認定唯有憑藉他天縱英明的領導展開戰爭和殺戮，才能實現計畫。此書推出立即大賣，他因而發了財，而該書出版後，他的支持者沒一個可以理直氣壯的說不知他的意圖。

希特勒出獄時，總統興登堡主政下的德國，在美國道茲計畫（Dawes Plan）的協助下正逐漸復甦，甚至繁榮了起來。此前的一九二五年，興登堡得到前德皇——他的「國王和主子」——同意，出馬角逐總統大位。

希特勒必須拿回他自己的黨，於是找來年輕的社會主義記者約瑟夫・戈培爾（Joseph Goebbels）。戈培爾驚歎於「那雙明星般藍色的大眼睛」，助他建立個人領導地位。此領導地位建立在對希特勒準救世主般的崇拜上，並借助此崇拜文化的聖經《我的奮鬥》、自成一格的正式招呼「希特勒萬歲」（Heil Hitler）、自己的親衛隊黑衫黨衛軍（Schutzstaffel，簡稱SS）等打造對他的崇拜。黨衛軍統領是海因里希・希姆萊（Heinrich Himmler），養雞失敗的巴伐利亞人，一緊張焦慮就胃痛，動作笨拙又近視，他的父親是中小學校長暨王室的家庭教師。希特勒相信他大展身手的日子會到來：「我已預料到許多事。」一九二九年十月，股市崩盤使德國陷入通貨膨脹、失業大增、暴力橫行的絕望境地，經濟每下愈況。

一九三〇年三月，興登堡在他的兒子奧斯卡（Oskar）的智囊團和戰時副官庫爾特・馮・施萊歇（Kurt von Schleicher）的建議下，拒絕代議制，轉而透過憲法〈第四十八條〉施行獨裁統治，任命總理，以總統個人頒行的法令治國。興登堡拒絕代議民主制時，希特勒的極端主義以及暴增的右翼團體，不僅讓感受到威脅的中產階級大為歡迎，也讓痛恨社會主義者、恐懼共產黨人、反感《凡爾賽條約》、渴望威權統治的上層人士大為歡迎。許多貴族和商界大亨加入納粹黨，而（仍住在荷蘭的）德皇的兒子——普魯士王子威廉・奧古斯特（Wilhelm August）——係最早加入的人士之一。[41]

一九三〇年九月的選舉，希特勒拿下百分之十八・三的選票，僅次於社會民主黨。衝鋒隊橫行街頭使

41　德皇的長子、前皇儲威廉，最初支持希特勒，希望親自出馬角逐總統之位，並恢復君主制。

人膽寒時，由戈林領導的納粹黨人主宰德國國會。納粹認為，理該由他們掌權，沒想到事與願違。而希特勒正遭逢與自己家族有關的打擊。比他小十九歲的外甥女格莉．勞巴爾（Geli Raubal）、他的同父異母姊姊安格拉的活潑女兒，在他不知疲累赴各地爭取選民支持時，經常陪在他左右，但當她愛上他的私人司機時，身為舅父的他禁止兩人再往來。希特勒欣賞女人，常稱讚女人「高壯、金髮、令人驚歎」，而與他陽剛的父親不同的是，他太過笨拙，曾向至少兩個女孩問過，「沒想要吻我？」隨後招來「沒有，希特勒先生」的回應。而他或許深愛這個始終在身邊的格莉，鼓勵她當歌手，他想必和他父親一樣更喜歡年輕一點的女孩。他曾有感而發的說，「世上最好的事就是教育年輕人，年輕人如蠟般可塑造。」一九三一年九月，格莉用她舅舅希特勒所送的手槍結束了自己一生。她為何自殺，沒人知道，但很可能覺得希特勒的控制讓她喘不過氣。

震驚得不知所措的希特勒告訴維妮弗雷德．華格納（Winifred Wagner），「此刻太難熬。」她是作曲家華格納的媳婦，而且是充當代理母親的諸多忠心的女主人之一。格莉的自殺導致他自此吃素，堅定了愛和家庭於他無關緊要的信念。他說「在這領域，我是世上最不得志的人，我是個完全和家庭無關的人。」不久，四十歲的希特勒遇見十八歲的愛娃．布勞恩（Eva Braun）。她是學校老師的女兒，希特勒的攝影師霍夫曼的助手，正符合希特勒眼中「高壯、金髮、令人驚歎」的理想女人標準。當她也試圖自殺時，沒想到此舉竟讓她在他的人生中永遠占有一席之地——「這個女孩因為愛我而這麼做」——而她的內斂低調使他得以頻頻宣布，「我有另一個新娘。我結婚了：對象是德國人民。」那樁婚姻看來像是永遠不會成真。一九三一年秋，興登堡在會議上遇見希特勒。希特勒認為他是「老蠢蛋」，興登堡則痛恨「那個奧地利下士」。他上台掌權似乎是永遠不可能的事，而引發世界性衝突者不是德國，而是日本。

一九三一年九月十八日，日本軍官炸掉瀋陽城外一座橋，促使日本天皇和其將領增派兵力入華。裕仁支持奪取滿洲大部，允許滿清末代皇帝溥儀在滿洲登基為傀儡皇帝。這一成就鼓舞了相信日本有權在華建立帝國的極端民族主義者和持擴張主義立場的將領。武力是唯一手段：在國內，他們暗殺首相，計畫政變；在國外，他們於上海挑起爭端和中國軍隊交火。

蔣介石清楚對日戰爭不可避免，但他尋求「先安內」——消滅盤據江西的共黨勢力。他也想讓他的兒子離開史達林歸國。「邇來甚唸經兒，」他寫道。「夜夢昏沉，對母痛哭二次。醒後更念，不孝罪大。」在德籍將領的建議下，他五次出兵圍剿，欲摧毀毛澤東的共黨基地，用碉堡包圍基地。史達林把蔣經國送去礦場工作，藉此懲罰蔣介石。

一九三四年十月，蔣介石大軍包圍之際，毛澤東突圍，踏上曲折且漫長的跋涉，跋涉期間，他十萬戰士有八萬人病死、戰死或叛逃。毛澤東本人拋棄妻子、數個嬰兒和弟弟，但在一九三五年一月，在遵義，他拿下對黨書記處的掌控。這場長途跋涉後來被美化為長征，毛澤東的宣傳家編造了長征期間諸多英勇的戰役。他並不是軍事天才，他的領導統御不切實際且讓軍隊付出沉重代價——共軍「兜圈子」讓蔣介石大惑不解。最後，毛澤東和僅存的四千將士在陝西黃河附近的黃土高原上設立總部，他的前上司周恩來在此時前來和他會合。周恩來老練、會說法語、舉止優雅，身為毛澤東的副手且得到日後將統治中國的鄧小平支持。鄧小平個頭矮小，愛吃辣的四川地主之子，三十一歲。[42]毛澤東在舒適的延安窯洞裡安頓下來，窯

42　鄧小平十五歲赴法國勤工儉學，學習鉗工技術。在法國，他成為馬克思主義者，並結識周恩來，然後回國，加入一個和蔣介石結盟之軍閥的軍隊。這個軍閥轉而和共產黨為敵時，鄧小平逃奔毛澤東，隨他一起長征。在新基地延安，毛澤東也提拔徐仲勛，當地陝西地主之子。習仲勛一九四〇年代期間的工作，包括旨在策動國民黨領導人支持中共和贏取領土的統戰工作。他遇到一個來自北京的年輕女孩，她父親是國民黨官員，但她加入共產黨，兩人一九四三年結婚。他搬到北京，她跟著過去，在宣傳部工作。他們的兒子習近平會在二十一世紀統治中國，他的使命會是收回國民黨的最後根據地台灣，以完成父親的工作。

洞中塞滿他的書。他在此整軍經武，決意消滅蔣介石。在日本無視國際聯盟的約束侵華時，毛澤東會在此基地待上十年。

一九三二年三月，興登堡於總統大選中打敗希特勒。面對急速加劇的納粹暴力，興登堡這時決意當起右派的領導人。他保證，「我會永遠致力於往右的明智轉移，」任命施萊歇的戰時友人法蘭茨·馮·帕朋（Franz von Papen）為新總理。帕朋是有錢的天主教貴族，得獎的馬術家，獲頒勳章的戰時軍官，一次大戰期間曾策畫從墨西哥進攻美國而未果。現為國防部部長的施萊歇控制這個「單片眼鏡內閣」*，但興登堡問國會最大黨的領袖希特勒是否願意出任副總理，沒想到希特勒得寸進尺，索要總理之職。這個總統忿忿道，「我無法將皇帝威廉和俾斯麥的帝國交給一個來自波希米亞的下士，」不過，他隆重接待希特勒：「我想以軍人同袍的身分向你伸出我的手。」這個下士和這個陸軍元帥作風不同，但有許多共同之處：兩人都是德意志民族主義者，都極厭惡威瑪共和國和《凡爾賽條約》，都打算解散蘭。兩人都相信自己是德意志民族的化身（但興登堡尊崇君主制，傾向霍亨佐倫王朝復辟），兩人都相信社會主義者和猶太人在背後「暗算」，都尊崇軍國主義的民族共同體（Volksgemeinschaft），鄙視民主，且這時在東方加快衝突爆發的日本將領亦然。

施萊歇和帕朋都已在和納粹談判，希望利用該黨在街頭的暴徒和在國會裡的選票壯大自己。施萊歇認為他們粗俗，卻是向世人展現德意志民族力量所不可或缺，但納粹已開始走下坡：一九三二年十一月輸掉選舉。聖誕節時，希特勒絕望至極。

帕朋竭力維持秩序時，興登堡將他革職，並任命施萊歇接替。帕朋仍和興登堡走得很近，很想當總理。一九三三年一月四日，他在納粹黨籍銀行家庫爾特·馮·施勒德男爵（Kurt von Schröder）的科隆家中遇見希特勒。施勒德是支持希特勒的典型商業大亨。納粹東山再起。帕朋仍堅持要當總理，但一月二十三日，在納粹黨籍香檳銷售員約阿希姆·馮·里賓特洛甫（Joachim von Ribbentrop）家中會晤後，帕朋終於同意提希特勒當總理。

當施萊歇辭職時，總統興登堡雖保證過絕不任命這個「下士」當總理，仍是請帕朋組閣，且要讓希特勒入閣。帕朋知道希特勒將解散國會，獨攬大權，但還是說服興登堡任命希特勒為總理，他自任副總理，兩人都支持希特勒所公開表述之政綱的原則——「將社會民主黨、共產黨、猶太人逐出」社會——同時相信自己足以抵擋住任何過激的行為。帕朋找上阿爾佛烈德・胡根貝格（Alfred Hugenberg），胡根貝格同意出任經濟部部長。他曾是克虜伯公司的高級主管，如今為國家人民黨（National People's Party）的領導人暨媒體大亨。帕朋聲稱，「我們已買下希特勒。」胡根貝格和興登堡、帕朋一樣認為希特勒是他們的「工具」，認為他們會「竭盡所能限制他的權力」。

希特勒在最後一刻爭取到警務、軍事兩部長職，並和興登堡握手。安排了火把遊行的戈培爾認為，那就「像童話故事般不可思議」，希特勒則深信那「無異於一個太平盛世的重新開始」。希特勒搬進總理府，向一名心腹透露，「從此我們可以真的開始大幹一場。我永遠不會離開這裡。」

二月，興登堡同意限制言論自由和集會，取締左派政黨。二十日，戈林找來二十二個工業大亨和希特勒會晤，其中為首者是受威廉二世優遇的軍火王朝的首腦古斯塔夫・克虜伯。這時，克虜伯是死忠的納粹黨員，捐出從商界大亨所募來的三百萬德國馬克裡的一百萬，資助納粹進行接下來的選戰，而接下來的選舉將使納粹取得得以大權獨攬的選票。二月二十八日，有個共產黨狂人在國會縱火，給了興奮的希特勒攻擊、禁止共產黨活動的藉口。三月，興登堡下令納粹的黨徽卐成為德國國旗，與舊帝國國旗並列，黨衛軍指揮官希姆萊和他的跟班萊因哈德・海德里希（Reinhard Heydrich）則從慕尼黑搬過來，以創立希特勒的保安機關，

---

* 譯注：單片眼鏡是此時德國軍官的配件。

建立第一個集中營達豪（Dachau）。海德里希出身已沒落的有錢音樂、知識分子家庭（他本人是因不道德行徑遭開除的前海軍軍官）。四月，普魯士警務部部長戈林成立蓋世太保（Gestapo, Geheime Staatspolizei 的簡稱，即祕密警察），後來蓋世太保改由希姆萊接掌。在波茨坦衛戍教堂（Garrison Church）的一場典禮上，穿著黑上衣的希特勒向流著淚的興登堡鞠躬，興登堡身著元帥服，在腓特烈大帝長眠處的地下室祈禱。希特勒對這個總統講話後，稱讚「你令人驚歎的一生」——橫跨霍亨佐倫家族和納粹黨當政時期。

兩天後，德國國會通過《權力授予法》（Enabling Act），希特勒自此成為獨裁者，一星期後他下令抵制猶太商家，展開反猶立法，依據那些法律使「非亞利安人」（凡是有一個或一個以上猶太裔祖父母者屬之）不得擔任公務員。一九三五年的《紐倫堡法》（Nuremberg Laws）為這波立法的壓軸，使猶太人不得擁有德國公民身分，禁止他們和亞利安人結婚或有性關係。興登堡同意，前提是為德國打過仗的猶太人不在此列。從一開始，希特勒就打算對外破壞《凡爾賽條約》，於是宣布退出國際聯盟，還打算一統德意志人，並以他的祖國——民主制度已受到損害的奧地利——為統合的首要對象。依據《凡爾賽條約》創立的諸多新興國家中，希特勒特別痛恨波蘭和捷克斯洛伐克。

捷克斯洛伐克為一民主自由政體。而波蘭則由元帥皮烏蘇茨基所支配，他曾打敗列寧的布爾什維克，卻未能建立一穩定的國家，也未能建立他所願景的緩衝國體系——尤其是一強而有力的烏克蘭——以對抗俄羅斯入侵：「沒有獨立的烏克蘭，就沒有獨立的波蘭。」在他「國民同化」（national assimilation）的政策下，波蘭境內三百萬猶太人受到保護。而當皮烏蘇茨基所支持的波蘭首任民選總統因為猶太人辯護而遭到暗殺時，緊接著民族主義者取得權力，他只能慘淡退出。一九二六年，在一次血腥的軍事政變後，他再次奪得權力，以軍事部部長的身分統治波蘭，然而，如今的他，既疲憊又衰弱，且預料到波蘭在德國和俄羅斯的夾擊下將遭摧毀：「我走後，」這個令人望而生畏的元帥禁不住哭了出來，「會發什麼事呢？」他請求法國與他聯手，先發制人攻打德國，未想卻在一九三五年因癌政離世，並預言四年內，將爆發戰爭——他的死，進而引發對猶太人的集體屠殺。他的繼位者在沒有獨裁者的專制統治下，限制猶太人的權利，鼓勵猶太人移出，而波蘭，則愈發傾向德國。

而他對奧地利的覬覦，與他的早期英雄墨索里尼的野心相牴觸。兩人於威尼斯會晤時，義大利「領袖」（Il Duce）不覺德國「元首」（Der Führer）有什麼了不起——墨索里尼認為希特勒「蠢蛋，談不上聰明」。而希特勒針對奧地利的第一次出手失利，以致當地納粹政變失敗。墨索里尼禁不住大發雷霆，只是他正忙著在厄利特里亞和索馬利蘭強軍備戰以進攻衣索比亞。與此同時，希特勒斥巨資建造高速公路和其他大工程，藉此降低了失業率，可惜此經濟奇蹟無法持久。當克虜伯將猶太人逐出德國國家工業委員會（Reich Industrial Board）時，他的妻子貝爾塔覺得有待商榷。克虜伯回道，「元首永遠沒錯。」希特勒任命他為工業部部長。

六月，帕朋終於瞥見真相，於是譴責起希特勒。戈培爾不願報導這番言論時，帕朋向興登堡打不住抱怨，興登堡赫然揚言要將希特勒革職：他本可以這麼做。實業家和將領害怕衝鋒隊，而衝鋒隊隊長勒姆（Röhm）希望取代軍隊，將工業國有化。克虜伯求助於希特勒，於是，在一九三四年六月，希特勒走訪克虜伯工廠。諸多普魯士將領這時支持希特勒。他們不可或缺，衝鋒隊則可有可無。

希特勒此時在他位於上鹽山（Obersalzberg）的高處住所，他感到痛苦萬分。正是他那份具有自我實現的信念，使得他的演說如此吸引人，使得他的性格如此迷人。希特勒讓人難以捉摸且不願表露內心感受或意向——他為自己取的化名是「狼」——被自己可能早死這份信念支配，他常想著，「我不在這裡時……」他是個不顧後果的賭徒，其夢想非常人所能理解：「我懷著夢遊者的鎮定走上天所要我走的路。」

他的軍閥暨藝術家作風，特別受到兩位英雄啟發，即腓特烈大帝和華格納。他每處辦公室都掛著腓特烈肖像；他和華格納家族一道在拜羅伊特的短暫停留是如此莊嚴神聖。所有政治人物都存在過兩次——先是以僅僅代表個人特質的個體身分存在，繼而以代表別種東西的現象存在：神奇的魅力正來自這兩者的結合。希特勒既散發出讓人不知不覺著了道的魅力，又會唾沫四濺的發怒，扮演了眾多角色，他曾開玩笑說自己是「歐洲最了不起的演員」。身為表演者和操縱者，他有辦法讓貴族和工人、德國人和外國人再再心生敬畏並把他們拉到他那一邊，同時也善於以他的建築師阿爾貝特·施佩爾（Albert Speer）所謂的「用心平衡的相互仇視體系」，使他「家族般」小圈子裡的忠貞心腹相互牽制。

他晚睡，鮮少坐辦公桌，卻能維持專注，不管是同時向數個祕書口授講稿，還是後來主導戰事皆然。他吃素，滴酒不沾，時時生怕細菌上身，嗜吃巴伐利亞蛋糕，以致一口爛牙，後來更因爛牙造成讓人退避三舍的口臭。與慕尼黑的某些家庭、他早期的贊助人和友人在一起時，他最覺輕鬆，其次是和華格納家的人在一起時，後來則是和戈培爾家的人和愛娃·布勞恩在一塊時最覺輕鬆。但他愈來愈擁抱終極版的權力測試：獨裁者的時光倒轉。他很不喜歡孤單，於是對他的隨從賞以沒完沒了的長篇大論，隨從最初聽得津津有味，後來漸漸感到乏味。他具有他那種自學而成者的無所不知和冒險者的空洞吹噓，他鄙視專家，始終是最清楚情況的那個人。他說，「我的人生是史上最偉大的長篇小說。」

長刀之夜；大恐怖；群眾動量和個人力量：希特勒和史達林

「我說啊，」希特勒激動說道。「做什麼都比這樣空等好。我準備好了！」一九三三年六月三十日，殺戮行動小規模展開。希特勒批准希姆萊、海德里希擬出的奪命名單，把行動代號「蜂鳥」給了戈培爾，戈培爾用電報將代號傳給人在柏林的戈林和希姆萊。

希特勒飛到慕尼黑。勒姆（連同他的一個男情人）在床上被易怒的希特勒逮捕，希特勒手拿一根鞭子；其他幾個衝鋒隊領導人也在和男人繾綣時被逮，令希特勒大為驚恐。然後這些人全被黨衛軍槍斃；在柏林，施萊歇（和其妻子）、幾名納粹的對手喪命；或許共有一百八十人遇害。施萊歇夫婦被殺令興登堡震驚且反感，但希特勒道歉，卻說這個將軍當時拔出手槍。即將死於癌症的興登堡認可這件事。

希特勒回到柏林，在戲劇中得到樂趣：「褐衫、黑領帶、深褐色皮外套、高統黑軍靴，顏色一樣比一樣深，」有個目睹者寫道。「最重要的，光頭，一張粉筆白般、失眠、沒刮鬍子的臉……臉上一雙突出的眼睛隔著幾縷黏在一塊的頭髮聚睛會神看著。」隔天早上，希特勒告訴祕書，「我剛洗過澡，覺得像是重生。」八月二日，興登堡去世，留下一封信，內容懇請恢復君主制並稱讚希特勒那「具有重大歷史意義的使命」。自此，希特勒身兼總統、總理之職；軍隊宣誓效忠他，稱他「德國人民的元首」。[43]

讓人意想不到的是，史達林竟相當敬佩希特勒，並對他在克里姆林宮的追隨者說，「那個希特勒真是不簡單」，覺得又被稱為「長刀之夜」（Night of the Long Knives）的蜂鳥行動很厲害。史達林天生愛走極端，此時稱作OGPU的凶狠祕密警察機構為他撐腰，和一批集中營（古拉格／GULAG）支持他獨裁，他本身善於進行大眾時代鼓動風潮的政治，動員數百萬人，尤其年輕人，投入要以激動人心的革命大戲摧毀舊世界、建造較公正之新世界的布爾什維克大業。但他也體察到現代的特點之一是地緣政治鬥爭，那是被大量殺傷性武器、集體殺戮、大量生產、激動人心的集體場面驅動的鬥爭。他把他的馬克思主義使命

43　有個來自另一個世界的訪客目睹這些事件。就在這個月，美國浸信會代表團正在德國參訪：麥可．金恩（Michael King）參觀了馬丁．路德在維滕貝格（Wittenberg）的住所，因而大受鼓舞，同時也驚恐於希特勒的反猶種族主義。金恩是亞特蘭大的浸信會牧師，育有五歲兒子小麥可。他返國後把自己和兒子都改名為馬丁．路德．金恩，協助草擬了「浸信會世界聯盟」（Baptist World Alliance）的一份宣言。該宣言說，「本會遺憾並譴責所有敵視特定種族的心態、對猶太人、對有色人種、或對世上任何地方之受支配種族的任何種壓迫或不公平的差別對待，並認為那違反了天父上帝的法。」

和他個人的權力、俄國獨有的帝國天命結合在一塊。他愈是動員群眾，群眾所擁有的權力愈少，他所行使的權力愈多——大眾政治教人感到反諷之處。為了讓俄國急速工業化，史達林已展開激進、規模巨大且具風險性的行動，利用美籍顧問和美國科技將烏克蘭等地區的農業集體化，無情收購穀物以支應工業化所需經費。最初，布爾什維克推動烏克蘭文化，將此作為他們的本土化（korenizatsiia）政策的一部分，前提是把莫斯科擺在首位。但烏克蘭的農民起而抵抗時，史達林竟藉由壓迫和饑荒「打垮他們」。他想起波蘭人入侵之事，擔心「失去烏克蘭」，於是壓制烏克蘭語和烏克蘭文化，逮捕、槍斃或流放了四百萬至五百萬人。然不管是壓迫，還是饑荒，都未局限於這個共和國：伏爾加河下游地區、北高加索、哈薩克同樣受饑荒摧殘。後來，史達林隨口告訴邱吉爾，一千萬人餓死，而人口研究證實消失了八百五十萬人。在烏克蘭，四百萬農民餓死——八分之一的人口——此暴行如今被稱作「以飢餓殺人」（Holodomor），烏克蘭歷史學家塞爾希·普洛希（Serhii Plokhy）寫道，那是「人為的現象，官方政策所造成，」肇因於「帶有明確的族裔民族主義色彩的政策。」與此同時，那也是蘇聯更大範圍饑荒的一部分——一百二十萬至一百四十萬哈薩克人餓死：美國歷史學家史蒂芬·科特金（Stephen Kotkin）寫道，「死亡率居蘇聯境內之首。」史達林自找的災難本可能毀掉蘇聯，但此一殘酷且帶風險的作為收到成效：蘇聯既有集體化農場，又有能在不久後產量超越德國的現代工業，而且在這些農場上，則有如農奴般受壓迫的一億農民在勞動。

史達林這個麻子臉、身材壯實、一臂萎縮的喬治亞人，講起俄語始終帶著濃濃口音的馬列主義狂熱分子，受益於馬克思主義國際主義而在大多由俄羅斯族支配的這個國度裡，如今享有絕無僅有的高光時刻，統治著沙俄的帝國。但在黨內，史達林的同志無不嘲笑他的出身卑微，挑戰他的獨裁統治，質疑他的集體化政策，而且他相信，他的同志曾鼓勵他患有躁鬱症的妻子娜傑日達（Nadezhda）自殺。如果俄國得以希特勒為對手打一場新的戰爭，史達林需要大權獨攬，不容任何人質疑他的最高地位。為此，他訴諸殺戮。

他告訴某密友，「我們的體制要殺人，」後來解釋說他的方法「較快但需要流較多的血」。

長刀之夜過了五個月後，一九三四年十二月一日，史達林的盟友暨列寧格勒（先前的彼得格勒）領袖塞爾蓋·基羅夫（Sergei Kirov）遭暗殺，凶手很可能是妻子為基羅夫所勾引的一個性情不穩定的同志——不過，也可能是史達林所策畫。史達林向來是即興演出的高手，迅速取得緊急處分權，發動恐怖統治，下令逮捕、流放、殺害異己，不只清除黨內叛徒，還要清除可能懷有貳心者。恐怖統治是共黨DNA的一部分；獨裁統治是俄國政權的DNA的一部分；殺戮則不只是史達林不可或缺的政治工具，還是他性格的一部分——地下生活經歷、內戰的殘忍，和最重要的，在克里姆林宮掌權毫無安全感的經歷等共同塑造而成的性格。獨裁政權造就出該政權自己的怪物。恐怖統治的暴力混亂係上述這一切所造成，而其驅動力則在於史達林的凶狠陰鬱、堅定不移的意志、政治手腕和他冷酷且完全不顧後果的暴力。在充斥混亂和謀殺的瘋狂狀態裡，沒有任何掌有大權者會自斷手腳。史達林對資深的布爾什維克和將領心存猜疑，於是主導了一場全國性的獵巫，頒演灑狗血式的公開審判（show trials），受尊敬的領導人在這類審判中承認曾計畫令人匪夷所思的陰謀。他和他的內務人民委員部（NKVD）人民委員——他身材矮小的忠實追隨者尼古拉·葉若夫（Nikolai Yezhov）——擬出稱之為「相簿」的奪命名單，名列其上者是成千上萬個同志，而且往往是史達林所熟稔的同志；與此同時，數十萬個未被指名道姓的受害者也被鎖定，而且這些人係透過根據地點、種族、出身背景所訂定的配額被選中：在這些「全國性行動」中，波蘭人和朝鮮人遭誅殺殆盡；在諸共和國裡，烏克蘭人受害於恐怖統治最烈。對舊敵人施以出於報復心態的拷打、對友人和親人的殺害、疑心病作祟所編出的駭人陰謀，再再反映出史達林本人的不可思議之處，但他認為恐怖統治是確保人民忠貞不貳的唯一法寶。「寧可讓十個無辜之人受苦，也不讓一個間諜逍遙法外，」他說。「削木頭時總會碎片紛飛。」他統治期間，一千八百萬無辜者被送進慘無人道的古拉格集中營。最初，一九三〇年時只有七萬九千個奴工，一九三五年增為一百萬人，一九三八年時已達七百萬人左右，這些奴隸為開鑿運河或採礦辛苦勞動；然而，一如在美國南部，奴隸制不只極惡劣，而且就經濟上說毫無效率。一九三六至三八年，官方記載的遭清洗人數為一百萬人，不過實際數字更高上許多。四萬軍官遭處決，包括五個元帥裡的三個。史達林統治者期間，遇害的人數將永遠不得而知，但很可能接近兩千萬。

希特勒看著史達林自毀式的「殺人如麻」，深信蘇聯國力已大不如前。他從「人民和元首」充滿救世情懷的神祕結合裡得到莫大樂趣，在紐倫堡舉辦了激動人心的大型集會。一九三六年九月，希特勒在群眾大會上說，「過去，你們聽到一個人說話……那喚醒了你們，你們跟著那聲音走……在此共聚一堂時，我們滿心驚歎於我們一起來到這裡。你們並非人人都能看到我，我看不到你們每個人，但我能感受到你們，你們能感受到我。」

有或沒有衣索比亞人的衣索比亞：海爾・塞拉西和墨索里尼

一九三四年十二月，「元首」把注意力轉向歐洲而史達林發動其恐怖統治時，義大利「領袖」則盯上衣索比亞，要為阿杜瓦（Adowa）之役報仇雪恨。

五年前，衣索比亞的三十七歲攝政塔法里公爵已在阿迪斯的聖喬治教堂稱帝（Negus Negust），是為皇帝海爾・塞拉西。這場首度有來自歐洲所有強權的賓客出席的登基大典，意在以衣索比亞的傳統榮光和獨立自主的現代風貌令賓客驚豔。海爾・塞拉西吞併了最後一個穆斯林蘇丹國，創造出確立了專制君主政體且設有議會的憲法。[44]但衣索比亞位於義屬厄利特里亞和索馬利蘭之間的地理位置，使其成為墨索里尼啟動他新羅馬帝國大業的理想地點。

埃米利奧・德博諾將軍（Emilio De Bono）吹噓說，「只有他和我知道即將發生的事。」並向「領袖」保證征服衣索比亞「不難」。

「放手去幹。」墨索里尼下令。

在阿迪斯，義大利人欲在偏遠的歐加登地區綠洲瓦爾瓦爾（Wal-Wal）挑起事端時，海爾・塞拉西不願動員，而是求助於國際聯盟。英法兩國對於希特勒的作為極為不安，也不想把墨索里尼逼到與德國結盟，竟默許這個「領袖」的略奪，從而讓自己顏面掃地。

一九三五年十月三日，在未宣戰的情況下，德博諾和羅道爾佛・格拉齊亞尼（Rodolfo Graziani）分別從厄利特里亞和索馬利蘭發兵入侵衣索比亞，兵力共四十七萬六千人，包括六萬名厄利特里亞皇家殖民地軍（Eritrea Royal Colonials）、一萬七千名非正規部隊「厄利特里亞步兵營」（Gruppo Bande Eritrea）士兵、蘇丹奧洛爾・丁列（Sultan Olol Dinle）統領的索馬利亞人，以及五百輛坦克、三百五十架飛機。海爾・塞拉西的二十五萬兵力中，只有兩萬兵力的「禁衛軍」（Imperial Guards）全副武裝；他有八架可用的飛機，而義大利人已收買了一些衣索比亞權貴。

在孟尼利克宮外，身穿卡其服的衣索比亞皇帝一派冷靜鎮定，就著鼓聲檢閱部隊，其禁衛軍配備了架在騾子上的維克斯（Vickers）機槍，但許多人以棍、矛、空彈藥帶為武器。義大利人炮轟阿杜瓦時，墨索里尼將德博諾革職，換上元帥皮耶特羅・巴多利奧（Pietro Badoglio），並命令他「動用毒氣和火焰槍，甚

44 塔法里公爵（Ras Tafari）的登基，加上馬庫斯・加維（Marcus Garvey）的「重返非洲」（Return to Africa）運動——預言「國王會來自非洲」的運動——催生出稱之為拉斯塔法里教（Rastafarianism）的新運動。在牙買加，該教教徒相信海爾・塞拉西代表基督以黑人身分「第二次降臨」。

至不惜大舉動用」，還說「用盡所有戰爭手段」。墨索里尼的兩個飛行員兒子布魯諾（Bruno）和維托里奧（Vittorio）享受轟炸的快感，肆無忌憚的屠殺衣索比亞人。

衣國皇帝在提格雷地區南部反攻，但遭擊退，他的士兵中了毒氣。他憶道，「這場可怕且無情的戰爭出現數場屠殺，其中就屬這場屠殺最慘烈。男人女人動物被炸得粉身碎骨，或遭芥子氣燒傷，垂死者和傷者痛得不住尖叫。」一九三六年三月，海爾．塞拉西和北部的最後一支軍隊在梅切烏（Maychew）敗於巴多利奧之手，一萬一千人喪命。衣國皇帝退到拉利貝拉（Lalibela）的地下石窟大教堂禱告，然後在阿迪斯停下腳步。在那裡，他的顧問求他勿落入義大利人之手。巴多利奧宣布從北部展開「鋼鐵意志征程」（March of the Iron Will），和巴多利奧一樣，靠著在非洲北部屠殺利比亞人揚名立萬的格拉齊亞尼則從南邊進攻。五月，海爾．塞拉西在格拉齊亞尼進入阿迪斯之前三天逃離該城，格拉齊亞尼成為衣索比亞總督。四天後，在羅馬，墨索里尼出現在威尼斯宮（Palazzo Venezia）的陽台上，告訴欣喜若狂的群眾，「衣索比亞是義大利的！」、「阿杜瓦之役的仇報了。」維克托．埃馬努埃爾獲宣告為衣索比亞皇帝。

七月，墨索里尼和希特勒接見西班牙某反叛將領派來的使者。獨裁統治、不平等、經濟蕭條、失去帝國所引發的茫然心態，已使西班牙國力受損。波旁家族出身的西班牙國王阿方索十三世遭流放，主張社會不受宗教控制的社會主義者和信仰天主教的保守派水火不容，這個貧困的共和國因此陷入致命的分裂對立。這時，社會黨人贏得選戰，這位名叫佛朗西斯科．佛朗哥（Francisco Franco）的將軍加入叛亂陣營。個頭矮小、臀部大、嗓音尖、個性謹慎且狡猾的佛朗哥，已成為西班牙歷來最年輕的將領，統領在西班牙的摩洛哥殖民地作戰的殘暴「非洲軍團」（African Legion），而眼下，他的部隊在摩洛哥無法抽身，共和國政府因此得以繼續掌控該國大部。

他的使者運氣好，見到正與華格納一家一起待在拜羅伊特的希特勒。「元首」激動說道，「開戰辦不到」，卻也同時擔心「莫斯科的猶太裔布爾什維克」奪走西班牙。希特勒和墨索里尼用飛機將佛朗哥的部隊運到西班牙本土，接著運去五萬義大利兵和一萬六千德國兵。這場戰事吸引四萬名志願從軍者投入反法西斯的陣營，這些志願兵被稱作「國際旅」（International Brigades）。史達林慢慢才同意支持西班牙的共和國政府，派去三千名顧問和軍火，在西班牙境內啟動和他正在俄國境內施行的恐怖統治不相上下的恐怖統治。佛朗哥這個只知埋頭苦幹且凶殘的大元帥未能拿下馬德里，但在義大利、德國的空襲援助下，他自視為「最後一次十字軍遠征的首領」，消滅了不信神的社會黨人。雙方都殺平民：共和軍射殺了三萬八千人左右，但佛朗哥射殺了二十萬人。[45]西班牙和衣索比亞兩者有相似之處。

如今身為涅蓋利（Neghelli）的侯爵的格拉齊亞尼禁止「種族混合」，在衣索比亞人稱之為耶卡提特月十二日（Yekatit 12，西曆一九三七年二月）的這一天，他在阿迪斯躲過暗殺後，他出動義大利士兵和「黑獅」（Black Lion）民兵報復。這些人喊著「領袖！領袖！」、「義大利文化！」（Civilta Italiana!），屠殺了兩萬人。「幾條街被整個燒掉」，街上的居民紛紛死於機槍或刀下。

45 伊比利半島上的獨裁者不只佛朗哥一人，但葡萄牙採行截然不同的模式。葡萄牙君主制於一九一〇年遭推翻後，葡國治理不善且貧困，卻仍在安哥拉、莫三比克、幾內亞、果阿保有帝國。不過，一九二六年一場軍事政變後，上台的軍官做了一件很不尋常的事：未任命將領當財政部部長，反而找安東尼奧·薩拉查（António Salazar）這個有才幹的經濟學教授接掌該職務。他父親是某省的莊園經理，他本人則差點成為神職人員。薩拉查使葡國收支平衡，接著出任總理，創造出他所謂的涵蓋多個大陸的、帝國主義的天主教「新國家」（Novo Estado），以保守獨裁者的身分穩定了葡國局勢。他以「上帝」、「國家」、「家庭」為獨裁統治的基礎，在國內靠祕密警察機構ＰＩＤＥ的幫助壓制反對派，把移民送到安哥拉和莫三比克，藉此重振帝國活力。他限制人民的自由，走威權主義路線，卻也很有教授的風範，屬理智掛帥的人物；政治上的集會不多，種族歧視少之又少。但ＰＩＤＥ祕密警察在維德角設置了一座拘留營，囚犯在裡面遭拷打、殺害。對於西班牙內戰和第二次世界大戰，薩拉查採置身事外的立場，卻願意為維持葡萄牙的帝國而戰。

格拉齊亞尼說，「衣索比亞將歸領袖所有，屆時那裡會有衣索比亞人或沒有衣索比亞人。」前一年，這個總督在吉吉伽（Jijiga）巡查一座教堂時，掉進被地毯掩蓋的洞裡，他決心一雪此辱。在戴布雷・黎巴諾斯（Debre Libanos）隱修院，格拉齊亞尼下令：「將所有僧侶當即處決，不管是何身分，包括副院長。」兩千名僧人遇害。義大利人共殺了四十萬衣索比亞人。國際聯盟表決通過對義大利的制裁，後來又取消制裁。墨索里尼的外長暨女婿齊亞諾伯爵（Count Ciano）吹噓說，「義大利認為理應告知國際聯盟，義大利為了讓衣索比亞文明開化所付出的努力。」在日內瓦，安詳且嚴肅的海爾・塞拉西警告國聯，「那不只是義大利侵略的問題；那攸關集體安全，」然後問道，「我要帶什麼答覆回去給我的人民？」

沒有任何答覆——而認識到國聯咬不了人的人不只希特勒。一九三六年十一月二十五日，日本和德國簽訂反蘇維埃條約，不久義大利也加入——日後演變為軸心國同盟。裕仁天皇本身的看法依舊不明，但他和他的文武官員很可能漸漸相信征服中國的時候到了。

一九三六年二月，民族主義軍官的一場政變已使裕仁承受更大壓力。造反者遭處決，但裕仁、他的將領和「元老」（他的政治大老）強化了對軍國主義民族主義的崇拜。這種民族主義還摻和了武士道精神、神道教儀式和對天皇的崇拜。裕仁私底下未把自己視為神，卻相信天皇和民族、國家是同義詞。一九三七年五月，他支持把天皇視為「在世的神」的「國體本義」。人人都必須「為天皇的偉大榮光而活，摒棄小我，從而全民合一的體現我們的真正人生」：這就是「皇道」。這個泛亞的意識形態敵視西方民主國家，仰使日本的稱雄才得以存在。「元老」認為中國人是較劣等的種族，由於一八九五年和一九〇四年日本人的流血犧牲，中國只是個注定要讓日本統治的領土。

一九三七年七月七日，中日士兵在盧溝橋意外交火，為日本提供了侵華的藉口——將奪走一千四百萬條中國人性命（死亡人數僅次於俄國）並點燃世界大戰的一場爭端就此展開。

第二十幕

世界人口

二十億人

羅斯福家族、孫家、克虜伯家族、巴勒維王朝、紹德家族

裕仁發兵侵華

裕仁與他的叔公暨參謀總長載仁親王、他的內閣總理大臣近衛文麿領導的諸位將領商量侵華之事，保證侵華戰爭「兩三個月就（會）結束」。近衛文麿有文化素養且實事求是，很欣賞愛爾蘭詩人和劇作家奧斯卡．王爾德（Oscar Wilde）。在參加過凡爾賽會議後，他深信西方列強是具有種族主義思想、決意打垮日本的殖民主義者。

裕仁問，「將大股兵力集中於最關鍵的地點，給予壓倒性的一擊，不是比較好？」陸軍部長同意此說：必須打「總體戰」，但要「不宣而戰」，以避免西方或蘇聯干預。一九三七年七月二十八日，第二次世界大戰的正確起始日，日軍全面進攻北京和天津。八月八日，這座古都和華北大部分地區遭日軍攻占。

蔣介石正為何時該奮起抵抗「倭寇」而苦惱萬分，問起「存亡」問題。他如果不抗日，可能失去權力；如果抗日，可能失敗。他同意和毛澤東談判共組統一戰線抗日之事。在西安，蔣介石見了毛澤東的副手周恩來。但共產黨操弄東北軍閥「少帥」張學良的愛國熱忱，張學良反感於蔣介石的立場搖擺，於是擬了計畫要逼迫蔣介石出手抗日。少帥的士兵襲擊了蔣介石的別墅，殺了他的侍衛，發現身穿長睡衣、未戴假牙的蔣總司令躲在山坡上。他的妻子宋美齡考慮過進攻西安，但最終還是趕來和她丈夫會合。毛澤東想要殺死蔣介石，但史達林擔心日本的進攻，下令將他釋放。蔣介石同意了史達林的聯合抗日計畫，史達林投桃報李，讓他兒子蔣經國返國。

獲釋後，飽受教訓和羞辱的蔣介石以五十萬兵力守上海。裕仁同意其將領的主張，命令二十萬日軍強攻上海。日軍戰死九千人，中方則戰死將近二十五萬人。日本憤慨於己方的傷亡，命令其士兵無差別對待中國軍民：日軍沒有俘虜任何士兵，在上海屠殺了數千人。十二月十三日，日軍占領首都南京。日本華中方面軍司令松井石根將軍和裕仁的姑丈暨上海派遣軍司令朝香宮鳩彥王，下令對中國人進行嚴厲報復，作為閱兵遊行的起始活動。第一天，三萬兩千人遇害。朝香的命令是「殺掉所有俘虜」。朝香的部隊所殺害的中國人，總共可能多達三十四萬；約兩萬女性遭強暴、毀損身體和殺害。[1]「這場殺戮持續了六個星期，發洩了日本人對中國人不乖乖投降的怒火，也是日本人種族優越感的展現。裕仁和其將領難辭其咎，但就連松井將軍都感到「沮喪」，還說「我為這些悲劇感到遺憾，但除非中國悔改，否則軍隊必須繼續」。松井和朝香宮被召回日本，但裕仁對松井進行了表彰，並授予朝香勛章。

蔣介石在武漢陳兵抵抗日軍，但遭擊潰，隨之遷都內陸重慶。在位於陝西的地盤，毛澤東安頓下來，打起長期的游擊戰，並諷刺地評論：「占著茅坑的人不拉屎，滿肚子屎的人沒茅坑。」在其首府延安，他把旗下兵力從三萬增加至四十四萬，但把前線抗日的工作留給蔣介石。到了一九三八年，日本人已控制中國沿海大部分地區，蔣介石和毛澤東則堅守內陸，但他們決意打一場他們永遠無法結束、也無力承擔的戰爭。在這個瞬息萬變的局勢裡，各方都肯定清楚只有一件事是確定的：史達林說，即將到來的衝突會是一場「機器的戰爭」，而這意味著，用邱吉爾的話來說，「石油是『獎品』」。誰控制石油，誰就是老大。

1 據說日軍第十六師團的兩個日本軍官向井敏明（Toshiaki Mukai）、野田毅（Tsuyoshi Noda）舉行了新軍刀百人斬比賽，看誰於攻下南京前先砍下一百顆中國人的人頭：南京陷落時，野田砍了一百零五顆，向井砍了一百零六顆。然後，兩人以一百五十顆為目標，開始又一場較量。

石油王——攻占阿拉伯半島：阿布杜阿齊茲和禮薩

伊朗國王和英國起了衝突，要求提高歸伊朗所有的本國產石油的份額。他揚言完全取消給予英國人的特許經營權，藉此爭取到更好的條件。權力從歐洲轉到亞洲一事就此開始。但這種摩擦毒害了禮薩的朝廷。[2]

禮薩希望為他的兒子穆罕默德（Mohammad）鞏固王朝。穆罕默德此時剛從瑞士寄宿學校回到家中，帶著比他年長十一歲的學校柔弱雜工歐內斯特・培隆（Ernest Perron）回來。「是個奇怪的傢伙，」一個英國外交官寫道，「穿得像是音樂喜劇波希米亞人，還會替人看手相，對你的性生活做出最出人意表的陳述！」國王對同性戀感到恐懼，對兒子帶回這麼個人很震驚，用鞭子鞭打了培隆，下令將他趕走。他的女兒出面求情，國王才同意他留下。伊朗國王任命他當園丁。無論培隆的角色為何，都是情感方面的角色，無關乎性愛：這位王儲已把自己的童貞獻給了一個瑞士少女，從此開始了尋歡作樂的一生。

伊朗國王急於安排兒子的婚事，選中了一個埃及公主：穆罕默德・阿里的王族是該地區最古老的王朝，儘管該王族屬遜尼派（Sunni）。一九三九年三月，在開羅的阿卜丁宮（Abdeen Palace），伊朗王儲娶了埃及年輕國王法魯克（Farouk）的妹妹法齊婭（Fawzia）公主，之後在德黑蘭國王的見證下再次舉行了婚禮。法齊婭的母后娜茲莉（Nazli）具有部分法蘭西血統，法齊婭本人則有「完美的心形臉蛋，和顏色出奇淺淡但銳利的藍眼睛」；她在埃及享樂豪奢的環境裡長大，驚駭於這個粗野的國王，對波斯宮廷的中產階級褊狹作風感到厭倦，對她笨拙的丈夫感到不滿。伊朗國王察覺到即將爆發的戰爭，希望透過平衡英國與德國的關係，來確保其王國的安全。

一九三八年三月三日，在南邊，一家美國石油公司在沙烏地阿拉伯這個新王國的達曼（Dammam）七號井挖到石油。在那之前，英國人一直認為阿布杜阿齊茲・伊本・紹德和其瓦哈比派（Wahhabis）的崛起並非安全事務上的大問題，因此致力於保衛他們在伊拉克、外約旦所扶持的哈希姆（Ha shemite）家族國王。如今，沙烏地阿拉伯和伊朗、伊拉克鼎足而三，成為日益強大的石油支配者。

這個紹德家族國王靠麥加朝覲費維持財政，但經濟大蕭條期間他的收入減少了。「伊赫萬」（Ikhwan）軍造就了他，但現在他們威脅到他，他必須除掉他們。一九二九年三月，在薩比拉（Sabilla），在英國皇家空軍飛機的協助下，紹德家族的機槍手射殺了數百個駱駝騎兵，結束了伊赫萬軍的統治。一九三二年九月二十三日，阿布杜阿齊茲自封為沙烏地阿拉伯這個新國家的國王。[3]獎賞立即到手：他的工程師替他新蓋的穆拉巴宮（Murabba Palace）安裝了電力和廁所，紹德家族就此從沙漠軍閥轉型為國際要角。在拜占庭英格蘭人聖約翰・費爾比（St John Philby）的鼓勵下，西方石油公司（這些公司均向費爾比支付費用）開始勘探石油。費爾比曾是英國外交官，在皈依伊斯蘭教後被國王命名為謝赫阿卜杜拉（Sheikh

2 地位僅居於國王禮薩之下的大臣泰穆爾塔什（Teymourtash）開啟了與英國人的石油談判。但禮薩愈來愈不信任這個大臣。泰穆爾塔什私下批評禮薩「懷疑所有人和每件事」，而這個國王的祕密警察首領很可能傳達了英國人刻意散播的不實消息，暗示泰穆爾塔什是蘇聯間諜。一九三三年，禮薩突然逮捕泰穆爾塔什，並指使監獄醫生艾哈邁迪（Ahmadi）用空氣注射入人體的方式，將他殺害於獄中。

3 阿布杜阿齊茲找來一些可靠的人為其效命：這時，他遇見一個年輕的葉門人。此人是吉達（Jeddah）的一名搬運工，粗暴、未受過教育但很能幹，他開始統籌諸聖祠的建築工程，贏得了國王的信任。這個建築商成為阿拉伯半島上最富有的承包商：穆罕默德・賓・拉登（Muhammad bin Laden）。國王的醫生穆罕默德・卡舒吉（Muhammad Khashoggi）甚受國王信任，因而也當起交易的中間人：後來他的兒子阿德南（Adnan）會成為世界首富，而他當記者的孫子賈瑪爾（Jamal）則會和沙烏地王族作對，從而招來殺身之禍。

Abdullah）。[4]在利雅德（Riyadh），費爾比扮演謝赫的角色；在倫敦聖詹姆斯街的諸多俱樂部裡，則扮演英國公務員角色。現在，他負責談判沙烏地的第一份石油開採特許權——該特許權於一九三三年與南加州（SoCal）標準石油公司簽約，一九三六年德士古石油公司（Texaco）也加入其中——與阿布杜阿齊茲的沙烏地阿美石油公司（Aramco）成立合資公司。隨著國際緊張局勢加劇，每個強權——尤其未控制油田的德國和日本——都想取得這個「獎品」。

就是這樣搞定：希特勒的計畫

一九三七年四月二十日，在他四十八歲生日那天，希特勒向他的兩位心腹透露他真正的帝國願景：他想要建立氣勢恢宏的新首都日耳曼尼亞（Germania，即柏林），於是，阿爾貝特・施佩爾（Albert Speer）這個斯文的年輕建築師向他提交了一個新首都的模型。「你現在你明白我們為何要制定這麼大了的計畫嗎？」希特勒問道，與戈培爾（Goebbels）一同欣賞模型裡的人民大會堂（People's Hall），大廳的面積是聖彼得大教堂的七倍大，可以容納十八萬人；形似要塞的元首府（Führer Palace）；高兩百六十英呎、令巴黎凱旋門相形見絀的凱旋門（Victory Arch）；以及一個比紐約中央車站還大的火車站。「我十年前就畫了這些草圖，」希特勒在委託施佩爾主持此事時說，「我知道總有一天我會建造它們。」施佩爾計畫於一九五〇年建成日耳曼尼亞。後來他把此模型拿給父親看。他父親說，「你們兩個完全瘋了！」但現在希特勒向施佩爾透露，日耳曼尼亞會是「德意志帝國的首都」。後來他把他即將針對奧地利、捷克斯洛伐克施行的計畫告訴戈培爾：「我們會拿下它們……元首的偉大建設計畫就從這裡開始。」在某個祕密集會中，希特勒解釋道，「我總是冒我覺得能冒之險的極致……我說，『我想要毀了你。而今我要用我的聰明才智使你陷入困境，屆時你將無法抨擊我，因為你的心臟會受到致命一擊』」。接他咆哮道，「就是這樣搞定。」

希特勒開始加大對奧地利的施壓，於一九三八年二月召見奧國總理庫爾特・舒施尼格（Kurt Schuschnigg）時，揚言要入侵奧國。「我的任務是注定的，」他告訴舒施尼格，「你肯定不認為你們能堅持抵抗哪怕一個小時吧？誰曉得？說不定明天早上我就會像春天的暴風雨一樣來到維也納。」舒施尼格想要以其人之道還治其人之身，呼籲舉行全民獨立公投，結果為希特勒在奧地利邊界集結德國國防軍提供了藉口。

在維也納，阿爾豐斯・德・羅斯柴爾德男爵不確定自己該不該離開，但他的妻子，一名叫克萊麗絲・塞巴格—蒙蒂菲奧里（Clarice Sebag-Montefiore）的優雅英格蘭女人，從她任職於外交部的情人那裡聽說，納粹已經擬了一份要逮捕的猶太人名單。兩夫婦收拾好行李，驅車入法國。八十二歲的西格蒙德・佛洛伊德（Sigmund Freud）不願離開。「若在中世紀，他們大概會燒死我，」他意態堅定說道。「如今，他們燒了我的書就會滿足了。」

舒施尼格取消了公投並辭職，把權力移交給他身為納粹黨員的內政部長。三月十二日，德軍進入奧地利。希特勒駕駛著敞篷賓士車隊，穿過欣喜若狂的群眾，通過奧地利的林茨（Linz）。在林茨，他抬頭看著他的猶太裔醫生愛德華・布洛赫（Eduard Bloch）家的窗子，布洛赫向他點頭回禮。然後，他進入維也納，出現在霍夫堡宮（Hofburg）的陽台上，接著去看了他的甥女格莉・勞巴爾（Geli Raubal）的墓。這個

4 費爾比是個不討人喜歡但有創意、行事不合於流俗的人——探險家、社會主義者、反猶太主義者、不表露心裡真實想法和感受的人；他提升了紹德家族的地位，一如勞倫斯提升了哈希姆家族的地位。費爾比樂於搞他的兩面作風，根據吉卜林筆下的間諜之名，將他的長子取名為金（Kim）。在劍橋大學，金和與他時相往來那群人傾心於共產主義，其中數人從事起外交工作。一九三四年，在倫敦的攝政公園（Regent's Park），金經由他身為共產黨人的奧地利籍女友介紹，認識一個神祕的「重要人士」，後來招募他成為蘇聯特務。他成為《泰晤士報》記者，報導西班牙內戰。一九四〇年，經他的某個劍橋友人的幫助，他加入英國情報部門、軍情六處（ＭＩ６），成為蘇聯最重要的間諜之一。

德奧合併（Anschluss）之舉引發多場悲劇：納粹暴徒逼迫猶太人清掃街道。希姆萊（Himmler）的猶太事務專家阿道夫・艾希曼（Adolf Eichmann），強徵羅斯柴爾德家的五座府第之一，作為他的「猶太人外移事務總局」（Central Agency for Jewish Emigration）的辦公室，沒收猶太人的財產，尤其是十萬個想要離開的猶太人的財產。艾希曼曾是達豪集中營的衛兵，會計之子，現在主掌黨衛軍保安處（SD）的猶太人事務部（Section II/112）。

路易斯・德・羅斯柴爾德（Louis de Rothschild）男爵，阿爾豐斯的弟弟，溫文有禮，是馬球運動員、植物學家、唯美主義者，娶了奧地利的一位女伯爵。一些納粹黨衛軍登門拜訪，他的男管家告訴他們，路易斯吃完午餐會回來。當路易斯試圖離開奧地利時，在阿斯伯恩（Asperm）機場被捕。戈林（Göring）和希姆萊爭相向羅斯柴爾德家索取贖金，最後由希姆萊勝出。希姆萊去獄中見羅斯柴爾德，談成以價值兩千一百萬美元的資產換取他的自由。路易斯去美國和他的哥哥會合。[5]佛洛伊德不願離開。

藉著哄抬價格牟取暴利者跟著納粹的腳步到來，為首者是這時在戈林協助下奪取奧地利最大鋼鐵廠的克虜伯。一如華格納家族（Wagners）是希特勒的文化王朝，克虜伯家族於他則是工業王族。墨索里尼登門拜訪時，他帶他參觀克虜伯的埃森工廠。克虜伯獻給希特勒一張飾有閃閃發亮「卐」符號的鋼桌，為希特勒的五十歲生日祝壽，鋼桌上刻了來自《我的奮鬥》的一段引文。希特勒高興萬分。古斯塔夫的兒子阿爾佛里德（Alfried），鷹鉤鼻、身形枯槁、眼睛深陷，自一九三一年起成為黨衛軍一員。他成為克虜伯公司董事會一員，負責開發用於新型機動戰爭的坦克。

「現在該輪到捷克人了。」心情愉快的希特勒告訴戈培爾，準備為蘇台德地區的德裔少數人口對捷克斯洛伐克發動戰爭。一九三八年九月十七日，有著鷹鉤鼻、讓人提不起興致的英國首相內維爾・張伯倫（Neville Chamberlain），這時決定拯救歐洲和平，來到「元首」位於阿爾卑斯山區的氣派豪宅貝格霍夫

（Berghof），在那裡吃了主人口沫橫飛的責罵和理智的談判。張伯倫鄙視希特勒——說他「十足平凡，你會把他看成房屋油漆工人，而他就曾幹過那一行」。希特勒嘲笑張伯倫是「古板女教師」和「蠕蟲」。經過接下來幾場會晤後，張伯倫吹噓他會盡力避免「因某個遙遠異國裡我們一無所知的人們之間的爭吵而發生」的戰爭。在由墨索里尼斡旋下召開的慕尼黑會議中，張伯倫和法國總理達拉第（Daladier）同意將捷克斯洛伐克的「蘇台德德裔地區割讓給德國」。

張伯倫志得意滿搭機返國。「各位好朋友，」他在機場說道，「我相信我們不會有戰爭。回家去，睡個安穩的好覺。」有智之士未睡。「你必須在戰爭和恥辱之間做選擇。你選擇了恥辱，接下來你會迎來戰爭。」邱吉爾警告，慕尼黑協定是一次「徹底的失敗」。小羅斯福從華府看著這一切，私下同意此說，並指出它們「雙手沾滿了猶太的鮮血」。小羅斯福一心要阻止喬・甘迺迪在國內爭奪總統之位，於是提拔他為駐倫敦大使。在那裡，這位自信到令人不悅的愛爾蘭人盡情享受上流社會的生活樂趣，但卻支持以子爵夫人阿斯特（Astor）為核心的一群反猶人士，而阿斯特贊成順希特勒之意以避免戰爭。甘迺迪說，這些德國「猶太佬是咎由自取」，他還告訴一個朋友：「個別猶太人沒問題，但作為一個種族，他們很糟。他們碰到什麼就糟蹋什麼。」小羅斯福對希特勒很反感——「他的尖聲叫喊、他的矯揉造作、他在聽眾身上所起的作用——他們沒有鼓掌——他們發出像動物一樣的刺耳聲音，」羅斯福告訴他的紅粉知己暨表妹黛

5 佛洛伊德的病人暨朋友暨精神分析界同行瑪麗・波拿巴（Marie Bonaparte）公主求他離開。她是拿破崙的弟弟呂西安（Lucien）的後代，由於祖父是摩納哥賭場大亨而致富，嫁給希臘的同性戀王子喬治。一次大戰期間她與法國總理等人縱情交往，探索性欲。一九二五年，她以傳教士姿勢性交時無法高潮的問題，求教於佛洛伊德。佛洛伊德告訴瑪麗，「從未被解開的大問題，是『女人想要什麼？』」她成為一名精神分析學家和性研究者。此時，當佛洛伊德的四十三歲女兒安娜被捕，佛洛伊德終於同意離開，瑪麗・波拿巴支付了他的逃亡費和贖金。佛洛伊德定居倫敦，住在他的建築師兒子恩斯特附近，恩斯特的兒子盧西安（Lucian）則正要開始攻讀藝術。西格蒙德・佛洛伊德於一九三九年去世。瑪麗・波拿巴試圖營救佛洛伊德的姊姊們，但未能如願。

西・薩克利（Daisy Suckley）。「歐洲塞滿足以炸掉世界的炸藥」。

對希特勒來說，拿下蘇台德還不夠。透過欺騙手段避免戰爭後，他打算「迅速占領」捷克斯洛伐克的剩餘領土，然後，「在時機成熟時，我們將使用久經考驗的方法削弱波蘭」。

幾星期後，一名德國外交官於巴黎遭一名波蘭猶太人槍殺，希特勒和戈培爾組織了一場遍及全德的迫害猶太人行動，名叫「水晶之夜」（Kristallnacht／碎玻璃之夜）。十一月九至十日，猶太人遭毆打，一百個左右的猶太人遇害，三萬猶太人遭逮捕，送到拘留營；一千座猶太會堂遭燒毀，猶太店鋪遭砸毀。希特勒和戈培爾討論「猶太人問題」。「『元首』想要把猶太人完全趕出德國，趕到馬達加斯加或類似那的地方」。一九三九年一月三十日，希特勒對國會全體議員講話時，把歐洲猶太人的命運和他計畫發動的戰爭連結在一起。「在我的一生中，我常常是先知，大多時候受到嘲笑，」他說。「如今我想再當個先知：如果國際上的猶太裔金融家……如願使諸國再度墮入一場世界戰爭，其結果不會是地球的布爾什維克化、也就是猶太人的勝利，而將是歐洲猶太人種族的滅絕。」

三月，他召見捷克前總統伊米爾・哈卡（Emil Hácha），逼他獻出捷克斯洛伐克的其餘領土。哈卡中風了。德軍隨後占領布拉格，這座城市如今成為希特勒所設波希米亞和摩拉維亞保護國（Protectorate of Bohemia and Moravia）的首府；同時，在一個法西斯牧師領導下的斯洛伐克傀儡國則獲准獨立。希特勒把斯科達（Škoda）工廠給了克虜伯。幾天後，他強迫立陶宛交出波羅的海港口梅默爾（Memel）。英法兩國終於意識到自己姑息希特勒的錯誤，出聲保證捍衛希特勒下一個目標波蘭的領土的完整。此時希特勒已如願實現其一連串圖謀。「你們在數千萬人之中找到我，這真是一個時代的奇蹟，」他在群眾大會上說。「而我找到你們，則是德國的萬幸。」他認為戰爭不可避免且可取，於是找上已失去波蘭境內領土的另一個反凡爾賽條約的強權，即由他的布爾什維克敵人史達林領導的俄國。只有這個蘇聯獨裁者能使希特勒不致於陷入兩面作戰。

五月，當希特勒在貝格霍夫沉思時，他的外交部長里賓特洛甫（Ribbentrop）播放了史達林在莫斯科勞動節閱兵的影片給他看，受校部隊從列寧的陵墓走過來。希特勒說，史達林「看來像是一個可以與之做交易的人」。

那是彼此都有意達成的交易——但始終是暫時的交易。

史達林表達修好的意向已有一段時間。他就要控制不住國內的恐怖統治。葉若夫（Yezhov）沉迷於酒色，縱情於和男人、女人上床，而且試圖掩蓋他無節制尋歡作樂的行徑，最終遭一位極為能幹的親信取代職位——拉夫連季・貝利亞（Lavrenti Beria），一位讓人想起蟾蜍的喬治亞人，是個施虐狂和強暴犯，他主持了最後一波的殺戮，而葉若夫就是這波殺戮的受害者之一。「我死時說著史達林的名字。」葉若夫遭槍殺前說。史達林在歐洲面對東山再起的希特勒，在亞洲面對氣勢洶洶的日本，但掌控著一個噤若寒蟬的政黨和力量遭削弱的國家，因此成為納粹和英法民主國家都想拉攏的對象。史達林不信任英國人，認為英國人長年以來想要摧毀蘇俄，「想要把我們當農場工人般利用」，以「替他們火中取栗」，但也很清楚希特勒骨子裡敵視俄羅斯。他已讀過《我的奮鬥》翻譯本，但覺得希特勒提出的修好較可信，也更為有利可圖。至於希特勒，他從未忘記在《我的奮鬥》裡所許下消滅猶太—布爾什維克主義的承諾，於是下令出兵攻打波蘭——這項決定仰賴與史達林的結盟。史達林受到各方爭相拉攏，時間站在他那一邊。

一九三九年八月，希特勒發了一封電報給史達林，建議讓里賓特洛甫立即飛往莫斯科。當史達林的回覆在晚餐時被送到希特勒面前時，他激動的重擊餐桌說：「成了！」當「元首」向其將領介紹基本情況，說德國人將從此有他們的「生存空間」時，里賓特洛甫飛抵莫斯科，搭車至克里姆林宮裡史達林的辦公室「小角落」（Little Corner），這個總書記已經準備好就東歐瓜分進行談判。史達林款待里賓特洛甫，同時指導蒙古邊界上的對日作戰事宜。里賓特洛甫抵達的兩日前，史達林新晉升的指揮官喬治・朱可夫（Georgi Zhukov），在哈勒辛河（Khalkhin Gol）率五萬兵力攻擊日軍。此役將會和「小角落」裡的交談一樣，決定這場世界大戰的未來。

在貝格霍夫，希特勒和愛娃・布勞恩、隨從一同用餐，然後和失眠、眼睛凹陷、幾乎發燒的戈培爾一同熬夜等消息。在「小角落」，史達林和里賓特洛甫迅速達成交易——獨裁統治體制的優勢。里賓特洛甫欣喜若狂，舉香檳祝史達林，說道「德俄兩國永不再戰」。

史達林說，「應該如此」，面露喜色，但存有戒心。凌晨四點，希特勒收到里賓特洛甫的電報：他和史達林已經瓜分波蘭；已向史達林承諾將前羅曼諾夫帝國的毗鄰地區，包括芬蘭部分地區、波羅的海諸國與羅馬尼亞的部分地區劃給蘇聯。[6]希特勒將里賓特洛甫稱作「新俾斯麥」（the new Bismarck），下令入侵波蘭。八月二十五日，在遙遠的蒙古，蘇軍坦克包圍日軍，蘇聯拿下此役，改變了日本的計畫。日本不再攻擊俄國，轉而將矛頭對準英美。至於史達林，他找到一個良將：堅毅、粗魯、驃悍的朱可夫將會是最了不起的二次大戰將領。

九月一日，身穿灰綠軍服的希特勒在鴉雀無聲的德國國會中表示，在勝利底定之前，「我只想當德意志帝國的第一名士兵」，否則他將「無法活著看到結局」——這是一種公開的自殺警告。他自比為腓特烈大帝，而腓特烈也曾「面對一個強大的聯盟」，但最終「取得了勝利」。

那天早上，當一百五十萬德軍打進波蘭時，希特勒命令其心腹部下發動一場新型戰爭。「消滅波蘭，」在一位將領所寫的筆記裡，希特勒如此明示。「不留情，行動殘忍……盡可能嚴厲。」希特勒瞧不起民主國家——「那些蠕蟲！我在慕尼黑見過——」但這一次，蠕蟲改變作風：英法宣戰；張伯倫派三十九萬兵力的遠征軍支持法國人，不情不願地將不服輸但專橫的邱吉爾請回來，讓他擔任第一海軍大臣。

美國總統小羅斯福看出張伯倫威望受損，偷偷寫信給「親愛的邱吉爾」，鼓勵他「私下與我保持聯繫，把你希望我瞭解的事都告訴我」。但他受制於想要保持中立的六成二的美國人、受制於普遍的反猶心態、受制於駐英大使甘迺迪——「一直以來是個姑息者，以後也將永遠是姑息者，」小羅斯福說。「討厭的傢伙。」

希特勒下令在波蘭展開「不受法律限制」的「激烈族群鬥爭」。他併吞了原屬普魯士的諸多波蘭省份，成立德占波蘭總督管轄區（General Government）來治理波蘭其他地方，他解釋說，「我們想要的只是獲取勞動力」和「清除帝國領土上的猶太人和波蘭人」。約一百七十萬左右的波蘭猶太人落入德國之手。五支——後來七支——特別謀殺小隊、黨衛軍別動隊（SS Einsatzgruppen）跟在軍隊之後進入波蘭。這些特別謀殺小隊是由當時主持黨衛軍國家安全部（Reichssicherheitshauptamt，簡稱ＲＳＨＡ）的海德里希（Heydrich）創立，將黨衛軍保安處和一般警隊結合而成。他們殺了奪命名單（「特別起訴書」）上的所有波蘭菁英共四萬人。「波蘭領導人一個都不留，」希特勒說。「凡是有波蘭領導人存在的地方，都必須把他們殺掉，不管那讓人覺得多嚴酷。」有些別動隊隊長是有犯罪前科的粗魯惡棍，但其中許多人則是高學歷的專業人士——三個隊長是醫生，A別動隊十七名軍官裡的九名也是醫生——而且即使不是貴族出身，也是中產階級出身。二戰後，德國將領散播一個謊言：納粹國防軍未參與納粹暴行。事實上，大部分軍官

6　史達林吞併了波羅的海三國（它們成為蘇聯的加盟共和國），逼羅馬尼亞割讓比薩拉比亞（一次大戰後羅馬尼亞從俄羅斯取得的領土，後來成為蘇聯的摩達維亞共和國）。貝利亞的祕密警察從愛沙尼亞、拉脫維亞、立陶宛流放了十四萬人。但至一九一八年為止一直是羅曼諾夫家族大公國的芬蘭，不願交出史達林所索要的領土。史達林發兵入侵，稱此戰爭只是維持秩序的行動。但芬蘭人擊潰蘇聯大軍，在殺了十三萬一千四百七十六名蘇軍士兵後才屈服。史達林下令改革軍隊，但蘇聯所蒙受的此次羞辱讓希特勒相信蘇聯會很快就垮掉。

不只默許、批准這些「民族政治任務」，還協助這些任務；普通軍人也參與此事，甚至拍照。極少數非常勇敢的軍人拒絕參與。希姆萊出席了其中某些處決行動，告訴行刑者：「老實說，我做的每件事，『元首』都知情。」[7]

儘管已有成千上萬人參與殺戮，但這一切都取決於希特勒的領導。十一月，他飛到慕尼黑，對啤酒館政變的「老戰士」發表他一年一度的演說，早早講完話離開；就在這時，孤狼刺客格奧爾格・埃爾瑟（Georg Elser）所安放的一枚炸彈爆炸。希特勒相信是天意讓他免於難——「帝國的命運全繫乎我一人」——這使得他的使命因此變得更急迫：「在西邊騰出手，我們才能對抗俄羅斯」。

英德兩國爭相要奪下挪威，結果英國落敗。不具軍閥性格的張伯倫鎮不住政局。一九四〇年五月九日早上十點十五分，他見了兩個欲接掌他首相之位的人。張伯倫和幾個保守黨巨頭較中意曾任印度總督、現任外交部長、綽號「聖狐」（Holy Fox）的哈利法克斯伯爵（earl of Halifax）。哈利法克斯是個缺乏幹勁、自以為是的貴族，一隻手臂萎縮且沒了手掌，傾向於和希特勒談判。邱吉爾被視為具有典型海盜性格、狂妄、一半美國血統的戰爭販子，他一直保持好鬥的沉默低調地等待，直到哈利法克斯退出角逐，才顯露他的本色。

邱吉爾是個具有典型貴族作風的帝國主義者、具有老一輩作風的特立獨行之人，生活豪奢舒適且講究吃喝，嗜酒，雪茄不離身，暴躁易怒、言語尖刻、詼諧，喜穿獨具一格的制服——他自己設計的連衣褲形似嬰兒的寬鬆連褲外衣。但他不只看清了希特勒的真面目，他的勇武氣質、富有遠見的創造力、昂揚的活力、無可匹敵的內閣閱歷、對戰爭和歷史的深厚認識，以及高明的言語掌握能力，使他成為最有資格帶領英國存續下去的不二人選。「可憐的人民，可憐的人民，」邱吉爾低語道。「他們信任我，而我所能給他們的，就只有長久的災難。」

經過數個月的「假戰」（phoney war），易激動且緊張的希特勒於五月十日宣布要打一場將會決定「德國人民千年命運」的仗，然後發兵往西，穿過比利時和荷蘭。但他的主要攻勢往更南邊打去，穿過阿登高地（Ardennes），大膽地使用坦克進行閃電戰（Blitzkrieg）。「我們被打敗了。」法國總理保羅．雷諾（Paul Reynaud）告訴邱吉爾。邱吉爾飛到法國，以強化法國人的抵抗意志。邱吉爾問「戰略後備部隊在哪裡？」法軍總司令回道，「沒有。」

雷諾任命了凡爾登戰役的英雄、八十四歲的貝當元帥（Marshal Pétain）為內閣官員，以及已領導過三次失敗反攻、且認為法國絕不應投降的一個將領。這個將領是陸軍部次長戴高樂（Charles de Gaulle），一個長得笨拙、六呎四吋高的軍人暨學者，小貴族出身，頭小、鼻長，綽號「大蘆筍」（Le Grand Asparagus）。六月九日，戴高樂飛去英國，在唐寧街見了邱吉爾，請求英國皇家空軍投入法國戰事。邱吉爾拒絕，但欣賞「年輕有活力」的戴高樂：一次大戰時遭德國人俘虜的經歷，更加堅定了戴高樂的抗德決心，他堅信「法國的某種理念」，即偉大的法蘭西，相信這樣的法國最好由一個威嚴的領導人來領導，而有一天他說不定就會成為這個領導人。

兩天後，邱吉爾返回法國會見沮喪的雷諾，在那裡觀察到了戴高樂的「活力」；貝當已是失敗主義者。回到倫敦，邱吉爾提議英法聯盟，但六月十日雷諾辭職，貝當成為和希特勒談判的總理。隨著墨索里尼參戰，從南邊入侵法國，戴高樂逃至倫敦，「孤身一人且一無所有……我要開始一場冒險」。六月十四日，巴黎淪陷。四天後，戴高樂透過廣播電台向法國人民廣播，「我，戴高樂將軍，目前人在倫敦，」他

7　史達林發兵入侵波蘭東部，蘇聯人在那裡的掠殺同樣冷酷。蘇軍逮捕並驅逐了四十萬波蘭人；兩萬兩千名被俘的波蘭菁英囚禁在卡廷森林（Katyn Forest）附近的戰俘營。一九四〇年三月五日，史達林和中央政治局命令貝利亞處決這些「民族主義者和反革命分子」，屍體則埋在森林裡。

問，「最後一句話已說完了？希望必然消失？失敗已成定局？不！……對法國來說，什麼都未失去。」貝當開始對德談判時，英軍在敦克爾克（Dunkirk）的海灘上受包圍。這場勝利是如此徹底，以致希特勒舉棋不定。「元首非常緊張，」他的參謀總長寫道。「他被自己的順利嚇到。」當希特勒猶豫不決時，三十萬英軍被眾多小船組成的船隊救走。

希特勒在康比涅（Compiégne）的火車車廂裡接受法國人的投降——嚴格來講是停戰——一九一八年德國人就在同一個車廂裡向法國人投降；希特勒把法國南部和整個法蘭西帝國完好無缺的交給貝當統治下的維琪政府。前德皇和他的兒子們向希特勒表示祝賀。

六月二十三日拂曉，希特勒在施佩爾陪同下搭機至巴黎，搭乘賓士敞篷車走訪巴黎的風景名勝。他在艾菲爾鐵塔旁停下，站在榮軍醫院的拿破崙墓前，下令將這個皇帝的兒子賴希施泰特公爵（duke of Reichstadt）的遺骸送回法國——他對歷史上的某些人事物有著較古怪的執迷，這個公爵是其中之一。「巴黎不迷人？」他對施佩爾說。七月，希特勒來到埃森為克虜伯的七十大壽祝壽，親自感謝他提供坦克。[8]在拜羅伊特（Bayreuth），他觀賞了歌劇《諸神的黃昏》（*Götterdämmerung*），「我聽到，」希特勒告訴維妮弗雷德．華格納，「勝利女神的振翅聲。」他即將下令展開他賭徒一生裡最大的一記險著。

他認為英國人會投降。哈利法克斯建議談判。邱吉爾臨危不亂，告訴英國人民，這場戰爭對付的是「一個猙獰的暴君，這個暴君在黑暗、令人哀嘆的人類犯罪錄裡，惡性之重大無人能及，」而在這個戰爭裡，「我除了鮮血、苦幹、淚水、汗水，沒有其他可貢獻。」希特勒嘲笑「英國無可救藥的軍事情勢」，下令從海上突擊（海獅行動／Operation Sealion），但他的海軍將領提醒，只有擁有空中優勢，這場軍事行動才有可能成功。一九四〇年七月，希特勒命令其欽定的接班人、不久前剛晉升為帝國元帥的德國空軍司令戈林「擊潰英國皇家空軍」，然後「消滅英國母土……完全占領該國」。但他已開始把注意力轉向他一生念茲在茲的大業：「一旦俄羅斯被摧毀，英國的最後希望也將消失。」

八月，希特勒出動空軍，但推遲了海獅行動。因為膽識過人的英國飛行員和更先進性的英國飛機，在新型雷達的幫助下，加上邱吉爾令人動容的抗戰表率，英國打贏此役。邱吉爾的另一場勝利在大西洋彼岸。甘迺迪譴責「演員」邱吉爾，相信（用小羅斯福的話說）他的「小資本主義階級在希特勒的統治下更安全」，並向華府回報說英國在劫難逃，「民主已經完蛋了。」但邱吉爾贏得小羅斯福的支持，請求緊急援助——「我必須告訴你，在漫長的世界史裡，這是眼下該做的事。」

希特勒和年輕國王

小羅斯福把五十艘驅逐艦送去英國，並召回甘迺迪，狡猾地向甘迺迪表示願支持他日後選總統，從而使他不再礙事。小羅斯福打破先例爭取第三任任期，並以壓倒性多數選票獲勝，[9]從而使他得以放手用租

8　克虜伯與費迪南德·保時捷（Ferdinand Porsche）和其兒子合力研發出希特勒所要求的巨型美洲豹式（Panther）、花豹式（Leopard）、虎式（Tiger）坦克。

9　小羅斯福與一些密友（包括日後的總統林登·詹森（Lyndon Johnson））坐在一塊，打電話給甘迺迪：「喬，你好，剛在這裡和林登坐在一塊，想到了你。我想和你談談，小老弟。不能等……就今晚。」然後他掛斷電話，笑著對詹森說，「我要開除這個狗娘養的。」甘迺迪助小羅斯福拿下愛爾蘭裔的選票，支持他連任，後來才知道自己被擺了一道。甘迺迪把他的總統夢寄託在他的長子小喬身上。小喬此前已去過德國，在那裡，「希特勒正在其部屬身上打造一種在任何國家都可能受羨慕的精神。」甘迺迪的次子傑克也已遊歷過歐洲，準備從政，但質疑其父親的親德政治立場。兩兄弟都就讀哈佛大學和倫敦政經學院。甘迺迪被當成失敗主義者，受到鄙視，他的孩子們則令英國人著迷：他的女兒姬克（Kick）會在不久後嫁給哈廷頓侯爵暨德文郡公爵繼承人比利（Billy）。

借計畫幫助英國。「假設我的鄰居家著火了。如果他能拿走我的花園水管，」在對美國人的某次爐邊談話中，小羅斯福巧妙地解釋道，「我或許可以助鄰居滅火。」美國會是「民主世界的軍火庫」。

一九四一年六月二十二日，此時在德國被許多人視為天才的希特勒，發動「巴巴羅薩行動」（Operation Barbarossa）入侵俄國。他在《我的奮鬥》裡首度提出侵俄構想，自攻下法國後一直在計畫此戰役。先前他已向其將領解釋，「摧毀俄羅斯」不只會迫使英國跟著投降，還能使日本得以「集中全力對付美國」，從而將使美國無法對付德國。希特勒命令其將領為巴巴羅薩行動後「入侵阿富汗、與印度衝突」作好準備。巴巴羅薩行動會是殲滅戰，是一場「打到分出勝負才會結束的戰鬥」，其中「布爾什維克的煽動者、游擊隊、破壞分子和猶太人」會在此戰役中立即遭肅清，俄籍戰俘會被故意餓死。「一旦我們拿下勝利，沒有人會問我們怎麼辦到，」希特勒有感而發說道，「如今沒人記得亞美尼亞人的遭遇。」

希特勒雀躍於侵俄行動的規模之大，說那是「最浩大的大規模攻擊，規模之大前所未見。我們不會重蹈拿破崙的覆轍。」蘇聯會在「四個月內」垮台。即是是對希特勒本人來說，也在某些時候對他已展開的這個「風險甚大的行動」有過疑慮：「每場戰爭的開始都像打開一道幽暗房間的門，沒有人曉得房間裡藏著什麼。」他向祕書如此承認。「詭異」的俄羅斯就像「歌劇《飛翔的尼德蘭人》（*Flying Dutchman*）裡的那艘幽靈船，完全不可能弄清楚……它可能是一個巨大的肥皂泡泡，也可能截然不同……」而俄羅斯的確如此。

戰爭不斷升級所引發的突發事件，使侵俄行動延後。希特勒的成功引來想要趁機撈一筆者：西班牙大元帥佛朗哥（Generalissimo Franco）會見了希特勒，要求獲得英屬直布羅陀和法國的殖民地。希特勒埋怨道，「我寧可給人拔掉兩三顆牙，也不願再見他。」墨索里尼想要尼斯和法屬突尼西亞，但高估了義大利的本事：他發兵入侵阿爾巴尼亞，該國自一九二〇年代起一直由自立為王的佐格（Zog）統治，佐格逃去倫敦；然後，墨索里尼在未向希特勒徵詢意見的情況下揮兵入侵希臘，但他的軍隊在那裡陷入困境。英國人出動三十七萬五千名非洲兵解放了衣索比亞，讓海爾・塞拉西（Haile Selassie）重登皇位，接著進攻墨索里尼的利比亞，利比亞境內的義大利軍隊崩潰。希特勒派遣一支「非洲軍」（Afrika Corps）去阻止義大利軍撤退並威脅英屬埃及，同時也不得不派兵去救援希臘境內的義大利軍隊。

希特勒對巴爾幹半島情勢憂心忡忡。巴爾幹既是巴巴羅薩行動的基地，也是羅馬尼亞石油的來源。史達林一直致力於將保加利亞和羅馬尼亞納入其勢力範圍，巴巴羅薩行動的發動因此更刻不容緩。「元首」欣賞羅馬尼亞獨裁者楊・安多內斯庫（Ion Antonescu），他是一位脾氣暴躁的嚴厲官員，因一頭薑黃色頭髮和易怒脾氣而有「紅狗」的綽號，因在一次大戰時為協約國打仗而闖出名號。霍亨佐倫家族（Hohenzollerns）的最後一個統治者米哈伊（Mihai）國王，擺脫不掉他自戀、荒淫無度、政治生涯一塌糊塗的父親卡羅爾二世（Carol II）的纏擾，忍受著盛氣凌人的「紅狗」欺凌，後者如今拱手將羅馬尼亞交給了希特勒。

十八歲的米哈伊，個性溫和，為人正派，由盡責的母親將撫養長大，身為國王但大權旁落，被迫授予安多內斯庫類似德國「元首」的「領袖」（Conducator）頭銜。「我們的關係很奇怪，」這個國王告訴本書作者。「他把我當小孩看待，把我趕走。身邊有個獨裁者讓我很不舒服。」一九四一年初，米哈伊和希特勒一同用餐，希特勒「正經八百且不友善」。希特勒會突然談起一個話題，眼睛會變得呆滯，然後開始像戲台上的演員般慷慨陳詞。我想開口，但打不斷他講話。希特勒講個不停，「我記得他講的最後一件事是『我保證美國絕不會對我們發動戰爭。』我不相信他說的。」

安多內斯庫是個凶狠的反猶者，他告訴他的內閣，「撒旦就是猶太人。」「我們的鬥爭攸關生死。不是我們贏，淨化了世界，就是他們贏，我們成了他們的奴隸。」安多內斯庫熱情擁抱希特勒，希特勒甚至讓

「紅狗」對他大談羅馬尼亞史。安多內斯庫答應派兵參與巴巴羅薩行動。匈牙利、保加利亞、南斯拉夫加入希特勒的軸心國陣營，直到貝爾格勒（Belgrade）發生親英政變，威脅到他的侵俄行動導致推遲。

希特勒大為光火，下令打一場「無情殘酷」的戰爭以「摧毀南斯拉夫」，將其國土分裂，建立獨立國克羅埃西亞，由安帖．帕維利奇（Ante Pavelić）領導的極端民族主義組織烏斯塔沙（Ustashe）統治。帕維利奇名義上服從於義大利籍國王托米斯拉夫二世（Tomislav II），卻自封為「領袖」（Poglavnik），發動喪心病狂的殺戮，並得到部分天主教神職人員支持。他的屠殺行徑意在將所有克羅埃西亞籍猶太人和三分之一的塞爾維亞人殺掉，暴露了他對往來密切之鄰人的仇恨：三十萬塞爾維亞人、三萬猶太人、兩萬羅姆人（Roma，即吉普賽人）喪命於這場殺戮中。手段如此凶殘，以至於納粹把烏斯塔沙稱作「怪物」[10]，希姆萊也向克羅埃西亞「領袖」抱怨此事。

南斯拉夫的局勢使巴巴羅薩行動延後了幾個月，而這幾個月極為關鍵。「四週內，我們就能攻下莫斯科……」情緒高昂的希特勒在東普魯士的拉斯滕堡（Rastenburg），一座陰暗、蚊子猖獗、由數座龐然混凝土碉堡構成的總部「狼窩」（Wolf's Lair）中如此宣稱。六月二十二日凌晨三點，三百萬士兵[11]和三千輛坦克跨過邊界發動進攻。

史上最大戰役：希特勒的殲滅戰；裕仁的冒險一搏

這場奇襲幾乎是徹底的出其不意。前一天，史達林緊張的聽取愈來愈多關於德軍集結、以及關於他麾下將領心神不安的報告。他讓下屬只小規模備戰，幾乎才剛在他的「近郊別墅」（Nearby dacha）入睡，就被一通電話吵醒。朱可夫報告，德軍正從各個戰線發動全面攻擊。

這是史達林政治生涯最大的失策。先前，從安插在柏林和華沙的一流情報網，從邱吉爾、乃至毛澤東，尤其從他安插在東京的間諜理查・佐爾格（Richard Sorge）那裡，他已收到大量情報。佐爾格這個落拓不羈的德俄混血花花公子，與德國駐日武官交情最好，該武官的妻子是他的諸多情人之一，透過這層關係，佐爾格掌握侵俄發動日。「有這麼一個混蛋，在日本設了工廠和妓院，甚至抱著施捨心態說德國動武日為六月二十二日，」史達林嗤笑道。「你也認為我該相信他？」獨裁體制和恐怖統治有時會使人漠視極珍貴的情報，使人失去判斷力。史達林在某份報告上寫道，「叫你的消息來源去操他的老媽。」史達林像狼般精明，像貓般靈活，但有時也會像騾般愚純。他說，「情報員應該像魔鬼，誰都不信，甚至連自己都不信。」就此事來說，這個魔鬼聰明反被聰明誤。他知道希特勒是敵人，知道侵俄戰爭會爆發，但相信德蘇互不侵犯條約會把此戰爭的爆發延至一九四三年。隨著緊張情勢升高，照理他應探尋和英國結盟的可能性。他的失策在於把希特勒視為傳統政治家，而事實上，這個「元首」自封為「夢遊者」，想打殲滅戰。

史達林趕去克里姆林宮，下令全線反攻。反攻一敗塗地，把數百萬蘇聯軍人拉進德軍包圍圈裡，德軍則強力推進，接連拿下明斯克（Minsk）、斯摩稜斯克（Smolensk）。當史達林和其隨員來到總司令部，要求回報最新戰況時，朱可夫這個頑強不屈的將領不得不坦承前線亂成一團，然後潸然淚下。史達林說，

10　納粹派駐的全權代表艾德蒙・馮・霍斯特瑙（Edmund von Horstenau）將軍回報，「烏斯塔沙已經徹底瘋了。」亞塞諾瓦茨（Jasenovac）集中營的守衛較喜歡用錘子、斧頭和繫在手上的特製小刀「Srbosjek」（切割塞爾維亞人的刀子）殺人，沉迷於毫無人性的刑求、挖眼珠、將人刺在尖樁上、閹割。霍斯特瑙去了亞塞諾瓦茨營附近的茨爾克維尼博克（Crkveni Bok）村後，報告了負責拷問的烏斯塔沙少年的暴行：「到處有人遇害，女人遭強姦再折磨至死，孩子被殺……我看到薩瓦河裡有個年輕女人的屍體，她的雙眼被挖掉，一根木樁插進她的性器官裡……她二十歲時落入這些怪物手裡。到處有豬在吞食未埋的人體。」

11　這支大軍的民族組成，不像拿破崙的征俄大軍那麼多元，以德意志人為主，但也包括五十萬羅馬尼亞人（最大一支分遣隊）、三十萬義大利人、二十萬匈牙利人、一萬八千西班牙人。

「列寧留下一個國家，而我們把它搞砸了。」然後回他的官邸閉門兩天，以鎮定心神，並如恐怖伊凡那般測試其手下的忠誠。第三日，他的諸多高官來到他官邸，堅持要他主掌大局。這個小時候在唱詩班的喬治亞人，一如希特勒，相信自己是天生的軍人，號「最高統帥」（Supremo），集結無可匹敵的俄羅斯人力和工業實力，出動驚人的四百二十萬兵力，以愛國精神、恐怖統治、馬克思主義三管齊下，團結其人民共禦外侮，和希特勒打一場「生死搏鬥」。

「兄弟姊妹們，我的朋友們！」史達林向其人民講話，「歷史表明，世上沒有堅不可摧的軍隊。」希特勒不同意。

一個星期後，「元首」告訴戈培爾，「這場戰爭基本上贏了。」「克里姆林宮會淪陷，」他向日本大使保證，「抵抗撐不過六星期。」史達林的自衛反擊是災難性的：在一年多一點的時間裡，他損失了三百五十萬人和歐俄大半領土。德國將占領的領土分割為烏克蘭和奧斯特蘭（Ostland）這兩個國家專員轄區（Reichskommissariat）。希特勒的計畫是「把莫斯科從地表抹除」。俄國一億九千四百萬人口會一個個餓死到只剩三千萬；他的德意志帝國版圖將延伸至烏拉爾山脈（Urals）；德國總督會住在宮殿裡，德國農民會住在烏克蘭、克里米亞半島、波羅的海地區境內的美麗村莊裡；淪為奴隸的斯拉夫人幹苦活，其他人被趕去西伯利亞。入侵的納粹立即開始大量屠殺：五百七十萬戰俘中，三百萬遭餓死，這是繼屠殺歐洲猶太人之後，第二次世界大戰中最大的罪行。「我要冷血無情的處理此事，」希特勒說。「我覺得自己只是歷史意志的執行者。我們一旦主宰歐洲，將會稱雄世界。」

小羅斯福從寧靜的白宮審視烽火連天的世界，最初把重心擺在倫敦，派他的忠誠助手哈里·霍普金斯（Harry Hopkins）過去。身子極瘦、臉色蒼白但開朗的霍普金斯向哭喪著臉的邱吉爾保證，「你往哪裡去，我也要往那裡去。」*霍普金斯接著搭機去莫斯科見史達林，答應援蘇，然後（精疲力竭地）返美，與小羅斯福一起在紐芬蘭島普拉森提亞灣（Placentia Bay）裡的威爾斯親王號上，與邱吉爾舉行高峰會。「我們終於團結在一起了，」小羅斯福對邱吉爾說。後來寫信告訴黛西．薩克利，「他這個人很有活力，我喜歡他。」後來，兩人談定具有威爾遜精神的民主綱領（「大西洋憲章」／the Atlantic Charter）之後，兩人都大受感動，因為在這艘偉大戰艦上舉行週日晨間禮拜時，這兩位新教貴族與（日後會葬身大海的）該艦船員一起唱起了寄宿學校裡那些振奮人心的讚美詩。這是兩人多次會晤裡的第一次。

九月，希特勒的中央集團軍（Army Group Centre）逼近莫斯科，但蘇聯的抵抗日益增強，寒冬開始降臨，而俄國並未「像紙牌屋一樣倒塌」。想到自己的閃電戰可能失敗，希特勒變得話少、易怒，強迫他的將領奪取南方的富饒資源和北方的列寧格勒，延緩強攻莫斯科的行動。在南方，德軍攻下基輔，困住六十六萬五千蘇軍；在北邊，德軍圍攻列寧格勒，一百萬平民餓死，並打算將該城夷為平地；[12]他咆哮道，「歷史的復仇！」

戈培爾得意道，「這將成為一座城市的歷史大劇。」希特勒不想遭遇「第二個成吉思汗掀起的第二個蒙古風暴，」下令發動「世界史上最了不起的戰役」，強攻莫斯科。但氣溫陡降；蘇軍頑強不屈；然後雪

---

* 編注：「Whither thou goest, I will go.」此句出自《聖經》〈路得記〉1:16，是路得對拿俄米所說的話，常被引用來表達忠誠與不離不棄的情感。

12 在工廠工作的瑪麗亞是在該城掙扎求生的眾人之一。她的丈夫弗拉基米爾．普丁當過潛艇兵，屬工人階級，弗拉基米爾的父親則是任職於內務人民委員部的僕人。兩夫妻二十多歲時於一九二八年結婚，有兩個兒子，其中一個兒子已被一九三〇年代的大流行病奪去性命。這時，弗拉基米爾任職於內務人民委員部的一個懲戒營（後來調到紅軍正規部隊），瑪麗亞身在被圍的列寧格勒城裡，其兩歲兒子餓死或死於白喉。弗拉基米爾受傷，但捱過二次大戰，後來成為火車製造廠工頭和黨委書記。瑪麗亞四十一歲才生下么子：弗拉基米爾．弗拉基米羅維奇．普丁（Vladimir Vladimirovich Putin）。

融；車輛在爛泥裡寸步難行。希特勒告訴伯爵齊亞諾（Count Ciano），冬天預示「拿破崙的命運重演，不過是降臨在俄羅斯上，而非德國頭上。」十月十六日，在莫斯科，史達林將主要的人民委員部撤離到後方；市內秩序瓦解；他的列車塞滿他的藏書——但到了十八日，他選擇留下來戰鬥。十月三十日，德軍受阻。十一月七日，史達林主持十月革命閱兵，把朱可夫叫來掌兵符。史達林後備兵力的雄厚超乎希特勒預期：他為防日軍進犯而設的遠東軍隊，兵力達百萬，坦克一萬七千輛。

裕仁也為戰略問題苦惱。一九四〇年七月，在希特勒默許下，在中國境內戰爭窮於應付的日軍占領法屬印度支那。美國總統小羅斯福對東京實施了懲罰，禁止輸日鋼鐵和部分燃料。就在巴巴羅薩行動後不久，日本御前會議已無意再和俄國兵戎相向，和史達林簽了中立條約。如果美國威脅中斷石油供應，日本將得和美國交戰並進攻尼德蘭、英國的殖民地。近衛文麿說，「我們的帝國不會因為與英美開戰而受阻，」但「如果德蘇戰爭演變為對我們帝國有利的局勢，我們會解決北方問題。」

鷹派陸軍部長東條英機將軍有明確的計畫——而簡單常被誤認為清楚。這位將軍之子，綽號「剃刀」，打過俄國內戰，接著當上滿洲日軍指揮官。他一本正經，奉行嚴格紀律，常甩他麾下軍官耳光，以貫輸武士道精神。他提議攻打美國和英國。

裕仁反駁道：「你有打長期戰爭的計畫？」東條必須一擊打趴對手，不然全盤皆輸。他的「南方作戰」計畫會把十八萬五千士兵派去奪取荷屬東印度群島和英屬馬來亞境內的石油和資源。但日本得先打倒美國，因此他們的計畫是效法一九〇四年襲擊旅順的方式，攻擊珍珠港的美國艦隊。為無後顧之憂，日本還必須占領美屬菲律賓和關島，從而在廣大太平洋海域發動大範圍進攻，第二軍事行動將進抵澳洲。但日本最優秀的海軍上將，打過對馬海戰的山本五十六，示警道，「即便我們拿下關島和菲律賓，甚至加上夏威夷和舊金山，也是不夠的，」並懷疑東條和鷹派是否「對最終結果有信心，並準備做出必要的犧牲。」

「日本人目前的處境的確糟糕，」小羅斯福說道，他希望不要挑釁東京，「他們正努力決定該往哪個方向跳。沒人知道會作何決定。」近衛文麿建議談判；小羅斯福同意。但到了一九四一年九月，石油短缺程度已使日本面臨完全癱瘓的威脅。近衛提議「如果至十月上旬無法透過談判實現我們的要求，就發動戰爭。」他請裕仁作出決定：他本可以拒絕開戰，與美國談判並作出短暫讓步，同時靜待歐戰情勢演變。近衛向海軍上將山本詢問意見。

這個海軍上將回道，「頭半年或一年我會盡情施展，但第二、第三年我則毫無信心。」近衛較中意談判，但誠如他所憶道，「陛下……傾向戰爭。」在令人震驚的一次交談中，四十四歲的裕仁和其諸位指揮官決定寧可放手一搏，不願放棄他們的擴張野心。

裕仁問，「如果開戰，我們的軍事行動可有勝算？」

他的參謀總長杉山元將軍回道，「有。」

「支那事變（侵華）時陸軍告訴我，我們會在一擊後取得和平。杉山，你是那時的陸軍大臣。」

「我們遇到意料之外的困難……」

「那時我沒有告誡你嗎？」裕仁問，「現在你要騙我，杉山？」

「陛下？」海軍上將永野修身問。

「繼續。」

「沒有必勝把握……假設有個病人，我們丟下他不管，他會死。但如果醫生的診斷結果表示，動手術的存活率為七成，那麼您不覺得必須嘗試手術？如果手術後病人死了，人們必定會說本就會如此。」

「好吧。」

史達林在莫斯科拼死堅守，等著看裕仁下一步。九月十四日，間諜佐爾格向史達林回報：「日本出兵攻擊（蘇聯）的可能性不久前還存在，目前則已消失。」這是二次大戰時對戰局最具決定性的珍貴情報。[13]史達林聽進去，悄悄將他的新銳西伯利亞軍隊調到莫斯科。

近衛文麿開始和美國談判，但小羅斯福仍要求日本從中國、中南半島撤軍。「剃刀」東機示警道，「如果屈服於美國的要求，會葬送支那事變的成果」——中華帝國。十月十七日，近衛辭職，裕仁任命「目瞪口呆」的東條為內閣總理大臣。「我只是個毫無卓越才幹的普通人，」東條說。「我所已取得的成就，全都要歸功於勤奮和絕不放棄。」但他接下此職。這是戰爭。「如果天皇說該如此，對我來說就該如此。」「剃刀」說道。

「那麼接下來，」裕仁問，「海軍計畫何時開戰？」

「十二月八日。」海軍上將永野修身說。

「剃刀」將這個冒險之舉比喻為閉眼跳下懸崖：「有時我們得有勇氣做不凡之事。」

「剃刀」向希特勒詢問他是否有意願加入對美的戰爭。希特勒沒義務跟進，但美國是有著猶太人、黑人、斯拉夫人的「雜種社會」，「不可能創造出本土文化或運行成功的政治體制。」他認為他已和小羅斯福交戰。此外，他的發言人也宣布，「蘇聯完蛋了。」

希特勒告訴其經驗老道的同志，「此前從未有哪個大帝國這麼快就被打垮。」但嚴冬再次降臨；德軍再度止步，就在莫斯科城外。十二月六日，朱可夫反攻。莫斯科之役的確是「世界史上最了不起的戰役」——二戰的決定性一役，代表希特勒順風順水的日子就此告終。

兩天後，也就是攻擊發起日（十二月八日）的天亮前，日軍飛機起飛前往珍珠港、新加坡、關島，陸軍則入侵英屬馬來亞和荷屬東印度群島。「天皇一整天穿著他的海軍制服」，當大亞洲戰爭的頭幾份報告送來時，他「似乎心情很好。」拂曉，三百五十三架日本飛機襲擊珍珠港，目的是摧毀四艘戰列艦，尤其是其中三艘航空母艦。戰列艦都遭擊沉，兩千四百六十七人陣亡，但三艘航母仍在海上航行。日本飛機沒有找到它們就返航了。裕仁為此慶祝，但山本五十六清楚日本做得不夠。

小羅斯福震驚不已，面無血色，在這個「永遠被銘記的恥辱之日」對國會發表講話，但他仍然沒有與希特勒開戰。十二月十一日，在德國國會，希特勒對美宣戰，指責小羅斯福帶領「猶太人進行種種極其邪惡的背叛行徑。」他看來志得意滿，但那一刻是「美國世紀」的起點。在莫斯科城外，朱可夫逼退德軍。德軍將領慌張失措。希特勒命令他們「一步也不准後退」。諸將請求他同意撤退。希特勒說：「你們以為腓特烈大帝的精銳步兵樂意一死？他們當然想保住性命，但國王有十足權利要他們犧牲。」希特勒還說，如果他「即使片刻的示弱，一場遠比拿破崙下場更慘重的災難會降臨到他頭上。」但誠如他於十一月對丹麥外長所說的，「如果德國人民表現得不夠堅強，或為自己的生存犧牲流血的意志不夠強烈，就該死光，該被另一股更強的力量摧毀。」

一九四二年一月，另一個過度自信、自學成才的最高統帥史達林，堅持打一場多線並進的攻勢，結果導致他的軍隊兵力過度分散，從而使德國人有機會恢復元氣。而希特勒的閃電戰失利，使猶太人的悲慘命運更快降臨。

13　這是佐爾格最後一次為莫斯科貢獻情報。不久後，日本軍方情報機關「憲兵隊」將他逮捕，搗毀他的情報網。佐爾格於一九四四年遭吊死。他的情婦之一是和他一樣為蘇聯蒐集情報的德籍特務烏蘇拉・庫琴斯基（Ursula Kuczynski），這時已搬到倫敦，代號為「特務索尼婭」（Agent Sonia），負責聯絡核物理學家克勞斯・富克斯（Klaus Fuchs），他是協助史達林發展出原子彈的蘇聯間諜之一。

我只看到一條路可走——全部撲殺：希特勒和納粹大屠殺

希特勒重提其「預言」，宣布「此戰爭的結果會是猶太人遭消滅。」屠殺的矛頭一開始並非指向猶太人，而是指向德國人。

一九三九年春，希特勒已下令清洗老人、精神病患、畸形者，以確保「適者生存」。希特勒常在晚餐時談到他「要根除不治之症，而且不只精神病患」的計畫。他委託他的私人醫生卡爾．布蘭特（Karl Brandt）和由思想激進的醫生組成的重大遺傳病、先天性疾病國家科學登錄委員會（Reich Committee for the Scientific Registration of Major Genetic Disease and Suffering），成立名叫T4的祕密體系（安樂死計畫總部設於柏林的蒂爾加滕街〔Tiergartenstrasse〕四號，因此得名）。一九三九年九月，希特勒下令「將被視為無藥可救的病人安樂死」，最初使用魯米納（Lumina，即苯巴比妥〔Phenobarbital〕）安眠藥，後來，採納黨衛軍保安處的建議，使用一氧化碳。六萬五千人喪命。

德國境內只剩二十萬驚嚇萬分且貧困的猶太人，但希特勒的波蘭境內有一百五十萬猶太人。他打算把他們遣送到法屬馬達加斯加，其中許多人大概會死在那裡，但與此同時，一九四〇年，德國人開始在波蘭諸城市築牆封住猶太人聚居區，把四十多萬猶太人困在裡面。但侵俄戰爭為屠殺提供了致命場域。一九四〇年十二月的某場會議上，希姆萊宣布，艾希曼已計算出不久後納粹管轄的猶太人會達到五百八十萬人，從而為施行猶太人問題的「最後解決方案」提供了機會。一九四一年初，希特勒要求海德里希提出「最後解決方案」。五月，巴巴羅薩行動前不久，在希特勒同意下，希姆萊創立四個跟在集團軍後頭的黨衛軍特別行動隊，各隊由可靠的國家安全部軍官領導。戈林命令海德里希為「徹底解決猶太人問題」做好「萬全準備」。至這時為止，受害者都是「擔任黨政職務的猶太人」，但別動隊立即開始屠殺烏克蘭、波羅的海地區境內包括婦孺在內的所有猶太人，並得到了立陶宛、拉脫維亞、烏克蘭的法西斯分子協助[14]——羅馬尼亞人也踴躍響應此行動。

一九四一年六月，安多內斯庫下令，「清除雅西（Iaşi）的猶太裔居民」，一萬三千個猶太人因此遭屠。十月，位於黑海邊的國際性大城暨俄國穀物的轉口港敖得薩（Odessa）陷落，此次圍城戰暴露了羅馬尼亞人的無能。羅馬尼亞軍隊在街頭屠殺了三萬猶太人，其餘二十萬猶太人則被集中於博格達諾夫卡

14　約有三萬五千名烏克蘭人加入烏克蘭人輔警隊（Ukrainische Hilfspolizei），他們把全部心思擺在謀殺猶太人上。其中許多人是烏克蘭民族主義者組織（OUN）的成員。烏克蘭民族主義者組織一九二九年在波蘭創立，後來分裂為兩個相抗衡的派系，其中一派（OUN-M）由安德烈·梅爾尼克（Andriy Melnyk）領導，另一派（OUN-B）由年紀較輕的斯特潘·班德拉（Stepan Bandera）領導。梅爾尼克是老派民族主義者，班德拉則是有法西斯主義傾向的激進民族主義者。兩人都於波蘭遭入侵後獲納粹提供武器。巴巴羅薩行動開始時，班德拉與得到德國支持的兩支民兵隊一同跟著入侵的德軍進入烏克蘭，宣布烏克蘭獨立。這兩支民兵隊，一是由他的副手羅曼·舒赫維奇（Roman Shukhevych）領導的夜鶯營（Nachtigall battalion），另一支則是羅蘭營（Roland battalion）。一九四一年七月上旬，在利沃夫（Lviv），班德拉的民族主義者組織和夜鶯營打手與納粹黨衛軍的C別動隊一同殺害了五千多個猶太人，接著進行了另一場瘋狂屠殺，名叫「彼得留拉日」（Petliura Days）慘案，民兵和農民在此事件中用槍和農具殺了兩千個猶太人。九月，班德拉不願撤回烏克蘭獨立宣言，與德國人反目，遭逮捕並送到集中營。舒赫維奇和這兩個烏克蘭人營的許多成員加入德國的二〇一輔警營（Schutzmannschaft 201）——殺害數萬波蘭人的烏克蘭輔警隊的一部分——並和納粹殺手一同謀殺了二十多萬猶太人。

一場典型的行動發生於工業城克里維伊里赫（Kryvyi Rih），烏克蘭人輔警隊殺害當地大部分猶太人，包括澤倫斯基家族（Zelenskys）這個典型的猶太人家族的成員。該家族有四兄弟。謝米翁·澤倫斯基（Semyon Zelensky）逃走，加入蘇軍，升至上校，一路打到柏林。二〇二〇年，他的孫子沃洛基米爾·澤倫斯基（Volodymyr Zelensky）走訪以色列的猶太人大屠殺紀念館（Yad Vashem），把這稱作「四兄弟之家族的故事」。其中三兄弟、他們的父母和家人死於納粹對猶太人的大屠殺。全都遭占領的德國人槍殺。四兄弟僅一人倖存。二戰結束兩年後，那人有了一個兒子，三十一年後，有了一個孫子。又四十年後，那個孫子成了（獨立之烏克蘭的）總統，如今就站在各位面前。」

（Bogdanovka），遭到極其混亂的屠殺，甚至令希姆萊與艾希曼都感到惱怒。羅馬尼亞人和德國的特別行動小隊（Einsatzkommandos，別動隊的下轄單位）、烏克蘭籍德裔合作，殺害了三十多萬猶太人，是德國人以外殺害猶太人最多的國家。

希姆萊和海德里希視察了屠殺現場並批准了這些屠殺行動，包括治安警察（Order Police）在比亞韋斯托克（Białystok）一座猶太會堂裡焚燒五百名婦孺。一九四一年九月二十九至三十日，在基輔附近的娘子谷（Babi Yar），C別動隊在烏克蘭人協助下殺了三萬三千七百七十一個基輔猶太人。「此行動進行得很順利，」官方報告說，「德國國防軍樂見這些措施。」陸軍軍官登計猶太人，用白臂章標示他們的身分，並把他們集中起來，提供運送用的卡車，以警戒線圍出處決區，甚至親自參與屠殺。截至年底，別動隊已在烏克蘭和波羅的海地區殺害了五十萬猶太人。[15]

同年八月，希姆萊出席一場處決，據說由希特勒的專屬攝影師拍下了過程，但「元首」是否觀看過該紀錄不得而知。隨後，希姆萊要求別動隊隊長亞瑟・內貝（Arthur Nebe）尋找一種比集體槍決「在心理上較不造成負擔」的殺人辦法。內貝找上先前曾參與安樂死行動、處決德國殘障者的醫生求助。這些醫生在明斯特主教譴責該計畫後，因希特勒終止計畫而重新「閒置」。

一九四一年十一月，黨衛軍上校（SS-Standartenführer）瓦爾特・勞夫（Walther Rauff）在特殊卡車裡測試一氧化碳毒氣，然後這類卡車被分發給別動隊。十月，希姆萊命令黨衛軍警察部門首長格洛博奇尼克（Globocnik）在貝烏熱茨（Belzec）創設一個滅絕營——同時，希特勒命令所有猶太人戴上黃星臂章，並決定將德國境內所有猶太人遣送出境。英國皇家空軍轟炸德國城市，以及最重要的侵俄戰爭失利，為走上這條實體滅絕之路提供了正當理由。與麾下武將開會時，希特勒不斷要求清洗猶太人。誠如戈培爾所記載，「元首已決定要徹底清洗。他先前向猶太人預告，如果他們開啟世界戰爭，他們會自取滅亡。這不只是口頭說說……結果必然是猶太人的毀滅」。十二月十八日，在與希特勒的會晤中，希姆萊記下：「猶太人問題。要當成占領區的游擊隊員予以趕盡殺絕。」後來希姆萊憶道，「元首把這個極艱難命令的執行交給我負責。」對猶太人發動大屠殺的決定很可能是希特勒在一九四一年十二月十二至十八日間做出的——就在俄國的反攻表明侵俄可能無法取勝時。

一九四二年一月二十日，在黨衛軍位於柏林萬湖（Wannsee）的一座湖濱別墅，海德里希和十五個（來自內政、司法、外交等部的）文官和黨衛軍、納粹黨的官員，包括國家安全部猶太人事務部的艾希曼，舉行了一次會議，以敲定「中央各機關」就「最終解決方案」的「一致作法」。海德里希以自負口吻提醒在座諸人，戈林已把這個「最終解決方案」（Endlösung）的執行交給他和希姆萊負責，然後報告道，歐洲境內一千一百萬猶太人，體格健全者可以被「操勞至死」，也就是使他們「以自然原因消滅」；而其餘最強壯猶太人，則必須「加以適當處置」，因為他們是「自然選擇的產物」，如果釋放，會成為猶太人東山再起的種籽。」德占波蘭總督管轄區的代表建議立即清洗其轄下兩百五十萬猶太人，然後海德里希解釋道，剩下的猶太人會被送到「中轉集中區，再轉送到東方」——這是大屠殺的委婉說法。歐洲各地的猶太人會被集中，運送至滅絕營，最後遭殺害。會後，海德里希邀艾希曼共飲一杯白蘭地。

五天後，在「狼窩」，希特勒告訴希姆萊等人：「這事必須盡快辦……猶太人必須離開歐洲……在我看來只有一個辦法：全部撲殺……。」二月十四日，他告訴戈培爾：「絕勿動感情。猶太人如今正經受

15 一百萬猶太人遇害於烏克蘭，但他們只是一場錯綜複雜之殺戮的部分受害者。共有五百多萬烏克蘭人（人口六分之一）遇害，包括猶太人。這場屠殺因為三方交戰而變得更錯綜複雜：一九四三年三月，許多先前幫納粹殺人的烏克蘭人輔警隊成員，以及其他愛國分子，加入班德拉旗下由舒赫維奇統領的烏克蘭人起義軍（Ukrainian Insurgent Army, UPA），起事反抗納粹統治，殺害猶太人、波蘭人、德意志人。納粹撤退後，他們與蘇聯軍隊展開戰鬥。一九一八至一九五〇年間，烏克蘭是地球上殺戾之氣最盛的地方。

的災難是罪有應得……我們必須冷血無情加快此過程。」三天後，第一批受害者是來自盧布林（Lublin）的猶太人，在貝烏熱茨遭毒氣殺害。一個月內就有七萬人遇害。在索比堡（Sobibor）和特雷布林卡（Treblinka）建了新的滅絕營，至一九四二年秋，已有一百七十萬波蘭猶太人遇害於這兩處。[16]在既有的奧施維茨（Auschwitz）集中營區，增建了名叫比克瑙（Birkenau）的新滅絕營，一九四一年九月，在該集中營區，以俄籍戰俘為對象，試用了名叫齊克隆B（Zyklon-B）毒氣的新毒物。

一九四二年五月二十七日，時任摩拉維亞保護國總督的海德里希——希特勒原本計畫任命他出任法國總督——在駛離布拉格時，勇敢的捷克突擊隊員朝他的賓士車丟了手榴彈。汽車座椅碎片嵌入他的脾臟。若有當時正在美國研發的盤尼西林治療，他一星期就能痊癒，但他仍於幾天後死亡。然而，「最終解決方案」繼續執行。

奴隸主：克虜伯

奧施維茨——比克瑙成為波蘭、蘇聯之外歐洲猶太人的殺戮、奴役中心。海德里希的那套作法要求地方警察登記轄區猶太人，然後叫猶太人前來搭火車「撤至東方」，但希特勒的附屬國對此並不熱中，抗命是絕對可能的事：墨索里尼通過了「種族法」，但拒絕將義大利的猶太人遣送出境；匈牙利籍攝政霍爾提（Horthy）從一九三八年起通過一連串納粹式「猶太法」（Jewish Law）迫害猶太人，並獲充分告知「最終解決方案」的內容，把十萬猶太人送往滅絕營，但拒絕交出其龐大猶太裔人口的大半。法國境內有三十萬猶太人，阿爾及利亞境內有四十萬猶太人。在阿爾及利亞，猶太人大多安然無恙，但在母國法國，法國普通警察逮捕了七萬五千名猶太人，並將他們送往滅絕營，幾乎所有猶太人全遭殺害，是為啟蒙運動發祥地上一件特別令人震驚且反感的惡行。[17]丹麥人把境內猶太人幾乎全數藏了起來，並將九成的猶太人偷偷送到瑞典，從而拯救了他們。另一方面，尼德蘭人配合屠殺：十四萬猶太人中，有十萬七千人遭遣送出境，幾乎全遭殺害——遇害比例超過包括德國在內的西歐任何國家。

猶太人來到奧施維茨後，即由黨衛軍醫生約瑟夫・門格勒（Joseph Mengele）「篩選」，由他決定誰適合被強迫勞動，誰該立即撲殺。門格勒是個舉止優雅但以殘忍勾當為樂之人，拿猶太孩童做凶殘的「實驗」，會把老人、婦孺送到密閉且裝有隱蔽毒氣輸送管的「淋浴間」，要他們脫掉衣物和隨身物品，然後放毒氣，再要猶太奴工把他們的身體拖出來。奴工拔掉遇害者的金牙後，把他們丟進焚化爐，令人作嘔的焚屍黑煙從高聳的煙囪冒出。[18]一九四二年七月，希姆萊一語不發看著門格勒篩選尼德蘭猶太人，然後

---

16 一家使用打孔機的計算公司，匯總了有關猶太人和他們被用火車送去奧施維茨、特雷布林卡的龐大數據並製成表格。該公司叫德意志何樂禮機器公司（Deutsche Hollerith-Maschinen GmbH，簡稱 Dehomag），是美國ＩＢＭ公司的全資子公司。

17 法國與納粹的合作，在可可・香奈兒的行為中表露無遺。她是法式優雅的化身，入住了麗池飯店——納粹高官盤據的巢穴——並與一名德國外交官兼間諜展開戀情。早在一九二四年，她便將香奈兒香水公司（Parfums Chanel，亦即香奈兒五號）的七成股份出售給皮耶・韋特海默（Pierre Wertheimer），後者的公司「Bourjois」在化妝品與香氛領域頗有斬獲。後來，她對這筆交易心懷不滿，試圖利用納粹的種族法規來奪回對香奈兒五號的控制權，並聲稱該品牌是「猶太人財產」——韋特海默家族是來自阿爾薩斯的法國猶太人。實際上，韋特海默一家早已前往美國，並聰明地將股份轉移給一位「雅利安人」（即非猶太人）代理人。一九四四年法國解放後，韋特海默家族重新掌控香奈兒香水公司。香奈兒本人雖曾遭到審問，但幾乎可以確定她受到老朋友邱吉爾的庇護。她流亡瑞士，直到一九五四年才回到巴黎，重新推出香奈兒品牌，當時的資金支持正是來自她過去的競爭對手——韋特海默家族。她在八十七歲辭世後，韋特海默家族正式全資收購香奈兒，並將其帶向二十一世紀的全球成功之路。

18 「我和父母一同抵達時，猶太人卡波（集中營中的囚犯管理員）低聲對我說：『說你是天主教徒』，因為我金髮藍眼。」當時年僅十三歲的匈牙利猶太男孩伊扎克・雅克比（Yitzhak Yaacoby）如此告訴本書作者。「我清楚記得孟格勒看著我，問：『你是猶太人嗎？』我回答：『天主教徒。』他冷笑一聲說：『呿！那你走吧！』然後用警棍打了我一下，但並沒有把我送去『淋浴間』。」雅克比倖存了下來。

懷著「最美好、快活的心情」和集中營指揮官一同用餐。一個維也納家庭的遭遇，正體現這場涵蓋全歐之殺戮的複雜程度：西格蒙德．佛洛伊德的四個姊姊，這時搭上死亡列車，要被送去遙遠的滅絕營進行屠殺——米齊（Mitzi）和寶拉（Paula）在白俄羅斯的瑪麗．特羅斯特內茲（Maly Trostenets）被毒氣殺害，羅莎（Rosa）喪命於特雷布林卡，道爾菲（Dolfi）餓死在泰雷辛斯塔特（Theresienstadt）。

共有五百九十萬至六百一十萬猶太人遇害，包括死於別動隊之手的將近百萬人。整個世界整個被毀滅，一種文化消失了。羅姆人（Romani）和辛提人（Sinti）——兩者被斥為「雜種吉普賽人」——也是撲殺對象：五十萬人喪命於「波萊莫斯」（Porajmos，「吞噬」）屠殺，另有五千至一萬五千個同性戀者、數百萬非猶太裔的波蘭人和俄羅斯人喪命。儘管自一八九〇年代以來，火車和帶刺鐵絲網已使得大規模遣送出境和集中營成為可能，儘管其他政權，尤其是俄羅斯的史達林政權和後來的共產主義中國、柬埔寨政權也屠殺了許多人，但沒有一個政權以如此規模、使用工業手段殺人。這是一場以種族為行凶依據的罪行，惡性程度居歷史之冠，當時甚至沒有適切言語能形容其可怖：一九四四年，一個波蘭猶太人創造了「genecide」（種族滅絕）一詞來形容其殺戮的規模——這個詞，就如同大屠殺（Holocaust）本身一樣，絕不應被濫用。

集體殺戮始終是財源滾滾的事業：生活奢侈的納粹的總督對無辜民眾施以虐待虐待和性控制，劫掠他們的財產。但他們也奴役斯拉夫人和猶太人。克虜伯家族吞噬了德國所占領之歐洲地區的企業，是信奉這個邪惡體制的德國企業代表。克虜伯在十二個國家境內擁有工廠，從烏克蘭的第聶伯彼得羅夫斯克（Dnepropetrovsk，今第聶伯羅／Dnipro）到巴黎，在這些國家強占猶太人的公司，與當權者勾結，將其中一家公司的老闆送去滅絕營。一九四二年四月，克虜伯赴「狼窩」拜訪希特勒，稱許清洗猶太人之事，「但認為沒理由不讓他們在去集中營之前貢獻勞力」，請求配發奴隸給他，表示願以每個奴隸為單位向黨衛軍提供佣金。

三年時間裡，共有一千兩百萬個奴隸被輸入德國或在奴隸營工作。這些奴隸裡，波蘭人衣服上戴「P」字識別章，俄羅斯人戴「SR」（蘇維埃俄羅斯〔Soviet Russian〕的字母簡寫）或「OST」（Ostarbeiter，「東部工人」），猶太人佩戴「Judenmaterial」（猶太財產），後來改為戴黃星。約三萬斯拉夫族女人在德國的軍中妓院貢獻肉體。這個數字不精確，但卻十分巨大。戰後，五百二十萬個奴隸被遣返俄國和波蘭。

一九四二年七月，克虜伯與軍備部長施佩爾密切合作，史上最大的奴隸主收到「四萬五千個俄羅斯人、十二萬個戰俘、六千個平民」，供他用於他的煉鋼廠和煤礦。但這只是開始。克虜伯得到希特勒允許，使用奧施維茨集中營的猶太裔奴隸去建造西里西亞境內的貝爾塔韋爾克（Berthawerk）工廠（廠名根據他母親的名字而取），不久，更多奴隸來到埃森。埃森的標語寫道：「斯拉夫人就是奴隸。」（Slavs are slaves.）企業備忘錄公開說「奴隸」已從「奴隸市場」到來，阿爾佛里德・克虜伯被指定為奴隸主（Sklavenhalter）。克虜伯控制三十八處拘由黨衛軍和他自家的「克虜伯鋼鐵」（Kruppstahl）衛兵看守的營地，這些衛兵身穿黑夾克、手持鐵棍巡邏。「你要小心，勿在歷史上留下奴隸販子之名。」他的某個董事警告他。

一九四二年十月，克虜伯在奧施維茨開設一家引信工廠，「以利用那裡的人」，由克虜伯和集中營指揮官魯道夫・赫斯（Rudolf Höss）負責選派人員。「關於我們在布雷斯勞（Breslau）的技術部門的合作情況，我只能說，該部門和奧施維茨有著最融洽的關係，」克虜伯於一九四三年九月寫道，「而且保證將來保持這樣的關係。」他的一個經理記載道，直到戰爭結束為止，「克虜伯一直認為，讓五百二十個猶太女孩——其中某些人甚至只是小孩——在埃森工廠核心區域，在最無人道的條件下工作，是他應盡的責任」。

這些罪行因數十萬人和納粹合作而得以得逞。這些人的罪行和希特勒本人一樣深重。即使未透過軍人的轉述，領導階層和大部分德國公眾透過所在地街頭上發生的事，很快就知情。許多照理應很明理的人選擇袖手旁觀；教宗庇護幾乎毫無作為。然而，有許多勇敢的人保護猶太人，這些人雖多卻不夠多，其中有些人是流氓——唯利是圖的奧斯卡．辛德勒（Oskar Schindler）拯救了一千四百名波蘭猶太人——但大多是勇敢的普通人，有些則是王族成員。在羅馬尼亞，國王米哈伊與安多內斯庫一同走訪敖得薩，抗議這些屠殺，但未收效。但當希姆萊下令殺光羅馬尼亞猶太人時，米哈伊和他母后海蓮娜（Helena）不願照辦。米哈伊說，「到了一九四二年，我已相信必須有所作為。」

「閉嘴，」安多內斯庫吼道，「你還是個小孩。」但米哈伊促成羅馬尼亞猶太人領袖獲釋，阻止了將猶太人遣送到貝烏熱茨，在羅馬尼亞的駭人罪行正猖獗時完成一個值得大書特書的成就。[19]

與此同時，希特勒有個問題急需解決。「我如果沒有取得邁科普（Maikop）、格羅茲尼（Grozny）的石油，」他說，「我就不得不終結這整場戰爭。」

希特勒的石油爭奪戰

一九四二年夏天，希特勒正計畫「藍色行動」（Operation Blue），即要攻打俄國以取得伏爾加河畔的史達林格勒和巴庫、邁科普、格羅茲尼境內的油田。占領俄國的燃料補給站沒什麼幫助：俄國坦克靠柴油驅動，德國坦克靠汽油。史達林是工業生產大師，他把諸多產業整個東遷：史達林的T－34坦克簡單、操縱靈活，被德國將領認同是「此戰期間最好的坦克」，列寧格勒的俄國最大工廠正被徹底遷移到後來成為坦克城（Tankograd）的車里雅賓斯克（Chelyabinsk）。該廠每月產量很快就達到一千三百輛，超過施佩爾主持下的德國產量。[20]但這一切都取決於石油。

六月，德國將領埃爾溫・隆美爾（Erwin Rommel）迫使圖卜魯格（Tobruk）一地的數千英軍投降，他的部隊不久進向埃及。如果希特勒奪下高加索地區，伊拉克、伊朗的石油會落入他手裡——他會打贏戰爭。隆梅爾逼近埃及時，巴勒斯坦猶太人心生害怕。[21]在年輕猶太復國主義者摩西・戴揚（Moshe Dayan）等猶太戰士協助下，英軍已從維琪法國手裡拿下敘利亞：戴揚在此役失去一隻眼睛。油田對英國很重要，邱吉爾對此不容有一分閃失。在伊拉克，國王費瑟的孫子費瑟二世年僅六歲，太幼小，統治不了國家。英國人已把該國一位親德的將領拉下台。在伊朗，國王禮薩想要使英、德兩國互鬥以坐收漁利，但一九四一年八月，史達林和邱吉爾發兵入侵，徹底擊潰他引以為傲的軍隊（禮薩為此用手杖毆打他的將領），迫使他退位流亡，由他二十一歲兒子穆罕默德・禮薩（Mohammad Reza）取而代之。

---

19 在希臘，公主艾莉絲（Alice）——王子菲利浦（Prince Philip，日後愛丁堡公爵）之母——把一戶猶太人家庭藏了起來，在以色列的猶太人大屠殺紀念館被尊為「國際義人」（righteous Gentile）。就連和納粹最密切合作的國家，都有極勇敢、極正派之人：國際義人人數居前列的國家依序是波蘭（七一七七人）、尼德蘭、法國、烏克蘭（二六一九人），但也有兩人是阿拉伯人，即埃及醫生穆罕默德・海爾米（Mohamed Helmy）博士和在維琪政權管轄下的北非拯救猶太人的突尼西亞農民哈立德・阿布杜瓦哈卜（Khaled Abdelwahhab）。

20 直到現在希特勒才意識到，史達林傲人的工業成就將會助俄國打贏戰爭：「他們擁有人類所能想像到的最可怕軍備——三萬五千輛坦克！」一九四二年六月四日，希特勒在其唯一會被記錄下來的私下交談中，如此告訴芬蘭元帥曼內海姆（Mannerheim）。「此前如果我的將領告訴我，一個國家能擁有三萬五千輛坦克，我會說，『鬼扯！你見鬼了！』」但就真有這樣的國家。

21 巴勒斯坦阿拉伯人的領袖、耶路撒冷的穆夫提阿敏・侯賽尼（Amin al-Husseini）去了柏林，在那裡會見了希特勒和希姆萊，支持納粹對猶太人的大屠殺。一九四三年夏天，希姆萊吹噓說納粹已「撲殺了三百多萬」猶太人，侯賽尼聽了大驚。「把猶太人全趕走是穆斯林共同的職責，尤其是阿拉伯人的職責，」這個穆夫提十一月說。「德國……已看清猶太人是什麼樣的人，已決心找出一個解決猶太人隱患的明確辦法，若找到，將會消除猶太人在世上所代表的禍害。」

一九四二年七月，希特勒抵達其位於文尼察（Vinnitsa）的烏克蘭總部——「狼人」（Werewolf）——發動「藍色行動」。此行動再度令史達林倉皇失措，取得驚人戰果，軸心國部隊在黼清克里米亞半島上的敵對勢力後，[22]衝過熱得讓人喘不過氣的乾草原，十月兵臨史達林格勒城下。當邱吉爾想找個戰績彪炳的將領來止住隆美爾的攻勢時，史達林下令「寸步不退」，並設立督戰隊以處決任何後退的士兵，把史達林格勒的廢墟打造成一座要塞。德國第六兵團一路打進該城時，蘇聯人在這場「鍋爐戰」中堅守不退。希特勒看出勝利已不遠，決意奪取該城：「一場巨人之役」，戈培爾如此稱呼此役。史達林幾乎整晚沒睡覺，在「小角落」的沙發上度過那一夜。俄國人的驚人抵抗，雖然是受到官方的恐怖手段所助長，但也的確受到愛國主義、犧牲和英雄主義等近乎神聖信仰的激勵。他們殺敵時口喊「Za Rodina, za Stalina!」（為了祖國，為了史達林！）蘇聯在二戰的死亡人數居世界之冠：一千兩百萬軍人、一千五百多萬平民喪生。

小羅斯福遠離希特勒與史達林指揮部那種陰鬱而事無鉅細的緊迫氛圍，正在他那別具一格的白宮款待邱吉爾，還自豪地稱那裡為「後花園」。在那裡，他戲劇性地揮舞他的菸嘴，面對茲事體大的全球性決定，一邊啜飲馬丁尼酒，一邊與住在白宮的密友哈里．霍普金斯、年輕貌美的挪威王儲妃瑪莎（Märtha）、他摯愛的表妹黛西．薩克利、以及蘇格蘭㹴犬法拉（Fala）相伴：「妳是我唯一不必招待的人。」小羅斯福對黛西諂媚道，並經常說起要和她一起到他位於海德公園的小屋過退休生活。壓力大得驚人。小羅斯福總能抽出時間寫信給黛西，在信中說些不足為外人道的事，告訴黛西，「我要去辦公室了，要痛罵幾個人度過這一天。」他的賓客邱吉爾在一九四一年十二月作客白宮期間曾突發輕微心臟病，英國的軍事慘敗、新加坡失守、圖卜魯格之役的失利令他感到震驚。但在接下來幾星期裡，他和小羅斯福推遲用兵法國，而是同意派兵登陸北非和攻擊希特勒在義大利的「軟肋」。邱吉爾飛到莫斯科告知史達林，不會出兵法國。史達林說他是懦夫，但這兩匹戰馬最終共飲至深夜。

希特勒吹噓史達林格勒就要陷落，「沒有人會把我們再趕離這地方，」還說，「猶太人曾嘲笑我的預言……我可以向你保證，他們不管在哪裡都會笑到喘不過氣。」

在太平洋，東條英機正在慶祝一連串勝利，擊沉了英國戰列艦「擊退號」（Repulse）和威爾斯親王號，拿下英屬馬來亞和香港、荷屬東印度群島、美屬關島和菲律賓。一九四二年二月，英屬新加坡投降。日軍轟炸澳洲，日本帝國海軍已提議入侵澳洲。東條傾向於進攻英國的殖民地，矛頭首先指向緬甸。在泰人和反英民族主義者翁山（Aung San）所領導的起義者支持下，東條攻取了緬甸大半，切斷了同盟國對中國的補給線。翁山是典型的亞洲民族主義者，擁抱日本的泛亞主義政策，對抗歐洲人的帝國。[23]但日本的殘酷揭露了日本的真面目；同盟國戰俘遭受奴役、死亡跋涉、拷打、砍頭、飢餓。四分之一的菲律賓人遇害。在中國，四百萬平民喪命於裕仁天皇簽署同意的「燼滅作戰」（Burn to Ash Strategy），又稱「三光」政策（即殺光、燒光、搶光）。整個二戰期間，一千四百萬中國人喪命。

22　一九四二年七月，希特勒親自下令由克虜伯建造一門射程達二十五英哩的巨型火炮，為塞瓦斯托波爾一役提供了幫助。阿爾佛里德・克虜伯寫道，「我的元首，這個由於你親自下令而製成的大塊頭武器的確很有威力……克虜伯感謝你，我的元首，對此家族表現出的信心……在此，我的妻子和我，效法一八七〇年的阿爾佛烈德・克虜伯，請求讓克虜伯工廠不用為此產品索取費用……勝利萬歲！」一九四三年，應古斯塔夫・克虜伯的請求，希特勒通過一道特別的《克虜伯法》（Lex Krupp），確保該公司依舊由克虜伯家族掌控。

23　在荷屬東印度群島，蘇卡諾（Sukarno）這個具群眾魅力之教師的兒子暨受過專業訓練的建築師，因為從事民族主義活動在尼德蘭人的監獄裡蹲過四年，後來投入日本人陣營，以實現他基於以這個歐洲人殖民地為基礎建立一個新國家的願景：印尼。但並非所有民族主義者都走此路：胡志明和其抵抗組織越盟（成員有共產黨人也有民族主義者），先後在戰場上和法國人、日本人交手，贏得美英兩國援助。

毛澤東和上海女演員

小羅斯福決定「歐洲優先」，要求對蔣介石提供有限度的援助，雖然他希望蔣介石能牽制住七十萬日軍。小羅斯福派綽號「醋喬」（Vinegar Joe）、脾氣暴躁的美國將軍史迪威（Stilwell）前去助蔣，沒多久史迪威就對蔣很反感（稱他為「花生」）；蔣也痛恨他。史迪威不瞭解中國，極厭惡蔣的獨裁。祕密警察頭子戴笠幫蔣貫徹獨裁統治，把囚犯丟進大鍋裡。蔣夫人飛往美國，向群眾大會演講，爭取小羅斯福支持；她那衛斯理學院腔的英語和雅致的旗袍令美國人著迷。英國、印度軍隊在緬甸撤退時，史迪威要求蔣伸出援手；蔣派兵前往，但遭擊潰。在舒適的延安窯洞裡，他的對手毛澤東對日本人打游擊戰，並將新部隊部署到北方的滿洲——部隊幹部中有個年輕朝鮮人，名叫金日成，日本人則替他取了綽號「虎」，因為他的攻擊規模小但凶猛。

毛澤東見蔣介石失利，樂在心裡，並在延安發動了整風運動。這是史達林式的恐怖統治，具有毛澤東所謂的「痛苦和摩擦」，由康生替他貫徹此運動。康生具有施虐狂性格，對於上級命令毫不質疑忠實執行，始終一身黑上衣、黑靴子，騎著一匹黑馬。此前康生護送毛澤東的兩個兒子去莫斯科求學，並於一九三七年在那裡幫史達林的打手葉若夫清洗中國的托洛茨基派（Trotskyites）。這時他緊跟著毛澤東，喜歡和毛澤東談論性和恐怖統治，分享色情文學並設計酷刑，他在組織日後成為毛澤東恐怖統治特色的「鬥爭和懺悔」會議時拷打、槍斃了數千人。

毛澤東打麻將、讀史書，與一票專屬於他的上海女演員嬉戲，直到一位美貌絕倫的二十七歲電影明星江青來到延安。江青是小妾所生，父親是個酗酒的客棧老闆。她曾因左派思想在上海被捕，但卻對國民黨的審訊官調情，甚至可能與他們有過性關係。毛澤東的同志批評他的諸多「妃子」，但有次開會講話時，他注意到坐在前排的江青，把他的外套借給她。後來，她來他的住所還外套，在那裡過了一夜。毛拋棄了他受尊敬且捱過長征苦難的妻子，非娶江青不可。在康生的支持下，毛澤東與江青結為連理，這段政治同盟一直維持到一九七〇年代。毛的兒子毛岸英這時帶著史達林所贈的一把手槍從俄國回來，與他的四歲妹妹李敏一同過著窯洞家庭生活。一九四〇年，江青生下一女，名叫李訥，但家庭始終受權力擺布。毛澤東拒絕營救他的弟弟毛澤民，毛澤民遭國民黨處決；與此同時，江青指控李訥的保姆在他們的牛奶裡下毒，「下毒！坦白！」毛承認江青心毒如蠍，並預見日後她會幾乎統治整個中國。

仰光淪陷後，日軍威脅印度。在印度，迷人、多變、優雅的尼赫魯（Nehru）已是公認的國大黨領袖，恭敬地追隨他的「父親」（Bapu）甘地。一九二八年，尼赫魯宣布「印度必須切斷與英國的關係，取得完全獨立。」[24]尼赫魯的妻子卡瑪拉死於結核時，他人在獄中。他已矢志投身政治——坦承「我幾乎冷落了她」——儘管她為了自己的奮鬥事業入了獄。成為他政治路上的知己者是他們的女兒英迪拉（Indira）。父親在獄中時，英迪拉常孤身一人。[25]

尼赫魯和甘地沮喪於英國人數年來刻意打迷糊仗，對於二次大戰，立場不一致：甘地反戰，務實，想

---

24 英國人回應以一九三〇至一九三二年的圓桌會議（Roundtable Conferences）（甘地、真納〔Jinnah〕有時有出席）。這場會議促成有限的選舉，尼赫魯嘲笑該選舉是「一台煞車很犀利但沒有引擎的機器。」此過程激怒邱吉爾，邱吉爾斥責道，「看到甘地先生這個煽動叛亂的中殿律師學院律師，這時擺出苦行僧的姿態，半裸身子踏上總督府的階梯，以和國王暨皇帝的代表平起平坐的談判，就讓人驚恐、作嘔。」但在一九三五年印度治理法（Government of India Act）通過後，一九三七年舉行了選舉，從而有了印度省級政府——但仍由總督統治印度。二次大戰開打後，談判隨之徹底停擺。

25 尼赫魯和甘地都與國大黨主席蘇巴斯・昌德拉・博斯（Subhas Chandra Bose）意見不合。博斯是有錢律師和社會主義者，贊成孟加拉境內印度教徒和穆斯林結盟——被甘地擊敗後，才改變此立場。這時，他逃到德國，然後搭乘日本潛艇返回印度，領導共有六萬兵力的印度國民軍（Indian National Army）。該軍在緬甸與英軍交手。

要中立；尼赫魯是國際主義的社會主義者，支持英國對抗法西斯。但英國人不願承諾戰後讓印度獨立一事，把他們兩人再度團結起來。「有人說賈瓦哈勒爾（Jawaharlal）和我關係疏遠，」甘地說。「光是意見分歧，遠不足以使我們疏遠……賈瓦哈勒爾會是我的接班人。」但許多穆斯林和印度教徒主動參軍為英國打仗，印度軍的規模因此增加了九倍，達到兩百五十萬人，而英國人承認真納為印度穆斯林的代表：「受到和甘地先生一樣的禮遇，我驚訝不已。」在拉哈爾，真納宣布，「不管根據哪個民族定義，穆斯林都是一個民族，必須有……自己的國家。」這一兩難局面令甘地大為頭疼。

這時，蔣介石很想幫英國，也為了展現亞洲人的休戚與共，於是飛到德里會見尼赫魯和甘地，力促他們參戰。兩人都不失友善地不理會他的主張。

一九四二年八月，他們兩人發動「退出印度」運動。此運動的手段，遠超出公民不服從，摧毀了數百個警局和火車站，蓄意破壞了鐵路和電報。英國人的回應是出動部隊和集體逮捕，此運動失敗收場。印度人繼續志願為英國打仗。

蔣介石訪印期間，兩個歷史最悠久的亞洲大國境內的兩場饑荒奪走許多人命，災情又因政府治理無能和戰爭優先政策而加劇。孟加拉饑荒導致三百萬印度人死亡。[26]東邊六百英哩處的中國河南境內，據蔣介石的記載，「人挨餓，狗和牲畜吃屍體。」他補充道，「中國社會的真實情況是傷痕累累，打了六年仗，我們已經精疲力竭。」兩百萬中國人死亡。

一九四二年五月，「剃刀」東條英機正計畫在太平洋地區建立龐大日本帝國，要主宰中國，把印度東部劃給新成立的緬甸王國，統治澳洲、夏威夷、阿拉斯加、甚至加拿大——異想天開的程度和希特勒的構想無分軒輊。但艦隊司令山本五十六抗拒這股「勝利狂熱」，寫信告訴其最愛的藝妓，「第一階段就像孩子們的快樂時刻，很快就會結束；現在到了成年人的時刻了。」

人類的未來：小羅斯福、史達林、傑克．甘迺迪

六月，山本率領包括四艘航母在內的日本艦隊，準備出航奪取位於前往夏威夷途中的中途島。但美國人靠破解日本密碼之助，擊沉全部四艘航母，本身只損失一艘航母。一九四三年四月，美國人破譯山本的飛行計畫，擊落他的座機。從此，主動權轉到美國人手上。美國人首度轉守為攻，越過遼闊的太平洋，兵鋒遠至南太平洋的瓜達康納爾島（Guadalcanal）和索羅門群島。八月二日凌晨兩點二十七分，在索羅門群島，巡邏魚雷艇PT-109遭一艘日本驅逐艦猛然撞上，該船指揮官是中尉傑克．甘迺迪，即駐英大使甘迺迪的二十六歲兒子。PT-109爆炸，沉入海裡，他的兩個手下當場喪命。十人倖存，三人嚴重燒傷。「打還是降？」甘迺迪問他們。「你們都有家人……我沒什麼可損失的。」他們選擇戰鬥。那時，甘迺迪已有多項身體病痛，包括（戰後診斷出來的）愛迪生氏病（Addison's Disease），而此次撞船事件又傷了他的背。他還是救了另外兩人，把他們拖到最近的島，然後為了求生數度下海游了數哩，直到玻里尼西亞籍偵察人員終於抵達，解救並餵飽這些挨餓的船員為止。大使甘迺迪確保傑克的英勇事蹟得到頌揚。《紐約時報》稱，「甘迺迪的兒子是太平洋英雄」。[27]

---

26 在農業掛帥且由民選印度人政府治理的孟加拉，稻米短缺導致生靈塗炭，而此短缺係一場氣旋、緬甸陷落（緬甸原向印度輸出稻米）、為防沿海船隻落入日本人之手而將船隻破壞、投機者和商人到處囤積米糧這些因素所致。印度內部政局和駐印總督林利思戈勳爵（Lord Linlithgow）的無能、疏忽、怠惰，妨礙了救濟飢民的工作。邱吉爾和英國內閣把餵飽軍隊視為首務，遲未有所作為，等到出手救助已經太遲。這場饑荒並非人所蓄意造成，但英國作為帝國強權，難辭其咎。在日本所占領的越南（兩百萬人餓死）和剛得到解放的希臘、尼德蘭，爆發類似的饑荒。

27 一九四四年八月，傑克．費茨傑拉德．甘迺迪（JFK）的哥哥、擔任轟炸機飛行員的小喬死於執行任務時，他仍在接受背傷治療。

在「狼窩」，希特勒宣布攻下史達林格勒「是早晚的事」，私下吹噓他會攻入伊拉克——「完全可能的事」——但由於求成心切，他看不到一個日益惡化的罩門。在莫斯科，史達林和朱可夫看著地圖，看到一個機會，這個冷若冰霜的獨裁者一改平日作風和這個嚴酷的將領握了手。在史達林格勒的鍋爐戰持續於十月、十一月激烈進行之際，英國將領蒙哥馬利（Montgomery）集結了優勢兵力，在阿拉曼（El Alamein）擊敗隆美爾；十一月八日，十萬七千名英美士兵登陸摩洛哥和阿爾及利亞，迅速擊潰德國、維琪法國、義大利的部隊。

十一月十九日，朱可夫發動「天王星行動」（Operation Uranus），一百萬俄軍以鉗形攻勢擊破實力較弱的羅馬尼亞軍隊，將包圍史達林格勒的德軍第六兵團反包圍。希特勒喊道，「我們將不惜一切代價堅持下去。」一九四三年二月二日，第六兵團投降。希特勒所向無敵的神話被打破。希特勒自信是軍事天才，史達林則經由學習掌握了統兵之道：找到能征善戰的將領，與他們合作。他把自己和朱可夫晉升為元帥。一千萬蘇軍開始長達兩年、多戰線、一千英哩長的反攻。在頑強抵抗和難以言喻的代價下，把納粹趕出滿目瘡痍的祖國。[28]七月九日，英美士兵登陸西西里島。在俄國和非洲損失了數萬人後，墨索里尼被胃痛折磨得不良於行。七月二十五日，維克托．埃馬努埃爾（Victor Emmanuel）將墨索里尼革職、逮捕。希特勒立即占領義大利，派突擊隊員救出這個「領袖」。

通往勝利之路必須親自會面商定。小羅斯福、史達林、邱吉爾前去德黑蘭——史達林頭一回搭飛機。十一月二十八日，小羅斯福首度會晤史達林，兩人惺惺相惜，戰略觀點相近；三人中較弱的邱吉爾則因此吃了虧。對這個抱持進步思想的美國人來說，邱吉爾的印度帝國似乎已不合時宜。史達林讓當時住在美國公使館的小羅斯福相信，由於納粹的暗殺陰謀，他應下榻蘇聯公使館較安全；小羅斯福急欲強化其與史達林的友誼，同意此議。史達林自然在小羅斯福的房間裝了竊聽器。

邱吉爾為三巨頭高峰會開場，說：「人類的未來掌握在我們手中，我們擁有人類史上前所未見最集中的世界權力。」

「歷史寵壞了我們，」史達林坦言道，「我們來開始我們的工作。」三人同意英美聯軍於一九四四年五月（後來推遲了一個月）出兵法國，史達林可保有希特勒給他的波羅的海三小國。晚餐時，史達林建議處決五萬德國軍官，小羅斯福同意。邱吉爾離席時，史達林堅稱他只是開玩笑。

在德黑蘭，最無足輕重的領導人是年輕的伊朗國王。邱吉爾未拜訪他；史達林則去見了他。這個伊朗國王早就想要掌控伊朗，請求給予坦克；史達林同意，前提是由蘇聯士兵操作坦克。這個國王蒐集汽車，學會開飛機，追求女孩。他不滿意他的埃及籍妻子法齊婭，倚賴他那位充滿神祕與詩意的瑞士籍顧問，即這時被從園丁升為國王顧問的培隆。但他已理解權力的意義。

一九四四年六月六日，諾曼第登陸發起日（D-Day），美軍將領艾森豪（Eisenhower）統領的十五萬六千名英美士兵在諾曼第登陸，是為大君主行動（Operation Overlord）。[29]該月月底，已有八十五萬士兵登陸，突破德軍防線攻入法國，其他部隊則在義大利一路往北進攻。諾曼第登陸代表一個更偉大勝利的到

28　史達林對於叛國之事非常記恨：六十萬名被稱作希維人（Hiwis）或阿斯卡里人（Askaris，「非洲人」）的俄羅斯籍志願助手（Hilfswilliger）為希特勒打仗，另有十二萬人組成一支由德國人統領的俄羅斯解放軍（Russian Liberation Army）。一九四三至一九四四年，史達林將幾個較小的民族——穆斯林韃靼人、車臣、卡爾梅克人（Kalmyks）、卡拉恰伊人（Karachays）、伏爾加德意志人、印古什人（Ingush）——全數流放，以懲罰這些可能叛國之人。四十八萬車臣人遭流放，其中三至五成死亡。倖存者回到車臣時，對俄羅斯人的統治滿懷深仇大恨，那是自一百年前他們漫長的起義抗俄所滋長的根深柢固的仇恨。

29　小羅斯福回到華府後，偷偷找到他的情婦露西．默塞爾，那時她結褵甚久的丈夫溫什羅普．拉瑟福德（Winthrop Rutherford）去世不久。此前他一直有寫信給她，但在她漫長的婚姻期間，兩人只見過一次面。他請女兒安娜搞定兩人會面之事，其中幾次會面在白宮，其他幾次在喬治城。露西和他女兒成為朋友，但愛蓮娜發現此事時大怒。

來：該行動負傷的軍人，有盤尼西林這個新的神奇藥物治療感染處。[30]

當英美聯軍一路攻占義大利和法國時，希特勒下令巴黎「絕不可落入敵人之手，除非巴黎全境斷垣殘瓦」，但他的將領抗命。戴高樂躲過德國狙擊手的攻擊，入主巴黎，歡呼道「巴黎憤慨！巴黎城破！巴黎殉難！但巴黎解放了！」他決意恢復「永恆法蘭西」的「偉大榮光」，自任共和國君主。

史達林的軍隊衝進波蘭；幾天後的七月二十日，當希特勒在「狼窩」的木造作戰指揮屋裡俯身觀看地圖時，一枚炸彈爆炸。

希特勒置身殘破的牆壁和諸多軍官屍體之間，一腿受割傷，一耳耳膜震破，但受到桌腳保護，保住性命。希特勒認為這次大難不死，再次證明上天保佑，為此高興萬分，然後得知刺客是個剛離開該屋且曾獲頒勳章的上校：伯爵克勞斯・馮・史堡（Claus von Stauffenberg）。史堡已在此戰爭中失去一眼一手，一如大部分容克出身的軍官，原本支持這場戰爭和該戰爭的種種駭人暴行，但德軍敗於俄軍之手後，立場反轉。但敢於抵抗希特勒的勇者不多，他是其中一個。聽到爆炸聲後，史堡逃離「狼窩」，相信希特勒已死，搭機到柏林才發現他的暗殺行動失敗。「元首」用電話和行刺主謀講話，藉此證明他沒死，然後主謀逮捕、槍殺史堡以自保。接著希姆萊逮捕一千嫌犯，希特勒下令把他們「像肉般吊起來」，拍攝下他們的痛苦情狀——後來這個獨裁者可能看了該影片。希特勒已患有帕金森氏症，並持續接受他的庸醫特奧多爾・莫雷爾（Theodor Morell）注射大量藥物刺激——莫雷爾靠他所自創並分發給軍隊的滅蝨品牌「俄羅斯粉」（Russian Powder），已賺進數百萬。他注射的藥物包括中樞興奮劑甲基苯丙胺（Pervitin）與類鴉片止痛藥物羥考酮（Eukodal）。在爆炸中希特勒已受到損傷，而且傷口裡布滿炸彈的碎片。莫雷爾把在被俘美軍身上找到的盤尼西林用在希特勒身上，藉此保住性命。希特勒健康已不如前，這時他眼睛布滿血絲、面如死灰、跛腳、一腿一臂發抖。儘管他透過報復運動加強對德國的控制，但隨著紅軍逼近邊界，他的盟友就快棄他而去。

七月，兩萬名波蘭抗德戰士起事時，史達林命令其軍隊在華沙附近停住腳步。抗德分子挑在此時起事，以趁蘇聯人到來之前打下自己的地盤。史達林一如所有俄羅斯領導人，擔心波蘭獨立自主後的隱患，並一心要讓自己的共產黨在波蘭掌權，於是激波蘭抗德分子放手起事，卻未伸出援手，任由希特勒的黨衛軍和道德敗壞的形形色色烏克蘭籍援軍屠殺一萬五千名造反的波蘭人和二十萬波蘭平民，將華沙夷平。

「我策畫了一場推翻元帥安多內斯庫的政變。」羅馬尼亞國王米哈伊告訴本書作者。當時蘇聯已陳兵於羅馬尼亞邊界。一九四四年八月二十三日，這個霍亨佐倫家族出身的國王邀「紅狗」前來一見，並下令停戰。「紅狗」大怒。米哈伊拔出手槍。四名軍官將安多內斯庫繳械。國王用槍抵著，「把他帶進國王的保險櫃，那是我父親用來收藏郵票的地方。我把他鎖在那裡面。」並立即對盟軍求和。這是米哈伊最快意的時刻，但此時刻太短也來得太遲。

在鄰國保加利亞，希特勒已毒死一個不情不願的盟友，沙皇鮑里斯三世（Tsar Boris III）。在匈牙利，霍爾蒂也試圖政變推翻納粹勢力，希特勒的突擊隊員隨之擄走這位攝政的兒子，以他為人質，逼霍爾蒂交

30　十六年前英國科學家亞歷山大・弗萊明（Alexander Fleming）已發現盤尼西林。弗萊明的實驗室一直很凌亂，有次他回實驗室，發現其實驗器具真菌叢生，而且真菌已殺了細菌；他使用真菌和他助手的淚水、鼻涕製出盤尼西尼，是為第一個天然的抗生素。他說，「有時就是歪打正著」，但那其實不算是意外，因為他熱中於發明：「我玩微生物」。他發表其研究成果，但直到十多年後的一九三九年才有人賞識該成果。那年，猶太裔德籍難民恩斯特・柴恩（Ernst Chain）和其在牛津大學的同僚霍華德・弗洛里（Howard Florey）讓八隻老鼠感染鏈球菌，給其中四隻注射了盤尼西林。結果那四隻活了下來。一九四一年，他拿一個受感染垂死的病人試驗，病人康復。清楚盤尼西林的效力後，他們飛到紐約，紐約的洛克斐勒基金會成立一團隊。該團隊得到美國陸軍支持，成員包括科學家瑪麗・韓特（Mary Hunt）。綽號發霉瑪麗（Mouldy Mary）的韓特在腐爛的甜瓜裡找到盤尼西林，該盤尼西林成為鏈毒素的主要成分。抗生素改變了世界：人不再死於小感染，後來抗生素使醫生得以限制感染程度，即使大手術後亦然。

出控制權。艾希曼繼德軍腳步之後過來，僅僅三個月就把四十萬猶太人遣送出境，其中大部分遇害於奧施維茨。

一九四五年二月，在美軍轟炸機炸掉柏林總理府，且同盟國軍隊從東西兩方向會合後，希特勒在愛娃．布勞恩伴隨下搬進附近的元首地堡（Führerbunker）。此時，史達林、羅斯福、邱吉爾啟程前往克里米亞半島的雅爾達開會。雅爾達曾是沙皇的度假行宮，晚近得到解放。在昏暗潮濕，令人心情抑鬱的混凝土柏林地堡，希特勒母親的肖像掛在他的臥室裡；他的小小辦公室裡則懸掛著腓特烈大帝的畫像——沙皇伊莉莎白（Elizaveta）去世所帶來的最後一刻戰事逆轉*，成了他心中揮之不去的執念。希特勒咕噥道，「他也沒有打贏七年戰爭所需的天賦，反倒有風流、哲學、吹笛的天分，但仍必須實踐其歷史使命。」腓特烈的外套上始終布滿鼻煙所帶來的黃褐色污痕。愛娃．布勞恩注意到希特勒灰上衣的髒污，揶揄他說，「與老佛里茨有關的事物，你不必每樣都照做！」

他的下午時光在開會中度過，三餐則和布勞恩共進；他的四個祕書仍得忍受直到凌晨四點才結束的「茶會」，在這期間聽這個懶得動的獨裁者以單調沉悶的語調談些乏味的事——穿插著微薄希望和突發怒火的例行活動。

小羅斯福和三王

二月四日，史達林乘坐尼古拉二世的火車車廂出行，來到雅爾達，而在柏林，決意留在希特勒身邊且如有必要要和他一起死的愛娃．布勞恩，在總理府完好無缺的建築中，與她的情人、他的廷臣一同在樓上慶祝她的三十三歲生日。

在沙皇的白色利瓦季亞宮（Livadia Palace），史達林以冷靜、歡快、令人難以捉摸的氣勢主持會議，從容介紹了基本情況，但難掩多年來每天工作十六小時的疲態。小羅斯福在三巨頭中年紀最小，但疲憊不堪，剛選上總統，締造美國史上前所未有的四度擔任總統的成績。但他這時患有動脈硬化，覺得「累且無精打采」，有時打起呵欠。邱吉爾也疲憊不堪，有個與會者抱怨道，他的「腦子沒過去那麼清楚」；但即使已過了顛峰時期，他仍比大部分人優秀。史達林樂在享受他新掌握的權力，感動於小羅斯福的表現，對邱吉爾心存懷疑。有女兒安娜和疲累的霍普金斯陪同的小羅斯福，立場偏向史達林，天真地以為他和史達林兩人具有進步思想的權力能改造後帝國主義的世界；邱吉爾則想要保住其與小羅斯福的老伙伴關係。但英國被帝國義務搞到破產且已無力善盡這些義務，風頭被這兩個新超強壓下。三巨頭談定，德國必須無條件投降；他們要創造一個更強而有力的國際組織：聯合國。史達林會對日出兵。但這個嚴酷的現實主義者，其軍隊正在解放東歐，本身已看出「邊界會由武力劃定」，正把東歐出身的史達林主義者送回其母國當他的附庸。只有在南斯拉夫和阿爾巴尼亞，當地游擊隊不靠蘇軍之助掌權。[31]

小羅斯福告訴史達林，他支持猶太人復國，問他是否也支持。「原則上支持。」史達林回。談到巴勒斯坦時，小羅斯福開玩笑說有「三個國王在等他。」

「我有點累，但真的沒事。」搭美國海軍船艦昆西號離開雅爾達之前，小羅斯福告訴愛蓮娜（Eleanor）。昆西號（USS Quincy）停泊在埃及的大苦湖（Great Bitter Lake）上，羅斯福披著黑斗篷坐在甲板上，見了帶脂粉氣的年輕埃及國王法魯克（Farouk，穆罕默德・阿里的後代），接著見了這時正在重建遭義大

* 譯注：伊莉莎白去世後，繼任沙皇退出七年戰爭，使本已挽不住頹勢的普魯士得到寶貴的喘息機會。

31 獲告知教宗庇護十二世（Piux XII）關心波蘭獨立之事，史達林挖苦道，「教宗有幾個師的軍隊？」史達林得意於他對硬實力的定義，在其他場合重述此看法。後來庇護開玩笑說，「你可以告訴我兒子約瑟夫，他會在天國遇見我的那些師。」

利蹂躪過的衣索比亞的海爾・塞拉西；阿布杜阿齊茲・伊本・紹德終於搭乘美國海軍軍艦墨菲號（USS Murphy）來到，帶了一群供宰殺的綿羊和配戴短彎刀的衛士。阿布杜阿齊茲跛腳。總統和國王各坐輪椅，一起坐在甲板上。小羅斯福提到德國人的暴行，請他允許愈來愈多的猶太人移入巴勒斯坦。「猶太人和阿拉伯人絕不可能合作，」阿布杜阿齊茲回道。「把德國最好的土地給猶太人。」小羅斯福航行了九天返國。

三月十九日，希特勒下令——「尼祿令」（Nero Decree）——摧毀德國所有基礎設施，但在許多地方，理智的軍官已不理會瘋狂的命令；在這個日益崩塌的帝國各處，黨衛軍衛兵炸掉滅絕營，並強迫挨餓的囚犯往西踏上死亡跋涉。二十日，希特勒走出地堡，檢閱「希特勒青年團」（Hitler Youth）的年輕戰士——其中一人十二歲——他順著隊伍走去，擰他們的臉頰，扭他們耳朵，留下他在影片裡的最後身影。戈培爾依舊受希特勒寵信，戈林則想著接班，希姆萊想要在祕密談判中拿猶太人性命交易。

「那麼，誰來拿下柏林？」四月一日，史達林在克里姆林宮問其諸位高階指揮官，「我們還是同盟國？」

「我們會拿下柏林。」圓頭元帥科涅夫（Konev）厲聲說。

「誰先攻進去，就誰拿下柏林。」史達林下令。科涅夫和朱可夫立刻衝向飛機，趕赴前線。

當蘇聯大軍集結時，小羅斯福和黛西・薩克利在海德公園，但他「看來很糟——非常累……根本無法一直這樣硬撐下去。」他和黛西搭上前往喬治亞州溫泉鎮（「小白宮」）的火車，「一如既往開玩笑、大笑，」或許因為露西・默塞爾就要和他會合。四月十二日，小羅斯福和黛西、露西坐在一塊，把手舉到頭部，說頭痛，然後死去。[32]

「偉大奇蹟！」希特勒喊道，深信這是腓特烈大帝得到喘息之機的重演，「眼下誰在笑？戰爭不會輸。」

我們還是能贏：裕仁的攻勢

對於這個總統之死，史達林出奇傷感：「羅斯福聰明、有學識、有遠見，」儘管「他延長了資本主義的壽命。」愛蓮娜收到死訊幾分鐘後，副總統哈里．杜魯門，一個鮮為人知但忠心的密蘇里州參議員，來到白宮小酌。她把手放在他肩上：「哈里，總統死了。」

短暫無語。

「有什麼是我能為妳效勞的？」杜魯門問愛蓮娜。

「有什麼是我們能為你效勞的？」她回。後來杜魯門在其橢圓形辦公室的辦公桌上放了一個牌子：「責任由我承擔！」

四月十六日，朱可夫和科涅夫出動兩百五十萬兵力、四萬一千門火炮、六千兩百五十輛坦克進攻柏林，朱可夫獲授以拿下該城的殊榮。朱可夫受阻於德國人抵抗而遲未拿下柏林時，史達林打電話給科涅夫：「出動你的坦克大軍攻打柏林。」兩人率所部往德國總理府會合時，一場激戰在街道間逐步展開，巷戰激烈。光是在德國，據估計就有兩百萬個女孩遭俄國軍人強暴。[33]愛娃．布勞恩在庭園裡練習手槍，寫道，在地堡裡「已能聽到炮聲」。蘇軍坦克抵達城郊時，希特勒和戈林、希姆萊、戈培爾一同慶祝他的生日。當他們三人搭機飛離柏林時，希特勒堅持要死在那裡。那天夜裡，愛娃．布勞恩為他在樓上辨了一個派對，唱歌、

32 為避免軒然大波，露西迅速打包行李，離開「小白宮」。

33 南斯拉夫共黨領袖之一的米洛凡．吉拉斯（Milovan Djilas），就俄軍集體強暴女人之事質問史達林，史達林對他說，「你當然讀過杜斯妥也夫斯基的作品？」「你可知道男人的靈魂是多麼複雜的東西？……呃，那就想想一個從史達林格勒打到貝爾格勒的男人……經歷過這麼可怕的事後拿女人作樂，有什麼好大驚小怪的？」

跳舞、喝香檳。但隔天開會時，當得知黨衛軍將軍施泰訥（Steiner）未執行他的反攻命令，希特勒氣得滿臉通紅，口沫橫飛痛斥此背叛行徑，然後倒在椅子裡：「戰爭輸了，但如果你們以為我會離開柏林，各位，你們大錯特錯。我寧可把子彈打進頭裡。」他的黨衛軍醫生建議他自殺時兼用「手槍和毒物」。

柏林城外，戈林聲稱由他接掌大權，隨即遭到撤職；希姆萊則因為和同盟國談判而顏面掃地。希姆萊的代表、愛娃・布勞恩的妹夫赫曼・費格萊因（Hermann Fegelein）被人發現喝醉，與某個情婦在一塊，遭槍殺於庭園裡。俄國人拿下維也納；美國人拿下魯爾，在克虜伯莊園（Villa Hügel）逮捕阿爾佛里德・克虜伯。俄軍坦克漸漸包圍柏林。戈培爾夫婦和其五個孩子這時搬進元首地堡。愛娃・布勞恩寫了封信給她最好的朋友，「這是生命的最後標記，」隨著死亡更逼近，她「因為元首」而苦楚。「或許一切會沒事，但他已失去信心……」

四月二十八日夜，希特勒和愛娃結婚——他穿灰上衣，別著勛章；她穿深色絲質連身裙。她在結婚證書上簽名，「愛娃・希特勒，娘家姓布勞恩」，用香檳慶祝，新郎則退場去口授「我的政治遺囑」。他在此遺囑中指責「猶太裔利益集團」，說他們已「被逼著彌補他們的罪過，儘管是透過較人道的方法彌補，」暗指納粹對猶太人的大屠殺。兩夫妻不睡，熬到凌晨四點，眾幕僚則狂歡。「每個人似乎欲火焚身，」希特勒的祕書憶道。「我到處看到淫蕩交纏的肉體，甚至在牙醫的椅子上亦然。女人把端莊全甩到腦後……盡情裸露她們的私處。」

希特勒起得晚，得知俄軍坦克就在五百碼外。在米蘭，墨索里尼和其情婦已遭槍殺，頭下腳上吊起來。四月三十日午餐後，希特勒拿他的阿爾薩斯犬*布隆迪（Blondi）測試氰化物，狗兒立即死亡；然後他和他的幕僚握手，希特勒夫婦退入他們的書房。樓上狂歡聲被一聲槍響打斷，幕僚才前去察看。貼身男僕往裡瞧，然後再度現身，說「發生了」。愛娃・希特勒坐在沙發上，雙腿弓起緊貼身體，房裡瀰漫著杏仁味——氰化物的跡象，希特勒靠向另一邊，額頭上有一道一指寬的鮮血，手槍在他腳邊，血噴濺在壁紙上。兩人的屍體被用地毯包裹，抬出去，埋在庭園裡，附近傳來俄國炮彈炸開的聲音。十二個多小時後，朱可夫打電話到史達林的孔策沃（Kuntsevo）宅邸。

「史達林同志剛上床。」侍衛說。

「叫醒他。」朱可夫命令。

史達林接起電話。「所以，」史達林說，「這個混蛋就這麼完了。真可惜無法活捉。希特勒的屍體在哪裡？」[34]

三天後，德國投降，史達林派蘇軍、蒙軍攻擊朝鮮半島和華北境內的日軍。當美軍渡過太平洋時，裕仁一再要求日軍反攻。「完全沒有進攻跡象。你們為何不進攻？沒有辦法能讓我們在哪個地方真正打贏美國人一次？」他問。「為我做到這點，好讓我心情平靜。」

美國轟炸機頻頻空襲，日本多座城市陷入火海時，裕仁批評其將領：「我們得進攻。」一九四四年一月，他的軍隊進攻印度失利；四月，他的「一號作戰」攻勢，出動七十萬日本士兵，震撼了蔣介石的政府；但七月，他將「剃刀」東條英機撤職，向其新首相保證，他會「留在這個神授之地，戰鬥至死。」十月，當麥克阿瑟（Douglas MacArthur）將軍統領的美軍登陸菲律賓，裕仁要求日軍抵抗。後來他承認，「我同意萊特島（Leyte）決戰。」此決定葬送了八萬日軍性命。一九四五年初，他向前幾任日本首相徵詢意見，除了近衛文麿，其他人全贊成打。裕仁說，「如果撐得夠久，我們或許會贏。」近衛抱怨道，「考

---

* 編注：因反德暴行情緒，於一戰後正名為「德國牧羊犬」。

34 五月四日，蘇聯反間諜總局（SMERSH）軍事情報機關找到焦黑的遺體，根據頜骨確認死者為希特勒。如今，他的頜骨和顱骨碎片位在莫斯科。一九七〇年，他遺體的其餘部位被偷偷埋在馬格德堡（Magdeburg）蘇聯軍事基地底下，未立碑。

慮到我們的『國體』（kokutai），除非天皇同意，我們什麼事都不能做。」這幾位前首相都是「瘋子」。六月，裕仁因故度緊張而病倒。他下令，「迅速研究結束戰爭的具體計畫，著手實行那些計畫。」但同盟國要求無條件投降。

七月十七日，美軍逼近日本時，史達林搭火車去波茨坦見杜魯門和邱吉爾（邱吉爾剛面臨一場大選），會面地點是德皇威廉二世的仿都鐸式塞琪琳霍夫宮（Cecilienhof Palace）。[35]三人談成領土分割和人口轉移之事，確認史達林併吞利沃夫和波蘭西南部（併入蘇聯的烏克蘭）和摩達維亞、波羅的海三國。[36]一千一百五十萬德意志裔難民艱辛西遷。這三個人是嶄新世界的支配者，但他們全都還不知道，有股新力量，威力之大，會令他們的不可一世相形失色。七月十七日，杜魯門得知有個嬰兒誕生：「醫生剛懷著無比昂揚的心情回來，確信這個小男孩和他的大哥一樣高大強壯。」但那不是嬰兒，而是顆炸彈。

35　傑克·甘迺迪是報導此會議的記者之一，其父親為他覓得這份替赫斯特（Hearst）媒體集團效力的工作。

36　波蘭的波蘭裔史達林主義者談過加入蘇聯之事。史達林從未考慮過此事，原因之一係同盟國看重波蘭。但一如他之前的那些沙皇，史達林決意控制波蘭。史達林得到普魯士大城柯尼斯堡（Königsberg），根據史達林的傀儡總統加里寧（Kalinin）之名將其改名為加里寧格勒（Kaliningrad），肅清其境內的德意志人；它成為蘇聯的飛地。在烏克蘭，戰爭告終時，被德國人囚禁的班德拉逃脫成功，在美國支持下定居於慕尼黑，他的盟友舒赫維奇則統兵打了數年的反蘇戰爭，贏了幾場仗（一九四四年二月殺掉蘇聯高階將領瓦圖京〔Vatutin〕）；十三萬烏克蘭人和三萬多蘇聯人喪命，一九五〇年舒赫維奇才終於被困並殺害。一九五九年，在慕尼黑，蘇聯格別烏（G.P.U）祕密警察組織終於將班德拉暗殺。在波羅的海地區，人稱「森林兄弟」（Forest Brothers）的抗蘇分子奮戰了十年。史達林大規模肅清烏克蘭、白俄羅斯、波羅的海地區的異議分子，因此，至一九五〇年代，古拉格營（GULAG）所拘禁的奴工人數達到最高峰，多達兩百五十萬。史達林在其新併吞的西烏克蘭處決了二十萬左右的人，流放了四十萬人。一九四〇至一九五三年，波羅的海地區一成左右的人遭流放。若說史達林這個馬克思主義教皇和俄羅斯帝國主義者不自量力吞下波羅的海地區，使其窮於應付，終於招來滅頂之禍，也不為過。一九九〇至一九九一年，就是波羅的海人加速蘇聯的解體，他們在這方面的作用更甚於喬治亞人。史達林若未併吞這些領土，蘇聯是否就不會在一九九一年滅亡，亦未可知。

第二十一幕

世界人口
二十三億人

尼赫魯家、毛家和孫家、黑手黨、哈希姆家族、阿爾巴尼亞人

萬日之光：杜魯門的「毫不意外」和美國世紀的來臨

前一天，也就一九四五年七月十六日，當看到「三位一體」（Operation Trinity）的蕈狀雲時，祕密曼哈頓計畫的負責人，高興萬分的羅伯特・奧本海默（Robert Oppenheimer）引述了《薄伽梵歌》（*Bhagavad Gita*）裡的句子：「如果一千個太陽的光芒同時照進天空，那會像是至尊者的光輝。」但這個「光輝」威力嚇人：「我成了死神，世界的毀滅者。」

這顆炸彈研製了四十年才問世。[1]一九四三年，在魁北克，小羅斯福和邱吉爾將英美兩國的核子研究合併為曼哈頓計畫，大本營設在新墨西哥州的洛斯阿拉莫斯（Los Alamos）實驗室。這時，史達林前來拜訪杜魯門時（發覺他「既沒學識，也不聰明」），兩人都未提起這次試爆。史達林說，「那時我不知道，至少沒有從美國人那裡知道。」但他一九四二年就經由蘇聯間諜告知知道此事。在這個試爆之前，史達林、杜魯門都想不到「三位一體」驚天動地的威力。史達林和貝利亞（Beria）從間諜那裡瞭解了「三位一體」，知道自己的特務已從柏林附近的納粹實驗室弄到鈾，兩度討論如果杜魯門告知他此事要如何回應；他們同意「假裝不懂」。

七月二十四日，邱吉爾在波茨坦抨擊史達林在羅馬尼亞的侵略性作為，他說到：「一道鐵圍籬已落下。」——這句話正是他後來著名的「鐵幕」一詞的雛形。

「鬼扯。」史達林起身離席。杜魯門趕緊跟上去；邱吉爾事先已收到提醒，只是看著。

杜魯門說：「美國已測試了一種破壞力特別大的新炸彈。」

史達林臉部毫無動靜。經歷過沖繩島上日本人的瘋狂抵抗，而且認為攻打日本本土可能葬送美國二十六萬八千條人命，杜魯門計畫用這個新武器對付日本。

「新炸彈！」史達林說，「威力特別大。大概會決定對日作戰的成敗！真是太幸運了！」回到魯登道夫（Ludendorff）的住所後，史達林向其追隨者報告，說英美兩國「認為我們自己造不出這種『炸彈』，但不會有這樣的事。」史達林已經讓貝利亞負責核子項目，但眼下這是「一號任務」。追趕的競賽已開始。

八月六日，一架B–29轟炸機從馬里亞納群島的天寧島（Tinian）起飛，以飛行員保羅・帝貝茨（Paul Tibbets）上校之母命名的伊諾拉・蓋（Enola Gay）號，經六小時飛行抵達廣島，並於早上八點十五分在廣島上空丟下第一顆原子彈「小男孩」（Little Boy）。機機組員裡只有三個人知道他們投放的炸彈是原子彈。「眼前的景象令人難以置信，」帝貝茨說，「我的天啊！」機組員倒抽一口氣。地面上，十萬人瞬間喪命，十萬人嚴重燒傷，倖存者看見一道閃光、一聲轟然巨響、然後是使城市滿目瘡痍的風暴性大火，黑色放射性雨點落下，廣島瞬間化為人間煉獄。

---

1 一八九八年，生於沙俄華沙、晚近嫁給法籍同僚皮耶・居禮（Pierre Curie）的波蘭物理學家瑪麗・斯克沃多夫斯卡（Marie Sklodowska），針對她所謂的「放射性」發展出她的理論，揭露她剛發現的釙、鐳兩元素裡面的巨大能量，此能量對戰爭和醫學都會有極大影響。一九〇五年，德籍猶太裔物理學家，二十六歲的阿爾貝特・愛因斯坦（Albert Einstein），來自符騰堡的失敗技術創業家之子，已針對十九世紀初期起就為人知的原子、分子，寫了一篇文章說明它們的物理實在（physical reality）。他透過其相對論證明能量和質量相等，提出一個精確的等式，以說明特定質量裡含有多少能量。一九三三年愛因斯坦逃離德國並搬到美國後，物理學家發現鈾的某些同位素具有維持分裂原子的連鎖反應，其釋放出的能量可根據數十年前愛因斯坦的公式算出。一九三九年，愛因斯坦意識到此能量可能非常巨大，建議小羅斯福發展其潛能。希特勒決定不全力發展核彈，或許是他最大的失策；而迫害猶太裔科學家之舉，也導致核彈的研發者成為逃離德國的難民。

裕仁震驚不已，但未立即投降；他拖著不降，兩天後史達林發兵入侵滿洲時，他的震驚程度似乎更甚。八月九日拂曉，另一架美國B－29轟炸機博克斯卡號（Bockscar），在朝長崎丟下「胖子」（Fat Man），當時裕仁和其諸位將領正開會討論投降條件，堅稱如果保不住神聖的「國體」，就要繼續戰鬥。不到兩天，他就因為兩顆原子彈同意無條件投降；鷹派陸軍大臣阿南惟幾勉強同意。天皇計畫對全民講話。這段這內容由廣播電台技術員錄下來，含有史上最避重就輕的陳述：「戰爭的發展，」裕仁說，「未必對日本有利。」他第一次錄下的「玉音」太微弱，他不得不再次錄製。「玉音」放送之前，數個軍官在阿南惟幾鼓勵下進攻皇居，欲奪下錄音盤。他們殺害近衛師團長，但未能找到錄音盤，後來自殺。隔天，阿南惟幾切腹自殺，並留下一紙條：「一死以奉謝大罪。」中午，日本人首度聽到他們天皇的講話聲。裕仁寫信告訴其十一歲兒子皇太子明仁，「我們的人民太過相信皇國，」當時明仁待在東京郊外，以策安全。「我們的軍人知進不知退。如果繼續打下去，我們會保護不了三神器（八咫鏡、天叢雲劍、八尺瓊勾玉），而且會有更多國人死去。我壓下情緒，要拯救國家的種籽。」

八月三十日，麥克阿瑟將軍抵達東京，奉杜魯門之命保住日本的穩定，同時審判軍國主義者的戰爭罪。東條英機遭處決，但麥克阿瑟接著決定把裕仁改造為不具神性的立憲君主，藉此讓無疑負有罪責的裕仁續任天皇。

在所有侵略者中，唯一保留原職的天皇成為這個蓬勃發展之民主國家的虛位元首，在位直至一九八九年（他的孫子德仁於二〇一九年繼位，成為這個世上最古老王朝的第一百二十六任天皇。）在西方，勝利者同意在紐倫堡的國際軍事法庭審判納粹，民主國家法官和史達林主義法官在此成為伙伴關係。里賓特洛甫被判絞刑；戈林自殺；施佩爾憑藉其魅力逃過一死。黨衛軍別動隊和滅絕營的各大謀殺犯被絞死——希姆萊自殺——但較低階軍官受懲者不多。克虜伯受審，被判刑十二年。安多內斯庫被槍斃。經歷過這些恐怖教訓，一個較以規則為基礎的世界——靠人權法庭和美國的權威共同創造出的世界——催生出超國際的法律、文明行為準則、對種族滅絕的法律定義。[2]反猶成為道德禁忌；啟蒙思想得到恢復。

兩顆原子彈丟下時，邱吉爾已不是首相。這一勝利者的挫敗令史達林吃驚。他說：「一黨制好上許多。」

克萊門汀・邱吉爾（Clementine Churchill）*說：「因禍得福。」

邱吉爾回道：「此刻似乎還看不出福在哪裡。」喬治六世表示願授予多佛公爵爵位（dukedom of Dover）之舉，在一定程度上減輕了他的挫敗之感，但邱吉爾拒受。工黨籍首相克萊門特・艾德禮（Clement Attlee）（邱吉爾戲謔道，他是一個謙遜之人，有許多值得謙遜的地方），創建了一個向失業者支付補助金和提供免費健保的制度，是為把國家視同舒適生活之保障者的雄心勃勃願景的原型。西方公民開始把這樣的國家角色，視為比其提供秩序和安定的傳統角色還要重要。以前，只有革命才能重新分配財富和保護窮人：英國的成就則在於以和平手段辦到此事。對內，艾德禮表示要打造一個他所謂的「新耶路撒冷」；對外，他的願景會引爆爭奪舊耶路撒冷的戰爭，以及印度的流血獨立。一九四五年十二月，印度人投票選出一個立法大會。

問題在於：有兩個贏家。

---

2 世界衛生組織創立。透過大規模疫苗接種計畫——在詹納（Jenner）發明天花疫苗的一百五十年後——該組織使天花在全球絕跡。誠如史蒂芬・強森（Steven Johnson）所寫的，「全球根除（天花）既有賴於世界衛生組織這樣的機構創立，也有賴於疫苗本身的發明。」新冠肺炎大流行更凸顯這一點。

* 編注：英國首相溫斯頓・邱吉爾的妻子。

印度裂解：尼赫魯、真納、總督之妻

尼赫魯和國大黨贏得選舉，但真納和穆斯林聯盟亦然——以「創立巴基斯坦」為唯一議題打選戰，贏得為穆斯林保留的每個席次。尼赫魯成立第一個印度人政府，與穆斯林聯盟共同組建過渡性聯合政府，但雙方關係緊繃。

一九四四年獲釋出獄後，尼赫魯想要承接整個英屬印度——英屬印度是歷史上印度頭一遭處於一統局面。英國人也同意了，想要把英屬印度完整地交給一個領導人——尼赫魯，讓印度成為英國自治領（Dominion），為英國勢力圈增添光采。

尼赫魯是個浪漫主義者，喜愛女人，印度在他眼中美麗動人，他總是把印度比喻為美麗女孩。他寫道：「印度在我的血液裡，」筆法猶如浪漫主義小說家；「她非常討人喜愛，她的每個小孩全都忘不了她……因為她，不管偉大還是失敗，都是他們的一部分，他們映現在她深邃的眼眸裡……」他忽視印度大部分歷史（甘地鄙視歷史，蔑稱為「對本性的干擾」，只是生命和轉世輪迴裡的一瞬），也忽視印度教徒和穆斯林的差異，堅信該建立由國大黨代表民意的單一世俗性自由民主國家。他堅稱，「印度不存在文化衝突。」印度只有一個，而且尼赫魯對穆斯林挑戰的可能未認真看待。他於一九三五年寫道，「這個想法很離譜，不值得考慮。」但英國國力的衰落和新選舉政治的到來，助長此前未有的族群性、宗教性民族主義：選舉結果清楚無疑地揭露存在著對印度的兩種願景。

艾德禮提議成立印度聯邦，或許可以避免分治。最初，雙方都接受此議，但後來尼赫魯拒絕，相信國大黨能全盤接收英屬印度。真納在加爾各答發起「直接行動日」（Direction Action Day），穆斯林在該城屠殺印度教徒，穆斯林聯盟主持的孟加拉政府放任不管。甘地趕去加爾各答，為和平而絕食。

一九四六年三月，尼赫魯去新加坡檢閱印度軍隊。成群軍人團團將他圍住時，時年四十四歲的愛德溫娜・蒙巴頓（Edwina Mountbatten）——盟軍東南亞戰區最高統帥路易斯・「迪基」・蒙巴頓（Louis 'Dickie' Mountbatten）勳爵之妻——在群情亢奮的亂現場被撞倒。尼赫魯和蒙巴頓將她扶起。三人交情甚好，以致當艾德禮尋求一位總督來監督印度獨立事務時，尼赫魯大概推薦了蒙巴頓。艾德禮任命緬甸子爵蒙巴頓為最後一任印度總督——用他自己的話說，「地球上權力最大的人。」蒙巴頓溫文有禮、能幹、自負。愛德溫娜則是言辭犀利、自由奔放的女繼承人，既有精采的婚外性生活（她的婚外情對象有男有女，其中最喜歡的是卡巴萊歌舞明星格瑞納達人哈奇〔Hutch the Grenadian〕），又在公益事業上卓有貢獻。蒙巴頓欽佩作風強勢的她。[3]

兩夫婦常邀尼赫魯和英迪拉（Indira）至德里的印度總督府作客。接下來幾個月局勢變化得讓人應接不暇，而英迪拉是尼赫魯在這期間不可或缺的同伴。蒙巴頓成為「尼赫魯真正的朋友」。蒙巴頓的女兒有時突然闖進來，發現尼赫魯正倒立做瑜伽。漸漸的，喪妻的尼赫魯和有夫的總督夫人愛德溫娜成為知己，而且這樣的友誼因相知相惜而更加動人。「我突然發覺（或許妳也發覺了），」尼赫魯在後來寫給愛德溫娜的信中寫道，「我們彼此深深愛慕對方，有種我只隱隱覺察到的不可控制的力量把我們拉向對方。這個新發現令我不知所措，同時非常高興。」她同意道：「你帶給我奇怪的平和、幸福之感。或許我給了你同樣的感覺？」蒙巴頓注意到此事，並告訴他的女兒，「請保守這個祕密，她和賈瓦哈勒爾（Jawaharlal）真登對。他們真的互相喜歡……媽咪最近特別和藹可親。」

3 蒙巴頓是維多利亞女王的曾孫，米爾福德黑文侯爵（marquess of Milford Haven）的兒子。米爾福德黑文侯爵是黑森大公的庶子，在英國闖蕩，爬上第一海務大臣之位，掌管英國皇家海軍。愛德溫娜是德國猶太裔商界大亨、愛德華七世的私人銀行家歐內斯特・卡塞爾（Ernest Cassel）爵士的孫女。

蒙巴頓的立場極偏向尼赫魯，兩人都嘲笑真納：蒙巴頓說他是「精神病患」，尼赫魯則說他是「偏執狂」，「希特勒之流的人。」但真納的壓倒性大勝，已揭露尼赫魯的一國主張不切實際。

蒙巴頓本可以好好探索聯邦制的可行性，正如美國所證明的，聯邦制可以強大且民主。甘地提議任命真納為統一之印度的總理。這種聯邦制折衷方案若成真，有可能避免生靈塗炭。但建立聯邦需要時間。結果，尼赫魯反倒接受了真納的分治要求，讓這兩個新國家都取得自治領地位，國大黨則得到英屬印度的較大部分領土——其首都、軍隊、行政體系——作為回報。「我們都累了，」後來他承認。「分治提供了一條出路，而我們採納。」

蒙巴頓接受印度、穆斯林巴基斯坦各自建國的計畫。[4]甘地知道這會挑起暴力。他告訴蒙巴頓，「唯一的替代方案是英國繼續統治以維持法律和秩序，不然就會是一場印度大屠殺。我們必須面對並接受這場流血衝突。」

一九四七年六月三日，在尼赫魯、真納陪同下，蒙巴頓宣布「將權力轉移給五分之一的人類」，宣布印巴分治，由不相連的兩個地方組成的巴基斯坦隨之誕生。此安排沒人滿意：真納想要整個旁遮普、孟加拉和喀什米爾，要求印度割讓一塊狹長土地以連接巴基斯坦東西兩部。由一位從未去過印度的英國法官繪製的地圖，會在獨立後不久宣布，從而挑起緊張。

然後蒙巴頓宣布英國會在十個星期後離開，非常倉促的離開。離開之日一決定，新權力的磁石就會發揮其本有的吸、斥作用。變革的速度與不確定性很可能導致血流成河的慘劇，唯一可辯解的藉口是：英國國力已因為二次大戰而大不如前，他不願讓英國士兵為維持秩序而喪命；而且此前從沒有哪個印度統治者把這個次大陸拱手奉交給另一個強權。數百萬人開始恐慌，不只憂心自己未來將置身哪個國家，也為自己的安危焦慮。尼赫魯說，「我們置身重重危機之中。」另一個使局面更為棘手的問題，係諸土邦主仍統治印度四成土地：非常有錢的海德拉巴邦（Hyderabad）的尼札姆，阿薩夫・賈赫七世（Asaf Jah VII），即烏斯曼・阿里・汗（Osman Ali Khan）爵士，奧朗則布（Aurangzeb）之武將的六十歲後裔，自認是信奉伊斯蘭教的君主，已讓兒子娶了鄂圖曼王朝最後一個哈里發的女兒。此時他不願加入印度，打算獨立建國。

一九四七年八月十四日，在喀拉蚩（Karachi），七十一歲且已患結核病的真納宣布巴基斯坦獨立，他成為總理和總督，被擁立為最高領導人。次日，尼赫魯宣布印度將迎來「與命運的幽會……在午夜零時敲響之時，」他的英式措辭凸顯了這位受哈羅公學教育的婆羅門，儘管相信社會主義，仍深具英屬印度繼承人與傳人之姿。印度接收了英屬印度四分之三的疆域及殖民體系；這個原本就大多由印度人掌理的殖民地政府，現在只是將政府裡的英國人移除，轉移給這個新印度國家。龐大人群觀看印度國旗升起，國旗上有個法輪（dharmachakra），阿育王的象徵。尼赫魯不得不去營救差點被群眾壓死的總理的女兒帕梅拉（Pamela）。「他穿著涼鞋，身手非常靈活。」她憶道，「他說：『快點。』我說：『沒辦法，我穿高跟鞋。』他說：『那就脫下高跟鞋。』」——兩人便被人群一手接一手地傳了過去。

興奮之情消失後，穆斯林、印度教徒、錫克教徒相互攻擊，受驚嚇的民眾隨之開始逃離家園。兩百萬人死於瘋狂的殺戮、強姦、縱火。一列列載著難民的火車抵達時，車上每個乘客都已遭殺害。一千多萬人遷離家園，史上最大規模的遷居行動。殺戮開始時，眼見自己一生的志業沾滿鮮血，甘地揚言絕食至死，

---

4 巴基斯坦一名，在烏爾都語裡意為「純潔之地」，同時也是旁遮普（Punjab）、阿富汗尼亞（Afghania，西北邊境省）、喀什米爾（Kashmir）、印度—信德（Indus-Sind）四地的頭字母縮拼詞，加上來自俾路支（Baluchistan）一詞的-stan後綴。一九三三年，英國和印度人圓桌談判時，劍橋大學伊曼紐爾學院（Emmanuel College）的法律講師拉赫瑪特・阿里（Rahmat Ali）和其三個同事創出巴基斯坦一詞，但英國和印度人都未採納。一九四〇年後，真納才將此構想納為己用。拉赫瑪特未因此得到表彰，一九四八年來到他所構想出的這個新國家時，遭驅逐出境，不久後死於劍橋，死時身無分文。

尼赫魯則讓其住所塞滿難民，說「我知道，我的兄弟（mere bhai），我也為此傷心。」英迪拉看到一個穆斯林就要被私刑處死時，下火車對暴民大喊，嚇得他們放了他。

尼赫魯決意盡可能拿下印度土地，愈多愈好。喀什米爾的居民為穆斯林，但由印度教籍土邦主統治，該地戰略位置極其重要，但對喀什米爾婆羅門梵學家後裔的尼赫魯來說，喀什米爾就像「一個美麗絕倫的女人」。十月，信奉伊斯蘭教的帕坦人（Pathans）和巴基斯坦部隊入侵喀什米爾，這個土邦主因此同意喀什米爾加入印度，以便順理成章請求印度政府派兵來援。四天後，尼赫魯派去他的軍隊。

甘地抵達德里時，尼赫魯和英迪拉、她的三歲大兒子拉吉夫（Rajiv）每天晚上去拜訪他。一九四八年一月三十日，英迪拉和拉吉夫登門拜訪的隔日，甘地一如往常走去做禮拜時，遭一名和準軍事性質的國民志願服務團（RSS）有關聯的印度教籍民族主義者暗殺，胸部中了三槍。尼赫魯趕去甘地的比拉府（Birla House），在這個瘦小身軀旁跪下，啜泣。那一夜，為了平息甘地住所周圍愈來愈多的民眾，甘地的遺體被扶起成坐姿，搬到屋頂上，用燈照亮他的身子。尼赫魯說：「我們的生命已失去光明，到處一片黑暗。」

尼赫魯和愛德溫娜之間的愛情，在最近幾個月更為濃烈。尼赫魯於一九四八年五月寫道，「我們更加暢懷談心，好似面紗已然揭去，而且我們能毫不害怕或尷尬的互相凝視。」兩人有沒有上床無關緊要。有時，這段關係會引發尼赫魯的妹妹克莉希娜（Krishna）的不滿，她說：「愛德溫娜做什麼都不會被責備……」當尼赫魯責備克莉希娜戴太多珠寶在身上時，她回道，「你從不生愛德溫娜的氣，事實上你還常常讚美她的首飾……」蒙巴頓夫婦離開印度時，愛德溫娜哭了起來；尼赫魯流在總督王府來回踱步，走進她的房間裡，想要「讓自己沉浸在美夢裡」。[5]

一九四八年九月，印度軍隊——英屬印度之軍隊的精銳——在喀什米爾擊敗巴基斯坦時，尼赫魯發兵入侵另一個令他頭疼的土邦海德拉巴。該邦的尼札姆已宣布獨立。在「波羅行動」（Operation Polo）這場五日戰爭中，印度擊敗海德拉巴軍隊，信奉印度教的暴民屠殺了四萬穆斯林——印度現代史上遇害人數最多的屠殺。印度獨立的前十年，經濟蓬勃發展、一片欣欣向榮，英迪拉協助尼赫魯統治印度，並住在尼赫魯的府第提姆蒂宮（Teen Murti House），養育她的小孩，以延續尼赫魯王朝。「人絕不可怕受傷，」她告訴拉吉夫（Rajiv）和桑傑（Sanjay）。「我要你們兩個都勇敢……世上有數十億人，但大部分人隨波逐流、怕死、甚至怕活。」賈瓦哈勒爾、英迪拉和其兩個兒子不會是那樣的人。這三代人會統治世上最大的民主國家三個世代。

當英國人離開印度、巴基斯坦（同時計畫保住他們在非洲的殖民地）時，飽受次大戰時挫敗之苦的尼德蘭人和法蘭西人，還是決意收回他們在亞洲的帝國：法屬印度支那和荷屬東印度群島。在越南，胡志明和他的越南獨立同盟會於河內宣布獨立，最初他們和法國人聯手清洗托洛茨基派和民族主義者。但在一九四六年，當法國人重新占領越南時，胡志明和其卓越將領武元甲（一位歷史老師，此時以亞洲托洛茨基的姿態將其學到的心得付諸實踐）與難對付的法軍交手，進行了一場慘烈戰爭。在東印度群島的雅加達，曾是建築師的蘇卡諾（Sukarno）自封為印度尼西亞這個新國家的總統。印尼由荷蘭殖民地構成，但以他融合民主主義和民族主義的五原則（pancasila）為立國基礎。一九四七年七月，尼赫魯和真納掌權時，荷蘭人進攻蘇卡諾，然後趁共黨叛亂之機收復此群島大部。蘇卡諾在其最高軍官蘇哈托（Suharto）輔助下打垮

5 後來，在女兒英迪拉和英迪拉的女兒帕梅拉陪同下，尼赫魯和愛德溫娜於印度的奧里薩（Orissa）度假；尼赫魯也去了蒙巴頓在英國的住家布羅蘭茲（Broadlands）鄉村別墅八次。愛德溫娜．蒙巴頓死於一九六〇年。一次大戰前，蒙巴頓小時候，曾見過他的姨丈沙皇尼古拉二世，自印度回來後，在工黨、保守黨政府底下擔任英國國防參謀長直至一九六五年。一九八一年，這位緬甸伯爵在他位於愛爾蘭斯萊戈（Sligo）的城堡附近釣魚時，遭愛爾蘭共和軍恐怖分子暗殺身亡。

共黨，但卻與荷蘭人展開鬥爭。這場歐洲帝國主義戰爭令杜魯門憂心，杜魯門揚言取消對荷蘭的援助。荷蘭人撤走，承認這個廣土眾民的新國家。蘇卡諾與勢力甚大的印尼共黨曖昧周旋後，把印尼改造成「指導式民主國家」（Guilded Democracy），並自認君主般的終身總統。

與此同時，英國人也正離開巴勒斯坦。在該地的錯綜複雜的衝突中，兩個阿拉伯人國王與一個新誕生的猶太人國家、巴勒斯坦民兵組織互別苗頭。

兩個國王：法魯克、阿布杜、巴勒斯坦的分割

阿拉伯世界兩大國君欲擴大自己王國版圖並稱雄阿拉伯世界的野心，加劇了巴勒斯坦中心地帶的殘忍族群戰爭。兩人分別是精明的約旦哈希姆家族國王阿布杜、風頭甚健的埃及國王法魯克。法魯克是穆罕默德．阿里家族的後裔。

大部分西亞國家——敘利亞、以色列、黎巴嫩——都是在二次大戰結束後的兩年期間，從舊鄂圖曼帝國的領土上分離出來。一九四六年四月，法國人讓敘利亞、黎巴嫩這兩個新造的國家獨立；[6]英國也讓外約旦獨立，並把在埃及的英軍撤到蘇伊士運河地區。巴勒斯坦情況較複雜：一九一七年，英國人已答應給予「一個猶太人家邦」——即《貝爾福宣言》（Balfour Declaration）——但並未答應讓他們建國，甚至連「家邦」的承諾都不表示會兌現。先前，庫德人（Kurds）、亞美尼亞人（Armenians）、阿拉維人（Alawites）、德魯茲人（Druze）都被應許過建國，結果都是空頭支票。巴勒斯坦的阿拉伯人長年以來一直居多數，人口不多的猶太人在巴勒斯坦占少數，兩者都世居已久。但一八八〇年代起，猶太人在耶路撒冷已占多數。

阿拉伯人極反感猶太人移入，而移入的猶太人不久就形成一個蓬勃發展的務農群落。英國對猶太人家邦的支持撐不過二十年：隨著衝突加劇，英國徹底收回該支持；同時，阿拉伯人起事、遭英國人用武力敉平。一九三九年，英國提出一項計畫，承諾在十年內建立一個完整的巴勒斯坦阿拉伯國家——但不包括猶太國家。這是整個世紀中唯一一次此類提議，但巴勒斯坦領導人拒絕了，因為該國家內仍將包含相當規模的猶太少數族群。隨著新成立的阿拉伯國家獲准獨立，六十萬猶太人在波蘭出生的個頭矮小、好鬥、作風務實、一頭蓬亂白髮的大衛·本古里安（David Ben-Gurion）領導下起事抗英，以爭取獨立建國。猶太人的經歷獨一無二，巴勒斯坦的情勢亦然，但就其他方面來說，誠如史達林所言，猶太復國運動只是「猶太民族意志的表現。」猶太人遭納粹大肆屠殺的經歷，使許多人同意支持猶太人建國。但英國不在此列：艾德禮禁止猶太人移入巴勒斯坦，希望把該地交給一個阿拉伯人國家。猶太裔民兵攻擊英軍：以色列就像一九二二年的土耳其，是在違背英國意願的反帝國主義叛亂中建立的。艾德禮無計可施，把此問題交給聯合國處理。

一九四七年十一月二十九日，在一八一號決議中，聯合國表決通過將巴勒斯坦分割為阿拉伯人國家和猶太人國家，此盤算與在愛爾蘭、印度境內的分割盤算沒有兩樣。美國總統杜魯門支持此議，開玩笑說「我是（波斯王）居魯士（Cyrus）」。本古里安認為要「不計代價建國」，接受此折衷方案；巴勒斯坦人則較中意於為占有整個巴勒斯坦而戰鬥。阿拉伯裔準軍事組織攻擊猶太人，組織完善的猶太人民兵組織哈加

6　這兩個國家此前都不存在，而且兩者都是治理失能的失敗國家。黎巴嫩是由基督教馬龍派、較富裕的遜尼派、貧窮什葉派、尚武的德魯茲派組成，體質脆弱，法國人創立該國旨在保護他們所青睞的基督徒，從而使什葉派積怨在心。敘利亞則是遜尼派、阿拉維人、庫德人、德魯茲派的綜合體。黎巴嫩由利欲薰心的商業大亨和教派軍閥統治，苦於內戰、巴勒斯坦人干預、以色列入侵、什葉派抵抗運動團體把持國政的困擾，並於二〇二〇年代走向崩潰。二〇一一年，敘利亞解體，陷入內戰。

納（Haganah）起身抗敵。

埃及這個最大阿拉伯人國家的年輕統治者法魯克看著此情勢發展。他十六歲當上國王，超過一百八十公分高，有著令女粉絲著迷的男演員的帥氣，在英國留過學，極富有，擁有七萬五千英畝地；他自小極受保護，從未去看過古埃及金字塔，但很快就成為「受愛戴的國王」（al-malik-al-mahbub）。二次大戰期間，英國總督派坦克包圍阿卜丁宮，藉此逼法魯克聽話，使他受到了羞辱；這時他一心要宣揚埃及國威。

已婚的法魯克著迷於歌舞女演員、夜總會、跑車、賭場無法自拔，他的埃及是一個族群組成複雜的大都會，包含土耳其人、切爾克斯人（Circassians）、科普特人（Copts）、猶太人、希臘人、黎巴嫩人。他的情婦愛琳·古因勒（Irene Guinle）說，他「對我是猶太女人一事很感興趣。」「法魯克只聽進一個人的話，那就是他父親法德（Fuad）……（法德）告訴他，世上最好的女人是猶太女人。」但法魯克的諸多女友一致認為他是個懶散的「巨嬰」，非常孤單，最好的朋友竟然宮中電工的騙徒兒子安東尼奧·普利（Antonio Pulli）。普利有在夜總會裡站著睡覺的本事，因此人稱「鸛」。

法魯克還未滿三十歲，正在學習政治，擁抱新興的阿拉伯民族主義，同時心存提防地關注著伊斯蘭主義謝赫哈桑·班納（Hassan al-Banna）的崛起。這個謝赫的追隨者，即成員達百萬的「穆斯林兄弟會」（Muslim Brothers），相信「伊斯蘭是解決之道」，憤怒於法魯克的墮落和猶太人移入耶路撒冷。他們開始暗殺法魯克的大臣。法魯克想要推動建立穆斯林君主國，但他卻是搭乘他的遊艇馬赫魯薩號（Mahrousa）前往麥加朝覲。現在，他希望藉由與猶太人作戰和併吞巴勒斯坦南部來消除該兄弟會的勢力。畢竟，穆罕默德·阿里統治過這塊土地。

一九四七年十二月，法魯克在開羅主持了一場阿拉伯聯盟（Arab League）領袖會議，與會的七個獨立阿拉伯國家的領袖決定開戰。「不管有多少（猶太人），」該聯盟的埃及籍祕書長阿札姆帕夏（Azzam Pasha）

說，「我們會把他們掃進海裡。」在任命耶路撒冷的穆夫提（mufti）*為巴勒斯坦總統後，法魯克統領四萬將士，但有人提醒他，其中只有一半人有裝備，且那一半人裡只有他的蘇丹籍衛士做好了戰鬥準備。法魯克還是堅稱四千五百萬阿拉伯人能除掉六十萬猶太人。而猶太人只動用三萬五千戰士應戰。但在分割巴勒斯坦的行動中，他有個阿拉伯籍對手。

外約旦國王阿布杜是先知穆罕默德的後裔，嘲笑法魯克所屬王朝：「巴爾幹農民的兒子，不會因為當上國王，就變成紳士。」但他還擁有一支萬人的精銳部隊——以英國人為軍官的阿拉伯軍團（Arab Legion）。

阿布杜決意靠戰爭或詭計奪取巴勒斯坦大片土地，一邊偷偷和猶太人談定瓜分巴勒斯坦，同時公開譴責猶太人國。阿布杜當選為阿拉伯聯盟部隊的總司令，並集結他的軍團士兵；法魯克騎馬檢閱埃及部隊，並將他的妹妹晉升為將領。

一九四八年五月十五日，隨著英國人撤離，本古里安宣布以色列建國，[7]與此同時，敘利亞人和伊拉克、沙烏地的分遣隊加入法魯克、阿布杜的陣營。史達林當時正在逮捕、槍殺蘇聯猶太人、指控他們既效忠蘇聯、又效忠於猶太民族，然而他卻是第一個承認以色列的人。埃及的計畫是沿海岸迅速北上，攻占特拉維夫（Tel Aviv）。結果，在一場伴隨著雙方暴行的激烈戰爭中，新成立的以色列軍隊在紀律嚴明軍官的出色領導下，配備蘇聯運來的武器，打敗各支阿拉伯軍隊。超過七十萬的巴勒斯坦人於戰爭期間逃走或被趕走，但他們的「大災難」（Nakba）卻是以色列的誕生，與此同時，諸多阿拉伯國家驅逐境內西班牙系猶

* 編注：穆夫提（mufti）指穆斯林學者，通常負責解釋伊斯蘭教法。

7 這個新國家會被稱作猶太（Judaea）或以色列，而他們選擇以色列。

太人之舉，為以色列的誕生助了一臂之力。這些西班牙系猶太人在亞歷山大、大馬士革、馬拉喀什、巴格達開枝散葉已千年，這時來到以色列，大大影響了以色列的文化。

戰事進行期間，以色列人的全心報效國家和西班牙系猶太人的移入，使得以色列能出動的兵力至一九四九年初已達十一萬五千人，而阿拉伯陣營仍然只有六萬人。阿布杜成功入侵約旦河西岸並奪取耶路撒冷舊城，法魯克的部隊則遭擊潰，被「鸛」扯了後腿——「鸛」採購了有瑕疵的義大利武器。兩個埃及人闖出名號：將軍穆罕默德·納吉卜（Mohamed Naguib）負傷三次，但極厭惡法魯克，對法魯克的暴行非常清楚。四千埃及人被困於費盧杰包圍戰（Faluja Pocket）四個月時，其中一名高大英俊的郵差之子迦瑪爾·阿布杜·納瑟（Gamal Abdel Nasser）負傷，對法魯克的無能大為光火，憤而寫下《革命哲學》（*Philosophy of Revolution*），並計畫政變。

一九四九年二月，法魯克同意停戰，從內蓋夫（Negev）沙漠撤兵。以色列以自由民主國家之姿屹立於世，國內人口猶太人居多數，阿拉伯人占少數——是當時和現在，此地區唯一的民主國家。巴勒斯坦人，一如先前的猶太人，並未放棄「返回」的夢想。

阿拉伯軍人看不下去他們無能的領袖。在敘利亞，法國所留下的脆弱民主遭將軍胡斯尼·札伊姆（Husni al-Zaim）推翻——這是諸多阿拉伯軍事政變的第一場。此地區各地的領袖會無恥使用不計後果的暴力、族群對立、偏袒親人來壯大自己，未致力於打造民主體制和公民社會，從而貽害甚大。另一個贏家是約旦的阿布杜。他把他的王國稱作約旦，該王國的版圖增加了一倍。「聖城」耶路撒冷在他手裡，他隨之自封為耶路撒冷國王，是為自一二二九年神聖羅馬皇帝腓特烈二世短暫造訪該城以來，第一個統治耶路撒冷城的人。許多人無法原諒他爭奪王位得手：一九五一年，他在耶路撒冷聖殿山上的阿克薩清真寺（al-Aqsa Mosque）裡遭暗殺——就在他的孫子暨後來的接班人，十七歲哈羅公學男學生胡笙面前；當時的情景就此一直深印他腦海。在埃及，一場霍亂疫情暴露了法魯克的無能，穆斯林兄弟會則打算將他拉下台，暗殺他的總理。結果反倒是法魯克叫人將班納暗殺，禁止穆斯林兄弟會活動。法魯克禿頭、肥胖、專制，但在他治下經濟蓬勃發展，埃及幾乎擺脫掉英國人和穆斯林兄弟會，他保住性命。

史達林命令其捷克附庸提供軍火給以色列，以色列靠此軍火打贏這場以阿戰爭；而在中國，史達林正轉送把大批武器過去，從而將改變世局。

毛澤東、江青、宋慶齡

毛澤東的勝利並非必然。一九四六年五月，為維繫和美國的關係，史達林從滿洲撤出蘇軍。蘇軍一撤走，擁有四百三十萬兵力的蔣介石即奪取滿洲大部，把一百二十七萬共軍趕回去。毛澤東驚慌，準備回頭打游擊戰，但美國人出手救了他。杜魯門的特使、二戰期間美國陸軍參謀長馬歇爾將軍，著了毛澤東的道。毛澤東淡化其與史達林的關係，強調其願意和美國交好。馬歇爾逼蔣介石停止內戰、談判停火——要命的失策。戰時，史達林不提供武器給毛澤東，並幫助蔣介石抗日。此時，史達林轉向毛澤東，把大量日、蘇武器轉移給他，訓練與日本人結盟的滿洲國軍隊當紅軍戰士，並從蘇聯所占領的朝鮮半島北部抽出二十萬朝鮮人給他用。

在國內，史達林從其所奪回的地區流放了數萬人，導致第二次烏克蘭饑荒，又有將近一百萬人因此餓死。但他否認有此事，開玩笑說，若真流放，他會把所有烏克蘭人都流放，但實情是烏克蘭人太多了。這時他眼看世界分裂為「兩個武裝陣營」，構想著哪天對美國所領導的資本主義國家開戰。在蘇聯接近研發出原子彈的同時——他於一九四九年八月首次試爆原子彈——史達林強迫其附庸國接受蘇聯的統治，誠如他對南斯拉夫人所說的，他相信「每一方都會強制施行自己的體制」。對俄國領導人來說，波蘭是東歐國家裡第一個需要控制住，且也是最不容丟失的國家。在羅馬尼亞，年僅二十六歲的米哈伊被迫任命一個由共產黨支配的政府。該政府逮捕、審判自由派領袖和支持者，發布他拒簽的法令。一九四七年十一月，米哈伊前往倫敦出席了他的兩個堂表親——英格蘭公主伊莉莎白和希臘海軍軍官菲利浦——的婚禮，在那裡遇見他日後的妻子，然後返國。十二月三十日，在國內，他被傳喚到伊莉莎白宮（Elisabeta Palace）。共產黨領導人格奧爾基．喬治烏—德治（Gheorghe Gheorghiu-Dej）和史達林的打手、在莫斯科大審中尖聲咆哮的安德烈．維辛斯基（Andrei Vyshinsky）揚言，「你如果不立即簽這份（退位文書），我們就不得不殺害監獄裡的一千多個學生。」但米哈伊不願退位，寄希望於能召集忠於他的士兵。

「你的衛士已被捕，」德治說道，「電話已被切斷，大炮正指著這間辦公室。」他抽出手槍。「我往窗外看，」米哈伊憶道，「看到榴彈炮。我簽了。」德治那天宣布成立「人民共和國」。保加利亞[8]更早許久就淪陷，但這時，在波蘭、匈牙利、捷克斯洛伐克，正上演由史達林策畫的類似政變；在捷克斯洛伐克，前外交部長、該國創建者之子揚．馬沙伊（Jan Masaryk），若非自殺而死，就是被拋出窗外摔死。南斯拉夫和阿爾巴尼亞這兩個從德國人手中自我解放的國家，其發展更為特立獨行：具有王者風範、具有一半克羅埃西亞和一半斯洛維尼亞的血統的約西普．狄托（Josip Tito），在莫斯科捱過恐怖統治，重新一統南斯拉夫，肅清了政敵。但狄托極反感於史達林的欺凌。史達林火大於如此大不敬的行徑，下令殺了他。狄托寫信告訴史達林：「不要再派刺客來殺我……你如果派另一個來，我會派一個去莫斯科，而且我將毋須派另一個去。」[9]像他這樣敢於違抗史達林的人非常少見。

史達林拿下這個前所未見的俄羅斯帝國（比沙俄帝國還大的帝國）時，估計資本主義民主國家無意為東歐打仗，而他是對的：接下來四十年的和平與發展不只建立在國際法的規則上，還建立在西方承認半個歐洲屬於莫斯科的基礎上。在歐洲最西陲，西班牙仍由佛朗哥（Franco）統治，他為了贏取美國青睞，急忙調整其法西斯獨裁統治，將自己塑造成「反共解放戰爭的領袖」（Caudillo of the War of Liberation against Communism），並以攝政之名恢復波旁王朝的君主政體。而他的鄰國葡萄牙——民族主義色彩濃厚但不那麼惹人厭的薩拉查（Salazar），穩定國內社會，積極維持海外帝國，派了數千個白人移民至他的非洲殖民地。

歐洲的民主體制局限於中心地帶，而即使在那裡也搖擺不定。貧困的義大利看來很可能投入共產主義陣營。在法國，軟弱的第四共和難以治理，總理戴高樂退休，回到他位於科隆貝（Colombey）的荒涼房子。一個個短命政府上場又下場。法國，一如葡萄牙，靠帝國求得慰藉。

對於是否該讓被蘇聯和西方國家分割占領的德國重新一統，史達林和杜魯門都拿不定主意。隨著冷戰加劇，杜魯門對此心存懷疑；史達林最初則支持德國統一。但位於蘇聯東部控制區深處的柏林，仍處於列強的分裂之中。一九四八年，史達林封鎖西柏林，希望藉由將美國人趕出柏林解決德國問題；杜魯門隨之下令空運物資給柏林。自此，史達林意識到美國會在所有前線抵抗共黨進逼，而統一且中立的德國是

---

8 一九四四年，保加利亞沙皇西蒙（「狡猾」斐迪南的孫子）遭以公投方式罷黜。由史達林心腹季米特洛夫（Dimitrov）治理的保加利亞成為人民共和國。

9 狄托協助身為學校老師、鮮為人知的共產黨安維爾・霍查（Enver Hoxha）在其小鄰邦阿爾巴尼亞奪權。霍查高大、英俊、饒舌、出奇喜歡寫作，寫了日記和回憶錄——皇皇六十五冊。安維爾同志透過一個祕密小集團統治阿國，有計畫地殺害所有對手，小集團成員彼此聯姻，住在地拉那（Tirana）市中央封鎖區（Blloku）一條醜陋且守衛嚴密的街上。有個很典型的紙條寫道，「務必將伊爾凡・奧赫里（Irfan Ohri）追捕到並殺掉。」「我相信他正待在雷克斯戲院旁的一間房子裡。」甚至在一九四四年十一月他掌握政權時，下令「設立監獄和集中營；對任何人都不留情，」還說，「將具有影響力的人攔住、逮捕、處決。」霍查崇拜史達林，與他會面長談。

不可能的，於是在其占領的德東扶立一個蘇聯附庸國。美國人則催生出西德民主國家，並需要靠德國的精密技術和知識來對抗共產主義。希特勒的反蘇情報首腦蓋倫（Gehlen）成立了西德的情報機關，他的飛彈專家華納．馮．布朗（Werner von Braun）幫美國研製飛彈；數名參與萬湖會議策畫大屠殺的官員獲釋。[10] 克虜伯被叫回來經營其工業帝國。美國為生病的歐洲開了一劑大膽的補藥：一個大型援助計畫，即「馬歇爾計畫」。史達林不接受該計畫，啟動壓制人民自由的新措施。他徒然敗事的威脅，導致西方民主國家（因美國援助而漸漸復原，並對其開放的社會信心日增）成立了北大西洋公約組織（North Atlantic Treaty Organization）。面對這個西方軍事同盟，共產黨國家很快也成立了自己的軍事同盟相抗衡。美國受其傳教士般篤信宗教的出身啟發，相信開放、選舉、市場最終會使各地走向民主和資本主義。史達林的蘇聯，將其準宗教的馬克思主義使命和傳統反西方的俄羅斯民族主義合為一體，也相信蘇聯會帶領世界走向其眼中的進步之路。[11]

史達林在西方的成功，鼓舞他在東方大展身手。在東方，朝鮮半島成為亞洲的柏林。蘇軍占領該半島北半部，美軍占領南半部。史達林打算在該地成立一個共黨附庸國，於是努力物色聽話的人以領導該國。最後貝利亞找到了一個在朝鮮出生的共產黨人。此人信基督教的雙親創立了最早的抗日團體之一，他本人於一九三〇年代在毛澤東的軍隊裡打過仗，然後逃進俄羅斯。三十三歲的金成柱在朝鮮籍籍無名，但他以一個著名戰士（可能是神話人物）的名字作為他的化名：「老虎」金日成。金日成擁抱摻有朝鮮民族主義的史達林主義。

一九四八年三月，馬歇爾的停戰協議調停失敗時，毛主席從蔣委員長手裡拿下滿洲，蔣則拿下毛在延安的大本營。毛澤東和江青、副手周恩來騎馬逃離。他以北京附近為基地，下令其最善戰的將領林彪向南推進。抗日戰爭已掏空蔣介石所控制的中國地區；抗戰勝利則毀了他。他不追逐財富，但宋家是貪污腐敗的典型：蔣夫人過著女皇般的生活，而她的弟弟，行政院長宋子文，靠貨幣投機買賣進帳三億美元。蔣把宋子文撤職，但卻提拔了一些無能的指揮官，他們可能是共產黨安插的間諜。蔣痛斥宋家；宋美齡飛去紐約。

一九四九年四月，毛澤東攻占首都南京。蔣含淚祭過母墳後，飛到台灣，幾個月後，宋美齡來台和他會合。[12] 毛澤東邀請她的姊姊，孫夫人宋慶齡（他口中的「親愛的大姐」），來北京共襄他的建國大業：「新中國建設有待於先生指教者正多。」毛澤東在車站迎接她，任命她為國家副主席；總理周恩來把溥儀出生的醇親王府送給她（她得意地說，自己受到皇室的待遇）。[13]

毛澤東決定遷都北京，在紫禁城旁邊守衛森嚴的中南海住下，以其中的舒適別墅「菊香書屋」為其寓所。中南海成為他的克里姆林宮，如今中南海仍是中國領導階層的代稱。毛澤東不注重錢財，但注重舒適和安全，有五十座左右整修過的別墅供他使用，命令軍方從軍中劇團挑選女孩入職他的文工團，供毛主席

---

10 其中一些惡性最重大者循著名叫「鼠線」（Ratline）的逃亡路線逃到南美洲，南美阿根廷的新獨裁者、欣賞希特勒的胡安·裴隆（Juan Perón）上校，讓阿道夫·艾希曼、約瑟夫·門格勒、安帖·帕維利奇避難於該國。帕維利奇遭暗殺未遂兩年後去世；艾希曼遭以色列情報機構「摩薩德」（Mossad）擄走，絞死於耶路撒冷。門格勒溺死。

11 美國副國務卿迪恩·艾奇遜（Dean Acheson）告訴美國參議員，「權力如此兩極分化的局面，係自雅典和斯巴達對抗以來，以及自羅馬和迦太基對抗以來所首見。」

12 蔣介石建立了一個由蔣、宋兩家統治的獨立共和國。他已失去五億五千萬人民，這時統治六百萬人。這六百萬人被一波波的恐怖行動制伏，接下來五十年由外省人統治。他以獨裁者之姿統治台灣，就此度過餘生，然後如帝王般由他在俄國留過學的兒子蔣經國接位。蔣經國推行民主。自由民主的台灣擁有先進半導體業，受到美國保護直至二〇二〇年代的今天，但它仍是不受北京控制的最後一個中國人政治實體（Chinese entity）。

13 另一方面，溥儀未受到帝王的待遇。一九四五年，日本的這個傀儡皇帝退位，被蘇聯人俘虜，遣返回中國。他被迫從事粗活，但毛澤東鼓勵他寫回憶錄。一九六〇年，總理周恩來接見他，說他不必為三歲登基或一九一七年復辟未遂而受責，但同意出任滿洲國執政，就完全不應該。溥儀同意他的說法，希望他能向挨過他毒打的所有太監致歉。一九六七年這個末代皇帝六十一歲去世。

臨幸，他的國防部長彭德懷把此舉稱作「選妃」。他的妻子江青未阻撓。

一九四九年十月一日，在孫夫人陪同下，毛澤東從天安門門樓上對十萬人民宣布中華人民共和國成立。毛澤東的勝利，加上那年八月史達林試爆原子彈，震驚美國，使總統杜魯門不安，引發針對共產黨祕密滲透（所謂的「非美活動」）的獵巫行動。這場政治迫害由酗酒的參議員約瑟夫・麥卡錫（Joseph McCarthy）領導，在無所不在的喬治・甘迺迪的支持下，麥卡錫聘請了甘迺迪的小兒子鮑比（Bobby）作為他委員會的律師。當毛澤東向史達林尋求中國工業化時，他發動了一場凶狠的恐怖行動以「鎮壓反革命」，具體下令「大捕大殺」，並批評他的手下「太寬大、殺得不夠」，抱怨許多地方不敢大舉公開殺害反革命分子，說這樣的情況必須改變。許多人於遊行隊伍前遭槍殺，腦漿噴濺在群眾身上。毛澤東吹噓槍殺了七十萬人，但實際數目在三百萬左右，另有一千萬人被送去勞改營，在他執政期間，數百萬人在那裡喪命。他也抨擊傳統家族習俗，禁止一夫多妻、納妾、纏足。[14]此運動一結束，他就設計了新的清洗運動，名叫「三反」（反官僚主義、反貪污、反浪費），並告訴他的親信，必須處決幾萬貪污犯，凡是不從者，若非官僚主義者，就是貪污犯。毛澤東說，殺人極為必要，把該殺的人都殺了，權力才會穩固。

毛嗜讀史書，尤其關於秦始皇的歷史，自比為秦始皇之流的人物，因此他的首要之務是為中國贏得大國地位，尤其要擁有原子彈。一九四九年十二月，他搭火車至莫斯科為史達林七十歲生日祝壽。在這裡，五十六歲的毛澤東討好頭髮灰白的史達林，稱他為「大師」。史達林幾個星期不接見他，他埋怨道，「我來這裡只為吃喝拉撒睡？」史達林保住其在滿洲的影響力；毛澤東得到工業援助和亞洲共產黨老大的地位。[15]這兩個天賦過人、個性多疑、妄自尊大之人的會晤，氣氛不自在，以在史達林別墅裡的晚宴作結。晚宴上，這個紅色沙皇想要這個紅色皇帝隨著他唱機的音樂跳舞。毛澤東拒絕了；史達林沉著臉；原子彈的事告吹——但為了到手原子彈，毛澤東有個殘酷的計畫。

一九五〇年四月，史達林接見金日成，金日成請求允許其進攻美國所支持的南韓。

金老虎和史達林的代理人戰爭

金日成操弄其背後兩大靠山的本事已很熟練：一年前他已請求史達林發動戰爭；當史達林不同意時，他找上毛澤東，毛答應支持他。然後，金日成探詢史達林意向，史達林再度拒絕；金日成補充說他會徵求毛的意見。史達林把他叫去莫斯科，同意「在朝鮮統一上（採取）較積極立場」——即戰爭——前提是他要「仰仗對亞洲有深入了解的毛澤東」。但他警告金日成：「如果你出師不利，我不會採取任何行動相助。屆時你得求助於毛澤東。」史達林知道這可能掀起世界大戰——「我們應該擔心這個嗎？我不擔心」——但更有可能的情況會是金日成測試美國的實力，並「花上數年時間，消耗掉數十萬美國人性命」。史達林正在打造冷戰樣板：不會有引發核戰之虞，但令局部地方生靈塗炭的代理人戰爭。

一九五〇年六月二十五日，金日成的七萬五千朝鮮士兵進攻美國人所支持的南韓，迅速占領半島大部，但杜魯門在聯合國支持下派大量美軍參戰。在言辭浮誇、個性類似凱撒的美軍司令麥克阿瑟將軍的帶領下，美軍擊潰金日成的軍隊，攻占他的首都平壤。

金日成求助於史達林，史達林告訴毛澤東，「派五至六個師跨過三十八度線……把他們叫作志願軍。」

14 一九〇二年慈禧已禁止纏足，一九一二年新成立的中華民國亦然，此時纏足之風已式微。這次禁止纏足是最後一次。

15 史達林和毛澤東一起在莫斯科接見了胡志明。毛澤東開始訓練七萬越盟戰士並提供武器，還邀請中南半島上的其他共產黨人來北京受訓：其中一人是柬埔寨教師，在巴黎留過學，名叫沙洛特紹（Saloth Sar），後來改名波布（Pol Pot）。

毛澤東拒絕插手；史達林在他的黑海別墅接見周恩來和林彪。在炎熱的喬治亞夜晚，史達林深夜未睡，他取笑毛澤東，主席不必打仗，但答應由蘇聯為入朝作戰的志願軍提供空中掩護。毛澤東不得不插手。

「不管有沒有蘇聯空中掩護，我們都要出兵！」十月二十五日，中國大軍四十五萬人以人海戰術進攻搞不清狀況的美軍；南韓首都首爾一九五一年一月陷落。

麥克阿瑟率領百萬美軍反攻，擊退了中國軍隊。麥克阿瑟揚言使用戰術核武；杜魯門將他撤職。金日成夾在史達林、毛澤東和美國人中間，很想求和。史達林和周恩來討論是否要除掉這個驚慌失措的朝鮮人，但史達林同意毛澤東的看法，戰爭必須進行下去。「這場戰爭暴露了美國的軟弱，」史達林說，「他們想要世界屈從於他們，卻制伏不了小小的朝鮮，」還令人心寒地說，「北韓人除了丟掉性命，沒別的損失。」毛澤東的損失則多了許多：四十萬士兵和他兒子毛岸英。毛岸英擔任彭德懷元帥的俄語翻譯員，死在美國空襲中。收到他的死訊時，毛澤東陷入沉默，然後說，「打仗哪有不死人的呢？」

一九五三年二月，剛選上美國總統的德懷特．艾森豪（Dwight Eisenhower），即指揮諾曼第登陸的將軍，挑明以核武威脅中國。韓戰已讓史達林認識到中國需要原子彈。二十八日，史達林和其親信喝酒直至凌晨，心情甚佳。[16]他正打算對其底下的黨政要員施以新一波恐怖行動，這起行動與他親自策畫的一起謀殺陰謀有關，主要針對猶太裔醫生。但那一夜他中風了；他的同志和醫生嚇得不敢給他治療，唯恐他只是喝醉：他就這樣留在地板上，躺在自己的尿泊中。史達林遺體經防腐處理，葬於列寧墓，然後貝利亞以第一副總理、安全事務首腦、核武部隊司令的身分主掌國務，釋放大批古拉格奴工，提議從東德撤軍——他說，「它甚至不是一個真正的國家，只是靠蘇軍維繫其存在」——提議政治自由化，和後來戈巴契夫（Gorbachev）所提的綱領差不多。

新的領導人在朝鮮半島言和。金日成雖然輸了韓戰，使國家滿目瘡痍，但他處決了對手，並創立了朝鮮特有的共產主義觀和民族主義觀，即「主體思想」——自立和孤立。主體思想和一種神聖崇拜結合，該崇拜和他兒子金正日生於朝鮮聖山（其實生於蘇聯）這種半神性的出生說有關。他由此創立了一個世襲王朝，統治北韓已達第三代。

貝利亞雖然沒有接過最高階職務，但似乎是真正的掌權者。然而，他的恐怖惡行和冒險的政治作為，令他粗魯、笨重、皮膚有疣的同志尼基塔・赫魯雪夫（Nikita Khrushchev）不安，而且貝利亞低估了他的能耐，招來殺身之禍。赫魯雪夫向同志示警道，「貝利亞已磨利他的刀子。」貝利亞控制保護黨政要員安全的安全機關，於是赫魯雪夫找來元帥朱可夫一同舉事。一九五三年六月二十六日，朱可夫帶領一票忠貞軍官進入克里姆林宮，其中包括得到史達林賞識的蘇軍政治部副主任列昂尼德・布里茲涅夫（Leonid Brezhnev）。在蘇共中央主席團的會議上，赫魯雪夫策畫了譴責貝利亞之舉；朱可夫的手下闖進來，拔出手槍，逮捕這個喬治亞人。後來貝利亞被以強姦、叛國罪名審判，然後，嘴裡塞著毛巾，額頭中槍喪命。

赫魯雪夫是好鬥、半文盲的礦工和鐵桿馬列主義信徒，衝動且似乎總是精神抖擻，由史達林所一手提攜，在治理烏克蘭和莫斯科期間殺了許多人。然而，他終止了以殺人治國的作風，儘管祕密警察——改名克格勃（KGB）——依舊無所不在且時時警戒。經過戰爭和恐怖統治，男人非常短缺，因而官方鼓勵女人出來工作，自一九三五年起被定為非法的墮胎變得合法。肥胖粗魯的赫魯雪夫如今面對舉止優雅的艾森豪，兩人在這個兩極對抗的權力賽局中展開角力，在世界各地透過代理人一決雌雄。共產主義陸續在

16　一六五四年四月，黑特曼・赫梅利尼茨基（Hetman Khmelnytsky）簽署忠於羅曼諾夫沙皇阿列克謝（Alexei）的條約。為慶祝此條約三百週年，史達林決定把克里米亞半島送給烏克蘭。隔年，新領導人完成此塊領土的轉讓。因此，一九九一年蘇聯解體時，克里米亞仍是烏克蘭的領土。

中國、中南半島拿下勝利後，艾森豪擔心所謂的「骨牌效應」。推倒第一個骨牌……然後……最後一個骨牌……會很快倒下。」美蘇這兩個核子超級大國，如今影響力的確涵蓋全球，都在各地尋找願受其恩庇者，並利用戰爭、情報偵察、信貸、文化來打敗其意識形態對手。雙方都對自己的軍事產業大砸金錢和技術克格勃和美國的新情報機關中央情報局（CIA）成為龐大、有力且往往凶殘的全球性官僚機構，但克格勃也負責壓迫本國人民和蘇聯附庸國的人民。[17]

美國國內欣欣向榮，其經濟這時占全球產出三分之一，受到大眾消費主義、軍事生產、技術創新的刺激，創新發明層出不窮，並對其能完成推動資本主義民主體制的正義使命信心滿滿。在這個有史以來最富裕的國家裡，[18]有錢消費者對炫麗廣告所推銷的時尚、汽車、冰箱的欲求，促進了有效率的生產；美國的電影和音樂風靡世界，就和貓王艾維斯・普里斯萊（Elvis Presley）的胯下前頂動作一樣讓人著迷。這個英俊的男孩，有著所向披靡的性魅力和柔和的男中音，先後在密西西比州和孟斐斯度過極貧困的成長時期，在那期間聽過非裔美國人的福音歌曲和藍調音樂，後來將這些耳濡目染的音樂貫注在他的音樂裡，推廣了一種名叫「搖滾樂」的新曲風，唱片銷量達到五億張，而有「搖滾之王」（The King）的稱號。廣播電台和電視削弱了社區生活——散步場所（promenade）和劇院不再是不可或缺——但闔家共賞的電視節目把家人聯繫在一起，並透過共同喜愛的連續劇和信任的主持人，協助打造出全民一體感。然而，電視所播出的政治鬥爭、戰爭場景也可能使民心分化。有些領導人在電視上的表現好過執政表現。[19]電視已成為所有國家強而有力政治工具，無論是民主國家還是獨裁國家皆然。電視幫助揭露美國參議員麥卡錫恃強凌弱的言辭，他曾策畫對藝術界和政府中被認為共產黨人者的獵巫行動。

四處移動者不只貨物：搭機費用變得較便宜，使無數人得以去國外度假，許多美國人這時搭機南下至他們自己的美國巴比倫：古巴。

邁爾・蘭斯基的國家飯店；卡斯楚的失敗革命

一九五二年，出生於俄羅斯、發跡於曼哈頓小義大利區的幫派分子邁爾・蘭斯基（Meyer Lansky），在其位於曼哈頓華道夫—阿斯托里亞飯店（Waldorf-Astoria）的套房中，會見了古巴前獨裁者富爾亨西奧・巴蒂斯塔（Fulgencio Batista），以籌畫奪取古巴政權和瓜分哈瓦那（Havana）城中賭場之事。巴蒂斯塔是非法工人，具有泰諾人（Taíno）、非洲人、華人、西班牙人的血統，是古巴史上唯一的混血總統。他很早就和蘭斯基結為朋友。一九三三年起，蘭斯基協助將哈瓦那打造成西方世界的歡樂天堂。

---

17 雙方都想把特務——單面、雙面、三面特務——安插到對方的機構深處，於是上演了全球性的情報偵察較量。這個冷酷、不講道德的世界，在刻畫人性脆弱和背叛的傑作《冷戰諜魂》（*The Spy Who Came in from the Cold*）、《鍋匠、裁縫、軍人、間諜》（*Tinker Tailor Soldier Spy*）中，被精妙轉化為文學。這兩部小說的作者是情報人員出身的約翰・勒卡雷（John le Carré），後來他成為戰後最出色的小說家之一。雙方都在世界各地使用曝不得光的狡詐方法推翻對手的代理人。但在雙方陣營裡，莫斯科和華府對在地代理人的控制，就和克格勃、中央情報局罕有的得手事例一樣流於誇大。後來開始流傳中情局發動多起政變得手的迷思。這個反帝國主義的說法淡化了在地統治者本身能發揮的作用。有個中情局密謀推翻他國統治者且難得成功的事例，一九五四年六月獲艾森豪批准執行，地點在瓜地馬拉。該國的社會主義總統被美籍傭兵拉下台。

18 在人口日增的城市裡，居民需要住房，房地產價值上漲。在紐約，佛瑞德・川普（Fred Trump），即在淘金熱時代開妓院的巴伐利亞人德倫夫（Drumpf）的兒子，蓋了數千棟房子和公寓大樓，找政府貸款以提供平價住屋，常把貸款的大部分金額留在自己口袋。他告訴其房地產仲介「勿租給黑人」，如果已租給黑人，就「把他們甩掉」，被裁定犯了歧視黑人租客罪。他是美國強悍務實資本主義的化身，欺凌他的三個兒子。佛瑞德・川普把十億美元財產、大吹大擂推銷的浮誇作風、他的處世哲學留給次子唐納德（Donald）。唐納德擁抱這個老頭的處世哲學：「世間有殺人者，也有輸家……我們是殺人者……你是國王，你是殺人者。」

19 電視所催生出的民粹主義政治，有個弔詭之處，那就是最會表演者可能不擅長其他任何事情。亨利・季辛吉寫道，「在達到顯赫地位之後，所需的品質會越來越少。」

蘭斯基和「狂人」西格爾（Bugsy Siegel）捱過他們的老大「幸運兒」盧西亞諾遭捕受審的危機；盧西亞諾因為拉皮條被判刑五十年。[20]不過，這些黑手黨分子透過一項名為「地下行動」（Operation Underworld）的協議成功爭取到他的釋放。根據這項協議，盧西亞諾和他的碼頭工人將負責阻止納粹滲透紐約港。盧西亞諾獲釋後在哈瓦那成立總部，一九四六年，他和蘭斯基在哈瓦那的國家飯店（Hotel Nacional）辦了黑手黨老大會議。在該飯店，一個名叫法蘭克·辛納屈（Frank Sinatra）的藍眼年輕歌手為他們獻藝助興。辛納屈的父親是紐澤西州的酒吧老闆、替人解決麻煩者（和偶爾支持墮胎者）、拳擊手。辛納屈充滿野性的性魅力、極出色的男中音、拉長的樂句，會使他成為消費者時代第一批少年「粉絲」——「波比短襪派」（bobby-soxers）——的偶像。這群老大要談的第一個問題，是他們交情最久的朋友：「狂人」西格爾。

隨著哈瓦那急速繁榮，蘭斯基和西格爾致力於實現他們所憧憬的美國歡樂城。受到合法賭博和場外投注吸引，他們在內華達沙漠的拉斯維加斯村投資了結合飯店與賭場的「火鶴飯店」（Flamingo）。西格爾坐鎮洛杉磯，在那裡，這個有錢的幫派分子與好萊塢的電影明星和製片人結為朋友。好萊塢電影業則正在向世界散播美國資本主義的動人風采。吃過幾場謀殺官司後，「狂人」很想棄黑轉白，在火鶴飯店暨賭場向其建商保證，「別擔心，我們只自相殘殺。」但「狂人」花太多錢為女朋友買珠寶。為火鶴飯店工程花了六百萬美元後，他邀請他的兩個友人克拉克·蓋博（Clark Gable）和茱蒂·嘉蘭（Judy Garland）出席該賭場暨飯店的啟用儀式，但蘭斯基和盧西亞諾這時懷疑他「瞞報」獲利——在他們的黑幫世界裡殺頭的重罪。蘭斯基同意除掉他：一九四七年六月二十日，西格爾在其比佛利山莊豪宅被眾多手下簇擁著時，狙擊手一槍從眼睛打穿他的腦袋。

巴蒂斯塔允許蘭斯基在古巴開飯店和賭場，允許美國企業控制古巴的糖業；他要求這個小個子黑幫老大用錢收買古巴總統使其同意辭職，然後他本人再度奪權，當上獨裁者。由於黑手黨控制哈瓦那，美國水果公司把持古巴農業，中情局支持巴蒂斯塔。更明智的美國人擔心他的腐敗會助長革命。[21]巴蒂斯塔和其祕密警察機關「共產黨活動壓制局」（Bureau for Repression of Communist Activities）不久就讓世人見識到，他可以多輕易就打垮共產黨人。

---

20 盧西亞諾被捕後，他的幫派被二當家維托・吉諾維斯（Vito Genovese）接收；支配紐約犯罪活動的「五家族」一如既往繼續運作，盧西亞諾所創立的黑手黨治理機構「委員會」亦然。蘭斯基的伙伴是精明的紐約黑手黨成員卡洛・甘比諾（Carlo Gambino），當時最令人膽寒的黑手黨老大艾伯特・阿納斯塔西亞（Albert Anastasia）的師爺。阿納斯塔西亞以「城市民主俱樂部」（City Democratic Club）為掩護掌管一支職業殺手隊，報界將該殺手隊稱作殺人公司（Murder Inc），阿納斯塔西亞擔任行刑大臣（lord high executioner）。但阿納斯塔西亞想要在哈瓦那創立自己的賭場時，蘭斯基和甘比諾命人將他幹掉：一九五七年十月二十五日，阿納斯塔西亞在曼哈頓的喜來登公園飯店（Park Sheraton Hotel），躺在他理髮師的椅子裡、臉上蓋著溫熱的布時遭槍殺，成為最著名的黑手黨殺人畫面之一。甘比諾接管此「家族」，該家族後來出了約翰・高蒂（John Gotti）。

21 有些得到美國支持的領導人，在反共鬥爭中變得更加不可或缺，巴蒂斯塔則是這類領導人的典型。據說小羅斯福談起美國盟友尼加拉瓜的阿納斯塔西奧・蘇慕薩（Anastasio Somoza）時曾說，「他或許是混蛋，但他是我們的混蛋。」蘇慕薩和其兒子統治尼國直至一九七九年。在西班牙島上，美國支持綽號「老大」（El Jefe）的拉斐爾・特魯希略（Rafael Trujillo），此人從一九三〇年起成為多明尼加暴君，一九三七年下令屠數千名黑膚海地人，釀成被稱作大斬殺（El Corte）的慘案。在海地，美國容忍一位甚得民心的醫生選上總統。這位人稱「醫生老爸」（Papa Doc）的法蘭索瓦・杜瓦利耶（Duvalier），靠治療雅司病（Yaws）這個甚為猖獗的病而聲名大噪，後來成為具有進步思想的衛生部長。在這個長期被黑白混血上層人士主宰的國家裡，杜瓦利耶以黑人之身當上總統，承諾保護「廣大未受到肯定者」。他不信任軍方，創立自己的武力「國家安全志願軍」（Milice de Volontaires de la Sécurité Nationale）。這是由手持大砍刀的凶殘祕密警察組成的民兵組織，這些祕密警察則被取了綽號「通頓馬庫特」（Tontons Macoutes，「黃麻袋叔叔」）。該綽號根據巫毒教神話裡會把小孩放進麻袋裡抓走的怪物而取，當地百姓會拿這怪物嚇唬不聽話的小孩。馬庫特把杜瓦利耶的敵人燒死、槍殺、肢解，往往還把受害者的遺體放在樹上示眾以昭炯戒；最初華府還是訓練馬庫特。這個民兵組織由杜瓦利耶的一個心腹統領，該心腹從事血漿生意，因此人稱「吸血鬼」（Vampire）。一九六四年，杜瓦利耶自封終身總統。

一九五三年七月二十六日，共產黨人欲奪取聖地牙哥的兵營，但兵力薄弱得可憐，遭巴蒂斯塔挫敗。一百六十五個叛亂分子裡許多人遭槍殺，他們的業餘領導人，年輕律師費德爾．卡斯楚（Fidel Castro），淪為階下囚，就此銷聲匿跡。古巴局勢安穩，但這時中情局擔心兩個陷入險境的親美國王。

「蠢胖子」和童子軍：納瑟和伊朗國王奪權

一九五二年，三十五歲的美國間諜克米特．基姆．羅斯福（Kermit Kim Roosevelt）來開羅拜會戰時就已結為朋友的國王法魯克，欲使這個君主國更為穩固。克米特是前總統老羅斯福的孫子，戰時已加入中情局的前身戰略情報局（Office of Strategic Services, OSS），他認為美國應支持阿拉伯民族主義者以反制蘇聯顛覆，並展現出早期中情局那種身穿穿著花呢、態度輕鬆自信的調調。那股調調也呈現在他的埃及任務的名稱上：FF計畫（Project Fat Fucker，蠢胖子計畫）。國王法魯克就是那個「蠢胖子」。羅斯福的第二個任務和另一個年輕國王——伊朗國王有關。在埃及，蘇伊士運河的控制權攸關石油供給；在伊朗，油田可能不保，兩者是相互關聯的：法魯克的妹妹法齊婭是伊朗國王的妻子。羅斯福身為中情局近東、非洲司主管，受命救這兩個國家。

羅斯福先從「蠢胖子」著手，但法魯克不願收斂其豪奢作風，也拒絕將「鸛」等寵臣革職，導致這個美國人開始調查一群厭惡這個無能君主政體的一批年輕軍官。這些「自由軍官」（Free Officers）的首領是上校納瑟和其盟友安瓦爾．沙達特（Anwar Sadat）。沙達特是貧窮的尼羅河農民之子，戰時因為參與親德的陰謀入獄。羅斯福對蠢胖子計畫死了心，鼓勵他眼中親美的納瑟奪權。

痛恨英國人的法魯克宣布蘇伊士運河屬於埃及，把自己升為埃及和蘇丹的國王，偽稱自己是先知穆罕默德後裔：「如果法魯克體內流著阿拉伯人的血，那血也稀釋到不可能溯及先知穆罕默德，」納吉卜將軍忿忿說道。「大不敬之舉。」法魯克與甚得民心的土耳其裔貴族法莉妲（Farida）王后離婚，轉而娶少女娜莉曼（Narriman）為妻。娜莉曼中選，原因之一係她是阿拉伯人且屬中產階級。但冷血無情和生活豪奢使這個肥胖、奢靡逸樂的國王不得民心。新電影《暴君焚城錄》（*Quo Vadis*）上映時，由於法魯克和劇中彼得・尤斯蒂諾夫（Peter Ustinov）所飾演的尼祿太相似，該片在埃及遭禁。法魯克漸漸控制不住局勢：一九五二年一月二十六日，暴亂民眾燒掉戲院、飯店、夜總會。

這時，法魯克提拔了他的妹夫、綽號「漂亮男孩」（Pretty Boy）的伊斯梅爾・奇林（Ismail Chirine）為國防部長，奇林是個花花公子，娶了已和伊朗國王離婚的法齊婭。這對納瑟來說是最後一根的稻草。這個喜歡聽林姆斯基—科爾薩科夫（Rimsky-Korsakov）的《天方夜譚》（*Scheherazade*）的大煙槍，加快其政變腳步，找納吉卜當有名無實的傀儡首腦。一些軍官將此陰謀洩露給法魯克，法魯克笑他們是「一票皮條客」。一九五二年七月二十三日晚上，納瑟拿下開羅的陸軍司令部。法魯克人在亞歷山大的賭場，但他向美國大使求助，希望他們能幫忙對付共產黨叛亂分子。納瑟和沙達特爭辯該不該處決他，最後決定饒他一命，然後派兩隊人去逮他。

法魯克揮舞機槍，帶著娜莉曼、他的兒子、「鸛」普利到築有防禦工事、有蘇丹籍衛士守衛的拉斯埃爾廷宮（Ras el-Tin Palace）。當叛軍襲擊宮殿時，他用獵槍射殺了四人；但美國人和英國人都不支持他，他最終簽字退位，由他兒子法德（Fuad）繼位。法魯克一身白色海軍上將服，和他的家人登上馬赫魯薩號，即一八七九年載他的祖父伊斯梅爾流亡的那艘船。納吉卜尷尬、感動，親了他的手。法魯克說，「治理埃及不容易，你知道的，」結束了他家族一百四十六年的統治。

「自由軍官」任命納吉卜為總統，但隨著納吉卜顯露其保守心態，瀟灑、高大、開朗且充滿活力的總理納瑟將他拉下台，自任總統，以土地改革和極具感染力的演說本事，在埃及贏得廣大民心，最終更成為世俗化泛阿拉伯民族主義的代言人。在阿拉伯世界始終存在另一條路線：宗教。宗教勢力和世俗勢力始終有接觸，有時起衝突，有時融合，但一如所有意識形態一樣，始終具有傳染性與流動性。

納瑟向穆斯林兄弟會的領袖之一賽義德．庫特卜（Sayyid Qutb）請教治國之道。庫特卜是個膚色甚白、眼皮重垂的單身漢，在美國科羅拉多州留學期間，對美國人的墮落深為反感，提倡對物質主義西方發動聖戰。透過這兩個人的生平，可以寫出阿拉伯世界的現代史。庫特卜一看出納瑟反對他的觀點，即下令暗殺他。一九五四年十月，納瑟在亞歷山大透過電台向阿拉伯世界人民講話時，穆斯林兄弟會一名成員朝他開槍失手。納瑟是天生的演員，拿此事大肆炒作。他高聲說道，「只要我已讓你們感受到驕傲、榮譽、自由，就讓他們殺了我吧。如果迦瑪爾．阿布杜．納瑟死了，你們每個人都會是迦瑪爾．阿布杜．納瑟。」納瑟聽取美國中情局的意見，但也聘用前納粹黨員，現在利用他的情報總局（Mukhabarat）——所有阿拉伯籍統治者的必備工具——清洗聖戰士。他把庫特卜絞死，但庫特卜著作的讀者遍及伊斯蘭世界各教派，包括伊朗境內講授哲學和伊斯蘭教法的什葉派講師魯霍拉．何梅尼（Ruhollah Khomeini）。

法魯克和一個小女明星在義大利安定下來，過起奢華的流亡生活，基姆．羅斯福則在這時來到伊朗，為法魯克的前妹夫——國王穆罕默德．禮薩（Mohammad Reza）提供意見。當時這個伊朗國王三十四歲，面臨遭流放或殺害的危險。禮薩因父王被迫退位和英蘇占領國家之辱而憤恨難平，但具有治國之能。這個國王說，「世上最孤單不幸的人生，就是不甘於徒有統治者之名而沒有統治權的人生。」一九四六年，大不里士（Tabriz）從蘇聯手中收回時，他首度讓人刮目相看；一九四九年，他走訪德黑蘭大學時遭一刺客開槍打中臉頰和肩膀，聲望更增，該刺客則遭當場擊斃。乘著一波同情聲浪，他得以取得任命官員組成政府的新權力，這是他實現伊朗現代化並打造為大國抱負的第一步。

這個伊朗國王必須對付聲勢日漲的共產黨「伊朗人民黨」（Tudeh）、反復無常的阿亞圖拉（ayatollah）＊卡沙尼（Kashani）——他支持一個恐怖主義團體「伊斯蘭敢死隊」（Fadayan-e Islam）——對付保守的軍隊，以及在國會（Majlis）裡應付政治老將穆罕默德．摩薩台（Mohammad Mosaddegh）和其「國家陣線」（National Front）的回歸；摩薩台帶頭倡議將英國石油收歸國有。面對民間的反英怒火，伊朗國王任命強勢將領阿里．拉茲馬拉（Ali Razmara）和英國人談判，但他遭伊斯蘭敢死隊暗殺。伊朗國王另覓總理人選，但國會表決通過將英國石油收歸國有，接著推選摩薩台（此時得到宗教領袖阿亞圖拉．卡沙尼的支持）接掌拉茲馬拉的總理之位。一九五一年四月二十八日，伊朗國王順從國會任命摩薩台為總理，三天後摩薩台將英國—伊朗石油公司國有化。摩薩台這時六十九歲，不太可能成為革命者。他在巴黎留過學，是個具有部分王族血統且超級富有的地主，他母親是卡札爾（Qajar）王朝的公主，妻子是伊朗國王的孫女——但他也是體弱多病之人，穿著睡衣睡褲在床上治理國政。神經質的摩薩台極厭惡英國人——「你不知道他們有多狡猾，有多壞，」他告訴一個美國特使——這個神經質的走鋼索者，試圖平衡一方的共產黨和另一方的國王、軍隊、諸多阿亞圖拉。要在這點上如願，唯一辦法就是自己獨攬大權。

一九五二年七月，摩薩台挑戰國王對軍隊的控制權；國王將他撤職，但面對共產黨和諸多阿亞圖拉所組織的暴亂，不得不把他召回。摩薩台自此掌管軍隊，在諸多阿亞圖拉和共產黨支持下，取得非常權力。他欲安撫共產黨，卻只是令他們失望，同時讓所有人相信，他若不是要成為獨裁者，就是要變成共產黨人。一九五三年一月，阿亞圖拉卡沙尼與他反目。共產黨欲奪權。一場與國王共同策畫合的軍事陰謀。在國外，再度出任首相的七十八歲溫斯頓．邱吉爾同意艾森豪的看法，認為摩薩台可能落入共產黨擺布。

＊　編注：阿亞圖拉（ayatollah）為什葉派伊斯蘭教中的一種尊稱，指具有伊斯蘭法學知識和權威的宗教學者。

伊朗國王覺得四面受敵——後來談起摩薩台時說，「這個混蛋想要找麻煩，」——靠第二任妻子索拉婭（Soraya）才得到慰藉。德意志、伊朗混血的索拉婭是他一生的摯愛，這個王后解僱了他的瑞士籍導師培隆（Perron），說培隆是個「仇視女人、散播毒物的同性戀。」國王穆罕默德害羞，但性欲旺盛，眼神透露了他的本性：「深褐色，近乎黑色，明亮，有時銳利，有時悲傷或溫和，散發魅力，反映他的靈魂。」索拉婭用性愛讓他平靜下來，能平息他怒氣或沮喪的東西，除了飛機，就只有性愛。他睡覺時枕頭下藏著一把手槍。

摩薩台在自己設防的大宅裡說著讓人一頭霧水的話，使各方都疏遠於他。邱吉爾說，「我們在整個中東的權威已被粗暴削弱。」艾森豪同意此說；他的兩個顧問，國務卿約翰・佛斯特・杜勒斯（John Foster Dulles）和他的弟弟艾倫・杜勒斯（Allen Dulles，首任中情局局長），認為摩薩台是個無能的獨裁者，會被迫投入蘇聯懷抱。艾森豪問，「有什麼可行的行動方案挽救此情勢？」

一九五三年七月，羅斯福帶著一百萬美元現金驅車入德黑蘭，以安排政變推翻摩薩台：阿賈克斯行動（Operation Ajax）。法茲洛拉・札赫迪（Fazlollah Zahedi）這個雄心勃勃但唯利是圖的將領，早已在計畫政變，樂於收到西方的援助。札赫迪是摩薩台的前內政部長和表親，也娶了卡札爾王朝國王的孫女。國王穆罕默德誰都不信任，尤其不信任英美人。

八月一日，羅斯福藏身在禮車地板上，被偷偷送進古列斯坦宮（Golestan Palace）見伊朗國王。政變通常沒有配樂，但羅斯福選了辛納屈的〈幸運女神〉（Luck be a Lady）當他的主題曲。他和他的英國祕密情報局（SIS）同事伍德豪斯（Woodhouse）、達比舍爾（Darbyshire），離譜誇大他們在這些錯綜複雜的陰謀裡的重要和優異表現。他們把包括伊朗國王和札赫迪在內的所有伊朗人說成幼稚、腐敗、易驚慌失措的人，把自己說成冷靜、大膽冒險的操縱者，係十足虛妄的自吹之詞，最不入流的種族歧視性質的東方主義。羅斯福替伊朗國王取代號「童子軍」，摩薩台代號「老混蛋」，他自己代號「求雨法師」，就透露了這種心態。

八月十六日，德黑蘭城外，伊朗國王簽了將摩薩台革職、任命札赫迪為總理的敕令，但摩薩台在共產黨協助下動員暴民，欲逮捕札赫迪。羅斯福資助的暴徒遭鎮壓，但札赫迪走入地下。這場政變失敗；面臨暗殺危險的國王把索拉婭用飛機送到巴格達再轉羅馬。

諾羅敦王族和甘迺迪家族、卡斯楚家族、肯亞塔家族、歐巴馬家族

柬埔寨的年輕國王

但札赫迪和其黨羽逍遙法外；摩薩台拒絕武裝共產黨，這讓他失去了共黨的支持，而他與西方人談判之舉，又使卡沙尼疏遠於他。八月十九日，就在札赫迪再度現身之際，這個阿亞圖拉借助中情局十萬美金的資助，帶著一群暴民來到德黑蘭，派兵炮轟摩薩台的寓所。「老混蛋」穿睡衣翻牆逃走，但不久就被逮。在羅馬精品飯店（Excelsior），索拉婭如釋重負，激動得哭了出來。伊朗國王說，「我知道他們愛我。」[22]

伊朗國王穆罕默德搭機返國後，饒恕了摩薩台，將他拘禁在他的某處莊園，不到一年就把札赫迪革職，此舉表明他的剛強堅毅超乎西方預期。他戒心重且多疑，私下痛恨美蘇兩超強，但挑撥美蘇相鬥以從中得利做得太過火，致使赫魯雪夫下令暗殺他，艾森豪揚言將他拉下台。穆罕默德深信自己能鬥贏他們兩個。對內，他仿效摩薩台，沿襲他的土地改革和民族主義高調以建立現代君主國，計畫展開自己的革命。

納瑟也在玩使兩超強互鬥的把戲——「糧食來自美國人，錢來自阿拉伯人，槍來自俄羅斯，一個不折不扣的魔法師，」後來這個伊朗國王以玩笑口吻如此說他。現在，納瑟為了亞斯文大壩（Aswan Dam）這個大工程向美國要錢。艾森豪和杜勒斯最初支持，但懷疑納瑟和蘇聯暗通款曲，於是縮手。納瑟鼓勵巴勒斯坦人攻擊以色列邊境，一九五〇年七月將蘇伊士運河收歸國有，利用因此得到的資金建設大壩。英國首相安東尼·艾登（Anthony Eden），等了十五年終於接下邱吉爾的位置，如今卻因止痛藥成癮且病情嚴重而無法善盡首相之職，他荒謬地將納瑟視為新的希特勒——二次大戰世代之領袖的通病。與此同時，法國

人苦於帝國衰落，受創更甚於英國人。

一九五四年五月七日，越南奠邊府（Dien Bien Phu）一萬一千名法軍的司令發出最後信息——「敵人已打垮我們。我們要炸毀一切。法蘭西萬歲！」然後向胡志明的部隊投降。面對法國人的再度占領，胡志明和武元甲始終相信，無論要流多少血，他們會打敗西方人。「我每殺掉你一個人，你就殺掉我十個人，那也無妨，」據說胡志明曾如此告訴一個法國人。「但即使是這樣的損失比例，你還是會輸，我會贏。」武元甲利用法國人的無能，祕密調動數千名挑夫，運送大炮穿過叢林，包圍法軍——為北越贏得獨立。[23]

在鄰國柬埔寨，有個不凡的年輕國王也正在為獨立而奮鬥。國王諾羅敦·施亞努（Norodom Sihanouk）俊朗的外貌、衝動的性格、無限的野心與無邊的自我意識，年輕歲月在騎馬、踢足球、研究電影、追女孩——與許多情人生了許多孩子，從他的兩個姑姨到女演員、交際花——和在自己創立的皇室樂隊裡吹薩克斯風與單簧管中度過。但他決意要擺脫法國人統治。接下來的五十年裡，施亞努會當上國王、

22 羅斯福用他的餘生宣揚他所扮演過的英勇角色。但這些將領和阿亞圖拉所發揮的作用，大概比這些美國人重要得多。有幾個陰謀說存在：奪權者是札赫迪的部隊，主宰街頭者是阿亞圖拉卡沙尼的群眾。羅斯福的確找了黑道為其賣命，但他們那票幫派分子和妓女不可能決定局勢的發展，甚至不可能如他自己所說他幾乎沒花自己的經費。事實上，他把阿賈克斯行動剩下的九十萬美元經費給了札赫迪。艾森豪說，中情局人員的報告「似乎比較像是廉價平裝小說，而非歷史事實。」這個愛自我推銷的荒謬之人是個小說家。但這場政變成為美國帝國主義的代表性罪行，而且中情局和此伊朗國王的敵人（伊朗民族主義者和伊斯蘭共和國）都助長了關於該政變的不實說法——前者這麼做是為了提升其自身力量的神祕性，後者這麼做則是為了妖魔化、抹黑巴勒維王朝。這個伊朗國王聽了羅斯福自吹自擂的說法後，據他的宮廷大臣（court minister）阿薩多拉·阿拉姆（Asadollah Alam）在日記裡所述，只是一笑置之。

23 胡志明父親似的魅力掩蓋了他史達林作風的凶狠。對手遭悄悄處決：「凡是不走我所立下的路線者都會被幹掉。」在北越，二十萬無辜的富農，被根據一九五三年五月訂下的定額處決——「原則上訂在總人口千分之一。」

總理、總統和獨裁者，波布的傀儡元首、受害者和階下囚。如此多樣的人生始於一九四一年巴黎選他為國王時，而他雀屏中選，則是因為他把諾羅敦王族兩個相對立的支系結合在一起。

這個王子成長期間，與一個男孩關係密切，這個男孩日後會控制他並殺死他的一百萬人民（包括他的幾個孩子）。富農之子沙洛特紹（Saloth Sar）和他的哥哥從鄉下前來首都金邊，和表姊一起生活。他們的表姊是芭蕾舞女演員，也是當時國王莫尼旺（Monivong）的情婦；沙洛特紹接受沙彌教育長達十八個月，後來，在一所新設立的上流寄宿學校求學後，日後化名波布的他拿到赴巴黎攻讀電子學的獎學金。

在法越戰爭的推波助瀾下，花花公子國王施亞努投身第一線政治。遊歷法國和美國後，他於一九五三年贏得國家獨立，然後倒向社會主義，拒斥美國霸權。他說，「我如果生於平凡人家，我會是左派分子，但我生為王子……無法擺脫自己的出身。」但沙洛特紹的確擺脫自己的出身。在巴黎，他讀史達林、毛澤東、盧梭、沙特的著作，結識他最好的朋友英薩利（Ieng Sary）；因為婚姻，他們成了連襟，返國時兩人都是狂熱的馬克思主義者。沙洛特紹立即加入越盟部隊，但後來以教師身分出現在金邊。沙洛特紹看起來已重拾正常生活。

施亞努天生善於作秀，喜歡出風頭，但渴望拿到實權。一九五五年三月二日，他突然退位（由其父接位），造出「曾是國王的王子」（Samdech Upayuvareach）這個稱號，然後贏得總理之位。法國人走了，施亞努打算為柬埔寨爭取中立的和平。

於亞洲受挫的法國不願放棄非洲，但與越南人作戰的軍人裡有許多是阿爾及利亞人。自一八三〇年就屬於法國的阿爾及利亞，係法國本土（Metropolitan France）的一部分；一百萬被稱作黑腳（pieds-noirs）或殖民者（colons）的法國移民住在那裡。但一九四五年，在塞提夫（Sétif），阿爾及利亞人示威爭取權利，法國士兵和殖民者朝群眾開火。施加於殖民者的報復性攻擊激怒了法國人，激使他們屠殺了數千名阿爾及利亞人。一九五四年十一月一日，阿爾及利亞民族解放陣線（Front de Libération Nationale, FLN）在阿爾及利亞各地殺害法國人。法軍和殖民者民兵在戰爭中以殘暴手段相互回擊，這場戰爭反過來危及法國民主政體的存在。

法國人為保住帝國而艱苦奮鬥時，赫魯雪夫和毛澤東在各方面得勢。但這時，這個蘇聯領導人差點毀掉他自己的帝國。

在巴黎的一個以色列人

一九五六年二月二十五日，赫魯雪夫向蘇共中央委員會譴責史達林的罪行，藉此標舉他自己的無上地位。這場「不外宣的報告」先是激起波蘭騷亂，然後在十月二十三日，激起反蘇聯統治的匈牙利革命。眼看史達林的帝國就要失去，赫魯雪夫幾乎數星期沒睡，揚言入侵波蘭，他克制住了衝動；但在緊張不安地向毛澤東、甚至向狄托徵詢意見後，準備入侵匈牙利。匈牙利革命令美國興奮不已：史達林的帝國搖搖欲墜。但隔天，三強權在巴黎祕密會晤，共謀一項計畫，助赫魯雪夫擺脫困境。

十月二十四日，在法國塞夫爾（Sèvres）的一座別墅裡，舊世界（英法兩個衰落帝國）代表和新世界（充滿活力的小國以色列）聯合羞辱了另一股新勢力納瑟。納瑟和蘇聯簽署了龐大的軍火交易，且已將蘇伊士運河國有化。他的部隊和以色列人衝突日增，而且他也支持阿爾及利亞叛亂勢力對抗法國。

英法以三國有共同的敵人。以色列人希蒙．裴瑞斯（Shimon Peres）是本古里安的門生，生於波蘭，本名西蒙．佩爾斯基（Szymon Perski），一九三四年來到巴勒斯坦，是一位具有詩人氣質的談判高手，他當時已在購買法國武器。「我受到法國的引誘，那是引誘之國，」他告訴本書作者。「對我這個粗暴的基布茲成員（kibbutznik）來說，巴黎是充滿夢想和文學的最美城市。」美國不願賣軍火給以色列；法國供應軍火給以色列。

此時，在塞夫爾，本古里安在其獨眼參謀長摩西・戴揚和裴瑞斯陪同下，暗中和法國總理居伊・摩勒（Guy Mollet）、英國外交部長塞爾文・勞埃德（Selwyn Lloyd）談定一石數鳥之計：在代號為「火槍手」（Musketeer）的軍事行動中，以色列會攻擊埃及，隨後法英兩國則會插手以實施和平。塞夫爾密談藏著一個更不為人察覺的祕密。裴瑞斯解釋說，以色列是個冒險一搏的新誕生小國：「我們需要威懾力量，」他說。「法國能給我們這種威懾力。」法國同意。一個誕生才八年就開始研發原子彈的國家，其原子彈是在內蓋夫沙漠裡的迪莫納（Dimona）研製。裴瑞斯從未承認以色列有原子彈。他告訴本書作者「戰與和始終是神祕的舞蹈」，但這顆原子彈改變了西亞的權力格局。

十月二十九日，本古里安派兵越過西奈半島；英法傘兵部隊奪下蘇伊士運河；納瑟和其總司令阿布杜・哈基姆・阿梅爾（Abdel Hakim Amer）就埃及即將垮台的問題爭吵不休。但此計畫以失敗收場：艾登事前未向艾森豪詢問意見，艾森豪擔心阿拉伯人集體倒向蘇聯那一邊，要英法撤兵，從而引發人們拋售英鎊，英鎊急速貶值，艾登辭職。諷刺的是，赫魯雪夫也要求英法撤軍，揚言若不從就開打核戰。蘇伊士運河危機成了匈牙利遭遇劫難的幫凶，卻拯救了赫魯雪夫。

礦工和泳將：赫魯雪夫和毛澤東

十一月四日，赫魯雪夫命令蘇軍入侵匈牙利：趁著資本主義國家還未出手干預，蘇軍殺了一萬名叛亂分子，恢復蘇聯對匈牙利的統治。但他在政治上犯的錯誤和醉後的語無倫次，已使他的史達林主義同志憂慮。這些人欲推翻他，元帥朱可夫派遣諸地區的領導人來莫斯科支援赫魯雪夫，藉此救了他。但朱可夫太得民心，赫魯雪夫不久就譴責他為「波拿巴主義」（Bonapartism）。最初過度謙虛的赫魯雪夫，此時既是黨總書記且是總理，他變成一個趾高氣昂的獨裁者，話說個不停，相信自己從文學到科學什麼都精。此時，他已準備好要打破和西方的僵局。「無論你們喜歡與否，歷史站在我們這邊，」制伏布達佩斯後他如此告訴諸位大使。「我們會把你們埋葬！」他於蘇伊士運河危機期間祭出核武威脅奏效：「贏家擁有最堅強的神經。」

然而他未能使共產世界團結一心。毛澤東對笨拙粗魯的赫魯雪夫既驚駭又鄙視，他自認是最高的馬克思主義領袖。毛澤東出兵打韓戰一事已證明中國需要核武保護；現在，他炮擊台灣領土一事，則挑起來自艾森豪的核武威脅。一九五五年一月毛澤東說，「在今天的世界上，我們要不受人家欺負，就不能沒有這個東西。」一九五七年，赫魯雪夫開始把核技術轉移給毛澤東，從而有中國試爆原子彈之事。毛澤東在莫斯科告訴俄羅斯人，「極而言之，如果死掉一半人，那麼還會有一半人留下，帝國主義將被摧毀，全世界會變成社會主義世界。」赫魯雪夫無比震驚。「我不清楚他是不是在開玩笑。」他不是開玩笑。

毛澤東不知感恩。赫魯雪夫請求在中國沿海地區設立監聽站時，毛澤東的反應相當咄咄逼人，以至於這個俄羅斯人不得不親自飛到北京。在一連串高聲爭吵中，毛澤東羞辱、嘲笑他。毛澤東說，「你說了老長時間，但似乎還是沒抓到重點，」然後逼他一起游泳。在泳池裡，這個肢體笨拙的俄羅斯人，為了趕上這隻中國鯊，像隻快溺死的豬在掙扎。「我是一名礦工，他是一名獲獎的游泳高手，」赫魯雪夫說。毛澤東的醫生李志綏注意到，毛澤東「存心要扮皇帝，把赫魯雪夫當作前來納貢的蠻夷對待。」

赫魯雪夫意識到毛澤東就像史達林：「他們是同一類人。」人命毫不重要。毛澤東遭遇來自內部的挑戰，發起恐怖統治，從而使中國退出世界博奕場長達十年。回到莫斯科後，傲慢的赫魯雪夫雖在北京受到這樣的挫折，依舊不改其作風。他支持生產飛彈以趕上美國——利用科技展開太空探索，於一九五七年十月發射了衛星史普尼克號（Sputnik），然後把名叫萊卡（Laika）的狗送上太空，是為第一隻繞著地球軌道飛行的哺乳動物（儘管牠很可能已經死了）。四年後，又發射了東方３ＫＡ（Vostok 3KA）載人火箭，火箭上的太空人尤里．加加林（Yuri Gagarin）是第一個上太空的人，繞地球軌道飛行後返回地球。為不落蘇聯之後，艾森豪成立美國航太總署（ＮＡＳＡ）。赫魯雪夫斷定，擊敗西方之道係祭出會把世界帶到大災難邊緣的強烈恫嚇。

蘇伊士運河危機毀了艾登，但讓納瑟壯大。一九五八年七月，伊拉克暴民拿伊拉克年輕國王費瑟（Faisal）的頭顱當足球踢，彰顯了這位埃及領袖的影響力……

在巴格達被取出內臟：「老大」和伊拉克末代國王

被稱作「老大」（El Rais）的納瑟極得民心，威脅到西方盟國、阿拉伯半島的紹德家族、約旦和伊拉克的哈希姆家族。在阿拉伯半島，開國國王阿布杜阿齊茲於一九五三年去世，生前從其四十五個兒子中選了紹德（Saud）為繼承人。但紹德愚蠢且窮奢極欲，不久就捲入葉門境內以埃及軍隊為對手的代價高昂的戰爭。紹德和納瑟都計畫將對方暗殺。在紹德家族裡，諸位兄弟拉下紹德，立剛毅的費瑟為國王。

哈希姆家族更加脆弱。一九五八年二月一日，納瑟和敘利亞總統同意兩國合併為阿拉伯聯合共和國（United Arab Republic），以納瑟為大首領（panjandrum）。哈希姆家族驚慌失措，打算將約旦、伊拉克合併為一個王國，但這個得到英國人支持的約旦、伊拉克阿拉伯聯盟（Arab Union）並不受歡迎，尤其在巴格達。該聯盟的國王，個性和善親切的二十三歲費瑟二世，在哈羅公學打板球時過得最為快活，這時受制於親英的強人努里·賽義德（Nuri al-Said）。努里·賽義德和阿拉伯的勞倫斯（Lawrence）並肩作戰過，擔任過十四次總理。這個阿拉伯聯盟的成立，使受到納瑟鼓勵和啟發的伊拉克「自由軍官」加快密謀奪權。

一九五八年七月十四日，國王費瑟婚禮的前夜，由阿卜杜·卡里姆·卡西姆（Abd al-Karim Qasim）領導的一批軍官衝進里哈卜宮（Rihab Palace）。費瑟投降，但被迫和其姨、叔、母親一起站在院子裡，遭機槍射殺。「我就只是想起巴勒斯坦，」其中一名刺客說，「機槍就自己開火了。」屍體被拖行於拉希德街（al-Rashid Street），一絲不掛、肢體受毀損、頭被砍掉，遭人踐踏，肢解，挖出內臟，吊在陽台上，然後遭焚燒。

暴民衝進總理努里的官邸時，努里穿上女裝逃走，但他的男鞋露出馬腳，他遭射殺、埋葬，後來又被暴民從墳裡挖出，遭閹割、吊掛、被巴士一再輾過。納瑟大樂。西方震驚，派兵入黎巴嫩，赫魯雪夫則警告外力勿干涉。在鄰國約旦，哈希姆王朝的最後一個國王胡笙被納瑟主義軍官包圍，在伊拉克陷入急速升高的極端主義旋渦之際，他歸順於納瑟。卡西姆和他的繼任者竭力壓制復興黨（Baath Party），該黨由一個基督徒創立於敘利亞，宣揚含有暴力性質並結合社會主義、民族主義、反帝國主義的思想。

不到五年，一九六三年二月，復興黨就先後在敘利亞、伊拉克掌權。在伊拉克，直率的新總理艾哈邁德·巴克爾（Ahmed al-Bakr）上校，利用其無情的三十一歲表弟薩達姆·海珊（Saddam Hussein），執行特殊的謀殺任務。

蘇伊士運河事件加劇了非洲危機，而英法兩國處理該危機的手法大不相同。英法在非洲的龐大帝國僅存七十年左右，但他們的支配力已在大幅流失。此時，法國苦於一場攸關國運的危機，該危機引發軍事政變和法國民主政體的幾乎消亡。

「偉大」：戴高樂和烏弗埃

一九五六年，象牙海岸領袖費利克斯．烏弗埃—布瓦尼（Félix Houphouët-Boigny）成為法國內閣閣員，是歷來所有歐洲或北美政府裡的第一個非洲籍部長，第一個有色人種部長。這種事在倫敦不可能發生，更別說在美國了。烏弗埃頑強、幽默、精明，能力過人，係部落酋長的兒子和接班人，已皈依天主教，取得醫師資格；他先前在象牙海岸當過縣長（chef de canton），成為一座可可亞種植園的大地主（grand propriétaire），一九四五年選上法國象牙海岸選區的國會議員，以馬基維利式的手段爭取獨立。他和法國共產黨結盟時，取笑每個指控他是共產黨人的人：「我，烏弗埃，傳統領袖、醫生、大地主、天主教徒，怎能說我是共產黨人？」

法國傳統上一直殘酷地鎮壓對其帝國的任何挑戰，但撤出中南半島和經歷蘇伊士運河事件後，法國人擁抱烏弗埃等非洲黑人民族主義者，他們未像英國人那樣用武力打擊非洲本土統治者得勢，反倒挑選他們所青睞之人予以提拔。烏弗埃不久後成為獨立的象牙海岸的總統，被稱作「老爸」（Papa）或「老頭」（Le Vieux），成為法國總統的至交好友，摩洛哥的專制國王亦然。[24]但這個寬厚的作法，有個顯著的例外：令法國頭痛的阿爾及利亞。

戴高樂在其位於科隆貝的寓所靜觀局勢、等待機會，阿爾及利亞人的叛亂則在這時惡化為派系間的殺戮。但正是阿爾及利亞之亂使他東山再起。法軍和當地的法裔殖民者將一個個村子整個摧毀，村民全數流放，對俘虜施以水刑電刑，或把他們丟出直昇機，並暗殺領袖；阿爾及利亞民族解放陣線則殺害、綁架、殘害、強姦平民，恐嚇阿爾及利亞人，處決他們自己的維權人士：八年裡，約有九十萬阿爾及利亞人、兩萬五千軍人、一萬法裔殖民者遇害。一九五八年五月十三日，眼看巴黎政府處理不了阿爾及利亞動亂，在阿爾及爾，得到「黑腳」支持的法國將領發動反巴黎的叛亂，宣布成立公共安全委員會，向他們口中的「偉大的夏勒」（Le Grand Charles）戴高樂試探意向。戴高樂把復興法國視為自己的天命：「我這一生時時刻刻都確信自己有一天會統治法國。」這並不容易，「怎樣才能治理有兩百五十八種起司的國家？」他說。而這時那個國家瀕臨解體。這個長相古怪的大塊頭，天生善於處理衝突。他套用莎士比亞的句子說，「要偉大，就得經受住一場劇烈爭吵。」他相信「沒有了『偉大』，法蘭西就不可能是法蘭西。」他對偉大的定義就是他自己。拿破崙家族始終在他心裡。「我想要霧月十八日（拿破崙的一七九九年政變），但不用霧月十八日的方法。」然而，從本性和信念來說，他是個君主。一九一七年被關在德國戰俘營時，他寫道，「領導人就是不講話的人。」

他的難以捉摸，使苦於諸多難題的政治人物和造反的將領都相信他是自己的盟友。他是暗中搞詭計的高手，讓軍事威脅一直懸在政治人物頭上，直到政治人物同意他回去掌權，才讓軍方解除威脅。他的詭計大多由肥胖、沉悶乏味的前間諜雅克・佛卡爾（Jacques Foccart）統籌。戴高樂宣布，「這場國家危機，」可能是「復興的開端……現在我要回我的村子，供國家差遣。」

一九五八年六月一日，身為總理的戴高樂請求國民議會給他全權六個月，議會同意，從而給了他的政變合法性。三天後他飛到阿爾及利亞，告訴欣喜若狂的群眾：「我懂你們。」他懂他們，但不是以他們所

24 一九五七年，巴黎把摩洛哥轉交給蘇丹穆罕默德・阿拉維（Muhammad Alawi）。這個蘇丹是令人膽寒的十七世紀君主伊斯梅爾・伊本・沙里斯（Ismail ibn Sharif）的後裔，二戰時不願照維琪政府的要求將摩洛哥猶太人送去滅絕營，戰後則要求歸還摩洛哥，要求獨立。巴黎將他流放到馬達加斯加島。這時，他和兒子哈桑（Hassan）透過談判讓法國人、西班牙人同意退出摩洛哥。哈桑一九六一年當上國王，把其王朝提升為先知穆罕默德後裔的王朝，自稱「埃米爾・穆米寧」（Amir al-Muminin，「伊斯蘭信士的統帥」），取得不容置疑的權力，同時允許成立多黨議會。他能幹、高傲、無情，打垮反對勢力（常有法國人幫助），奪取西撒哈拉（Western Sahara），把摩洛哥打造為穩定的混合制君主國。

希望的方式。百分之十五的法蘭西「共同體」（法國和非洲諸殖民地）批准了一部憲法，建立了他所謂的「某種人民君主政體」，該政體「是唯一和我們時代的特性和危險相容的體制」。[25]

他上台後的初步作為之一是邀西德總理康拉德・艾德諾（Konrad Adenauer）來到科隆貝，然後這兩個老人在這裡創造出一個新歐洲。戴高樂之前的法國總理摩勒已打造出歐洲經濟共同體。戴高樂最初心存疑慮，但與艾德諾結為伙伴，使法國處於日益聯邦化之歐洲的中心。他以高傲的「不！」將英國拒於門外，與美國保持距離，同時打造出法國自己的核武力量。

他的首要之務是阿爾及利亞問題，而令當地的法裔殖民者大出意外的，他冷酷地出賣了法屬阿爾及利亞，讓阿爾及利亞獨立。「我們要麼行動，」這個總統堅稱，「要麼死。」為回應此舉，一九五九年四月，諸位將領、傘兵部隊、法國「外籍兵團」接管阿爾及爾市中心，法國國內軍方則計畫奪權。戴高樂穿軍服向全民演說時，譴責這「一撮退休將軍……我們眼見國家受被藐視，民族受挑戰，我們的權力被貶抑……唉！唉！唉！」他補充說，「看看法蘭西正面臨的危險，再看看她所正要成為的那種國家。」阿爾及利亞和法國境內暴行加劇；阿爾及利亞民族解放陣線在巴黎發動恐怖攻擊；「黑腳」恐怖組織「祕密軍事組織」（ＯＡＳ）試圖刺殺戴高樂。一九六一年四月二十二日，法國將軍在阿爾及爾發動反法國總統的政變。此後不久，法國恐怖分子想用一枚炸彈炸死他。一年後的一九六二年八月二十二日，戴高樂的雪鐵龍汽車遭恐怖分子伏擊，一顆子彈差點打中他的頭。一九六一年十月十七日，在巴黎，法國警方攻擊示威的阿爾及利亞人，手段極兇殘，導致五十多人遇害，是為西方民主國家對平民最嚴重的暴行。

戴高樂論道：「拿破崙說，在愛情中，唯一的勝利是逃跑。在去殖民化上，唯一的勝利也是離開。」一九六二年七月一日，阿爾及利亞獨立建國。但這位將軍說，如果法蘭西要繼續偉大，「要拜非洲之賜。」這個將軍任命他那位未占官職但甚有權力的灰衣主教佛卡爾掌管法蘭西非洲（Françafrique）事務，佛卡爾隨即成法語非洲獨裁者的教父，其中許多獨裁者崇拜戴高樂。佛卡爾在四位法國總統底下服務了三十五年，在這期間監督非洲政治，一有法國人所支持的獨裁者受到威脅，就派去法軍和間諜。戴高樂對佛卡爾說，「讓我們結束這場鬧劇，」佛卡爾隨之派兵入加彭（Gabon）。非洲的獨裁者假造選舉結果時，他們會獲告知，「（戴高樂）將軍覺得百分之九十九．八的得票率有點太過。」一九六六年，在中非共和國，把戴高樂當「爸爸」崇拜的凶殘軍官尚—貝戴爾．博卡薩（Jean-Bedél Bokassa）奪取政權；佛卡爾說他「可靠」。

「是的，」戴高樂回道，「但是個白癡。」博卡薩在法國的支持下自封為拿破崙皇帝；他暴虐統治了十三年，在殺害數百名學童後，法軍才把他拉下台。[26]

---

25 戴高樂的「偉大政治」（politics of grandeur）反映了他的個性和人生。他有感而發道，「我當然不會重現第二帝國，因為我不是拿破崙的姪子，而且我在這個年紀不可能當皇帝。」他的人生觀是鬥爭觀：「人生是一場戰鬥，人生的每個階段都有成功也有失敗……成功之中含有失敗的種子，反之亦然。」他眼中的人性很卑下：「世上只有兩個東西推動人的作為，即害怕和虛榮。若非處於災難狀態而被害怕支配，就是處於平靜狀態而被虛榮支配。」戴高樂訴求建立第五共和，獲公投認可，從而創造出權力甚大、猶如共和制君主的總統職，上承波旁王朝和波拿巴家族。和年輕的英國女王伊莉莎白二世見面時，求教於他的這位女王，為她完美界定了立憲君主制：「上帝既已把妳擺上這位置，就忠於自己，夫人。我的意思是，由於妳的合法性，妳要使妳王國裡的所有事情都以妳為中心來籌辦，使妳的人民以妳為中心看到他們的祖國，使妳的存在和尊嚴有助於全民的團結。」

26 一九六六年，在加彭這個富藏石油的小國——法國的中非洲殖民地聯盟「法屬赤道非洲」（Afrique Équatoriale française）的一部分——戴高樂晤談了衣著整齊、個子矮小、說得一口漂亮法語的前軍官阿爾伯特—貝納德．彭戈（Albert-Bernard Bongo）。彭戈才三十歲時，戴高樂就同意他當加彭副總統，然後支持他當總統，以換取加彭給予法國在取得加彭石油、鈾上面的優惠。彭戈後來改宗伊斯蘭教，如同君主般統治加彭四十二年，靠石油和法國的補助而致富，與直至薩科奇（Sarkozy）為止的每任法國總統交情都很好。他的許多孩子被提拔當官。一九八〇年，他的女兒帕絲卡莉訥（Pascaline）和被她邀來為加彭獻唱的牙買加拉斯塔法里教（Rastafarian）歌手巴布．馬利（Bob Marley）有過一段情；後來她被升為外交部長。彭戈二〇〇九年去世，他兒子阿里．彭戈（Ali Bongo）接位。彭戈家族統治加彭超過五十年。

也有成功之處：烏弗埃「老爹」未趕走法國殖民主義者，稱許「法國人和非洲人之間富有人性的關係，」以法國人所支持的獨裁者姿態統治象牙海岸三十三年，與歷任法國總統合作無間。烏弗埃與戴高樂交情甚好，好到幫忙草擬了法國的一九五八年憲法。烏弗埃常在其美麗而自由奔放、小他二十五歲的妻子瑪麗—泰蕾茲（Marie-Thérèse）陪同下見戴高樂和佛卡爾（他們所收養小孩的教父）。甚至在烏弗埃年老時，把象牙海岸首都遷到他的家鄉時，這兩個法國人都支持他。烏弗埃在新都蓋了一座比聖彼得大教堂還要大的主教座堂。據說該教堂的法籍建築師與瑪麗—泰蕾茲走得很近；他不久後死於直昇機墜機事故。烏弗埃甚有錢且對此毫不羞愧—「人們驚訝我喜歡黃金；那只是因為我在黃金中出生」——烏弗埃助佛卡爾推翻非洲各地的共黨領袖。甚至在二十一世紀，法軍仍在西非打仗並主持國家大位的繼承。法國的去殖民化就是這副模樣：「一切都得改變，」歷史學家朱利安．傑克遜（Julian Jackson）寫道，「這樣一切才可能維持原樣。」[27]

厭煩世事、冷靜沉著的英國新首相哈羅德．麥克米蘭（Harold Macmillan）手法大不相同——用一場舞會。

燃燒的矛：肯亞塔、恩克魯瑪、（老）巴拉克．歐巴馬

一九六一年十一月十八日，英屬非洲的第一個獨立國家統治者，在迦納總統官邸（State House）——原是奴隸城堡克里斯蒂安堡（Fort Christiansborg）——舉行的舞會上，請一位英國女人跳迦納強節奏爵士樂（high life）曳步舞。這個場合、這個地點、這些人物對此刻來說都再合適不過了，它標誌著歐洲、非洲關係邁入新時代。這個女人是英女王伊莉莎白二世，三十五歲，穿露肩連身裙，滿面笑容；這個男人是

五十一歲迦納總統夸梅・恩克魯瑪（Kwame Nkrumah）博士，打黑領帶，神情愉快。

他是抱持馬克思主義、泛非洲主義的獨裁者，但欣賞這個「年輕姑娘」。伊莉莎白因為懷孕而取消上次來訪時，他激動說，「如果你告訴我我媽死了，我心裡的震驚還沒這個強烈。」恩克魯瑪把騷動不安的迦納帶向一黨制國家，尋求與蘇聯結盟，麥克米蘭（Macmillan）因此擔心女王會遇害。「我如果嚇得不去迦納，然後赫魯雪夫去了，那我會顯得多蠢，」她莊重地告訴首相。「我不是電影明星，我是大英國協的元首——我的職責就是面對風險。」[28] 即便在她七十年統治的早期，伊莉莎白女王就已體現了英國的美德：不勢利的務實主義、沉著難測的冷靜性格，以及盡責的公僕精神。她盡心盡力地扮演著一位立憲君主的角色，代表著一個小島國從日漸衰退的世界帝國，蛻變為一個成熟的中等強國與多元種族的社會主義民

27 葡萄牙獨裁者薩拉查（Salazar）未像法國那樣接受獨立自主的非洲。一九六一年二月，由安哥拉人民解放運動（ＭＰＬＡ）領導的安哥拉叛軍，在莫斯科及哈瓦那的支持下，開始為獨立而奮戰，不久，莫三比克境內的莫三比克解放陣線（Frelimo）也跟進。薩拉查認為帝國是葡萄牙所不可或缺，擁抱「葡萄牙熱帶主義」（lusotropicalismo）這個獨特理論。該理論認為，葡萄牙帝國特別多文化、多種族，說非洲人理論上可能成為葡萄牙總統。他鼓勵葡萄牙人至殖民地定居——一九六〇至一九七五年二十萬葡萄牙人前去非洲，不久，安哥拉境內就有四十萬殖民者、莫三比克境內三十五萬殖民者。這時，他是歐洲唯一願意為了保住殖民地而打全面戰爭的領導人。五萬葡萄牙士兵敉平了非洲多場叛亂，而葡軍平亂日益得益於非洲籍精銳突擊隊的助陣。一九七〇年時，這些突擊隊員已占葡軍兵力五成——戰功最彪炳的葡軍軍官是上校馬塞利諾・達馬塔（Marcelino da Mata），晉身為精銳部隊「非洲突擊隊」（Comandos Africanos）之指揮官的幾內亞籍軍人。薩拉查的獨裁統治已出現撐不下去的跡象：一九五八年，具有群眾魅力的反對派領袖溫貝托・德爾加多（Humberto Delgado）差點拿下總統之位，若真當上總統，他將有機會把薩拉查革職。結果，他流亡國外，一九六五年葡國祕密警察機關ＰＩＤＥ在西班牙殺了他。薩拉查的非洲戰爭打得很殘忍——屠殺、砍頭——但不到十年，諸多叛亂就已幾乎被敉平。後來美國總統甘迺迪勸薩拉查讓他的殖民地獨立，薩拉查拒絕。

28 後來，麥克米蘭得意打電話給美國總統甘迺迪，請他支持上伏塔（Upper Volta）水壩：「我已讓我的女王冒險，」他說。「你得讓你的錢冒險。」

主國家。女王始終保持真實的自我，但從未真正透露她是個怎樣的人；然而在私下裡，她則截然不同——仍具皇室風範，但親切、有趣，甚至帶些俏皮，以一閃藍眼與燦爛笑容說出一些冷笑話。

這場舞會是英國和非洲諸獨立國家領袖間漫長互動中的最後一幕。在蘇伊士運河危機之前，倫敦一直指望保住許多殖民地，監禁非洲本地領袖並鎮壓叛亂，儘管英國的統治根基日益受到非洲人的強力抵抗削弱。但由於兩次世界大戰使英國破產，且英國這時把重心擺在歐洲對俄的防禦上，麥克米蘭釋放了非洲諸領袖並允許選舉。這個過程大不同於南非境內已走偏的情況。一九六〇年二月三日，在開普敦，麥克米蘭已挑明樂見「變革之風」。但南非這時由白人阿非利卡人（Afrikaners）透過種族歧視性質的種族隔離制統治。在英國人統治下，南非的非洲人從未擁有投票權，但一九四八年，阿非利卡人國民黨（Afrikaner National Party）以「讓非洲人安分」（die kaffer op sy plek）的口號打選戰，靠著三百萬白人選民支持拿下政權，繼續隔離一千三百萬非洲黑人，剝奪混種人的公民權，禁止跨種族通婚，措施類似美國南方諸州的《吉姆．克勞法》。

四年前，英國人已把迦納交給恩克魯瑪（Nkrumah）；而在十年前，他是英國人的階下囚。恩克魯瑪是阿坎族（Akan）金匠之子，以寄宿生身分在迦納的阿克拉（Accra）就讀過英國人的威爾斯親王學校（Prince of Wales School），然後取得教師資格，接著赴美國、英國留學，自視為哲學家、歷史學家。旅外期間，他擁抱馬庫斯．加維（Marcus Garvey）的非洲一國理想，結識了杜博依斯（W. E. B. Du Bois）。[29]一九五一年，恩克魯瑪打贏選舉，一九五七年成為新獨立國家黃金海岸的總理，然後根據中世紀瓦加杜（Wagadu）王國的國王稱號「ghana」，將國名改為「迦納」（Ghana）。恩克魯瑪抨擊「部落主義」，貶低阿散蒂國王（Asante king），[30]恩克魯瑪，一個個孤單、孤立之人，迅即施行帶有半彌賽亞式崇拜性質（取稱號「救世主」〔Osagyefo〕）的一黨獨裁統治，發動一場旨在使自己成為阿非利加合眾國總統的運動。

在倫敦政經學院攻讀人類學期間，他遇見另一個受到杜博依斯啟發的非洲偉大人物強史東・卡茂（Johnstone Kamau）。為與自己的國家呼應，卡茂改名為喬莫・肯亞塔（Jomo Kenyatta）。

肯亞塔是基庫尤族（Kikuyu）農民之子，身材魁梧，在人群裡特別引人注目：先是受教於傳教士，然後赴莫斯科和倫敦政經學院留學。在莫斯科，他不喜歡馬克思主義，在倫敦政經學院以他的非斯帽（fez）、披風、頂端包銀的手杖令同學印象深刻。他在其人類學專題論著《面對肯亞山》（*Facing Mount Kenya*）裡，界定了肯亞這個新國家的與眾不同之處。二戰時，肯亞塔在英格蘭蘇塞克斯郡養雞，就此度過戰時歲月（在那裡的酒吧裡有人為他取了綽號「巨無霸」〔Jumbo〕），然後返國。那時，英國人已從英屬東非分出幾個新的政治實體：其中之一是烏干達，但最大者是根據境內最大的山命名的肯亞。肯亞靠八萬個英國移民經營農業，這些移民以雞尾酒催發後的換妻行徑（和偶爾的上流社會人士命案）著稱於世。肯亞本有可能成為南非那樣的移民國家，但英國人搶占土地之舉觸怒基庫尤人，引發一九五二年的人民起事。這場被英國人稱作茅茅（Mau Mau）叛亂的起事，奪走三十二條移民、兩千條非洲人的性命。一九五

---

29 恩克魯瑪當總統時，邀九十三歲的杜博依斯前來迦納編《非洲百科》（*Africana*），由於麥卡錫主義者調查他與社會主義者的關係，這時杜博依斯已失去其美國護照。杜博依斯一九六一年來到迦納，成為迦納人，死在阿克拉。死後不久，美國民權法案通過，為他一生志業畫下完美句點。

30 非洲本土君主鮮少成為統治者，原因之一是他們當了數十年的虛位元首，個人威信已大失。但有幾個例外。在史瓦濟蘭和賴索托，姆菲卡尼（*Mfecane*）時期的成功軍閥的後裔以國王身分統治國家，靠精明手段免於遭南非吞併。在貝專納蘭（Bechuanaland），塞雷采・卡瑪（Seretse Khama）爵士，國王卡瑪三世（Khama III）的孫子，另一個產生自姆菲卡尼時期之王國的王儲，一九四八年娶英國白人女子露絲・威廉斯（Ruth Williams）——近代第一對分屬不同種族的顯赫夫妻——從而在其祖國和英國都引發軒然大波，但返國後他為獨立而奔走，成為波札那的第一任總統。卡瑪和其兒子先後主宰寬容異已、井然有序的波札那民主國家至二十一世紀。

二年，英國人打了他們最後一場殖民地戰爭，打垮叛軍，殺了一萬一千人，絞死一千人，逮捕了肯亞塔——被誣陷為茅茅叛亂的首腦，他在獄中待了七年。

肯亞塔被稱作「燃燒的矛」（Burning Spear），有一位具群眾魅力的盧歐族（Luo）勞工領袖湯姆・姆博亞（Tom Mboya）輔佐。姆博亞正在為肯亞的年輕人搞定獎學金的事。一九六〇年，靠姆博亞的幫忙，一個特別優秀的盧歐族經濟系學生去夏威夷大學留學，這人名叫巴拉克・歐巴馬（Barack Obama）。

巴拉克・歐巴馬的父親胡笙・奧尼揚戈・歐巴馬（Hussein Onyango Obama）是盧歐族農民、村子長老兼巫醫，住在靠近烏干達的肯亞西部，聰穎不安，村人因此開玩笑說他「肛門上有螞蟻」。他與他的第四任妻子阿庫姆（Akumu）生下了一個兒子——巴拉克。胡笙靠自學提升自己，之後搬到尚吉巴，在緬甸服役於英國的「國王非洲步槍團」，五十歲時帶著一台留聲機回來。他問，「非洲人連自己的腳踏車都造不出來，要怎麼打敗白人？」他在茅茅叛亂期間被英國人逮捕，然後釋放，與姆博亞成為朋友。胡笙很愛巴拉克，「因為他很聰明，」但受不了他的我行我素，在他被退學時毆打了他。巴拉克娶了當地姑娘凱齊婭（Kezia），但很厭惡他父親為他在蒙巴薩安排的辦事員工作。被他父親趕出去後，他參加追求獨立的群眾大會，被捕後又獲釋。他開始和姆博亞走得很近；姆博亞剛從美國回來，在美國時受到愛蓮娜・羅斯福所領導的美國非洲事務委員會（American Committee on Africa）的歡迎，見了薛尼・鮑迪（Sidney Poitier）和馬丁・路德・金恩（Martin Luther King），在麻塞諸塞州海尼斯港（Hyannis Port）的甘迺迪家族別墅群，見了年輕參議員暨民主黨籍總統候選人傑克・甘迺迪，甘迺迪同意資助學生交換。

姆博亞選中歐巴馬當交換學生，歐巴馬前去夏威夷；甘迺迪贏得總統大選。

尼基塔和傑克、咪咪和瑪麗琳

喬．甘迺迪仍在幕後操縱，但已遭遇無法承受的打擊：他的長子喬死於二戰；女兒姬克死於墜機；傑克（不為人知地）苦於健康不良，患有背痛、愛迪生氏病、甲狀腺功能亢進，靠類固醇、安非他命、荷爾蒙治療。

靠父親的引導，傑克於戰後進了國會。一九五三年，傑克選上參議員不久，娶了優雅、冷靜的上流社會女子賈姬．布維爾（Jackie Bouvier），與她生了一兒一女，但婚後不久他就動了背部大手術。健康不良和甘迺迪家的陽剛氣質，助長了冒險、拈花惹草的生活；傑克常和他的友人辛納屈（最出色的搖擺樂大師）和他那群「鼠黨」（Rat Pack）一起在拉斯維加斯玩樂，歌手和參議員在此共享女孩，一起嬉鬧作樂。「鼠黨」由演藝界的好友組成，包括甘迺迪的妹婿彼得．勞福德（Peter Lawford）和非裔美國人小山米．戴維斯（Sammy Davis Jr）。傑克．甘迺迪已是資歷最完備的總統候選人：哈佛畢業，在倫敦政經學院留過學，遊歷過全世界和結識了各界人士，本身是戰爭英雄和普利茲獎得主。但他沒有行政經驗，他的性生活淫亂無度，他的健康讓人不放心，他的政治生涯一直靠他的有錢老爸資助。他第一次遇見赫魯雪夫時，就已經在競選總統。

一九五九年九月，赫魯雪夫訪美，是第一個來到美洲大陸的俄國領導人。他已從蘇伊士運河危機中體認到，核威脅為他贏得尊敬和艾森豪的邀訪。在陰鬱、乖戾的史達林之後，赫魯雪夫的開朗好鬥令美國人驚訝。這趟訪美之行，他走訪了國際商業機器公司（ＩＢＭ）的研究中心，讓他看到未來的發展，但他覺得公司的自助食堂科技更了不起，而且可以理解的，他覺得見到瑪麗蓮夢露更令他興奮。但他也見了甘迺迪。

訪美成功使赫魯雪夫相信和艾森豪的關係轉為友好，直到發現美國派偵察機飛過蘇聯上空後，友好的想像隨之破滅。他大為憤怒，狂暴反擊，致使他的同志都懷疑他是不是徹底瘋了。他下令擊落一架U2偵察機，但接著痛罵美國人。麥克米蘭去莫斯科調解時，赫魯雪夫朝他大聲嚷嚷，事後吹噓說他「用電線桿操了這個首相的屁股」。在聯合國，他掄起拳頭重重拍桌，然後用他的鞋子拍桌子（令他的同志很是尷尬）。「真是太有趣了！」他後來說。他厭惡艾森豪和他的副總統理查・尼克森（Richard Nixon），認為自己的表現已打壞尼克森的總統大選選情，不只樂見麻塞諸塞州太子黨選上，還說「我們幫甘迺迪選上。」

美國人眼中帥氣迷人的東西，在赫魯雪夫眼中是乳臭未乾。甘迺迪家接掌華府一事，被比擬為文藝復興時期傭兵家族奪下義大利一個小鎮。但他們的表現優於此，把卡美洛（Camelot）*帶到艾森豪主政下的沉悶華府——經過在哈佛一個世代的歲月，他父親的粗俗氣質得到提升，甘迺迪家族躋身為有光鮮亮麗的演藝事業加持的美國上流人士。這簡直是個陽剛掛帥的家族事業，有弟弟鮑比擔任司法部長和主要親信，還有由家族侍從和友好明星組成的一票扈從，這些明星的頭頭是辛納屈——民權的提倡者、代該家族與黑手黨接觸的中間人、就職舞會的主辦人，而且替他安排情婦。甘迺迪告訴理智掛帥、長得讓女人動不了心的麥克米蘭，「我如果沒有每天做愛，會頭痛。」他的情婦，從辛納屈介紹給他的交際花茱迪絲・艾克斯納（Judith Exner），到流行歌手斐莉絲・麥奎爾（Phyllis McGuire），再到瑪麗蓮夢露，還有他的兩個綽號費多（Fiddle）、法多（Faddle）的祕書、上流出身的高大實習生咪咪・艾爾福德（Mimi Alford），形形色色。艾克斯納和麥奎爾是他和辛納屈友人暨芝加哥黑手黨老大山姆・姜卡納（Sam Giancana）所共有的情婦，瑪麗蓮夢露則是他和弟弟鮑比所共有。

咪咪入白宮第四天，就被戴夫・鮑爾斯（Dave Powers）——替甘迺迪總統物色女人的「第一友人」——邀去參加泳池派對，跟著喝起雞尾酒，再來就接到一個意在言外的邀請：「要不要參觀這住所，咪咪？」參觀住所之旅通常包括參觀約翰・F・甘迺迪。咪咪「無法把那晚發生的事稱作做愛」——她叫他「總統先生」，即使光著身子躺在賈姬床上時亦然——但那「和性有關、親密、充滿激情」，後來和她幽會時甘迺迪會要她服用亞硝酸戊酯助興藥物（amyl nitrite poppers）。

約翰・F・甘迺迪在白宮泳池命令她對鮑爾斯口交時，展現了他更齷齪的一面：「我認為總統不會認為我會做，但我慚愧地說我做了。總統默默地看著。」他打電話給她時自稱「麥可・卡特」（Michael Carter），她則叫他「分身有術高手」（Great Compartmentaliser）——任何領導人都不可或缺的一個特質。事實上，「始終有一分保留」。

甘迺迪的宮廷受到緊密掌控。他的自信使他得以任用最有才幹的顧問，得以在根本改革上大刀闊斧。內戰過了百年，種族隔離仍在美國南部當道，非裔美國人在那裡遭隔離對待，沒有投票權。甘迺迪在種族議題上並非自由主義者，但小心翼翼地擁抱老早就該施行的民權。當時，馬丁・路德・金恩所領導的一個聲勢日壯的團體力促讓所有人享有平等的公民權，他就是一九三四年走訪柏林那個亞特蘭大牧師的兒子。

這個牧師常毒打小馬丁，但「每次鞭打他，他總是站著不動，會流下淚，但從不哭出來。」他的父親已參加全國有色人種促進協會，這是一個矢志打倒「南方種族隔離的可笑性質」的組織，曾在某場群眾大會上說，「我不要再拉騾犁田，不要再退到路邊以讓路給白人。」小馬丁憶起，有次一名警察因他父親違反交通規則而攔住他父親，把他父親叫作「男孩」，他父親隨即指著小馬丁，對那警察說，「這是男孩，我是男人，你不叫我是男人，我就不聽你的。」小馬丁穿著整齊乾淨，因而被友人取綽號「花呢服裝男」（Tweedy）。他在波士頓求學，在哈佛大學修過課，對音樂學院學生科蕾塔・史考特（Coretta Scott）展現

＊編注：亞瑟王傳說中的宮廷和城堡，用於比喻「燦爛歲月」、「繁榮美好之處」。

他洪亮且若懸河的口才，開始與她約會。

他在電話裡說，「在妳的魅力面前，我像滑鐵盧之役時的拿破崙。」她笑道，「你根本還沒見過我。」兩人結婚後，他想阻止她參與民權運動，希望她專心照顧孩子。小馬丁和他父親一同擔任亞特蘭大教堂的共同牧師，與他一同爭取民權，一九五五年想找個訴訟案來挑戰種族隔離法。就在這時，阿拉巴馬州蒙哥馬利的非裔美國女人羅莎・帕克斯（Rosa Parks），在巴士上不願讓座給白人而被捕。此訴訟案激起一場反吉姆・克勞法的運動。小馬丁・路德・金恩組織眾人拒搭巴士；他的房子遭丟炸彈，但他成為南方基督教領袖大會（Southern Christian Leadership Conference）的主席，力促甘迺迪廢除吉姆・克勞法。金恩於總統大選期間遭逮捕時，甘迺迪家族打電話支持科蕾塔，並幫助他獲釋。但甘迺迪家族掌權後，允許聯邦調查局竊聽金恩的電話，以找到他和共產黨員的關係——並記錄他的通姦之事。金恩一再被捕，一九六三年春將其民權運動轉到阿拉巴馬州的伯明翰，該地的警察鎮壓抗議者手段殘暴。身陷伯明翰監獄的金恩主張，只有違法才會帶來改變：「黑人大步邁向自由途中的主要絆腳石是……溫和派白人，這些人執著於『秩序』甚於正義，」他還說，「希特勒在德國所做的事，每件都合法。」

八月二十八日，在鮑比・甘迺迪下令釋放金恩後，他在約翰・甘迺迪的支持下帶領「爭取工作與自由的華盛頓大遊行」。在林肯紀念堂前，他對數十萬人發表演說：「我有個夢想，夢想有一天，在喬治亞州的紅色山丘上，前奴隸的兒子和前奴隸主的兒子能夠坐在一起，圍坐在兄弟之愛的餐桌旁。」甘迺迪第一次推動民權法案未獲通過，但他再次努力推動。

金恩爭取民權時，年輕的肯亞人老巴拉克・歐巴馬——獲甘迺迪提供部分資助的學者——已入讀夏威夷大學，成為該校第一個非洲裔學生。一九六〇年初，在某堂俄語課上，老歐巴馬遇見一個美國白種人類學系女學生，這個女孩很喜歡自己的名字史丹利・安・鄧納姆（Stanley Ann Dunham）。後來，他們的兒子巴拉克・歐巴馬寫道，「他黑得像瀝青，我母親白得像牛奶。」但他的祖父母樂見兩人交往。來自堪薩斯州的鄧納姆家是美國內戰時南方邦聯軍人（傑弗遜・戴維斯〔Jefferson Davis〕的表親）和切羅基人（Cherokee）的後代，是具有獨立思想的自由主義者。有次，安帶一個黑人女孩回家玩，有個鄰居看到後對她爸爸說，「你最好和你女兒講講，鄧納姆先生。在這個鎮裡，白人女孩不和有色人種玩。」然後，他們搬到夏威夷。

老歐巴馬是個學者，注重外表，講究衣著，口才好，人「聰明，困執己見，有群眾魅力」，喜歡穿校服、戴阿斯科特帽（ascot hat）、抽菸斗，很有威嚴，似乎總是精神抖擻，但同時行事不顧後果、難以預測：有個朋友把他的菸斗撞落懸崖時，老歐巴馬「把他整個抓離地面，將他掛在欄杆外晃。」一九六一年八月四日，安生下兒子小巴拉克，但歐巴馬定不下來，婚姻破裂。安開始和一個印尼學生往來，兩母子跟著他去了印尼。後來，這個男孩的祖父告訴小巴拉克，「你父親什麼事都能搞定。」但老巴拉克幾乎就此未再見到他兒子，搬到哈佛，在那裡娶了一個年輕的猶太裔女學生。但他的兒子日後的事業將會改變美國——而他自己，性格激烈而憂慮纏身，則返回肯亞。在肯亞，姆博亞和終於被英國人釋放的肯亞塔正在為獨立而談判。

這些新國家竭力站穩腳跟時，非洲有個皇帝，其國土從未淪為殖民地——除了遭義大利人占領那六年例外。

猶大之獅——以及非洲的紅花俠

一九六〇年十二月十三日，自一九一六年掌權、現年六十八歲的海爾・塞拉西正訪問巴西時，他的廷臣所組成的軍人集團在孟尼利克宮（Menelik Palace）逮捕了他的大部分閣員，發動政變——非洲第一場政變。在衣索比亞之外，他是非洲英雄：「猶大之獅」（Lion of Judah）；在國內，他是正在打造帝國的孤立獨裁者。

事事都由位在孟尼利克宮的他作主，用本地話語來說，如果想要得到皇帝理會，得「挨耳光」並「在宮門外久候」。

這個國王（negus）已建立兩個彼此環環相扣的保安機關，即公共安全部（Department of Public Security）和更隱密的御用祕書處（Imperial Private Cabinet）。御用祕書處監視他自己的大臣，這些大臣則不斷被調職，只有對他忠心耿耿的文書大臣（minister of the pen）例外。但如此嚴密的管控矇蔽了他的眼睛：他把能幹的軍官沃克涅・蓋貝耶胡（Workneh Gebeyehu），從這個保安機關的主管之位晉升為總理大臣。但這個寵臣卻建議老國王退位，讓王儲接位。國王回道，「沃克涅，發現你仍是個孩子，我們很驚愕。我們會繼續行使上帝所賦予我們的權力直到永遠。此外，你可曾聽過哪個人主動交出權力？」沃克涅和皇帝的另外兩個寵臣密謀推翻這頭「獅」。王儲阿斯法・沃森（Asfaw Wossen）同意透過電台發布「革命宣言」，聲明他自此是立憲政府的攝政：「今日是新時代的開始。」但皇帝從巴西趕回來。

在機場，他兒子躺在他腳邊的塵土裡。海爾・塞拉西扶起他，說「如果我們前來參加你的葬禮，我們會為你感到驕傲。站起來！」父子關係破裂，從此未恢復。「猶大之獅」的部隊在阿迪斯市區攻擊叛軍。兩千人遇害。當帝國坦克大軍攻擊關押大臣的宮殿時，叛軍殺掉十五個大臣和將軍。失寵的沃克涅飲彈自盡，遺體被吊掛在聖喬治主教座堂外。

「體制不會有任何改變。」「猶大之獅」宣布。他現在已搬進新落成的禧年宮（Jubilee Palace）。身為孟尼利克二世的繼承人，他是一位帝國締造者：英國人於一九四六年占領義大利殖民地厄利特里亞

（Eritrea）後，聯合國安排該地和衣索比亞組成聯邦，但海爾・塞拉西於一九六二年將厄利特里亞併吞，禁止與他唱反調的政黨活動。一如所有帝國，衣索比亞靠武力維持一統。厄利特里亞、索馬利亞歐加登（Somalian Ogaden）境內的叛亂，演變成持續不斷的征服戰爭。

但海爾・塞拉西是象徵非洲獨立精神的非洲本土領袖。一九六二年二月，他邀爭取自由的非洲戰士出席阿迪斯阿貝巴（Addis Ababa）的泛非洲自由運動（Pan-African Freedom Movement）大會，會中，他穿著鑲綴了漂亮飾帶、別了勛章的軍服，作為第一個發言者。接著上台者是首度遠行的南非律師納爾遜・曼德拉（Nelson Mandela）。四十三歲的曼德拉驚歎於「這個皇帝看來那麼矮小，但他的尊貴和自信使他像是非洲巨人。」即使衣索比亞並非民主國家亦然：「只有這個皇帝至高無上。」

曼德拉——氏族名馬迪巴（Madiba）——是北開普省川斯凱（Transkei）境內說科薩語（Xhosa）的騰布（Thembu）王國的王子，國王茲韋德（Zwide）的後裔。他的父親曾是騰布國王的顧問，因為不服從英國人命令遭撤職，但曼德拉被其族人的攝政收養，和諸位王子一起被撫養長大。這個攝政具有群眾魅力，培養他成為顧問，送他去衛理公會寄宿學校就讀。曼德拉說，「我觀察攝政的作為，從中影響了我日後的領導統御觀念。」高大、英俊的曼德拉取得律師資格，娶護士伊芙琳（Evelyn）為妻，加入非洲民族議會（African National Congress, ANC），因為「在南非，非洲人的身分意味著人一出生被政治化。」曼德拉一生獻身於反種族隔離運動，一再被捕。對此事業的全心奉獻，導致他和妻子分居。分居時，兩人已有一個兒子。然後：「經過一個公車站時，我眼角餘光注意到一個年輕貌美的女人在等公車。」曼德拉愛上溫妮・馬迪基澤拉（Winnie Madikizela）——「她的熱情、她的年輕、她的勇敢、她的任性」——而「我對她的愛，使我更有力量從事未來的抗爭，」兩人育有兩個孩子。

一九六〇年，在夏普維爾（Sharpeville）黑人居住區，警察殺害六十九名抗議者，傷了兩百四十九人，引發更多抗議，從而導致曼德拉被捕。但無罪獲釋時，「我成了夜行動物，」綽號「黑花俠」（Black Pimpernel）。這時他創立非洲民族議會的軍事分支「民族之矛」（Spear of the Nation），該軍事組織開始有計畫地放炸彈搞破壞。海爾．塞拉西邀曼德拉和其同志前來接受軍事訓練。但他從阿迪斯返國時被捕。

獄中，「警察（對他和溫妮）視若無睹，我們緊緊相擁。」被以叛國和恐怖主義罪名受審時，曼德拉未穿西裝，而是披著科薩人的豹皮斗篷，在一次演說中宣布「我準備去死」。一九六四年六月十二日，他被判終身監禁。他被關在羅本島（Robben Island）——至當時為止只有一名囚犯逃出該島至大陸——獄警用阿非利卡語歡唱迎接他：「這是島，你會死在這裡！」當他不從時，獄警揚言，「嘿，老兄，我們會殺了你，不是跟你開玩笑，你的妻子小孩永遠不會知道怎麼回事。」

曼德拉靠鋼鐵般的自制和每日冥想活命，寫信告訴溫妮，監獄是「開始認識自己的理想地方……最起碼，即使不為別的，囚房給了你每日審視自己整個作為的機會，去除惡習、培養好習慣的機會，」還說，「別忘了，聖徒是不斷在嘗試的罪人。」在他外出期間，他的長子喪命於車禍，溫妮經常被捕。在寫給她的信中，他稱許「妳讓人無法招架的美和魅力……切記，當其他全都失去時，希望是有力的武器……我時時刻刻想著妳。」他二十七年牢獄生涯毀了他的婚姻，但擦亮他的傳奇光環。

與此同時，一九六三年五月二十五日，在阿迪斯，非洲本土統治者的典範海爾．塞拉西，邀他的諸多對手出席他的非洲團結組織（Organization of African Unity）的第一場會議：親英的馬克思主義者恩克魯瑪希望領導一個擁有自己軍隊的阿非利加合眾國；親法的「老爹」，象牙海岸的烏弗埃，嘲笑他的野心。海爾．塞拉西維持這兩人的勢力平衡，領導這個組織，然後交棒給「救世主」恩克魯瑪。

「我知道去殖民化後果是災難性的，」戴高樂私下說。「他們就要再度經歷部落戰爭、巫術、食人行為，」但「美國人、俄國人認為解放被殖民統治的民族是他們的天職，正為了爭取他們而競出高價。」赫魯雪夫率先看到「起事反抗腐敗反動政權、反抗殖民者」的機會，承諾「與諸民族一起走在征程的前列，打民族解放戰爭。」兩超強的代理人戰爭——列強第二次瓜分非洲，這一次打著去殖民化、自由的名號——所奪走的非洲人命，會比第一次瓜分非洲時還要多。

這次瓜分始於一九六〇年初，比利時人突然失去了對剛果的控制時。比屬剛果時代公共部隊（Force Publique）射殺街頭示威者後，當局舉辦了選舉，比利時國王博杜安（Baudouin，萊奧波德二世的曾孫）於一九六〇年六月讓剛果獨立時，稱許比利時的「文明開化使命」。與此同時，比利時希望保持其對軍隊和資源（剛果擁有鈾等礦物）的控制，於是促成時為參謀長的公共部隊上校軍官約瑟夫．蒙博托（Joseph Mobutu）推翻三十五歲的民選總理帕特里斯．盧蒙巴（Patrice Lumumba）。盧蒙巴既是有才幹的泛非洲主義者，也是蘇聯的盟友。許多干政的將領讓世人見識到，在這些被殖民強權糅合為新政治實體的新非洲國家裡，軍隊常冒出頭，成為國家的化身，而蒙博托是其中第一人。令人震驚的是，比利時人下令「徹底除掉」盧蒙巴，於是他們的特務逮住他，對他刑求，將他槍殺，然後把他溶解於酸液裡。有個比利時特務把他的一顆牙齒帶回家當紀念品。蒙博托在美國支持下建立了巴洛克式、盜賊統治式獨裁政權，令赫魯雪夫大為光火。這個政權統治薩伊（Zaire）長達三十年。[31]

31 在剛果，有種攻擊免疫系統的新疾病已從猴子跳到人身上，但沒人知道此事，在比利時人撤走的混亂情勢中無人察覺。這種新疾病的第一個被確認的病例，一九五九年在剛果被發現，可能是在二次大戰後透過不潔的接種和性接觸（通常是透過肛交時交換的血液，以及陰道性交時的生殖器潰瘍）傳遍西非洲和中非洲。此病很快就傳到美國：一九六九年死於肺炎的年輕男子理查R（Richard R）是最早獲證實的美國病例。一九八一年，美國疾病管制與預防中心才首度承認此病存在，然後此病成為奪走數百萬條人命的大流行病。後來此病被稱作人體免疫不全病毒（HIV）和後天免疫不全症候群（愛滋病〔AIDS〕）。

約翰・甘迺迪已在其總統就職演說中保證，「在世界歷史的長河中，只有幾代人被賦予在最危險時刻捍衛自由的角色（即打擊共產主義的角色）。面對此責任，我未退縮，而是樂於接下。」赫魯雪夫也曾試圖提高賭注，但出乎意料的是，當另一對兄弟在離邁阿密僅九十英哩處掌權時，他在美洲找到機會。

兄弟：卡斯楚家族和甘迺迪家族

一九五九年一月九日，三十三歲留著鬍子、愛抽雪茄的「指揮官」（El Comandante）費德爾・卡斯楚（Fidel Castro），在其主掌軍隊、個性較嚴肅的弟弟勞爾（Raul）協助下，進入哈瓦那。卡斯楚家兩兄弟是甘蔗園主的私生子，但受過良好教育。這個甘蔗園主是靠自己本事成功的西班牙裔移民，已積聚了兩萬五千英畝地；兩兄弟受耶穌會士教導，接受了聖依納爵（St Ignatius）的「一切異議都是叛國」的主張。費德爾成為法學博士，但擁抱革命（「如果我能成為史達林」），先是在波哥大參與一場失敗的政變，然後反感於巴蒂斯塔（Batista）重新掌權，帶隊攻打古巴聖地牙哥的蒙卡達軍營（Moncada Barracks）。兩兄弟被俘。

卡斯楚在法庭上發表了正經八百的演說——「歷史會赦免我的罪」——但多虧兩人人脈好，才免於被槍斃：卡斯楚的妻子是巴蒂斯塔之內政部長的妹妹。身陷牢獄後，他發現她也是內政部一員，隨之和她離婚；一切政治掛帥。卡斯楚嘮叨多話，就連他弟弟勞爾都抱怨，他在獄中一連數個星期話說個不停。迫於美國施壓，巴蒂斯塔放了費德爾，費德爾逃到墨西哥市，在那裡遇見綽號「切」（Che）的埃內斯托・格瓦拉（Ernesto Guevara）。格瓦拉是患有氣喘的帥氣醫生，出身阿根廷富裕人家。卡斯楚說他「非比尋常，是一位有偉大文化、很聰明的人……一位醫生出身的軍人，但始終不忘醫生的本職工作。」兩人談了一整夜。

一九五六年十一月，兩兄弟和八十一個受過不完整訓練的戰士登上一艘會進水的船「祖母號」（Granma），登陸古巴。他們遭遇猛烈炮擊，八十一人僅十九人生還，但卡斯楚家兩兄弟和他們的「鬍子漢」（barbudos）發動游擊戰，在游擊戰中他們三次差點遭殲滅，但憑藉馬埃斯特拉山脈（Sierra Maestra）的地處偏僻保住性命。拜巴蒂斯塔的腐敗、傲慢、無能之賜，加上令人意外的，美國中情局受誤導給予資助，卡斯楚派（Fidelistas）的傳奇和成就蒸蒸日上。卡斯楚遇見年輕女游擊隊員席莉亞・桑切斯（Celia Sánchez），席莉亞是醫生之女，成為他的情人和助理。在慘淡的時候，他們只剩十二個戰士，「席莉亞和我在一起。」

一九五九年一月，巴蒂斯塔帶著數百萬美元逃走，卡斯楚在哈瓦那的希爾頓飯店成立大本營，統治古巴，以勞爾為陸軍部長，切為教育部長，席莉亞住在他的小公寓，當上部長會議的祕書。被列入奪命名單的敵人遭槍殺。費德爾堅稱，「我們不處決無辜之人，只處決殺人犯，而且他們罪有應得。」美籍水果大亨和黑手黨老大被趕出古巴。

卡斯楚家兩兄弟共同統治，但兩人性格南轅北轍：費德爾是極自我、極善於表演和愛高談闊論的戰略家；勞爾謹小慎為且一絲不苟。費德爾綽號「馬」（El Caballo），喜歡和來自海外的仰慕者，尤其是為他神魂顛倒的法籍自由派人士搞一夜情；勞爾和其妻子薇爾瑪（Vilma）形影不離。然而，兄弟兩人每天都會交談數次，政權底定後，兩人就住在哈瓦那城外築有嚴密防禦工事的「原爆點」（Punto Cero）莊園內，彼此為鄰。費德爾的辦公室裡有荷西・馬帝（José Martí）的畫像、歐內斯特・海明威的簽名照（「我讀了《戰地鐘聲》〔*Whom the Bell Tolls*〕三次」）、他父親的照片。

卡斯楚最初自認是拉丁裔亞歷山大（他把他的幾個兒子都取名亞歷山大），而非列寧；但他解釋道，

「我有一個羅盤——馬克思和列寧。」一九六〇年二月，赫魯雪夫派其盟友阿納斯塔斯·米高揚（Anastas Mikoyan）前往哈瓦那。米高揚是一位兇悍的前神學院學生，曾在列寧、史達林的心腹圈子裡生存下來，他建議赫魯雪夫支持卡斯楚。礦工出身、衝動躁狂的赫魯雪夫和這個神經緊張又自戀的古巴知識分子的結合，將會把世界推向浩劫邊緣。

甘迺迪承接了中情局入侵古巴的計畫。一九六一年四月十七日，他出動一千四百名流亡美國的古巴人和一些美國飛機登陸豬玀灣，但遭卡斯楚輕鬆擊退：隨然數百民卡斯楚的民兵遇害，但他擒住一千名流亡的古巴人，處決了數百人。他寫信告訴約翰·甘迺迪，「感謝吉隆海灘（Playa Girón），」即入侵者登陸的那個海灘。「在入侵之前，革命力量薄弱，但現在它更強大了。」約翰·甘迺迪很快將中情局的艾倫·杜勒斯革職。[32]甘迺迪原本鄙視黑手黨在哈瓦那的腐敗，甚至支持卡斯楚，但這時他下令幹掉這個古巴人——靠黑手黨之助。中情局找來邁爾·蘭斯基、桑托·特拉費坎堤（Santo Trafficante）、姜卡納。至少八次出手失敗，包括對潛水器材、雪茄、牙膏下毒。卡斯楚說，「數十個計畫，其中有些計畫差點得手，」但「幸運之神出手阻攔。」赫魯雪夫覺得甘迺迪不過爾爾。

反覆無常是赫魯雪夫唯一一貫的作風。一九六一年六月四日，這兩個人在維也納會晤，好鬥的赫魯雪夫幾乎完全壓制比他小二十三歲、但正用藥物治療背痛的約翰·甘迺迪。「如果美國為德國而開戰，」赫魯雪夫高聲道，「那就開戰吧」——這是令人沮喪的會晤裡令人恐懼的一刻。約翰·甘迺迪推斷，「會有寒冬降臨。」他垂頭喪氣，說「他徹底占上風。」但他堅定不屈。

赫魯雪夫嘲笑約翰·甘迺迪「非常稚嫩，甚至不成熟。」他最初希望逼甘迺迪退出西柏林。「柏林是西方的睪丸，」赫魯雪夫說，「每當我想讓西方尖叫，就用力捏。」但睪丸沒被捏爆。他的前線衛星國東德是脆弱的，它是一個嚴酷極權主義的反烏托邦，靠無所不在的祕密警察使人民聽話。大批東德人民逃奔富裕的西方，赫魯雪夫因此下令建造柏林圍牆以關住東德人民。這時，他反覆思索甘迺迪對古巴的威脅，斷定「當今之世的權力鬥爭，最該考慮到的一點，」是「軟弱的人被迫讓步。」他要考驗對手的膽量。「就像摸黑下棋。」

在古巴部署核武：百萬富翁的妓女和「壞透的黑道分子」

赫魯雪夫憶道，豬玀灣事件後，「有個想法在我腦海裡徘徊不去，『我們如果失去古巴會怎樣？』」一九六二年五月，他向同志提出一個點子：「如果再遭入侵，費德爾會垮掉，」但如果蘇聯把彈道飛彈擺在古巴，可以免掉「這樣的災難」，而且會「使權力天平變平衡」：美國人剛在土耳其部署了飛彈，就在蘇聯的邊界上。面對誇誇其談的赫魯雪夫，諸位黨政要員默然同意，但米高揚有個疑問。美國人會發射飛彈：「屆時我們該怎麼辦——回敬以打擊美國領土？」米高揚的意見遭否決。「部署核武。祕密運送過去。晚點揭露，」會議記錄記載道。「這會是個攻勢政策。」

幾天後，卡斯楚家兩兄弟就獲告知此事。「這是保衛古巴的最好辦法，」費德爾回道。「我們願意接受所有飛彈。」赫魯雪夫告訴其同志，他要往山姆大叔的褲襠裡塞進「一隻刺蝟」。七月，制定計畫時，勞爾．卡斯楚和切．格瓦拉去了莫斯科，問「如果此行動被發現，你們有何預防措施？」

「別擔心，」赫魯雪夫面帶微笑說，「不會有大反應，如果有，我會派去波羅的海艦隊。」後來他說，「我會揑住甘迺迪的卵蛋，要他談判，」還說，就像農民把自家山羊帶進屋子過冬，然後習慣那羊臭味一

32　他激動說道：「我怎會這麼蠢？」反映了沒有朋友之統治者的自欺欺人會有多危險，「太想有所成時，你就看不清現實。」

樣，甘迺迪將會「學習接受飛彈的氣味」。[33]

一九六二年七月二十六日，一支蘇聯艦隊從敖得薩出海，載著四萬四千名士兵和六顆原子彈，以及十八枚核子巡航飛彈、三個配備戰術核武的師和六架轟炸機。八月，他們開始安裝這些飛彈：赫魯雪夫很可能允許其指揮官使用戰術核武──如有必要的話。美國情報機構注意到古巴境內的動靜，但未察覺到在敖得薩的大規模活動，並且從未意識到蘇聯這次部署的規模之大。[34]

十月十四日，一架美國偵察機發現古巴境內部分飛彈，約翰．甘迺迪瞬間陷入一場悠關生死存亡的世界性危機。他找到他褲襠裡那隻刺蝟，說「他不能這樣對我，」罵赫魯雪夫是個「臭騙子」、「壞透的黑道分子」。這是任何總統所能碰上的最大危機，而他最終展現其明斷果決，告訴其執行委員會，「各位，今天我們要上工了。」

甘迺迪的鷹派助手提議，以外科手術式攻擊除掉古巴境內飛彈，甘迺迪專注聆聽。他的執行委員會裡有九名成員支持此議，七名成員支持封鎖。但他迅即轉為支持封鎖古巴，宣布召開記者會。在克里姆林宮，赫魯雪夫慌張失措：「完了！列寧的成果被毀了。」米高揚和蘇共中央主席團，全是害怕戰爭的二戰老兵，驚恐於他的魯莽。赫魯雪夫擔心即將遭入侵，並坦承，「糟糕的是他們能攻擊，而我們會反擊。這可能升級為大規模戰爭。」赫魯雪夫力促其指揮官「初期盡量不動用原子彈，」並強調必須經莫斯科授權才會部署核武。

在華府，約翰．甘迺迪宣布封鎖古巴並要求去除武裝。鮑比憶道，在執行委員會上，「我們邁出了第一步，而我們仍活著。」約翰．甘迺迪允許其好戰的將領規畫空襲──他們全都不知道此島上有個滿滿的核武器庫──但「情況看來很糟，」他告訴鮑比，「不是嗎！」約翰．甘迺迪對《八月炮火》（*The Guns of August*）一書一直念念不忘，該書講述一次大戰如何爆發，作者是芭芭拉．塔克曼（BarbaraTuchman），他和他的助手都已讀過此書。「由於愚蠢、個人特有的氣質、誤解、個人的自卑感和自大感，」他說，「他們似乎不知怎麼的就陷入戰爭。」從沒有哪個歷史學家起了如此重大的作用。

在莫斯科，心急如焚的赫魯雪夫命令部分蘇聯船艦折返；在華府，約翰・急於測試封鎖令的效用的甘迺迪，很高興見到這六艘船調頭，卻下令將蘇聯船隻全攔住。鮑比記載道，「他的神情似乎很煩惱，眼睛發疼。」攔住其他船隻的命令在千鈞一髮之際被即時撤銷，否則將導致正面衝突。「有那麼片刻，地球停止轉動，如今它再度運轉了起來。」在莫斯科，無眠的赫魯雪夫「咒罵華府，揚言對白宮丟核彈，」但隨後平靜下來，帶他的同志去莫斯科大劇院欣賞《鮑里斯・戈杜諾夫》（*Boris Godunov*）。「那會讓人靜下心來，」赫魯雪夫說。「如果赫魯雪夫等領導人坐在劇院裡，每個人都能睡得很安穩。」但隔天早上，得知

---

33 就是在這時，現代人開始瞥見他們徹底支配地球一事所可能帶來的影響。一九六〇年，美國科學家查爾斯・大衛・基林（Charles David Keeling）在夏威夷測量氣溫，揭露過去兩百年人類開發期間工業化的後果——燃燒煤和石油所排放的氣體，導致大氣層中二氧化碳和「溫室氣體」濃度上升，以及砍伐森林、集約農業——正導致地球氣溫上升。他在其基林曲線（Keeling Curve）裡，預測了這個可能帶來無法回復且會突然引發可怕災難之傷害的升溫過程。與此同時，系統理論家赫曼・康（Herman Kahn）發出核戰警告，一九六二年一月一日出版了《想想不可思議之事》（*Thinking about the Unthinkable*），在書中假定了十六個（後來增為四十四個）階段，最後階段是「抽搐／愚蠢戰爭」。

34 五月十九日，約翰・甘迺迪在募款餐會上慶祝其四十五歲生日，瑪麗蓮夢露穿著綴滿珠子的緊身連身裙，在會中用氣音唱「生日快樂」，是為甘迺迪主政期間最風光的時刻。瑪麗蓮夢露經她的前情人辛納屈介紹認識了甘迺迪，辛納屈則是將娛樂業、總統權力、幫派三者接合的關鍵人物，在美國文化裡占有獨特地位。瑪麗蓮夢露先後和棒球明星喬・狄馬吉奧（Joe DiMaggio）、劇作家亞瑟・米勒（Arthur Miller）結婚，都以離婚收場，而在這兩段失敗婚姻之間的空檔，她和約翰・甘迺迪、鮑比・甘迺迪都有染（鮑比和長年受苦的妻子生了十一個孩子）。瑪麗蓮夢露在寄養家庭度過一段淒涼的童年，此一創傷成為她人生無法平復的痛，而她迷戀上鮑比時，又遭對方冷淡以對。八月，她被發現死於服用過量安眠藥，甘迺迪家兩兄弟湮滅任何關於和她之私情的證據。她的人生是「美國世紀」最盛時期美國魅力的化身，她的死則體現了美麗的脆弱和名聲的險惡。

封鎖加強時，他「像個駁船船員」咒罵，氣得跺腳。「我要壓碎那條蝰蛇！」他咆哮道。約翰．甘迺迪是「百萬富翁的妓女」。

赫魯雪夫漸漸平靜下來時，甘迺迪把賈姬和孩子送出華府，把戒備狀態升到二級，[35]離戰爭只一步之遙。赫魯雪夫為此驚恐，告訴米高揚，他要撤回飛彈，以換取「美國人保證不攻擊古巴」。他口授了一封東拉西扯的長信，信中既表示要和平，又表現反抗姿態。但危機仍在升級：卡斯楚下令擊落任何美國飛機，為美國即將入侵備戰，徹夜不眠在蘇聯大使館喝啤酒，吃香腸。就是這時，他斷定最好的辦法是核戰。

赫魯雪夫一直有在讀《華盛頓郵報》十分具影響的專欄作家沃爾特．李普曼（Walter Lippman）的譯文，李普曼建議了一個解決辦法：美國從土耳其撤走飛彈，以換取蘇聯從古巴撤走飛彈。放眼歷史，像他這麼有影響力的新聞從業人員，那是絕無僅有。赫魯雪夫懷著這個構想，送出了修好意味較淡的第二封信給約翰．甘迺迪，甘迺迪派其弟和蘇聯大使討論此計畫。總統心情變得較輕鬆，特別助理戴夫．鮑爾斯替他叫來他的少女情婦，實習生咪咪。約翰．甘迺迪和她聊天，但他「表情嚴肅……就連他的俏皮話都讓人覺得不怎麼帶勁，像葬禮上講的話」：他說，「我寧可讓我的孩子成為共產黨員，也不要他們死，」然後要她自己一人上床，他則看電影《羅馬假期》（*Roman Holiday*）。

美蘇兩國領袖正向達成協議的方向走，但軍人和武器仍在往戰爭的方向行動。赫魯雪夫這時收到卡斯楚的來信：「帝國主義者可能對蘇聯發動核打擊，」費德爾暗示，所以「此刻」會是對美國發動核打擊的「最佳時機」。「不管此決定有多困難、多可怕，我相信都沒別的路可走。」直到二十一世紀的今天，這仍是出自領導人之手的最可怕信件。赫魯雪夫大為驚駭：「有人向我們朗讀了此信，我們安靜地坐著，面面相覷好一陣子。」

「你提議我們率先施行核打擊，」他寫信告訴卡斯楚。「這不會是簡單的攻擊，而會是熱核武器世界大戰的開端。」

卡斯楚回道，「我們知道，一旦爆發熱核戰爭……我們會死光，而如果此事發生，掀起此戰爭的狂人要擔心受到什麼處置？」

蘇軍士兵獲准用任何非核武抵抗，而他們的確擊落一架美國飛機，要了一個飛行員的命。鮑比告訴蘇聯大使，他的哥哥能在「四至五個月內」撤回在土耳其的飛彈，但「不能公諸於眾」，還說「事不宜遲」。這絕非誇大之詞：在百慕達外海，美國軍艦投下非致命深水炸彈，向配備核武的蘇聯潛艇B－59發出信號，要求浮出水面。但B－59的軍官未與莫斯科取得聯繫，只透過美國廣播電台知道談判情形。十月二十七日正午左右，艦長薩維茨基（Savitsky）相信兩超強已交戰，下令發射一枚T5核飛彈：「一號、二號（核）魚雷管準備發射！」但以此潛艇作指揮所的蘇聯潛艇支隊指揮官阿爾希波夫（Akhipov），否決他的決定，說服他浮出水面。到了水面，一艘美國船用探照燈打信號表示友好。薩維茨基弄清楚情況，下令「停止發射準備」。這是世界最接近於核戰的一刻。

35 自一九五九年起，美國國防部一直在發展「可存活」的通訊系統，以備電話線路和無線電台毀於核武攻擊時依舊能通訊。保羅．巴蘭（Paul Baran）是在波蘭出生的猶太裔科學家，這時為蘭德公司（Rand Corporation）效力，其家族於一九二八年來美。巴蘭剛創造出一種低成本且快速的新方式來傳送數據，把數據分割成數個他所謂的「訊息區塊」（message block）來傳送，並在其《論分散式通訊》（*On Distributed Communications*）裡發表其研究成果。與此同時，英國工程師唐納德．戴維斯（Donald Davies）透過他所謂的數據「包」（packet）發展同樣的構想，此舉正說明「發現」是知識積累的結果。一九六七年，兩人分享他們的「封包交換」（packet switching）構想，巴蘭告訴戴維斯，「你我二人對於封包交換的用意看法一致，因為你和我各自提出同樣的組成部分。」一九六九年，五角大廈的高級研究計畫局（Advanced Research Projects Agency）利用他們的研究成果，創造出一個讓電腦與電腦通訊的網路。接下來二十年，許多科學家發展此科技，從而有網際網路、電子郵件問世。

在莫斯科郊外位於新奧加廖沃（Novo-Ogarevo）的別墅裡（後來成了普丁的官邸），赫魯雪夫說服他的兩個同志——米高揚和他所提攜的虛位國家元首列昂尼德・布里茲涅夫（Leonid Brezhnev）——接受約翰・甘迺迪拿古巴換土耳其的提議：「為了拯救人類，我們應撤退。」

在華府，約翰・甘迺迪如釋重負。「我覺得自己像換了個人，」他告訴鮑爾斯，「你可知道我們已安排好週二空襲。謝天謝地此事落幕了。」但赫魯雪夫通知哈瓦那時，卡斯楚挑明不願照辦。赫魯雪夫說，「我們提出友善的建議：展現耐心、克制和更強的克制。」儘管米高揚的妻子阿什肯（Ashken）在莫斯科奄奄一息，赫魯雪夫還是派遣他去哈瓦那。在那裡，米高揚告訴卡斯楚，飛彈要撤回蘇聯。卡斯楚私底下罵赫魯雪夫「混蛋……笨蛋，」並痛斥「沒種！同性戀！」後來，在十一月二十二日的一場會議上，卡斯楚拒絕讓聯合國人員入境檢查，怒罵米高揚：「我們不同意撤走飛彈……你們把我們當什麼？無關緊要的東西，一塊髒破布。」然後他爭取核武。

卡斯楚：我們冒了險……甚至做好打核戰的準備……

米高揚：我們也準備好為古巴犧牲。

卡斯楚：蘇聯不像其他國家轉移核武。

米高揚：我們有禁止轉移核武的法律規定。

卡斯楚：有沒有可能把戰術核武留在古巴……

米高揚：不行，費德爾同志，那不可能。

米高揚得知其妻子已去世，派兒子塞爾戈（Sergo）[36]回國奔喪。赫魯雪夫不識禮數，拒絕出席她的葬禮：「我不喜歡參加葬禮，那不像參加婚禮不是嗎？」彈道飛彈撤走，連美國人所不知情的原子彈和戰術核武也撤走。

危機落幕。

赫魯雪夫譴責這個古巴人：「他太年輕，所以行為不當。」但他說，這場危機已表明「我們是世界俱樂部的成員」，並為自己辯解：「沒必要像沙俄軍官那樣在舞會上放個屁，就羞愧的開槍自盡。」這丟臉的程度甚於在舞會上放屁。約翰．甘迺迪得意道，「我割了他的卵蛋，」並重拾他和咪咪的婚外情。甘迺迪和赫魯雪夫在這場較量中互相恐嚇，他們透過助手暗示兩國該是時候削減核武，並同意建立熱線——其實是一台電傳打字機——以避免日後再生危機。雙方各測試了熱線——美方引用了莎士比亞的句子，蘇方引用了契訶夫的句子：熱線的動用會比任何人所料想的還來得早。

約翰．甘迺迪說，「我們難以讓人相信我們的強大，而越南看來就是這樣的地方。」赫魯雪夫把胡志明看成共產主義「聖徒」，但對越南人的支持有限，密切注視增派到泰國和南越的美國人員。古巴事件後，甘迺迪志得意滿，痛恨最像他的兩個亞洲領導人——也被這兩個人痛恨。

36　塞爾戈．米高揚以助手身分陪在他父親身邊，後來向本書作者講述了這趟古巴之行的戲劇性情景。「我父親說，『世界的未來取決於我的不負使命。就這樣。』可想而知，這趟飛行氣氛很緊繃，但我父親始終冷靜。高度緊張的氣氛，他習以為常：畢竟他已和史達林共處了三十年！」

施亞努和伊朗國王

名為王子但實為國王、具有群眾魅力的花花公子施亞努，這時正和還未成年的歐亞混血美貌王后莫尼克（Monique）熱戀。莫尼克後來成為他的正宮王后，常被比擬為賈姬．甘迺迪，但她的角色不只是情人，正致力於使柬埔寨保持中立。施亞努加入由納瑟、尼赫魯、蘇卡諾領導的不結盟運動，該運動的立場強烈倒向蘇聯。但在中南半島，即使美蘇同意讓寮國成為中立國，真正中立的空間並不大。經過法國人撤走後的一段休養生息，胡志明和其較年輕且較具侵略性的同志黎筍，命令武元甲將軍滲透這時由另一個兄弟檔——總統吳廷琰和其兄弟——統治的南越。[37]

甘迺迪把駐越美國軍事顧問的人數從一千人增為一萬六千人，逼施亞努抵抗共產黨進犯。美國中情局批准暗殺施亞努，暗殺行動由吳家兄弟統籌，但施亞努逃過炸彈暗殺。甘迺迪本人也對吳家兄弟反感，他們殘酷鎮壓了愈演愈烈的佛教徒抗議。一九六三年十一月，就在約翰．甘迺迪前往達拉斯的二十天前，吳家兄弟遭他們的將領罷黜，死於刺刀下。但瑈夫人人在國外，躲過一劫。施亞努開始親中，極反感於約翰．甘迺迪的威嚇。

約翰．甘迺迪和當時的伊朗國王有許多共通之處——年紀相當，都是體格健壯的花花公子，兩人的父親都是個性專橫、靠自己本事打出天下者，兩人都娶了冷血的時尚偶像。但可悲的是，王后索拉婭生不出孩子；四十歲的伊朗國王懇求她讓他娶第二個老婆後，兩人離婚，一九五九年他娶了活潑開朗的年輕建築系學生法拉赫．迪巴（Farah Diba）。結婚時，這個新娘子穿著聖羅蘭所設計的禮服。比起國王本人，法拉赫較自由主義，較願意接受改變。兩人有兩個兒子、兩個女兒，而她的優雅也被人比喻為有賈姬．甘迺迪之風。約翰．甘迺迪和穆罕默德．巴勒維都愛玩女人，而且不惜為此冒險，都是巴黎老鴇克勞德夫人

（Madame Claude）的客戶。[38]

但這兩位領袖互看不順眼。自摩薩台十年前下台，巴勒維主政下的伊朗已成為此地區蒸蒸日上的強權。他一邊解決層出不窮的陰謀，一邊和西方重新洽談石油協議，並於一九六〇年成為石油輸出國家組織（OPEC）的創辦人之一，與沙烏地阿拉伯人、以色列人都打下深厚交情，尊敬且喜歡以色列人。巴勒維使美蘇兩強互鬥以從中得利，然後選擇美國為盟友，但痛惡美國人干預。他創立祕密警察組織「SAVAK」，以獵捕共產黨人和對抗層出不窮要不利於他的陰謀，許多共產黨人遭他處決。

約翰·甘迺迪認為這個伊朗國王是無能的暴君，勸他任命甘迺迪的盟友為總理。伊朗國王一身傲氣，

37 在越南的小小菁英圈裡，胡志明和年紀較小的武元甲都讀過法語學校「國學中學」（Quoc Hoc）。此校位於順化，由信天主教的越南籍官員創立，該官員就是總統吳廷琰的父親。武元甲和吳廷琰同時就讀該校。吳廷琰當上省長後與日本人合作反法。他被安南的末代皇帝任命為首相，後來廢除君主制。擔任總統時，這個終身不娶、清教徒似的天主教徒，領導一個由盜賊統治的凶殘王朝，身邊圍繞著年輕帥氣的男子。他的弟弟吳廷瑈，欣賞希特勒，吸毒成癮，掌理吳廷琰的政黨和祕密警察，並以納粹黨衛軍為師組建祕密警察組織；吳廷瑈的妻子瑈夫人漂亮、暴烈，始終以性感迷人的裝扮示人，手槍不離身。至於此家族的其他成員，哥哥吳廷俶是天主教順化教區總主教，弟弟吳廷練是駐英大使。但他們全都住在總統府裡。瑈夫人似乎總是精神抖擻，而且令她的總統丈夫害怕，宣稱「權力很妙，十足的權力十足的妙」，道德觀強烈，燒色情圖書，欲禁止賣淫——同時抱怨她丈夫冷落她，不和她上床。佛教僧人自焚以抗議吳廷琰迫害時，瑈夫人說他們「烤肉」，說「就讓他們燒吧！」並威嚇她的敵人：「我們會把這些患有疥癬的綿羊全揪出來殺死。」越南人對她深惡痛絕；美國人對她則半驚駭，半著迷。

38 「有兩樣東西，人始終會願意花錢買：食和性，」克勞德夫人說，「而我不善於煮食。」克勞德，本名費爾南德·格呂戴（Fernande Grudet），經營巴黎首屈一指的妓院，專門提供老練的中產階級女孩，往往是兼職賣淫的二流女演員和女模。她的妓院簡直是整個一九六〇年代法國情報機構在色情業裡設的分支，她的客戶包括電影明星（例如馬龍白蘭度）、富豪統治階級成員（羅斯柴爾德家、義大利飛雅特汽車大亨阿涅利〔Agnelli〕、後來娶了賈姬·甘迺迪的希臘船王亞里斯多德·歐納西斯〔Aristotle Onassis〕）、從伊朗國王巴勒維、沙烏地國王紹德的白手套穆罕默德·卡舒吉到美國總統甘迺迪的多個掌有實權者。值得注意的是，甘迺迪上門買春時，要求提供「像賈姬但火辣」的女孩。

打算革命和重整軍備；他雖然火大但同意此議，他相信甘迺迪想要推翻他。伊朗國王和法拉赫赴白宮訪問甘迺迪時，會晤氣氛冷淡。返國後，巴勒維堅決處置諸位阿亞圖拉，甘迺迪因此終於相信他可能是有用的盟友。

一九六三年一月九日，巴勒維發動了「國王與人民革命」，以達成工業化、分配土地並賦予女性權利，但此舉觸怒以魯霍拉．何梅尼為首的烏理瑪（ulema，即伊斯蘭教法學家）。這個一臉怒相的六十三歲阿亞圖拉，似乎正是中世紀毛拉（mullah）*的典型，但他也追求創新。在伊斯蘭敢死隊這個由恐怖主義極端分子組成、且已暗殺數個部長的祕密組織支持下，何梅尼正在發展一個極不尋常的想法。這個想法要求徹底拒斥世俗統治，主張什葉派教徒既等待隱藏行蹤的馬赫迪（Mahdi）現身救世，就該接受一個伊斯蘭教法監護者（velayat-e faqih）統治，而何梅尼大概已以該監護者自居。烏理瑪的大部分成員認為，此想法即使談不上古怪也背離正道。

一九六三年六月三日，阿舒拉節（Ashura）那天，何梅尼譴責「可惡可憐」的國王，把他比擬為在歷史上的同一天殺掉第一個伊瑪目胡笙（imam Husain）的奧瑪亞王朝（Umaya）哈里發雅季德（Yazid）。伊朗國王找上他所信賴的總理阿薩多拉．阿拉姆，阿拉姆是個溫文有禮的地主，他放棄了自己的土地，起訴了貪污官員。「槍炮在我的手上……我會把他們的母親撕碎。」六月五日，阿拉姆逮捕何梅尼，激起數日暴動，軍隊敉平暴動，槍殺了四百人。國王要他所信賴的阿拉姆暫時退下，任命新總理哈桑．阿里．曼蘇爾（Hassan Ali Mansur）。曼蘇爾痛斥何梅尼，甩他耳光。被流放到伊拉克了，何梅尼下令暗殺曼蘇爾。但伊朗國王已經勝券在握。何梅尼變得無關緊要且無人聞問。

巴勒維任命其友人阿拉姆為宮廷大臣，這個職位在專制君主國裡比總理還重要，從而為他落實革命爭取了時間。他的目標令人激賞，但執行上存在缺陷，然而這個國王如願將伊朗提升為「一個廣大地區的關鍵」，接收到大量美國軍備，同時支持西方盟友摩洛哥、約旦、以色列。[39]伊朗支持伊拉克境內庫德人的叛亂，藉此反制激進的伊拉克。

阿拉姆敬佩這個伊朗國王，視他是一個「堅決且嚴苛的改革者」，他是一位重視能力與實績的人，常喜歡說：「巴勒維家起始於何處？我父親是來自省區的普通士兵。」這個國王親自談判每件事務，誰也不信任，抱怨壓力大。他的娛樂和其他任何掌有實權者的娛樂幾乎一模一樣，但阿拉姆的日記透露了其中細節。與法拉赫的婚姻幸福美滿，但他和阿拉姆喜歡邀請「訪客」——克勞德夫人旗下的應召女，她們報酬是珠寶。他說性是他「唯一的消遣……若非有這個小小的嗜好，我會徹底完蛋，」想法讓人覺得和約翰・甘迺迪如出一轍。王后法拉赫聰明、敏感，「具有溫和的影響力」，不喜歡阿拉姆，知道「她丈夫和我一起亂搞女人」。

在國內，這個伊朗國王的政策已創造出一批識字的中產階級，數百萬農民搬到城市工作。但這個國王不讓人民參與國家治理，賣石油所得被浪費於奢侈品、貪污、軍備，而非用於減貧；祕密警察組織則以嚴刑拷打消滅異議。但誠如他的友人愛丁堡公爵告訴本書作者的，「這個伊朗國王讓世人認識到，如果你想要什麼事都親力親為，會很危險且難做到。」這個國王得意忘形而且愈來愈自大，覺得自己得勢是天意——而他在白宮的那個敵人去達拉斯打選戰時，正證實此看法。

---

* 編注：毛拉（mullah）為伊斯蘭教中的一種尊稱，意譯是先生、或老師，通常指受過伊斯蘭神學與伊斯蘭教法教育的人。地區的伊斯蘭教士與清真寺領導者通常被稱為毛拉。

39 以色列仍倚賴法國軍火，但戴高樂已結束核子援助。美國剛要開始供應以色列軍火，但約翰・甘迺迪憤怒於以色列的核武計畫。該計畫的主持人希蒙・裴瑞斯來到白宮時，約翰・甘迺迪向他問起核武的事；他刻意含糊以對，「我可以清楚告訴你，我們不會把原子武器引入該地區。我們不會是第一個這麼做的國家。」

甘迺迪退場：詹森和馬丁・路德・金恩

一九六三年十一月二十二日，約翰・甘迺迪與一身粉紅色香奈兒套裝、盡顯其時髦高雅的賈姬一同乘坐敞篷禮車，行駛於達拉斯市區時，遭刺客開槍擊中他的頭顱和喉嚨。刺客名叫李・哈維・奧斯華（Lee Harvey Oswald），大概是獨力犯案。他的腦漿噴濺在賈姬的套裝上時，賈姬爬離禮車後座，獲一名保鑣解救，車隊則在此時快速駛至醫院。在醫院，總統被宣告死亡。繼任總統的林登・詹森（Lyndon Johnson），在空軍一號總統專機上宣誓就職，身旁站著仍穿著沾有血污香奈兒套裝的賈姬。詹森是德州人，身形高大，凶狠，靠自己本事出人頭地，屬於控制政黨以牟取私利的一個派系，在國會參眾兩院打滾多年，很不喜歡副總統一職（「毫無價值，」詹森引用小羅斯福一位副總統的話說道）和自鳴得意的甘迺迪家兄弟。

詹森下令首度使用熱線，以將此暗殺事件告知莫斯科。赫魯雪夫擔心美國把此案怪在蘇聯頭上，相信是保守派為了阻止華府與莫斯科修好而將約翰・甘迺迪殺害。赫魯雪夫派米高揚出席甘迺迪葬禮，一九二四年列寧出殯時，米高揚是抬棺人之一。

詹森的領導風格係「如果你操不了一個男人的屁股，那至少賞他老二一巴掌——讓他知道誰是老大，好過讓他拿到車鑰匙。」而他上台的表現讓人大感意外，他決意貫徹公民權。他很反感自己對甘迺迪家所該表現出的尊敬。此時，鮑比一邊悲痛哥哥的逝去，一邊趁著哥哥的遺孀賈姬心情悲痛，和她搞在一塊。詹森看鮑比和他的「哈佛幫」很不順眼；鮑比看他亦然。「鮑比，你不喜歡我，」詹森曾對他說。「你哥哥喜歡我……你為何不喜歡我？」鮑比坦承詹森是「我所碰過最難對付的人。他能把強者吃掉，」但他私下認為詹森「幾乎像隻野獸」。詹森讓鮑比留任司法部長，負責民權事務。

詹森保證，「直到正義無視顏色，直到教育未察覺到種族，直到機會與人的膚色無關，解放才會是事實，而非只是宣示。」但他的正派始終離不開粗魯的務實主義：「我會讓那些黑＊在接下來兩百年都把票投給民主黨。」一九六四年七月二日，民權法案明令禁止種族歧視和種族隔離。一九六五年三月，馬丁．路德．金恩在阿拉巴馬州的塞爾瑪（Selma）發動爭取投票權運動，那天「血腥週日」（Bloody Sunday）的警察暴行讓世人看出，吉姆．克勞法一如蓄奴制一樣，是建立在暴力上。金恩在愛德蒙佩特斯橋（Edmund Pettus Bridge）上主持祈禱會的兩天後，美國總統史上最成功的立法者詹森支持「投票權法案」，一九六五年八月六日簽字批准該法案成為法律。金恩感動落淚：經過三百年的蓄奴和種族隔離，非裔美國人的解放開始。但要推翻幾百年的偏見，需要的不只是兩部法令。

伊朗國王巴勒維未對甘迺迪的死表示悲痛，甚至起草了一封批判性的信要送給詹森，阿拉姆拒絕發出該信；但巴勒維本人也活在槍枝陰影下。他已挨過刺客一次槍擊。甘迺迪遇害後不久，有個皈依伊斯蘭教的侍衛欲在巴勒維辦公室槍殺他：他躲掉機槍子彈，然後一派冷靜繼續其日常工作，說「小偷絕不闖同一間房子兩次。」

在克里姆林宮，詹森面臨一個新團隊。無性命之憂但受辱的卡斯楚，除了原諒赫魯雪夫別無選擇，但赫魯雪夫自己的同志原諒不了他。一九六四年十月十三日下午四點，七十歲的赫魯雪夫走進克里姆林宮的蘇共中央主席團會議室。他原在黑海畔的阿布哈茲（Abkhazia）度假，突被布里茲涅夫叫回來：「沒有你，我們無法做決定！」赫魯雪夫飛回。會中，布里茲涅夫突然譴責他獨裁、犯錯、飲酒過量、「違反列寧思想」、「邊吃午餐邊做決定」、把中央主席團稱作一群「在路緣石上撒尿的公狗」。此時尿液是朝著赫魯雪夫來的。

五十七歲的列昂尼德．布里茲涅夫，綽號「利奧尼亞」（Lyonia），壯碩、濃眉、樸實、開朗，自一九三〇年代起一直受赫魯雪夫提攜，他是一個來自烏克蘭東部的俄羅斯車床工人的兒子，曾和其恩公服務於烏克蘭前線，後來被史達林相中，予以提拔。他是當年逮捕貝利亞的那群人之一，支持赫魯雪夫對付走史達林路線的黨政要員（並在這場大戲演到一半時暈倒），被晉升為黨的副領導人。但他不贊成譴責史達林，尷尬於赫魯雪夫的亂發脾氣，對古巴事件喪盡顏面的收場至為驚駭。赫魯雪夫曾嘲笑布里茲涅夫，說「戰前，那些小伙子替他取了綽號『芭蕾女伶』，」因為「任何人想要他轉，都能如願以償。」一九六四年六月，布里茲涅夫開始密謀拉下他，但緊張到差點哭出來——「赫魯雪夫什麼都知道。一切都完了。他會槍斃我們」——甚至在日記上造假：「見尼基塔．謝爾蓋耶維奇（Nikita Sergeievich），愉快的會面。」布里茲涅夫找來克格勃，建議他們殺掉赫魯雪夫或安排他的座機出事。但一九六四年十月，赫魯雪夫在皮聰大（Pitusunda）度假時，布里茲涅夫設下陷阱，打電話要他回莫斯科。

「你得了狂妄自大病，」一個黨政要員對赫魯雪夫吼道，「而且這病治不了。」但古巴才是他最大的罪過。「把世界的命運當雜耍玩，」另一個黨政要員說。又一個黨政要員說，「不管是俄軍，還是蘇軍，都未曾受到這樣的恥辱。」

「我不能違背良心，」布里茲涅夫總結道。他主張「將赫魯雪夫同志撤職，將他那些職務分派出去。」

赫魯雪夫說，「你們聚在一塊對我潑屎，而我無法反對……我老了，累了。」但他真正的成就在哪？「恐懼沒了，我們能平起平坐對談。那是我的貢獻。」赫魯雪夫未被槍斃。米高揚成為國家元首，資深黨員阿列克謝．柯錫金（Alexei Kosygin）成為總理，布里茲涅夫成為黨的領導人，不久後襲用史達林的舊頭銜「總書記」。但他不是史達林之流，也不是赫魯雪夫之流。

哈希姆家族和甘迺迪家族、毛澤東家族、尼赫魯家族、阿塞德家族

芭蕾女伶利奧尼亞：掌權的布里茲涅夫

布里茲涅夫精力充沛、機敏、本性敦厚、幽默，做事謹慎且務實，總愛開玩笑、替人取綽號、放聲大笑。他對美國政治和外國領導人的評價出奇中肯，而在克里姆林宮裡，他想要「贏得與他交談者的支持，創造自由且開放的對話氣氛」，斯達夫羅波爾（Stavropol）市的年輕書記米哈伊爾・戈巴契夫（Mikhail Gorbachev）如此憶道。布里茲涅夫則老是拿戈巴契夫的「綿羊帝國」來取笑他。布里茲涅夫是嗜愛喝酒、打獵的農民（muzhik），愛玩女人，既虛榮又自我貶抑，熱中於蒐集跑車和不配得到的獎章：拜訪柏林時，他的東德附庸何內克（Honecker）送他一輛新賓士車，他不要命飆車，一個急右轉把車撞壞。

把自己升為元帥後，他因為吼道「給元帥讓路」而遭嘲笑，但談到馬克思主義學術研究時，他開玩笑說，「你不會指望利奧尼亞・布里茲涅夫真的讀過那些吧。」他堅持寫日記，日記內容沉悶，帶有哈布斯堡王朝風格：「殺了三十四隻鵝」是日記裡典型的記載。「跟著利奧尼亞，我所必須做的事，就只是說些笑話，」克格勃首腦塞米恰斯特尼（Semichastny）憶道，「就這樣。」儘管美國人相信蘇聯人是傀儡的操縱者，但越南人卻做出了自己的決定，而毛澤東這時則要走自己的路。

在河內，隨著受尊敬的胡志明退休，黎筍升級了戰爭，派四萬正規軍士兵滲入南越，以和八十萬越

共游擊隊聯手。詹森說，「必須用武力粉碎共產主義威脅。」[40]至一九六五年底，他已部署二十萬兵力在越南，開始轟炸北越。對於美國加大涉入越戰，他輕描淡寫：「如果你的岳母只有一隻眼睛……就長在額頭中央，」他解釋道，「你不能把她留在客廳。」當時的施亞努，身為柬埔寨國家元首，正處於其權利巔峰，專制統治，發表冗長演說，誇耀自己的性感魅力，與他的樂隊一起演出他自己創作的爵士歌曲，還親自上陣製作由他漂亮的女兒主演的芭蕾舞劇。他也暗殺反對者，讓王后莫尼克的家人在越南的亂局波及到柬埔寨時發大財。

越共以柬埔寨、寮國和越南接壤的邊境地帶作為進入南越的補給線——胡志明小徑。一九六四年，與訪問金邊的周恩來交情深厚的施亞努，允許透過柬埔寨將中國物資運送給越南人——即施亞努小徑——作為回報，柬埔寨獲得了一部分軍事裝備。隨著美國部署更多兵力，施亞努立場轉左，把喬森潘（Khieu Samphan）拉進其政府裡。喬森潘是馬克思主義知識分子，在法國巴黎索邦大學留過學，係沙洛特紹這個教師所領導的祕密毛派的成員。施亞努指責喬森潘支持農民叛亂，在公開場合讓喬森潘難堪，喬森潘隨即消失無蹤。許多人以為他死了。沙洛特紹進入叢林和喬森潘會合，飛到北京，在那裡受到副總理鄧小平招待。但看出沙洛特紹的恐怖潛力者，是毛澤東的祕密警察頭子康生。一九六六年，中國開始和施亞努反目時，他意識到北京就要生變。

蠍子之吻和小鋼炮下台：毛澤東放江青咬人

一九六五年十一月，忍受了三年來反對派的聲勢日漲後，七十一歲的毛澤東叫來妻子江青，要她草擬一份革命宣言。江青是女演員出身的文藝政委，欣賞傳統電影和傳統戲曲，卻淪為黨國庸俗宣傳的執行者。文化是工具，目的是「懲罰我們這個黨」，懲罰對象是「反毛澤東思想的黑線」。江青看著他和他的後宮女舞者尋歡作樂，心裡很不是滋味。「在政治鬥爭上，」她評論道，「沒有哪個領導人打得過他，」但是「在私人行為上，也沒人約束得了他。」當她把六十五歲左右的毛澤東和某個護士抓姦在床時，對他大吼，然後離開。她心有所感，送了一張便條給他，便條上寫了《西遊記》裡的一句話：「身回水簾洞，心逐取經僧。」毛澤東養情婦，她則想要闖出一番事業。毛澤東私底下已開始厭惡江青——「心毒如蠍」——但多年來，她一直被黨裡面的要人鄙視。這時她要報仇了。「我是毛主席的一條狗，要我咬誰就咬誰。」後來她說。

毛澤東要她招來林彪共襄大業。林彪是個凶狠、老是懷疑自己健康有問題、瘦骨嶙峋的元帥，不久前被升為副主席，已編了一本收錄毛澤東佳言的紅書。這時，毛澤東承諾立他為接班人。林彪與他同樣神經質的妻子——她因過去的性緋聞傳聞而滿懷怨恨——一同加入了毛澤東的陰謀小集團，還有一身黑衣的情治機關頭子康生。這些人的妻子會興風作浪；眼紅心態會影響這批人的作為；復仇的滋味被喜滋滋地品嘗。

40　詹森看到共產主義到處進逼：一如約翰．甘迺迪，他害怕南美出現「新古巴」，於是鼓勵軍事政變——「一九六四年政變」（Golpe de 1964）——以推翻巴西左派總統若昂．古拉特（João Goulart）。一九六四年四月，古拉特遭軍人推翻，軍事執政團自此統治巴西二十年，逮捕四萬多人，殺害至少三百三十三人（全是被認定為共產黨人者），很可能還另外殺了數百人。在印尼，類似的過程激起冷戰時期最血腥的政變。特立獨行且很會作秀的蘇卡諾不願任由美國擺布，但也嘲笑蘇聯極端保守、傲慢，同時在得民心的共產黨支持下鞏固其獨裁政權。詹森命令中情局推翻他，但蘇卡諾樂在享受他自己的大戲，稱一九六五年是「有失去性命之虞的一年」。但共產黨政變殺害六個將領時，蘇卡諾控制不住他自己的將領蘇哈托。蘇哈托開始肅清共產黨人和支持共黨的華人，殺了五十萬人，其中許多人被砍頭。接下來蘇哈托獨裁統治三十一年。二〇〇一年，蘇卡諾的女兒梅嘉瓦蒂（Megawati）選上總統。

毛澤東的危機是他自找的。一九五八年，他發動大躍進這個失控、瘋狂的工業化運動，以助中國迅速「趕超所有資本主義國家」，為此，迫使農民和工人生產剩餘糧食，以拿去換錢買進更多的鋼、更多的船。他不顧專家的意見硬幹，說「對於資產階級教授們的學問，應以狗屁視之。」賣掉糧食以為購買新技術、新武器提供資金。九千萬中國人被迫建造煉鋼爐，煉鋼爐生產出無用的金屬。不久，農民挨餓：三年間死了三千八百萬人，是為二十世紀最嚴重的饑荒。[41] 一九五八年五月，毛澤東說，「這樣一來，我看搞起來，中國非死一半人不可，」還說，「人死一半，在中國歷史上有過好幾次。」一九五九年，國防部長彭德懷批評大躍進，但遭革職，遺缺由林彪遞補。一九六二年，就連毛澤東的副手，國家主席劉少奇，都在抨擊大躍進：「人民吃的糧食不夠。」劉少奇、總理周恩來、實事求是的副總理鄧小平調降了糧食的徵收額度。

對外，毛澤東一方面和困惑不解的俄國人較勁，一方面展現自己的實力。中國歷史開始翻轉新頁，亦即中國開始以東亞永恆霸權之姿出現——那是中國在唐、明、清的盛世時就已扮演的角色，儘管在這些盛世之間夾雜著數百年的分裂動盪。一九五九年，毛澤東吞併西藏，趕走西藏的年輕聖王達賴喇嘛，尼赫魯歡迎達賴避難於印度。毛澤東決定讓尼赫魯見識一下中國的實力。

尼赫魯已領導世上最大的民主國家十年，追求社會主義計畫經濟項目，發展電力和煉鋼，表面上走「不結盟」路線，但實際上和蘇聯結盟：他批評英法入侵埃及，但同時拒絕批評赫魯雪夫鎮壓匈牙利。他所要克服的難題，係「用公正的方法創造公正的國家」和「在宗教信仰濃厚的國家裡打造世俗化國家」，但他在掃除貧窮或種姓制度上施力甚少，把種姓制度視為印度教文化的一環。他抱著高高在上的貴族心態看待人民。「和印度人民的這些令人振奮的接觸，我樂在其中，」他如此告訴愛德溫娜・蒙巴頓。「用簡單的言語解釋……並打動這些簡單百姓的人心，既累人又令人高興。」但他所承繼的英屬印度苦於武裝叛亂和喀什米爾這個痛處。這些武裝叛亂全遭殘酷敉平。一九六一年，他從葡萄牙手裡奪下果阿（Goa），次年，從法國手裡收下本地治里（Pondicherry）。

尼赫魯已經開始著手為印度採購原子彈。「我們必須有這個實力，」他說。「我們應先讓世人看到我們的本事，再來談甘地，談非暴力，談沒有核武的世界。」赫魯雪夫已訪問過德里，但尼赫魯和周恩來關係最好；他對中國很感興趣，認為在即將到來的亞洲世紀裡中國是印度的主要伙伴。但這時毛澤東不接受由滿清和維多利亞時代英國人所不當劃定的中印邊界。尼赫魯回道，「印度領土寸土都不會失去，」任命一位無能的喀什米爾籍密友為參謀長，命令他趕走中國士兵。

一九六二年十月，中共部隊大敗印軍並往前推進。尼赫魯原本欣喜於自己和中國的結盟關係，這時急忙致電華府，請求美國派來轟炸機。次月，英迪拉的四十九歲生日派對氣氛慘淡。家人問尼赫魯心情如何，他只回道，「中國人已突破塞拉山口。」毛澤東本可以一路打向加爾各答，卻止住腳步。尼赫魯說，「沒有比這更讓我心痛的了。」英迪拉注意到他身體不如從前：「他在苦撐。」一九六四年五月二十七日，當了十八年總理的尼赫魯死於心臟病發，享年七十四。英迪拉已失去她最親密的同伴，乃至失去她的家，因為自獨立以來她一直住在尼赫魯的官邸。她考慮離開印度，在倫敦經營一棟供膳食的寄宿公寓時，國大黨大老選擇拉爾・夏斯特里（Lal Shastri）出任總理。夏斯特里任命英迪拉為新聞部長。她大展身手的日子會得比她預期來得早。

41　由於糧食產量和集約農業方面的提升，儘管全球人口大增，饑荒還是比以往少了許多。一九八〇至二〇二〇年餓死五百萬人，一九四〇至一九八〇年餓死五千萬人，有些饑荒肇因於乾旱，有些肇因於戰時糧食配送不利，但大部分是馬列主義者在蘇聯、中國、衣索比亞所採取和納粹在歐洲所採取的政治方針所致。

對外行動成功未使毛澤東在國內高枕無憂。一九六六年四月，他發表江青和她的「殺文化」宣言，一個「反黨集團」被公開批鬥，林彪宣布凡是批評毛澤東者都該予以「處決」，全國人民必要他們付出鮮血。毛澤東對黨內高官釋出熾烈的怨恨時，林彪在中共中央政治局私下回應了署名「基督山」的匿名誹謗信。該信指控林的妻子婚前就和多個男人上過床，而林彪的回應則是宣讀一份聲明，說林夫人「和我結婚時是純潔的處女」，沒有過性關係。五月，毛澤東一穩住總理周恩來對他的支持，即透過他的「文革小組」詳細策畫了恐怖的文化大革命，[42]命令學生懲罰老師所抱持的任何「資產階級思想」，要學校停課。北京大學教授遭成群的紅衛兵毆打。

七月，毛澤東游長江以展現其強健的體魄。後來他坦承，「我想炫耀一下，」但若非有他的侍衛暗中幫忙，「我會死掉。」在中南海，這個重現活力的七十幾歲老人搬進新寓所，即位於他私人室內泳池旁的房子。在中南海，毛澤東召見其部屬時，侍衛會說「去游泳池見」。

那年八月，毛澤東寫了封信給學生，抨擊「有毒」的黨領導人和「資產階級的傲慢」，下令「炮打司令部」。然後他和林彪一同出席檢閱手持小紅書的紅衛兵。他煽動公開獵巫：煤炭工業部長遭毆打，雙臂被紅衛兵往後拉住，身往前彎——「噴氣式」批鬥方式——然後被小刀刺死。中國全國各地，成群的學生和土匪攻擊他們的長官，從老師到黨領導人都未能倖免。他們開「批鬥會」，遭批鬥者在會中遭毆打，但被迫自證其罪——左派整肅異己的新樣板。

毛澤東一如史達林，是大眾時代的動員高手，主導這場恐怖活動，在他的妻子和林彪的妻子都成為政治局一員時，把林彪升為他的接班人。他保留住日後他可能會需要的人。國家主席劉少奇被斥為「頭號走資本主義道路當權派」，然後他和他的妻子受到噴氣式批鬥，打倒在地。後來，劉少奇罹患癌症，但被棄置不管、剝奪所有治療，最後死於該病。然而，毛澤東尊敬這時負責治理中國的鄧小平，替他取綽號「小鋼炮」。已失去毛澤東寵信的鄧小平，強悍且能幹，但這時被扣上「二號走資派」的帽子，遭撤職，派去江西境內的拖拉機工廠勞動；他兒子鄧樸芳遭折磨，被從建築頂上丟下，保住性命，但下身癱瘓。[43]鄧小平的盟友，副總理習仲勛，遭康生告發，被貶到拖拉機工廠，受公開折磨而後入獄；他十歲大的兒子習近平，在優渥環境裡長大，目睹父親垮台，紅衛兵砸毀他家。他的妻子齊心被迫於可怕的批鬥會上告發自己的丈夫。他們的女兒自殺。齊心選擇陪丈夫流放；在流放地，習仲勛讀亞當·斯密、邱吉爾的著作，但這個難以平復的創傷和十多年的冷遇，令他憤懣、受傷。習近平則被迫參加毛澤東的上山下鄉運動，但逃到北京，被捕後又遣回。直到將近二十歲，他才再見到父母。他成為中國的獨裁者時，未忘記恐怖的文革。「我看到了牛棚（紅衛兵的拘留營）」，他於五十年後說。「我對政治有了更深層次的瞭解。」中國一片混亂：三百萬人遇害，一億人遭撤職，一千七百萬人遭流放或下鄉接受「再教育」，十億本小紅書揮舞於中國大地。

布里茲涅夫對毛澤東感興趣，但也感到困惑。「他是哪種人？」他以納悶口吻對卡斯楚說。「共產主義者，還是法西斯主義者？」或者說不定是中國新皇帝？布里茲涅夫避開毛派的瘋狂，保衛史達林的帝國——「與社會主義敵對的勢力欲使某個社會主義國家轉向資本主義時，它成為……所有社會主義國家的共同麻煩」——但經過古巴事件，他很想和美國一同限制核武，同時透過在非洲的代理人打熱戰。

42　毛澤東與江青所生的女兒李訥，文革期間擔任他的祕書，代他親臨鬥爭會。她變成愈來愈傲慢、愈具威脅性的幕僚。毛澤東提拔她擔任中央文革小組辦事組負責人，但一九七二年她精神崩潰，毛對她變冷淡。

43　一九九〇年代，本書作者在北京見了鄧樸芳。他坐在輪椅上，聊起他的人生時說，「是啊，不妨說我們捱過批鬥才來到這裡。」

納瑟和國王：六月的六日戰爭

對蘇聯來說，非洲是沃土，但與西方的對抗和非洲政治不穩是個難題。「救世主」恩克魯瑪頻頻走訪莫斯科、哈瓦那、北越，但「老爹」烏弗埃與戴高樂的非洲事務軍師佛卡爾協同行動，支持了一場推翻「救世主」的陰謀。恩克魯瑪被自己的軍隊解救，被罷黜，迦納從此陷入日益獨裁和貪腐的局面。烏弗埃是諸多倒向西方的統治者之一。一九六四年十二月十二日，時年六十六歲、不久前才擺脫軟禁的肯亞塔選上總統。「燃燒的矛」和善可親、喜歡享樂、誇張做作，娶了四個老婆，最後一個老婆恩吉娜（Ngina）比他小三十四歲，和他一樣外向活潑，但無恥積聚了龐大財富。他最終打造了一黨專政體制，被擁戴為「老主子」（mzee），習慣揮舞他的揮子，常穿著從頭至腳的豹皮長袍，透過由基庫尤族親信組成的統治集團支配肯亞，[44]讓這些親信瓜分民脂民膏，把自己家族打造成肯亞最大的地主，並和他的盟友，盧歐族財政部長湯姆・姆博亞起衝突。

與此同時，姆博亞幕下的老巴拉克・歐巴馬從哈佛回來加入此菁英集團。他的前妻安，這時是正格的人類學家，與其印尼籍的新丈夫住在雅加達，歐巴馬的兒子小歐巴馬和他們住在一起。老歐巴馬的新老婆，白人猶太裔的露思・貝克（Ruth Baker），則來到奈洛比和他團聚。歐巴馬博士成為姆博亞財政部的高級經濟學家，看來就要過上好日子。結果不然，而且他此後只會和小歐巴馬再見一次面。

肯亞塔把蘇聯人拒於肯亞門外；埃及則較願意接受蘇聯。布里茲涅夫用蘇聯軍火、顧問、情報支持納瑟，以對抗西方的盟友以色列。納瑟準備開戰，把他長期任職軍中的密友阿布杜・哈基姆・阿梅爾晉升為陸軍部長和元帥。阿梅爾身材瘦長、落拓不羈，但桀傲不馴，納瑟欲控制軍隊遭他抗拒。他常參加有女孩、毒品的派對，而納瑟患有糖尿病和心臟問題，苦於壓力大和失眠。在國內，納瑟的寶貝女兒愛上風頭甚健的年輕工程師阿什拉夫·馬爾萬（Ashraf Marwan）。這個獨裁者覺得將軍之子馬爾萬不可靠，但莫娜（Mona）非他不嫁，然後他的新女婿成為總統辦公室一員，過了一段倫敦式的豪奢生活。納瑟火大於小倆口的奢華，羞辱了馬爾萬。馬爾萬因此收斂其作風，但會報仇，一雪此辱。

納瑟深受民眾愛戴，在阿梅爾保證軍力沒問題後，信心大增，把要消滅以色列的放話升級為行動。對自己懷有虛妄認知且對此認知信之不移的獨裁者，總會被此妄見吞噬。一九六七年初，以色列反擊巴勒斯坦流亡人士組成的民兵隊襲擊且與敘利亞軍隊交手時，納瑟把西奈半島上的聯合國維和人員打發走，表明他即將動手消滅以色列。布里茲涅夫將以色列打算攻擊敘利亞的情報轉告納瑟。此情報不盡屬實，但納瑟利用它促使敘利亞人開戰。

在位於約旦的前線中段，矮小的哈希姆家族國王胡笙，仍只有三十二歲，已被納瑟斥為「帝國主義走狗」，納瑟主義刺客正伺機要暗殺他。以其曾祖父——麥加的埃米爾——為名，並受教於英國哈羅公學和桑德赫斯特皇家軍事學院（Sandhurst）的胡笙，狡猾、活潑自信、喜歡運動，對美女有獨到的眼光。他是耶路撒冷「尊貴聖所」的守護者，為擔任此職而自豪，但他的性命堪慮。他仍為其遭挖出內臟的堂哥伊拉克國王費瑟的遭遇而悲傷。胡笙統治約旦河西岸，納瑟則認可新成立的巴勒斯坦解放組織（PLO）為巴

44　肯亞塔在肯亞鞏固其權力時，英國人撤離坦干依喀和尚吉巴。一九六四年一月，尚吉巴蘇丹——與阿曼統治者有堂兄弟關係的阿拉伯裔君主——遭遇約翰·奧凱洛（John Okello）領兵入侵。奧凱洛是烏干達籍基督徒，行事癲狂，以救世主自居，靠六百名革命分子拿下此島，欲擒住蘇丹賈姆希德·賓·阿卜杜拉（Jamshid bin Abdullah）爵士，蘇丹乘其遊艇逃走。奧凱洛下令殺光十八至二十五歲的阿拉伯人，輪姦所有女人，但禁止強姦處女。兩千名阿曼人遇害——為數百年的奴隸買賣報仇。但陸軍元帥奧凱洛鬥輸幾個神志較正常的領袖，這些領袖於試圖強行建立馬克思主義共和國未果後將他驅逐，與坦干依喀談成合併，是為坦尚尼亞。這個蘇丹最終退居阿曼：他的堂兄弟如今仍統治阿曼。

勒斯坦人的合法代表。該組織由年輕激進分子亞西爾．阿拉法特（Yasser Arafat）掌控，阿拉法特生於開羅，但在耶路撒冷的馬格里布區（Maghrebi Quarter）度過部分的成長歲月。

這時，納瑟召見這個矮小的國王。納瑟可能會在開羅逮捕他或殺了他，但胡笙默然同意前去。高了胡笙一大截的納瑟語帶威脅地開玩笑說，他不會逮他，但要求由他掌管約旦軍隊。胡笙屈服。納瑟說，「我們的基本目標會是滅了以色列。」

在邊界另一頭，以色列人心惶惶。他們的總理列維．艾希科爾（Levi Eshkol）優柔寡斷、年紀大、膽怯。菸癮大、言語精簡、金髮的參謀長易伊扎克．拉賓（Yitzhak Rabin），一九四八年特種部隊的指揮官，幾乎要垮掉。人民憂心性命不保，民意壓力湧向艾希科爾，艾希科爾屈服於公眾要求，任命像海盜一眼戴著眼罩的摩西．戴揚為國防部長。用裴瑞斯的話說，「戴揚有獨到見解、長得帥、很聰明，」是生於以色列的基布茲成員、業餘考古學家，身邊不能沒有女人，說得流利的阿拉伯語，有許多阿拉伯族友人。他於阿拉伯人叛亂期間受英國突擊隊員訓練過。戴揚和拉賓設計了先發制人戰術，先打埃及，再打敘利亞，以此警告胡笙勿蹚這場衝突的渾水。

一九六七年六月五日拂曉，以色列飛機——法國所供應的幻象戰機——打掉埃及空軍，然後以色列部隊攻破埃及防線，拿下西奈半島，兵鋒抵達蘇伊士運河；元帥阿梅爾下令反攻，聲稱勝利，然後倉惶撤退。戴揚揮師轉北，打垮敘利亞，拿下戈蘭高地。胡笙緊張看著戰局；阿梅爾吹噓拿下具重大歷史意義的勝利，命令約旦攻擊以色列。胡笙派其阿拉伯軍團進場。戴揚擊潰該軍團，占領約旦河西岸，然後，兩千年來頭一遭，使耶路撒冷重新統一在猶太人統治下，那一刻以色列人心中湧起近乎玄妙的興奮。以色列打贏六日戰爭，使局面大大改觀：世界各地猶太人為此慶祝，且數千人在耶路撒冷哭牆（Kotel，猶太聖殿殘存的一段牆）邊祈禱，以色列一時信心暴棚到了過度自信的程度。依照冷酷的戰略設想，應把猶太和撒馬利亞兩地的部分地區，以及戈蘭高地、西奈半島，繼續拿在手裡，以使以色列這個狹長國家一定的戰略縱深。但這場勝利使許多巴勒斯坦人落入以色列統治，並且在以色列的世俗性、社會主義性質傳統底下，喚醒一股要求讓以色列人定居於古王國之故土的宗教性民族主義。對許多以色列人來說，耶路撒冷——神聖的錫安（Zion）——成為「不可分割」且「永遠」的以色列首都。

納瑟趕去陸軍司令部，在那裡和阿梅爾差點打了起來，然後「老大」納瑟透過電台宣布辭職。數百萬人聚集於他的官邸外，喊著「我們是你的軍人，迦馬爾！」重新掌權的納瑟將在軍官支持下試圖奪權的阿梅爾革職。在納瑟自宅，納瑟站在阿梅爾面前，下令將他逮捕，攆出去：阿梅爾若非自殺身亡，就是被殺掉。「老大」悼念他「交情最深的人」，並拜訪布里茲涅夫以取得武器。納瑟告訴布里茲涅夫，「我如果是以色列領導人，絕不會放掉已占領的領土。」眼看自己的盟友大敗，布里茲涅夫透過熱線確認詹森不會插手。

暗殺：甘迺迪、馬丁．路德．金恩、姆博亞

詹森被越戰搞得焦頭爛額，又面臨敵人鮑比．甘迺迪挑戰，無餘力插手中東。鮑比這時是紐約州的聯邦參議員，已轉型為鼓舞人心的勵志性自由主義者，把自己打造為日益厭惡這個總統的民心的代言人。「有些人眼裡只見到現狀，問為什麼要如此，」他說。「我夢想著從未曾有的事物，問為何不如此。」

共有五十二萬五千美軍士兵正在越南打仗；成千上萬美國年輕人，受甘迺迪和馬丁．路德．金恩號召，抗議一場不公義且思慮不周的戰爭。對一個激進的新世界來說，長髮、喇叭褲、迷你裙成為標配，馬克思主義批判理論和讓人興奮的大麻大行其道，毛澤東和切．格瓦拉成為英雄。這個新的世界向少數真的

經歷過「六〇年代」這個短暫時期的美洲和歐洲年輕人許諾一個充滿愛、包容、平等的烏托邦美夢。

真正為「六〇年代」寫下記錄者，主要是詩人：巴布．狄倫（Bob Dylan）和李歐納．柯恩（Leonard Cohen）都是中產階級家庭的猶太裔孩子——一人來自美國明尼蘇達州、另一人來自加拿大蒙特婁——把自己的詩寫成歌曲。搖滾樂為六〇年代提供了配樂，尤以一波英國搖滾樂團最為亮眼。這些英國樂團由披頭四（The Beatles）打頭陣，但以滾石樂團為代表。滾石樂團的頭號人物，係步態輕盈、厚唇、作出充滿性意味之大膽表演動作的主唱米克．傑格（Mick Jagger）還有擅長即興吉他節奏、風格粗獷的吉他手凱斯．理查茲（Keith Richards），兩人自己創作體現美國藍調風格的歌曲，如今已「征服」了美國；很少有歌曲能像〈（我無法不）滿足〉（[I Can't Get No] Satisfaction）這樣，濃縮了整個六〇年代的叛逆、希望與憤世疾俗。英國當權者害怕這些追求享樂的激進人士，逮捕傑格和理查茲，兩人因擁有毒品遭判刑入獄。但他們最後被《泰晤士報》的一篇社論解救，標題是：〈殺雞焉用牛刀？〉（Who Breaks a Butterfly upon a Wheel?）。他們獲釋，聲望如日中天——他們和其他搖滾明星在接下來的五十年裡，在西方的大眾消費時代，登上新的全球性社會威望的頂峰，和電影明星、運動明星同享此無上光環，地位和先前千百年的國君、武將、教宗不相上下。這些搖滾明星是饒有天賦的音樂家，出身寒微，這時靠著賣出數百萬或上千萬張唱片、在體育館演出致富，搭著特別訂製的飛機赴全球各地演出，情婦、巴結者、毒販隨侍在側。

六〇年代也有其獨具一格的視覺背景：越戰是第一場透過電視呈現於世人眼前的戰爭，電視新聞把流著大汗、神智恍惚的美軍士兵和奇努克直昇機送到觀眾面前。西格蒙德．佛洛伊德的孫子盧西恩．佛洛伊德（Lucian Freud）的畫作，以扭曲的臉細膩呈現人的內心世界，深刻表現這個疏離的世界，比起五〇年代充斥概念的「抽象表現主義派」的畫作，更加激動人心。[45]

這場青年反叛運動就發生在家族的真相被人證實時：一九六二年，兩個科學家，一英國人，一美國人，因發現DNA（去氧核糖核酸）的結構贏得諾貝爾獎。在九年之前，有個頭髮漸禿的科技研究人員走進他所在地劍橋的「鷹」（Eagle）酒吧，向喝到茫然的眾酒客宣布，「我們已找到生命的祕密。」三十六歲的法蘭西斯．克里克（Francis Crick）與只有二十四歲的美國年輕人詹姆斯．沃森（James Watson）合作，發現DNA的雙股螺旋——但並非沒有依靠他人的幫助。事實上，他們當時一直在和另一個研究人員羅莎琳．富蘭克林（Rosalind Franklin）競爭；她是一位三十二歲的英國猶太裔化學家。她對DNA關鍵性質的關鍵發現，被倫敦國王學院的一位同事在未經她同意的情況下轉交給他們，使他們得以取得突破。沃森憶道，「看到這答案時，我們忍不住掐了自己一下。它真可能這麼美？它真美。」富蘭克林三十七歲就死於癌症，無緣和克里克、沃森共享諾貝爾獎。

這項發現證實DNA本身是遺傳性資訊的載體，進一步的研究探明，人類實際上幾乎一模一樣；差異微小，人人都是會走路的家族歷史集合體和一個更深遠、更廣大之家族的一員。這個發現證實，作為社會分類之一的種族，既非建立在科學性的差異上，也未反映遺傳性世系。種族是社會性的抽象概念，但這項發現未使種族這個概念的影響力稍減。解開人類的DNA謎團，有助於揭露人類史的轉折、遷徙、定居、衝突，並開啟一項改變世界的生物性革命，從治療疾病、調查犯罪到新興起的對家族史的強烈興趣皆屬之。

45　盧西恩．佛洛伊德見到其著名精神分析學家祖父時，祖父年紀已大。他過著像十八世紀在街頭打鬥的浪蕩子、沉溺於賽馬賭博者、淫蕩者的生活，身邊圍繞著一群情婦，生了至少十二個小孩。一九六六年，畫出他的第一幅斜躺裸體人像畫《裸女》（*Naked Girl*）。他接下來五十年間赤裸呈現情感、疏離、肉感、厚塗的風格，淋漓盡致呈現肉體、靈魂和人的狀態且極樂於以此主題作畫：「我想要讓顏料如肌肉般運作，」他說。「想要我的人像畫如實呈現芸芸眾生，而非肖似。不要只是呈現眼前作畫對象的外表，而是要畫出芸芸眾生。」

一九六〇年，一種使用荷爾蒙來抑制排卵的避孕藥丸，使女人首度擺脫男人對性的控制：可以為了享受性而性交。新的家用設備，洗衣機、冰箱、吸塵器，不只使女僕成了過時之物，也使女人得以放手追求獨立的事業——受到女性賦權運動和女權主義的鼓舞。女人生育數變少，但大部分小孩都能活到成年，催生出注重孩子的新文化，尤以在中產階級為然。在中產階級，女人想上班工作的願望和善盡母職的美德相牴觸。女權主義運動是六、七〇年代初期最大的成就，是「偉大自由主義改革」（Great Liberal Reformation），實現了墮胎權、限制了死刑、將同性戀合法化和以及後來的同性戀權利合法化。

女性性自由震撼了那群古板嚴肅、由老男人主導的老人政治體制。一九六五年，佛朗哥和狄托都七十三歲，戴高樂七十五歲。[46]戴高樂於那年譴責避孕丸，嚴正表示，「絕不可使女人淪為做愛的機器。」「創造女人是為了生小孩……性會入侵一切事物！」的確如此。兩年後，他將避孕丸合法化，但一九六八年五月三日，激進學生奪占巴黎的索邦大學，開始設路障，呼籲馬克思主義革命和「戴高樂再見！」工人罷工；學生占領校園。總統戴高樂把這種作為稱作「chienlit」——也就是混亂，字面意思為床上的屎——出動鎮暴部隊：「小孩生氣，不守規矩，讓他冷靜下來的最佳辦法就是甩他一耳光。」暴力鎮壓只使情勢惡化。戴高樂夫人在晚餐時哭了出來，戴高樂怒斥，「法國人從未從滑鐵盧、色當（Sedan）兩役的失敗中恢復，」警告道，「我不是路易．腓力。」

他轉而考慮一個在現代民主國家裡極為罕見的解決辦法：五月二十九日，這個總統原本啟程要返回位在科隆貝的家，但他改變主意，帶上一名隨行幕僚和他的兒子，徵用直升機，飛去北約法軍在巴登巴登（Baden-Baden）的司令部。他告訴將軍馬絮（Massu），「全完了，」用軍事政變之議測試軍方對他的忠誠。

「這不可能，」將軍馬絮說。「這太離譜了。」坐困愁城的統治者，不只戴高樂。在捷克斯洛伐克，有個改革者發起反蘇聯統治的「布拉格之春」。在美國，心灰意冷的詹森宣布不會競選連任。鮑比・甘迺迪被認為會贏得總統寶座。但在法國，一如在其他地方，對於年輕人的激進極端行徑，多數人——被美國總統參選人理查・尼克森譽為「沉默的多數」——只願容忍一陣子。戴高樂飛回艾麗榭宮下令舉行選舉時，民意已轉到學生的對立面。但他元氣大傷，不久後辭職。

八月二十一日，布里茲涅夫派二十萬士兵敉平布拉格之春，為史達林的帝國再續了二十年的命。在美國，六〇年代的愛的饗宴也在崩壞。馬丁・路德・金恩收到許多死亡威脅：一九六八年四月三日，在孟斐斯，他談到他的死亡。「我只想實踐神的意旨，」他宣講道。「祂已允許我上山，我已察看過，已看到應許之地。我可能不會和你們一起去那裡。」隔天，在他的汽車旅館的陽台上，他遭一個想要出風頭的犯罪分子暗殺。羅伯特・甘迺迪譴責「這個愚蠢的暴力威脅，」說「沒有哪個殉難者的奮鬥目標曾因為暗殺他的子彈而停擺。」三個月後的六月，四十二歲的羅伯特・甘迺迪，即將贏得民主黨總統候選人提名，在洛杉磯國賓飯店發表演說。在該飯店，走過廚房時，他遭一個精神錯亂的巴勒斯坦人槍殺。彌留之際，他說，「不會有事的。」但不然。

一九六九年七月五日，在奈洛比，老邁總統肯亞塔的財政部長，開朗且精力充沛的湯姆・姆博亞，走在政府路（Government Road）時，碰到他所曾提攜的老巴拉克・歐巴馬。他曾有心要幫歐巴馬，但這個似乎總是精神抖擻的怪咖批評他的政策，然後丟了飯碗，成為愛罵人的酒鬼。他酒駕時害死他的乘客暨最好的朋友，是為他數起車禍的頭一樁，他的婚姻則破裂。這時，他和姆博亞閒聊一番，然後，繼續上路。

46 一九六八年九月，七十九歲的薩拉查倒在浴缸裡，中風。但葡萄牙的「新國家」未倒下。一個忠於他的人士被任命為總理，此人對內繼續獨裁統治，對外繼續殘暴的殖民地戰爭。

一會兒之後，他聽到槍聲：盧歐族人姆博亞遭一個基庫尤人暗殺。這個刺客被吊死前問，「你們為何不去問那個『大人』（肯亞塔）？」肯亞塔喜歡說，「T. J.（姆博亞）是我最愛的兒子，」但想要得到他寵信的那些基庫尤人可能下令殺了他。此暗殺，一如羅伯特・甘迺迪、馬丁・路德・金恩遭槍殺，代表肯亞的政治從此走上更嚴酷、更族群對立之路。此事也加快歐巴馬博士的失勢：他再一次酒駕出車禍，而他相信此車禍是肯亞塔叫人暗殺他的結果。誠如他的家人後來告訴他兒子的，肯亞塔主宰肯亞——「在那裡，一切都始於『大人』」——而且歐巴馬「忘了把這裡的一切牢牢繫在一塊的東西」。[47]但他未忘掉他的美國兒子：「我留了一頭小公牛在美國。有一天我會找到他。」

有天，三十七歲的歐巴馬出現在夏威夷，以見他久無音信的兒子。小歐巴馬先前待在印尼，這時已回到夏威夷。安與她印尼籍丈夫仍是夫妻，在雅加達有份工作。綽號巴瑞（Barry）的小歐巴馬十歲大，來夏威夷和他外祖父母同住，上該州最好的預備學校。後來，安過來和他團聚。這時，這個男孩和他的著名爸爸重逢：「一個高大黑皮膚的人……比我以為的還要瘦，」穿「與褲子不配套的藍夾克和白襯衫、猩紅色領巾式領帶、角質鏡架眼鏡，」拄著象牙頭拐杖，一跛一跛。他教巴瑞跳舞，在他的學校課堂上講話。但他來夏威夷是為把安、巴瑞帶回奈洛比，而安不願意。

巴瑞和其父親就此未再見面；他的母親，只大他十七歲，對他來說比什麼都重要——他寫道，她是「我所認識過最和善、最寬厚的人」；「我身上最好的東西都是她所賜。」

在奈洛比，歐巴馬博士在財政部得到一職務，終於找到他所應得的尊敬；巴瑞則在洛杉磯求學，然後進入哥倫比亞大學法學院。一九八二年十一月二十三日，歐巴馬博士死於車禍，得年才四十八。小歐巴馬寫道，「過了二十一歲生日後，有個陌生人打電話來，通知此消息。」他很想知道他父親的真實經歷，很想建構他的家族史：他夢到父親，想去非洲弄清楚自己。

歐巴馬開始研究並尋找自我時，美國正處於建國以來的最低潮，國內陷入分裂，與蘇聯相持不下，在越南大量流失人員和威信。精疲力竭的詹森不情不願地歡迎接他總統之位的理查·尼克森進入橢圓形辦公室，告訴尼克森，「你以為你是自上帝以來最有權勢的領導人，但誠如你總統先生以後所會發覺的，一坐上那張高椅，你不能指望人民。」

權力的春藥：季辛吉和尼克森的三角遊戲

尼克森和詹森一樣靠奮鬥上位，但稍有教養些。尼克森易動怒、動作笨拙、厭世、情感壓抑，父親是個心胸狹窄的破產食品雜貨店老闆，母親是「貴格會聖徒」。尼克森走出遭約翰·甘迺迪擊敗的陰影，接著角逐加州州長之位慘敗。在州長競選失利後，他在記者會上表示，「你們再也沒機會把我當球一樣踢來踢去，因為各位，這是我最後一次開記者會。」但接著，看著詹森在越南一敗塗地和此事所激起的國民對立，他把自己重新打造為「沉默多數」的代表。一九六九年一月入主白宮後，他的第一個要解決的難題是如何退出越南。

他告訴以色列總理果爾達·梅爾（Golda Meir），「搞國際事務，我的準則是以其人之道還治其人之身。」

47　肯塔亞於一九七八年去世，享壽八十四歲，留下的家族成為肯亞最富有的家族之一，但他的兒子們當時年紀尚輕，無法接班。他挑選了一位心腹丹尼爾·阿拉普·莫伊（Daniel Arap Moi）接替政權，並主政長達二十年。肯塔亞的兒子烏胡魯（Uhuru）於二〇一三年至二〇二二年間擔任總統——又一位出現在這個有瑕疵但仍在運作的民主制度中的非洲家族式領袖。

他的國家安全顧問亨利・季辛吉博士補充說，「加一成奉還。」這對搭檔湊在一塊不可思議，但效果很好。四十五歲的季辛吉立即扮演起比國務卿還要重要的角色。他是來自德國巴伐利亞邦福爾特（Fürth）的猶太難民，一九三八年逃離家鄉，比美國其他任何政治家對於歐洲極端主義的悲劇有更切身的體驗：「親身經歷過極權主義，我知道那是怎麼回事。」那使他深諳權力的箇中三昧。在美國陸軍服務後，他成為哈佛的歷史學家，寫了以梅特涅為主題的論文。不可避免的，他自比為梅特涅，把一九六九年的美國比擬為一八〇九年的奧地利：「一個已失去衝勁和自信，知道自己的局限但不知道自己的目標的政府，」而要達成這些目標，只有靠「精妙的外交手腕」。

尼克森、季辛吉來自兩個不同的世界，都不愛表露感受和意向，都實事求是，彼此既敬佩又反感於對方，都是搞「世界博奕」的高手。但這個總統陰鬱、孤僻，而說話帶著德語口音、嗓音粗重而沙啞的季辛吉則擅長作秀，在漫長的職業生涯裡喜歡剖析他所認識的名人：在為年老的艾莉絲・羅斯福・隆沃思（Alice Roosevelt Longworth，老羅斯福的女兒）定期舉辦的晚宴上，尼克森鼓勵他這個哈佛大學教授獻藝，季辛吉成為自帕默斯頓（Palmerston）以來最有魅力的策士，享受大出風頭的快感，在和電影明星約會時開玩笑說「權力是最強力的春藥」。季辛吉告訴本書作者，「任職頭幾個月，全心埋頭苦幹始終至關重要，而且我們有宏圖大計。」這兩人搭在一塊或許是天作之合：一九六九年七月十六日，六億五千萬人觀看兩名美國太空人在月球上走路。[48] 尼克森從白宮告訴他們，「天堂從此成為人類世界的一部分。」太空人巴茲・艾德林（Buzz Aldrin）形容月球是「壯麗的荒涼」。尼克森得先解決殘破不堪的越南。

試圖改變美國與俄國、中國的關係的季辛吉說，「突然撤走可能傷害我們的公信力。」「美國面臨的挑戰是，確保美國始終比三角關係中的另外兩方擁有更多的選擇。」他打算和布里茲涅夫談判，打算向毛澤東伸出手，打算在火力四射中離開越南。他搞定這三件事。但在這過程中，尼克森的缺點，一如越戰創傷，使美國民主蒙上污點。

三月，尼克森下令祕密轟炸柬埔寨境內的共產黨小徑。親王施亞努未能使柬埔寨免於戰火上身。成千上萬的反戰學生在美國各地抗議時，尼克森和季辛吉在越南發動反攻，藉此作為開始祕密談判的基礎；但此政策先是擴大了越戰，然後才結束越戰。施亞努想要把美國人和共產黨人拒於門外，既不想讓柬國東部被越南人奪走，也不想助長柬國本地共產黨人——他稱之為紅色高棉（Khmer Rouge）——的聲勢。結果他反倒被這兩股勢力夾擊。

一九七〇年初，教師出身、曾留學法國的柬埔寨共黨總書記沙洛特紹採用了新名字「波布」，並訪問中國。在中國，毛澤東承諾為一場已不再是遙不可及之夢想的革命提供軍援。

48　那個星期，來自布里克斯頓（Brixton）、攻讀藝術和戲劇的英國歌手暨作詞者大衛・鮑伊（David Bowie，原姓瓊斯〔Jones〕），發表歌曲〈太空怪談〉（Space Oddity）。這首歌講述太空人湯姆少校被困於太空、永遠繞地球軌道飛行的故事。鮑伊是個瘦得好看且具有吸血鬼般魅力的人，著迷於太空旅行。這時，在其專輯《來自火星的利奇與蜘蛛人樂團的浮沉錄》（*The Rise and Fall of Ziggy Stardust and the Spiders from Mars*）裡，記錄了在大眾消費時代名氣一物所具有的救世主般的奇怪特性。在寫歌和表演魅力上唯一與他平分秋色者，係與他同時代的艾爾頓・強（Elton John）；他也屬於倫敦工人階級，本名瑞吉・德威特（Reggie Dwight），也在其〈火箭人〉（Rocketman）裡記錄了太空世界，其代表作〈再見黃磚路〉（Goodbye Yellow Brick Road）拓展了流行音樂的意涵。他們將戲劇、時尚、音樂熔為一爐之舉，表明搖滾樂正漸漸成為充滿力量的藝術之翼，而他們對雙性人的探索（他們兩人都做出驚世駭俗之舉，承認自己愛女人也愛男人），對異國享樂主義的探索，以及他們吸古柯鹼成癮，從而差點毀了自己，則代表追求烏托邦的六〇年代從此結束和日益黯淡的七〇年代從此開始。但滾石樂團的〈同情魔鬼〉（Sympathy for the Devil），以邪惡的歷史力量和「水瓶世紀」（Age of Aquarius）正面對抗，是歷來最出色的歷史歌曲。十二月六日滾石樂團在加州的阿爾塔蒙特（Altamont）舉行音樂會，是六〇年代非正式壽終正寢之日。那天，在會場，有個歌迷遭負責舞台保安的地獄天使（Hells Angel）成員捅死。但滾石樂團未跟著壽終正寢，接下來五十年赴各地的大型體育場演唱，盛名歷久不衰。

幹掉B－52：毛澤東和波布

當波布在北京，而施亞努這個「曾是國王的王子」正訪問莫斯科時，施亞努的親美司令龍諾（Lon Nol）在金邊奪取政權。但施亞努所代表的君主政體甚孚眾望，於是農民叛亂，殺掉龍諾的弟弟以報復政變，據說吃了他的肝。龍諾跪在太后腳邊，請求原諒推翻她的他兒子，但他攻擊北越人之舉，不只為柬埔寨境內招來更多越共，還招來美軍——此軍事行動取了令人感到反諷的代號「自由協議」。施亞努決意奪回政權，於是直飛北京。毛澤東和周恩來在北京歡迎他們這個友人到來，說服他加入他們與另一個柬埔寨貴賓波布的同盟。施亞努的自負是日後一場悲劇的推手。毛澤東把施亞努留在北京，派波布去柬埔寨——正值他自己也遭遇危機時。

一九七一年九月，毛澤東回到北京，未察覺他的接班人林彪元帥和其兒子「老虎」林立果正計畫在一場戲劇性行動中暗殺他。數十年後，此行動仍是個謎，讓外界摸不清。

毛澤東宣布他的文革結束後，注意到林彪決意實現自己的野心，連毛澤東的貼身侍衛都被林彪納入掌控，並且批評毛主席。林彪也驚恐於毛澤東的好戰表現：一九六九年三月，在毛澤東鼓勵下，中蘇兩國士兵在烏蘇里河畔起衝突。毛澤東考慮過打一場全面戰爭。這個「舵手」想測試林彪，於是要他自我檢討。林彪拒絕。林彪的愛子林立果所擬的計畫，反映了林彪對毛澤東不為人知的觀感。林立果是個花花公子，擔任空軍司令部辦公室副主任兼作戰部副部長，極厭惡毛澤東這個「懷疑狂，虐待狂……中國歷史上最大的封建暴君」，替他取了B－52（美國轟炸機）這個綽號。

「老虎」打算暗殺B－52，就在毛主席向其盟友說林彪「急於奪權」之時。林家父子決定從空中炸掉毛澤東的專列，但B－52不斷更改其行程。這時，得悉毛主席已對林彪表現敵意，「老虎」的最新計畫隨之無法施行。他們打算逃走，但「老虎」希望殺了毛澤東再走。他愚蠢地向他姊姊林豆豆——狂熱的毛澤東信徒——透露其計畫，林豆豆向毛澤東的侍衛通風報信。毛澤東收到此消息驚愕萬分，靠服鎮靜劑才得以平靜下來。林彪、他妻子、揮舞著手槍的「老虎」趕往機場，毛澤東的衛兵在後頭追，但還是在千鈞一髮之際登上注了一半油料的飛機起飛。

兩小時後，毛澤東得知有架飛機墜毀於蒙古境內，他的大將林彪喪生。毛澤東發狂，極為激動，痛飲茅台酒，服了安眠藥，突然變老，他的醫生發現他心臟有毛病。他長年以來相信該建立「一個統一戰線」對付莫斯科，但這時這個善於操縱人的老人計畫做出最後一個足以改變世界的政策大反轉。他說，「兩霸，我們總要爭取一霸，」「不能兩面作戰。」這與季辛吉的計畫正相契合。

乒乓球打頭陣。毛澤東透過其姪子毛遠新主導行動，毛遠新是他一九四三年被處決的弟弟毛澤民的兒子。他老早就受不了妻子江青。有次，她靠著三寸不爛之舌闖進了他的宅院，結果毛澤東揚言她若不出去，就要把她逮捕。因此，他的命令是由他的年輕護士暨情人來解讀。他的醫生李志綏憶道，這個「舵手」「信任女人遠甚於男人」。他太依賴安眠藥，曾說，「吃過安眠藥以後講的話不算數。」然而此時的這道命令太出人意料，因而他最愛的護士——他口中的小吳——都不得不再三覆核，以確認無誤。

「你都吃過安眠藥了，你說的話算數嗎？」小吳說。

「算！趕快辦！」毛澤東下令。「要來不及了。」由周恩來統籌此計畫。周恩來立即邀美國乒乓球隊來北京比賽。周恩來告訴一臉困惑的美國乒乓球選手，「你們已在中美關係上打開一個新篇章。」毛澤東透過巴基斯坦邀季辛吉訪問北京。季辛吉告訴尼克森，「這是二次大戰以來美國總統所收到的最重要音訊。」

一九七一年七月，印度和巴基斯坦起衝突時，季辛吉飛到北京。

叫我長官——「花瓶」主宰印度

尼克森把英迪拉．甘地叫作「婊子」，有時稱她「女巫」。他告訴季辛吉，「印度人壞透」；他比較喜歡巴基斯坦人，說他們「直率」，儘管「有時極蠢」。尼克森並非第一個低估英迪拉的人，但他的確明白她可能多無情。夏斯特里一九六六年一月死於心臟病發時，國大黨的權力掮客選擇尼赫魯的四十八歲迷人女兒當他們的傀儡總理：有個社會主義政治人物給她取了綽號「花瓶」（Dumb Doll）。但這個「花瓶」鬥贏他們所有人，然後打贏大選。

她童年時很孤單，父親常在獄中或在打選戰，她因此受到冷落，但她生來要坐統治之位，既渴望得到愛，又自認天生該掌大權。她曾和祖父莫提拉爾，和甘地，後來和尼赫魯，坐在一起款待來訪的世界領袖；她就讀過牛津大學，遵循父親的建議：「要勇敢，其他人就會追隨。」被問到美國總統該怎麼稱呼她時，她回，「可以叫我總理或總理先生，你可以告訴他，我的內閣閣員叫我長官。」但季辛吉憶道，英迪拉的顯赫權勢「使尼克森感到沒安全感」。她穿著紗麗，頭髮開始灰白，神態優雅，很有威嚴，但生性多疑，不相信人。新聞界想要弄清楚英迪拉是否有情人時，她私下有感而發道，「我作風不像女人；原因之一在於我缺乏性愛。」

一九七一年三月，她承諾「掃除貧窮！」（Garibi Hatao!），在選舉中大勝，西方人因此給她取了綽號「印度女皇」。這時，她在巴基斯坦的解體中看到機會。由此引發的戰爭，一如以阿戰爭，是未竟的印巴分治一事的餘波。英國人離開印度時，留下大批受過英國人訓練且具有穩定局勢之功用的政府官員，而印巴分治所創造出的新國家巴基斯坦，其所承接的這類官員並不多。而且巴國的身分認同由其軍隊和伊斯蘭教塑造成，靠著對印度的深惡痛絕將人民團結在一起。巴國分為東邊的孟加拉、西邊的旁遮普兩部分，彼此相隔一千六百英哩。這時，東巴基斯坦人造反，想要脫離伊斯蘭傲慢權貴的統治而獲得獨立，導致數百萬印度教籍難民湧入印度。

巴基斯坦軍事獨裁者葉海亞・汗（Yahya Khan）在東巴基斯坦首府達卡（Dhaka）放任他的軍隊肆虐，用機槍掃射學生、輪姦女人、殺害小孩，短短數日內殺了一萬人，數月內殺了五十萬人。英迪拉準備迎戰，並在東巴基斯坦和巴基斯坦部隊發生零星衝突。但一九七一年十二月三日，巴基斯坦從其敵人以色列得到啟發，空襲印度十一個空軍基地。英迪拉隨即解放達卡，並同時攻擊西巴基斯坦，在一場為期十三天的戰爭中大敗巴軍。東巴基斯坦宣布獨立為孟加拉國；英迪拉大獲全勝。[49]印度人為自己國家拿下數百年來第一場軍事勝利而歡欣鼓舞，高呼她為難近母（Durga），即所向披靡的十臂女神。國大黨主席宣布，「印度就是英迪拉」。承繼了大位後，她這時開始培養愛子接班。

尼克森和季辛吉板著臉看南亞局勢。該年更早時，季辛吉曾飛去巴基斯坦鼓勵印巴修好，但此行只是個幌子。巴基斯坦得到中國和美國支持，透過巴國居間聯繫，中美兩國走在一塊。季辛吉從巴國偷偷轉去

49　巴基斯坦受此慘敗而大感挫折，其總統將政權移交給充滿幹勁的外交部長佐勒菲卡爾・阿里・布托（Zulfiqar Ali Bhutto）。布托是社會主義信徒，在其家族的權力大本營信德省承繼了二十五萬英畝土地，就讀過英國牛津大學和美國加州大學伯克萊分校。任職兩星期後，他召見巴基斯坦科學家：「我們要擁有核彈，要花多久時間？」但英迪拉・甘地也想擁有核彈。一九七四年，在蘇聯人協助下，她試爆一枚印度核子裝置，布托因此擔心印度會藉核彈「稱霸這個次大陸」。他加快巴基斯坦的核武研發，提拔年輕科學家阿布杜・卡迪爾・汗（A. Q. Khan）。卡迪爾・汗開始為研發伊斯蘭世界的核彈購買平面圖和設備。「基督教、猶太教、印度教文明有這個武器，」布托說，「伊斯蘭文明沒有。」他想要統合巴基斯坦的各個陣營，宣布「伊斯蘭是我們的信仰，民主是我們的政策，社會主義是我們的經濟。」但軍隊自認是這個岌岌可危之國家的守護者，令他相形失色。在孟加拉，建國領袖謝赫・穆吉布爾・拉赫曼（Sheikh Mujibur Rahman），綽號「孟加拉之友」（Bangabandhu），統治這個新國家直至一九七五年遭暗殺為止；他創立了一個王朝——女兒謝赫・哈西娜（Sheikh Hasina）獨裁統治該國至二〇二〇年代。

北京見毛澤東，為總統尼克森親自訪華鋪路……

我喜歡右派：美國梅特涅和中國的哲王

一九七二年二月二十一日，毛澤東在其池畔寓所裡書香四溢的書房中接見尼克森和季辛吉。他的寓所「比較像是學者的隱居地，而不像是權力至大的領導人的接見室。」

「我把票投給了你，」毛澤東對尼克森開玩笑。「我喜歡右派。」

季辛吉告訴毛澤東，他把他的著作推薦給他的哈佛學生讀。

毛澤東說，「我寫的這些東西算不了什麼。」

尼克森回道，「主席的著作打動了一國人民，改變了世界。」

毛澤東笑道，「我只能改變北京周邊一些地方。」他說，「你的著作《六場危機》（*Six Crises*）寫得不錯，」明褒而暗貶。美國人想要談判——表示願棄台灣的中華民國，改承認中華人民共和國為中國合法政府——這時，毛澤東卻自負地打發掉他們的好意：「煩人的問題我不想談。」季辛吉不由得欽佩這位「哲王」。

布里茲涅夫驚駭看著這場中美相遇，邀尼克森訪莫斯科，認為一打仗「人人都是輸家。」或許故意要一反常態，他信任尼克森甚於其他任何美國總統，並欽佩甚至嫉羨季辛吉。布里茲涅夫告訴卡斯楚，「從未有好的總統，以後大概也不會有。共和黨和民主黨的差別不在實質層面。」至於美國，布里茲涅夫認為那是「生了病的社會」，「幫派犯罪、種族主義、毒癮已到嚴重程度。壟斷性企業正在搶劫人民，已把政治權力搶在手裡。」但他欽佩尼克森，認為季辛吉是個「狡猾又聰明的傢伙」；而季辛吉覺得利奧尼亞「強硬、殘酷、不安、狡猾。」兩人某次相遇時，布里茲涅夫這個金屬工人出身的沙皇，讓身為德國猶太裔教師之子的季辛吉穿上靴子和卡其衣褲，帶他去獵野豬。季辛吉不願開槍；布里茲涅夫射殺了一頭野豬，傷了另一頭。布里茲涅夫也用他的ZiL豪華禮車和快艇載尼克森高速馳騁。他吼著說，「盡情享受美好事物吧。」他訪問華府時，尼克森送他一輛林肯牌大陸（Continental）汽車。布里茲涅夫堅持要開它上路，但美國特勤局否決此議。

布里茲涅夫說，「我會拿掉這車子上的旗子，戴上墨鏡以讓人看不到我的眉毛，像任何美國人那樣開車。」

「我坐過你開的車，」季辛吉回道。「我覺得你開車不像美國人！」

一九七二年五月，尼克森和布里茲涅夫簽了第一份協議——戰略武器限制條約（Strategic Arms Limitation Treaty, SALT）——是為三十年美蘇談判的開始。時年六十七歲的布里茲涅夫感到欣喜若狂：他熱切擁抱緩和政策，企圖透過與美國的務實伙伴關係來引導世界——既要為俄羅斯贏得夢寐以求的尊重與正當性，又不放棄其列寧主義使命與遍布全球的附庸國。布里茲涅夫對這項個人使命著了迷：促進世界和平、削減乃至終結核對抗，甚至後來大膽提議與美國建立防衛同盟。這是自一九四五年羅斯福赴雅爾達以來，美國總統首次訪問俄國——尼克森更奉承布里茲涅夫，說他們之間的關係就如同史達林與羅斯福。這不僅是布里茲涅夫統治的巔峰——讓他超越政敵，躍升為至高無上的領袖，並透過個人崇拜加以鞏固——也是蘇聯國力鼎盛之時，權勢與聲望堪與美國分庭抗禮，全球勢如破竹，在越南得勝，接著在其他戰場亦然，掌控遍布阿拉伯、非洲與亞洲的附庸國網絡。這是美國唯一一次將俄羅斯視為對等超級強權的時代。但這一切卻繫於個人之身：獨力統馭世界強權，壓力巨大。正如他的克格勃首腦安德洛波夫（Yuri Andropov）所警告，布里茲涅夫已經拖垮了自己與蘇聯經濟——而此時的尼克森也正一步步走向自我毀滅，國內政治局勢轉而反對緩和政策。

乘著這些成就，兩人這時談成美軍撤離越南。但尼克森壓抑不了他本身源於善惡不兩立的疑心病。簽了該條約一個月後，他指示一名親信派五個打手——即所謂的「水管工小組」（the Plumbers）—潛入水門大廈的民主黨總部安裝竊聽器，不料失風被捕。尼克森說謊以掩蓋其在此事扮演的角色，但若說他人格破產純粹只因為他掩蓋此醜聞，那並非事實。原本的罪行就已非常惡劣。《華盛頓郵報》兩名記者揭露諸多源於疑心病作祟的陰謀和祕密付款，毀了尼克森的總統大位。

此外，美蘇修好禁不起考驗。一九七三年十月二十四日，即美蘇領導人一場愉快的會晤過了才幾個月，布里茲涅夫就揚言出兵干預。

索羅門王朝和布希家族、波旁王朝、巴勒維王朝、卡斯楚家族

野獸和獅：大馬士革的阿塞德家族

一九七三年十月六日，正值猶太人一年中最神聖的贖罪日（Yom Kippur，節日），埃及、敘利亞部隊分別越過蘇伊士運河與戈蘭高地，對以色列發動攻擊，令以色列人措手不及，儘管以色列安插在埃及總統辦公室裡的特務已提前示警。[50] 埃及、敘利亞兩國的新領袖，改變了阿拉伯人回應以色列的方式：其中一人展現出和平締造者的勇氣，並為此付生命代價；另一人則創立一個黑幫式的家族政權，令國家付出無數人民的性命。

世界史上最大的一場葬禮，為改朝換代揭開序幕。一九七〇年九月二十八日，年僅五十二歲的納瑟死於心臟病發，臨終時他的副總統暨「自由軍官」組織的同志安瓦爾・沙達特在他床邊。一千多萬埃及人為他哀悼，約旦國王胡笙為這個差點殺了他的人啜泣，但他自己也正與阿拉法特領導的巴勒斯坦解放組織生死奮戰，阿拉法特想殺了他並把約旦變成該組織的基地。胡笙有以色列這個幫手，阿拉法特則有敘利亞這個幫手，直到納瑟居間斡旋促成停火。

納瑟只有一個，但想要奪取他的大位者有好幾個。這些新的角逐者在此葬禮上展現自己的顯赫資

50　他們的盟邦派兵助陣：卡斯楚派了四千個古巴人助敘利亞人；布托（Bhutto）派來一個巴基斯坦戰鬥機中隊，其中一架戰鬥機擊落一架以色列飛機。

歷。第一位哀悼者是放聲大哭的二十九歲中尉穆安瑪爾·格達費（Muammar Qaddafi）；這個利比亞的貝都因人，相貌堂堂，在英國受過訓，在那裡的海德公園踢過足球，穿著阿拉伯袍服招搖走過皮卡迪利街（Piccadilly）。他崇拜納瑟，創建了自己的「自由軍官」組織，一九六九年該組織罷黜國王伊德里斯（Idris）。格達費把自己升為上校和總統，趕去開羅。納瑟認為他是個「討人喜歡的小伙子，但很幼稚。」結果他比幼稚還糟糕許多。[51]

有個更厲害的角逐者也出席這場葬禮：又高又瘦的敘利亞國防部長，金髮、額頭凸出的哈菲茲·阿塞德（Hafez al-Assad）將軍。葬禮後不久，阿塞德就從約旦撤出敘利亞部隊，幫忙拯救胡笙；然後，一九七〇年十一月十二日，他在大馬士革奪權上位。

阿塞德出身阿拉維派（Alawites）這個強悍氏族，為家中十一個孩子之一。這個教派住在沿海地區的拉塔基亞（Latakia）周邊，歷來和大馬士革的遜尼派勢不兩立。他的祖父綽號野獸（al-Wahhish），他的父親阿里取名阿塞德（「獅」），提倡阿拉維派的拉塔基亞獨立建國，哈菲茲則成為大馬士革的司芬克斯（Sphinx of Damascus）。

他原本希望當醫生，結果反倒成為資格飛行員，在埃及、蘇聯接受訓練，之後加入了民族主義組織復興黨（Baathists），一九六三年三月復興黨掌權。他掌控了空軍，在處理分裂不休的復興黨內鬥中，他於一九六四年被擢升為空軍司令，而他的弟弟里法特（Rifaat）則創建一支具有禁衛軍性質的復興黨部隊。一九六六年，阿拉維派內由左派人物沙拉·賈迪（Salah Jadid）領導的一個派系奪取政權，任命阿塞德為國防部長。但阿塞德兄弟拒絕以內部革命的方式來對抗以色列。

阿塞德提拔阿拉維派成員和阿塞德家族人治理敘利亞。他的弟弟里法特統領他的侍衛隊「防衛部隊」（Defence Companies）。哈菲茲和阿妮莎·馬赫魯夫（Anisa Makhlouf）結婚已久，兩人生了五個孩子。哈菲茲提拔她的兄弟掌理他的祕密警察機關（*Mukhabarat*）；她的姪子成為這個家族的金主。里法特娶阿妮莎的堂姊妹薩爾瑪・馬赫魯夫（Salma Makhlouf）。

哈菲茲和阿妮莎最寵愛的兒子巴塞爾（Bassel）八歲時，哈菲茲當上總統。「我們在家看到父親，但他忙到可能一連三天都沒和我們講一句話，」巴塞爾後來告訴替他父親立傳的人。「我們從未一起吃過早餐或晚餐，我不記得一家人曾一起用過午餐。」但影片記錄了家族度假情景：「我們常在夏天時一家人在拉塔基亞（Latakia）度過一兩天，但接著他總是在辦公室裡工作，我們看到他的時間不多。」眼下，哈菲茲的弟弟里法特是他的繼承人。

阿塞德一當上總統，就飛到莫斯科請布里茲涅夫重新提供武器給敘利亞——敘利亞則把塔爾圖斯（Tartous）海軍基地提供給蘇聯使用作為回報。布里茲涅夫同意。阿塞德家族會是莫斯科在阿拉伯世界裡的盟友，直至二〇二〇年代的今天。

最後一個角逐納瑟接班人之位者，最被忽視：他的埃及籍接班人沙達特。但這個貧農之子讓凶狠的祕密警察收斂其作風，驅逐蘇聯顧問，藉此很快就贏得民心；而且他有個壓制以色列氣燄的計畫，該計畫與阿塞德的野心剛好相合。阿塞德很快就得知沙達特也在謀畫一場戰爭：兩人祕密會晤，打算奇襲，但各懷

51　格達費出於泛阿拉伯主義理念提議利比亞和埃及合併。靠著石油收入財力雄厚，他支持巴勒斯坦激進分子和反西方的激進分子，從莫斯科買進武器。「格達費只是個小伙子……他們完全不懂列寧或社會主義，」布里茲涅夫告訴卡斯楚。「他們真正擁有的，就只是很多錢。他還是個狂熱的穆斯林。」卡斯楚回道，「我的印象是他很瘋狂。」他推行個人崇拜以膨脹自己的分量，在其《綠書》（*Green Book*）中宣揚他自己的馬克思主義—穆斯林想法，住在他於他的司令部搭建的豪華貝都因式帳篷裡，以女侍衛保護其人身安全，想要靠武力在查德建立帝國，想要領導泛非洲聯盟，自封為諸王之王。他支持愛爾蘭共和軍和巴勒斯坦恐怖分子，但也資助南非曼德拉的非洲民族議會。他墮落為激進的阿拉伯暴政尼祿，搞出洛克比（Lockerbie）飛機爆炸之類的恐怖主義暴行，同時殺害異議分子，強姦年輕女孩，培養其兒子賽義夫（al-Saif）接班。

鬼胎：勇氣過人且表現令人眼睛為之一亮的沙達特有心談和；激進到無可救藥的阿塞德欲滅掉這個猶太復國主義政治實體。沙達特向沙烏地阿拉伯國王費瑟請教意見。費瑟是阿布杜阿齊茲第二個登上王位的兒子，正在管理該王國驚人的石油財富，督導其友人建築商穆罕默德·賓·拉登的聖地改善工程。費瑟派兵去和埃及人並肩作戰，但也認為阿拉伯人從未動用石油武器。而現在是動用的時機。

阿拉伯人接受作戰訓練時，以色列人與中東友人伊朗國王巴勒維打好關係。巴勒維敬佩以色列這個國家，供應石油給以國，買以國的武器，歡迎其領導人訪問德黑蘭。此時是這個伊朗國王權勢巔峰。

一九七一年十月十二日，巴勒維舉辦了世紀派對，以慶祝伊朗的偉大文明問世兩千五百年。

皇帝孔雀：魔鬼的盛宴和天使

這個伊朗國王把其種種成就和一個世系掛鉤，這個世系濫觴於伊斯蘭傳入前的波斯，此後一脈相承從未間斷。他和尼克森的密切關係，助他稱霸波斯灣，石油收入則為他取得此霸主地位提供了資金方面的助力。他支持造反的庫德人，藉此打壓伊拉克的氣燄。

開幕典禮於居魯士陵墓前舉行，這個伊朗國王在典禮中自負的吟詠道，「居魯士！偉大國王，諸王之王，你是不朽的歷史英雄。」「今天，一如你在世時，波斯在紛擾不安的世界裡傳達自由、愛人類的信息。」但他也警告其敵人：「我們有防備，會一直如此。」

巴勒維歡迎六百位賓客蒞臨波斯波利斯（Persepolis），這些賓客，包括美國副總統阿格紐（Agnew）、蘇聯最高蘇維埃主席團主席波德戈爾內（Podgorny）、約旦的胡笙、英女王伊莉莎白二世的丈夫親王菲利浦和他的女兒安妮公主、衣索比亞皇帝海爾·塞拉西，下榻於特別打造的「金色城市」（Golden City）。

「金色城市」由一頂頂豪華的圓形帳篷組成，帳上標有居魯士圓筒（Cyrus Cylinder）的符號，內裡掛了波斯地毯，地毯上織了每個來訪要人的臉。就著五萬隻特別進口的歌鳥的囀鳴聲，貴賓享用豪華宴席。宴席料理由巴黎的馬克西姆餐廳（Maxim's）提供，最引人注目的菜肴是擺在二百三十英呎長的桌上、供人取到自己的利摩日餐盤上享用的皇帝孔雀（paon à limpériale）和三百三十磅的魚子醬，並有兩千五百瓶唐佩里尼翁（Dom Pérignon）香檳、一千瓶波爾多葡萄酒、一千瓶勃艮第葡萄酒供賓客享用。然後，眾賓客觀賞數千名伊朗士兵，身穿新製的制服，扮演從大流士（Darius）、霍斯勞（Khosrow）到卡札爾王朝、巴勒維王朝的諸多伊朗英雄。

但現場氣氛不安：歌鳥被熱死，從天上掉下來，法籍和瑞士籍侍者打架，公主安妮咕噥道絕不想再吃孔雀。法拉赫很反感「這些讓人很不舒服的慶祝活動，」後來他坦承，這場宴會「在我們並未真正意識到的情況下」激怒了伊朗的宗教人士。這個伊朗國王問道，「難道我該拿麵包、小蘿蔔款待諸位國家元首？」流亡伊拉克的阿亞圖拉何梅尼怒斥這場「魔鬼的盛宴」。

巴勒維被成功沖昏了頭。他告訴阿拉姆，「二十七年來我一直處於國際事務的中心」；「我有先見之明，這並不奇怪。」他的幽默感還在，拿他母親和禮薩．沙的性生活開玩笑。

但阿拉姆「注意到令人驚恐的變化」：僵固和傲慢。他說，「伊朗人民愛我，絕不會拋棄我。」一九七一年二月，伊朗國王發出沾沾自喜的宣告，說「伊朗的中東老大地位得到全世界承認。」不足為奇，他在一個充滿陰謀的世界裡闖蕩，深信美國被「一個暗中運作的組織」治理，這個組織力量大到足以把甘迺迪家兄弟和其他任何妨礙到它的人除掉。他相信有股凶殘的天意在保護他：「經驗告訴我，任何和我作對的人都沒有好下場：納瑟不在了；約翰．甘迺迪和羅伯特．甘迺迪死於暗殺，他們的弟弟愛德華顏面掃地，赫魯雪夫被垮台……」

一九六七年十月，他把自己升為諸王之王（shahanshah）。但阿拉姆懇求他收斂獨裁統治，給人民更多自由。法拉赫建議選舉時，他取笑她：「妳就要成為不折不扣的革命分子。我想看妳怎麼治理我國……」這個伊朗國王管理其祕密警察部門，事無鉅細都要管：兩千名政治犯被捕，被刑求。「先進的社會擁有有效率的訊問制度，」後來他解釋道。「就背叛國家的案子來說，怎麼做都行。」

就連他的愛情生活都失控：阿拉姆寫道，「有個叫吉爾妲（Gilda）的女孩在德黑蘭四處散播謠言，說陛下愛她愛得神魂顛倒。」吉爾妲「是個美女，但愛慕虛榮，野心大到無情的地步。」

「可惡的女人，」巴勒維說。「我見過她幾次……謠言就要傳到王后耳中。」法拉赫的母親隨後以離婚威脅他，「意思是她女兒不習慣奢華。」

「胡扯，」伊朗國王說。阿拉姆寫道，「經過好一番爭辯，我們談定務必得替吉爾妲這個可惡的女孩找個老公。」但伊朗國王仍盼著她「上門」。「我轉交一封寫給陛下的信，發信人是個迷人的年輕姑娘，」阿拉姆記載道。「他非常高興，」皇后法拉赫過來問他們在談什麼，他才收起那份喜悅。

「國事。」伊朗國王面無表情回道。

一九七二年三月，伊朗國王招待一位前來討論國事的女性訪客，但此行隱密，不為外界所知。七十三歲的以色列總理戈爾妲・梅爾（Golda Meir），強悍的猶太復國運動老將（在基輔時本名為戈爾妲・馬博維奇〔Golda Mabovich〕），被本古里安稱作「我內閣裡唯一的男人」。她覺得自己和伊朗國王有許多契合之處，兩人一同支持庫德人對抗伊拉克。

戈爾妲・梅爾這時收到戰爭警訊，示警者是身處埃及權力中心的一個非常特別的特務。沙達特把納瑟的女婿阿什拉夫・馬爾萬博士（莫娜・納瑟之夫），晉升為他的對外事務首席顧問。但一個月後的十二月，馬爾萬在倫敦的皇家蘭開斯特飯店見以色列情報機關「摩薩德」的一個特務，表示願為以色列效力。

摩薩德把馬爾萬叫作「天使」。馬爾萬這麼做是因為對家庭失望、個人不得志、搞陰謀的快感。這時他開始向以色列示警，說沙達特正在謀畫奇襲。這個情報很吸引人，但沙達特兩度推遲動武，從而削弱了馬爾萬在以色列人眼中的可信度。

梅爾已把心力擺在日益升高的恐怖主義活動上。一九七六年九月六日，巴勒斯坦恐怖分子在慕尼黑奧運抓走十一名以色列運動員。這些恐怖分子是黑色九月（Black September）的成員——一九七〇年九月約旦國王胡笙打敗巴勒斯坦解放組織後，阿拉法特為打擊以色列而成立的單位。至少一名人質遭閹割；西德派人解救，卻以悲慘的槍戰收場，十一個以色列人和九個恐怖分子全數喪命。兩年後，梅爾成立X委員會，要該委員會主導「上帝懲罰行動」（Operation Wrath of God），暗殺黑色九月背後的二十名領導人：十月，開始暗殺時，「天使」的示警變得緊迫。

沙達特和阿塞德在亞歷山大會晤，並召見了國王胡笙，隱瞞了襲擊計畫的緊迫性，但邀他共襄此大業。一九七三年九月二十五日，胡笙飛去特拉維夫，向戈爾妲警告說敘利亞人會攻擊以色列。她問，「他們要在沒有埃及人參與下開戰？」

「他們會合作，」這個哈希姆家族成員回道。那聽來像是個陷阱。戈爾妲和戴揚認為，阿拉伯人在一九六七年吃了敗仗，絕不敢這麼快就再度動手。

十月六日，阿拉伯軍隊把以色列打個措手不及，逼以軍退離蘇伊士運河，強攻下以色列在戈蘭高地的陣地。阿拉伯國家的空軍擊中他們設定的目標，他們的蘇聯手持式火泥箱（Sagger）飛彈癱瘓了以色列的裝甲部隊，他們的防空飛彈擊落以色列飛機。敘利亞人攻破以色列陣地；一些以色列坦克拼死戰鬥，也只是止住敘利亞軍隊的攻勢。但埃及人別有居心，他們止步不前，掘壕固守，任由以色列全力對付敘利亞人。

十月八日，戴揚心情已低落到告訴戈爾妲以色列危在旦夕，問道「這是第三聖殿的結束？」——間接表示以色列或許需要動用核武（代號：聖殿）。梅爾下令讓十三枚戰術核武備戰，死命請求尼克森提供軍需品；沙達特、阿塞德請求布里茲涅夫增援武器；美蘇都空運武器給各自的代理人。但最糟的情況已過：九日，敘利亞軍撤退。十一日，以色列坦克反攻，突破防線，攻向大馬士革。十五日，以軍越過蘇伊士運河進入埃及，包圍沙達特的第三兵團。開羅頓時可能不保。沙達特驚慌，請求尼克森、布里茲涅夫，同時或個別出兵攔住以軍，但以軍繼續挺進。

十月二十四日傍晚，布里茲涅夫告訴尼克森，「直截了當地說，如果你覺得不可能在此事和我們一起行動，我們將面臨考慮自己單獨採取適切措施的必要性。」布里茲涅夫派遣空降師前往埃及。季辛吉趕去白宮。他問，「有什麼辦法能攔住他們，派傘兵過去？我要叫醒總統？」但這個總統「心煩意亂」於外界日漸高漲要求彈劾他的聲浪，已醉到不省人事。時為國務卿的季辛吉請沙達特收回其要美蘇干預的要求，要布里茲涅夫放心，但把核武戒備狀態升到第三級。布里茲涅夫大受震撼。沙達特收回其要求；布里茲涅夫發出有意修好的訊息，季辛吉則在這時穿梭於諸交戰國間，覺得梅爾是「一個很離譜的人」，覺得阿塞德脾氣壞，覺得沙達特令人欽佩。阿塞德和沙達特都贏得尊敬，但以不同方式利用這份尊敬。阿塞德已著手將敘利亞的勢力擴及黎巴嫩境內，把自己定位為以色列的頭號敵人，建立一個王朝。至於沙達特，季辛吉認為他「有政治家的智慧和勇氣，偶爾有先知的洞見。」這時他要為了止戰締和賭上一切。[52]

國王費瑟這時亮出石油武器，促成石油輸出國家組織調漲油價和減產。隨之而來的石油危機儼然要打垮西方。美國體認到自己的罩門，因此日後會為了確保油源安全無虞而動武。至於紹德家族，油價調漲為這個家族送上龐大財富，同時他們過起兩面人的生活——在國內嚴守瓦哈比派教規，生活類似清教徒；在國外則驕奢淫逸，生活墮落，既砸大錢買遊艇、建豪宅、玩應召女郎，也實行浩大的現代化工程，購買新的軍火。軍火買賣大多由阿德南・卡舒吉（Adnan Khashoggi）搞定。他是阿布杜阿齊茲的私人醫生之子，全球到處跑的花花公子，綽號「海盜，」靠著軍火買賣抽佣，他成了「世界首富」。紹德王族已躋身世界的仲裁者行列，與此同時，索羅門王族正在解體。

一九七四年九月十二日，在禧年宮，八十一歲皇帝海爾・塞拉西看著面前一票年輕激進軍官，一臉驚奇：「他們在我房子裡要幹什麼？」他們告訴這位皇帝，他被捕了，他不相信。

大衛王退休嗎？內古斯和少校孟吉斯圖

當這個皇帝從伊朗國王的宴會返國時，對付北部厄利特里亞叛軍和南部索馬利人的戰爭還在打，東北部的沃洛（Wollo）、提格雷（Tigray）兩地則爆發了嚴重的饑荒。美蘇兩超強在非洲之角打代理人戰爭：莫斯科支持索馬利亞的西亞德・西亞德・巴瑞（Siad Barre），提供武器給他以攻擊得到華府支持的衣索比亞；厄利特里亞叛軍受過中國訓練，從東部出擊。這個皇帝就要控制不住大局。有個忠心的貴族請他退休，他回道，「告訴我，大衛王退休嗎？」有個女記者質疑他時，他高聲說道，「民主！共和！這些字眼意味著什麼？錯覺，錯覺，」然後昂首闊步走開，嘴裡埋怨著，「這個女人是誰？夠了，滾開。」但有錯

52　至於「天使」，馬爾萬任職於沙達特的辦公室，一九七六年才退休去賺錢，在哈洛德百貨公司（Harrods）和切爾西足球俱樂部（Chelsea Football Club）的接收戰中扮演了角色。他的間諜活動於許久以後被退休的以色列特工揭露。二〇〇七年六月二十七日，馬爾萬在倫敦遇害，身體插在他五樓公寓下方的欄杆上。埃及的諸多實力派巨頭和情報頭子出席他的葬禮。埃及總統穆巴拉克說，「馬爾萬執行了愛國行動，」暗示馬爾萬是向以色列提供假情報的雙面諜。他的死自然被說成是摩薩德下的毒手，但他死時正打算寫自傳，因此他可能死於為此感到驚恐的埃及情報部門之手。

覺的人是他。

五萬人挨餓時，這個國王否認有饑荒：「一切都在控制中。」他的盟友伊朗國王主動提出援助，但阿拉姆記載道，「他拒絕，否認有人在受苦，或甚至否認有饑荒。」這個皇帝的錯覺使阿拉姆想起這個伊朗國王：「不免想到兩者的相似之處。」

學生抗議；年輕軍官搞陰謀。一九七四年二月，在阿迪斯發生暴動後，海爾．塞拉西透過電視向全國人民講話，示威者平靜下來，但隨著將領、學生、士官、馬克思主義者計畫接收政權，他的統治地位漸漸消退，而非一下子崩潰。已被皇帝革職的將軍阿曼．安多姆（Aman Andom），擔下臨時軍事行政委員會（Provisional Military Administrative Council，綽號德爾格〔Derg〕）的領導之職。每個叛亂團體都派了三個代表出席該委員會。

九月十二日，德爾格輕鬆控制住禧年宮，逮捕皇帝。已是乾癟老頭的皇帝被押上福斯金龜車送到軍營——皇帝看到此車時喃喃說「什麼?進去?」——然後被囚於大皇宮（Grand Palace）。嚴格來講，叛亂分子承認在國外就醫的皇儲為「已被選上但尚未就任的皇帝，」但接著任命將軍阿曼為第一任總統。阿曼門下有個窮人家出身的年輕軍人，日後會成為領導人。孟吉斯圖．海爾．馬里亞姆（Mengistu Haile Mariam），這時三十七歲，已被其指揮官派去加入德爾格。指揮官這麼做，係想甩掉這個令他頭疼的人，不料此人卻接管衣索比亞。他在美國受過訓，也在那裡吃過種族歧視的苦頭；在國內，這個矮小僕人的兒子對帝國上層人士的種族歧視滿懷仇恨。「在我國，有些貴族人家碰到深膚色、厚唇、頭髮拳曲的人，就不假思索將他們歸類於奴隸（barias），」他告訴德爾格。「我挑明跟大家說，我不久後就會要這些蠢人在地上爬，要他們磨玉米！」他這時是馬克思主義信徒，依舊藏身於幕後，但開始把德爾格組織起來，力推列寧主義革命，鼓勵打垮軍中的反對派。十月，殺戮開始。貴族和將領被捕。孟吉斯圖的老恩公阿曼將軍不從，結果遭告發，死於槍戰。一九七五年三月，孟吉斯圖提議透過不記名投票選出德爾格的領導人，他和另一個少校阿特納夫．阿巴特（Atnafu Abate）一同擔任共同副主席。孟吉斯圖、阿特納夫這兩個少校統治了衣索比亞兩年。

一九七四年十一月，經過集體逮捕上層人士後，孟吉斯圖提議處決皇子、將軍、貴族共六十人。德爾格批准。孟吉斯圖前來訊問皇帝，指控他偷了一百四十億美元：「我去哪弄到這筆錢？為了什麼？」他回道。「去過流亡生活？我們流亡過……」這個前皇帝獨自一人生活，由他的男管家照料，望著窗外，哭了起來。「噢衣索比亞，你對我不懷好意？」他察覺到危險，而這非錯覺。

一九七五年八月二十七日，孟吉斯圖徘徊於他的臥室外。男管家被打發走。孟吉斯圖等四人用氯仿（chloroform）將老皇帝迷昏，然後將他悶死。後來，孟吉斯圖謊稱，「我們竭力救他，但保不住他。」孟吉斯圖把最後一個「猶大之獅」葬在宮院中廁所外的石板下。

眼看蘇聯在非洲挑戰美國，季辛吉於尼克森面臨彈劾時掌理外交政策。尼克森在電視上說，「人民必須知道總統是不是騙子。嗯，我不是騙子。我所擁有的一切都是奮鬥來的。」

他的頭號敵人無法置信：「尼克森處境很艱難，」布里茲涅夫和卡斯楚閒聊時說，「但我們認為他會擺脫困境。他有季辛吉那個狡猾的傢伙，他會幫他。」卡斯楚很厭惡這個總統，說「尼克森是婊子養的，」但布里茲涅夫很同情尼克森，寫信對他說，「我們知道你的對手如何帶著偏見且無恥的操縱這或那……我只能說到這。我想你完全能理解我希望你如何理解此事。」布里茲涅夫未發出此信，但尼克森在國會中甚至失去了共和黨人的支持，即將遭彈劾。辭職前一晚，他請季辛吉跪下禱告。

一九七四年八月九日，他辭職：「我有時成功，有時失敗，但西奧多．羅斯福（Theodore Roosevelt）談到真正下場拼搏的人時所說的那番話，始終鼓舞我，那是『臉被塵土、汗水、鮮血弄髒』的人。」

一號兄弟和四人幫

老邁的毛澤東從北京看世局，為尼克森的下場感到遺憾，思索帝王的垮台。但他對他和美國修好的結果感到失望，對金日成抱怨季辛吉（新總統福特〔Ford〕的國務卿）是個利用中國來引誘莫斯科的「壞人」。他需要保護他的革命，但時間緊迫；他的親信康生和周恩來就要死於癌症；林彪已死；但他有妻子：「毒蠍」江青。他提拔她和她的黨羽，替他們取了綽號「四人幫」。其中他特別青睞三十七歲的紅衛兵領袖王洪文，提拔他為中共中央副主席，即他的接班人。王洪文一派斯文，上海工廠保衛科的幹部出身。

但就連毛澤東都清楚四人幫缺乏統治中國的權威，於是把「小鋼炮」鄧小平叫回來掌管軍隊。毛澤東被診斷出得了漸凍人症，開始枯槁、噎著，但管理領導階層，依舊大小事都要管，拒絕允許得了癌症的周恩來動手術。垂死的周恩來力促毛澤東任命鄧小平為第一副總理，毛澤東很不願這麼做。[53]

毛澤東等待時機以便再度放出「毒蠍」，同時慶祝他的另一個凶殘門生波布的勝利，令人匪夷所思的是波布得到前國王施亞努支持。

一九七五年四月十七日，紅色高棉的年輕戰士——身穿寬鬆黑長褲，繫紅領巾——從叢林出來，占領優雅的法國化首都金邊。美國人搭直升機離去，政府官員逃走，最後一個總理遭斬首，金邊就像一艘漸漸下沉的船。紅色高棉——只有六萬八千人——立即命令金邊的三十七萬人於三天內離城。四月二十三日，波布來到人去樓空的金邊。

四十五歲的波布生活簡樸刻苦，說話輕聲細語，神經質，很喜歡法語詩；有個同志憶道，他「很討人喜歡，人真的很好，友善，非常通情達理。」幾年在叢林裡見不得人的生活，塑造了他「從不怪罪人或責罵人」的性格，常像那個教導過他的佛教僧侶那樣拿著一把扇子，但他什麼大小事都要管，執著於發動激進革命，甚至想要讓他的恩公毛澤東都甘拜下風。自一九六三年擔任黨的總書記以來，波布領導一個由狂熱教師組成的祕密小集團。這些人行事很隱密，因此他很少使用名字，通常只用「一號兄弟」或「八十七號兄弟」之類的代號，而且彼此關係緊密；他和「三號兄弟」——他在巴黎就結識的老朋友英薩利（Ieng Sary）——分別娶了姊妹花喬帕娜莉（Khieu Ponnary）和喬蒂麗（Khieu Thirith）。這對姊妹出身優渥家庭，為法官的女兒，就讀於私立中學時遇見同校的波布和英薩利，然後兩姊妹前去法國索邦大學攻讀莎士比亞文學。他們在巴黎結識的朋友，另一個教師宋成（Son Sen）——「八十九號兄弟」——主掌祕密警察機關「桑德巴爾」（Santebal，「維護和平者」），他的教師妻子主掌教育。這六個殺人不眨眼的教師主宰「安卡」（Angkar）——「組織」，即沒有臉的政府。在資深知識分子「四號兄弟」喬森潘（Khieu Samphan）輔助下，他們一起謀畫打造「一個供人類仿效的寶貴模式」，為此要殺掉所有受過教育者和特權階級，要清空資本主義城市的居民，逼柬埔寨人在民主柬埔寨元年（Year Zero of Democratic Kampuchea）回歸工業時代前的無階級社會。波布說，「我們要燒掉老的草，新的草就會長出來。」兩百五十萬人徒步離開城市，兩萬人死於或被殺於途中，處決行動立即開始。

但新國家元首是一位綿延四百年之王室的神聖君主：施亞努從北京透過電台要農民支持紅色高棉。更早時，他走入叢林見了波布，他受到的對待滿足了他的自尊心，「一號兄弟」的冷靜謙遜卸除了他的疑

53 但毛澤東允許某些遭整肅者得到平反：其中之一是習家。一九七二年，靠著奴顏屈膝才得以捱過毛澤東恐怖行動的總理周恩來，安排讓遭整肅的習仲勛與家人團聚，習仲勛已十年不見兒子習近平。對年輕的習近平來說，日子還是不好過：他七次申請加入共青團遭拒，十次申請入黨遭拒。但他最終入讀大學，在北京學化工。對會在二十一世紀統治中國的習近平的家人來說，文革惡夢已幾乎結束。

慮。施亞努回到金邊，住進王宮；波布在銀閣寺（Silver Pagoda）——領導階層的開會地點——住了一陣子，然後搬到舊的國家銀行大樓，該大樓代號K-1。他策畫「元年」時，「壞分子」被告知，「留著你們沒好處，滅了你們沒損失。」然後，為節省彈藥，他們被用粗短的棍棒打死。小孩被帶離父母。宋成以「中小學校長般一絲不苟的眼光」監督殺戮，他的桑德巴爾在他們的總部——原為學校，代號S-21的地方——和一百五十個較小的殺人中心，拷打、殺害數千人。紅色高棉有時吃掉受害者的肝，拿未出生的胎兒當護身符，把屍體埋葬當肥料。一百多萬人遭處決；總共兩百五十萬人遇害。

施亞努公開為民主柬埔寨辯護。紅色高棉的殘暴，在他們拿下金邊之前就已為人所知，但在這個浮士德式的契約中，施亞努為了自保，擁抱麻木不仁的策略性蒙昧，並把此作法當成他為在機會來臨時趕走這些爪牙之策略的一部分。被「四號兄弟」喬森潘帶去參觀農村時，他看到實際情況，但為時已晚。他想要辭職，但被軟禁。他不只是殺害其人民的共犯——三成三的男性遇害——而且是殺害他自己家人的共犯：他的小孩有五個遇害。即使對「安卡」來說，壓力都大到讓人難以承受。壓得人喘不過氣的多疑病使波布的妻子精神失常，最後她因為精神分裂症而成為廢人。金邊是倒下的第一個美國骨牌；接著，一九七五年四月三十日，西貢落入越共之手；八月二十三日，寮王國首都永珍落入共產黨巴特寮（Pathet Lao）之手，該王國末代國王在俘虜營勞動改造至死。

在屠殺場（Killing Fields）大肆屠殺人民後，波布飛去見毛澤東，毛澤東稱許「元年」：「一下子階級就沒了……了不起的成就。」但一如史達林對他說教，他也對「一號兄弟」說教。「你們基本上是正確的。至於有沒有缺點，我不清楚。總會有，你們自己去糾正。」波布私底下鄙視赫魯雪夫和毛澤東；毛澤東的革命「已衰退、動搖」，不像他的革命那麼「鮮紅」。但毛澤東的示警有其先見之明。波布激怒親蘇的越南人，越南人剛打敗美國，不會容忍曾是越南一省的柬埔寨對他們說三道四。

毛澤東見了波布後不久，一九七六年一月，他的儒雅總理周恩來病逝。在沒有護士代為轉譯的情況下，「舵手」本人幾乎不能移動或說話，無法讓人知道他要表達的意思，但心思依舊敏銳、警覺。學生利用周恩來葬禮抗議時，他再度將鄧小平革職，但把「小鋼炮」軟禁，言明他不會受傷害。他打算立他妻子的助手——四人幫之一的王洪文——為他的接班人，後來，令所有人跌破眼鏡的，他正式立華國鋒為接班人。華國鋒曾任毛澤東家鄉湖南省的省委第一書記，有次毛澤東回老家韶山巡視祠堂時就已見過華國鋒。毛澤東的護士讀司馬光的《資治通鑑》給他聽，當他倒下時，江青莽莽撞撞闖進來，按摩他的四肢，對醫生下命令。但統治者臨終床畔最有權勢的人，不盡然會承繼統治大位。

十字軍和君王：歐洲的專制統治者和民主人士

毛澤東聽帝王的故事並把接班問題當兒戲對待時，歐洲有個君主正在安排其接班問題。一九七五年十月三十日，八十二歲的佛朗西斯科・佛朗哥陷入昏迷。他自認是自斐迪南和伊莎貝拉、腓力以來一脈相傳的統治者，因此只有國王能接他的位置。他沒有兒子，只有女兒卡門，這事因此比較好辦。他打算讓波旁王朝成員接掌王位，這個古老的法蘭西卡佩家族自一七一四年統治西班牙，直到一九三一年革命為止。他在安排時平衡該王朝的兩個分支，同也納入自己的治國組織「國民運動」（Movimiento Nacional）。

西班牙末代國王的兒子巴塞隆納伯爵曾問佛朗哥，他的兩個兒子是否能在西班牙求學。佛朗哥同意。一九五六年，這兩個王子——哥哥阿方索、弟弟胡安——正在玩弄他們以為未裝彈的一把手槍時，胡安拿槍指著阿方索，扣動扳機。結果槍裡有子彈，阿方索身亡。他們的父親厲聲道，「說你不是故意的？」佛朗哥玩弄波旁王族的兩個分支時，中意於帥氣的胡安。胡安聽從父親的建議，向這個大元帥保證會尊重他的威權統治構想。

一九六二年，佛朗哥邀王子胡安和其妻子搬進薩爾蘇埃拉宮（Zarzuela Palace）；七年後，他要胡安宣誓效忠於「國民運動」，立他為接班人，建議他取名胡安．卡洛斯（Juan Carlos）。佛朗哥還有一個條件：這個王子必須將其女兒卡門升為女公爵。胡安同意。群臣提醒佛朗哥，這個王子是不為人知的自由派，人品可疑，在性事上放蕩不羈，但胡安．卡洛斯待佛朗哥如老國王；這個軍事獨裁者信任他。一九六八年，這個老邁且被女兒、女婿控制的獨裁者，把西班牙最後一塊屬地，面積很小的赤道幾內亞（Equatorial Guinea），交給馬西亞斯．恩圭馬（*Macías* Nguema）。此人是芳族（Fang）巫醫之子，目睹父親殺了弟弟，然後被一名西班牙殖民地官員用棒子打死；他母親自殺；他本人精神有問題，吸毒，在西班牙精神病醫院尋求過治療。有次在馬德里開會討論此國的未來時，他說希特勒有心解放非洲，但征服了錯誤的大陸。他常在演說時失神，選民把這解讀為能洞見未來的迷人法力，但打贏第一次總統大選後不久，他就把他的外交部長扔出窗外，開始令人震驚的恐怖統治。他自認是「絕無僅有的奇蹟，」並以「除了馬西亞斯．恩圭馬沒有神」的箴言歌頌自己，組織了集體處決行動，五萬左右的人因此喪命。處決時，有時大聲播放英語流行音樂，以蓋住受刑者的慘叫聲。他把所有財寶存放在他房子裡的幾個行李箱裡，掠奪這個富藏石油的小國的財富，殺害或流放了三分之一的人口。赤道幾內亞小到恩圭馬靠他家人的幫助就能統治，而他的家人是唯一有力量摧毀他的人。[54]

西班牙的接班情況較順利。一九七五年十一月二十日，佛朗哥去世，胡安．卡洛斯以國王身分接班，承諾「我按著神聖的福音書對上帝發誓……繼續忠於『國民運動』的原則，」封這個獨裁者的女兒卡門為西班牙的女公爵。

在歐洲，自一九一八年以來，沒有哪個君王享有像他那樣的權力。三十七歲的胡安．卡洛斯不是佛朗哥思想的信徒，熱愛獵捕大型動物和金髮女子到了不能自拔的程度，本身信奉民主主義。有六年時間，他小心翼翼指導西班牙走向民主，將佛朗哥派的總理革職，任命原屬佛朗哥派的民主主義者阿道佛·蘇亞雷斯（Adolfo Suárez）接掌其位。一九七七年六月，蘇亞雷斯打贏四十年來第一場真正的選舉。他的新憲法把胡安·卡洛斯轉型為立憲君主。但這個國王的成就會受到考驗：一九七八年十一月，名叫銀河行動（Operation Galaxia）的軍事政變未得手，但軍官們相信胡安·卡洛斯可以被控制住，打算再發動一次政變以恢復獨裁統治。

在印度，發動政變者是英迪拉·甘地。

英迪拉和兒子

世上最大的民主國家就要成為世襲王朝國家：英迪拉·甘地這時提拔她最寵愛的兒子桑傑，希望他代表尼赫魯家族第三代接班。[55]

54 他的兄弟和姪子索要經費以支付總統衛隊薪水時，恩圭馬將他們殺害。這個姪子的兄弟，泰奧多羅·奧比昂（Teodoro Obiang）決定先下手殺掉恩圭馬，以免自己性命不保：他逮捕、處決了恩圭馬。自那之後，奧比昂一直統治此小國，把兒子泰奧多林（Teodorín）升為副總統和接班人。泰奧多林在加州的大學就讀時，住在比佛利山莊飯店，開一艘要價一億美元的遊艇。自一九六八年迄今，此國一直由一個家族統治。

55 英迪拉的丈夫，主編暨政治人物費羅茲·甘地（Feroze Gandhi，與聖雄甘地無親緣關係），已於十年前過世。當英迪拉·尼赫魯的丈夫並不容易。有二十年時間，這對夫妻一直和她父親尼赫魯同住。費羅茲常覺得自己被忽視，咕噥說「看著我！我是英迪拉·尼赫魯的丈夫。」但擔任國會議員時，他是最早提倡反貪的人士之一，批評與尼赫魯有關係的加爾各答之商行的企業醜聞。

她的長子拉吉夫是個性格沉靜的印度航空公司機長，有個義大利籍妻子，但英迪拉喜歡她高傲的次子桑傑。桑傑是個衝動、被寵壞、專制的太子黨，有著和英迪拉不相上下的權力意志。他是個開跑車競速、開飛機的花花公子，想要成為印度實業家，創辦了一家靠政府特別照顧才得以存活的汽車工廠。英迪拉煩惱他，又很喜歡他。她寫道，「拉吉夫有工作，但桑傑沒有……他很像那個年紀的我——而且不夠圓滑——因此我為他可能得吃的苦心痛。」

英迪拉的霸道、桑傑的得勢、國大黨的腐敗、石油危機，在印度激起罷工和暴亂。一九七五年時，這些危機已匯聚在一塊。訴訟案揭露英迪拉手下親信暗中收受現金的齷齪勾當，並藉由法律技術細節對她自己的勝選有效性提出質疑。英迪拉病態、猜疑，誰都不信任，看到一個「既深且廣的陰謀……導致分崩離析的力量……正大展身手，」這時過度信任桑傑。這個大權在握、冷酷無情的女總理，寫了離譜的小曲給這個兒子：「桑傑，凶猛之人／……其見解幾乎總是傷人。」

一九七五年六月，法官以選舉腐敗為理由，宣告她的當選無效。桑傑提醒她有個「陰謀」，要她勿辭職。「你知道那時我國處於什麼狀態？」她說。「若非有我出來領導這個國家，會發生什麼情況？你也知道，我是唯一能領導這國家的人。」

六月二十五日，「為了情勢的平靜和穩定」，英迪拉宣布國家進入緊急狀態。英迪拉動用印度立憲會議所保留、英國人所制定的舊法令，逮捕反對派，審查刊物，把印度比擬為生病的小孩，把自己比擬為印度的母親：「孩子再怎麼受疼愛，如果醫生開了藥丸，孩子就必須服用……孩子受苦，母親也受苦。」她的親生孩子桑傑，鄙視「沒種」的「懦弱」印度人，貶低民主制度：「後代子孫記得我們，不會是因為我們辦過多少選舉，而會是因為我們所取得的進步。」桑傑吹噓他權力之大——他母親「顯然聽進去我的看法，她在我五歲時就聽進去」——啟動一個二十五點激進改革綱領，以打擊貧窮、清除貧民窟、控制人口成長。英迪拉晉升他為國大黨青年團團長和德里的最高統治者。他享受權力所帶來的快感，住在英迪拉隔壁，時時伴隨她左右。他們譏笑民主，認為民主「只出庸人」。

他們的傲慢導致濫權：透過房地產開發賺進大筆財富；十四萬人遭逮捕，包括四萬名錫克教徒；所有反對派領袖也被捕。桑傑主持旨在減少人口的節育行動：八百三十萬個男人動了結紮手術，其中有些人被強行結紮，許多人因此死於感染。她的國大黨員部屬宣布，「英迪拉就是印度，印度就是英迪拉。」但桑傑的離譜行風如同挖她的牆腳。「攻擊桑傑，就是攻擊我，」她說。「他不是想事情的人，他是做事的人。」但桑傑很不得民心。英迪拉結束緊急狀態，一九七七年三月下令舉行選舉，她輸得很慘，丟了她在下議院（Lok Sabha）的席位，桑傑則未能拿下席位。不久，她和桑傑先後被捕。英迪拉和兒子玩完了——就在毛澤東的妻子權勢大增時。

一九七六年九月九日，午夜剛過，毛澤東去世，他的諸多護士暨女友、妻子江青、無足輕重的接班人華國鋒陪在身旁。四人幫控制了黨。江青要求讓她接掌毛澤東的主席之位。

小鋼炮、八仙、蠍子幫

身兼主席和總理的華國鋒感到驚恐：毛澤東的親信老幹部亦然。這些老幹部偷偷聯繫被軟禁在中南海的「小鋼炮」鄧小平。江青懷疑有人在搞陰謀時，鄧小平和她的敵人計畫了一場政變，把八三四一部隊，即形同禁衛軍的「中央警衛團」拉進其陣營。十月六日，華國鋒邀四人幫部分成員討論新一卷的毛澤東選集。四人幫兩個成員抵達時被捕；毛澤東的姪子在滿洲被逮；副主席王洪文拒捕，殺死兩名警衛；然後八三四一部隊包圍江青在釣魚台的宅邸，將她逮捕。

華國鋒身居最高職位，但權力會順勢流到掌有權威者，而非據有職位者；權力與水不同，始終往上流。鄧小平在家裡受群臣簇擁，但他無官職在身。六個月後，七十三歲的「小鋼炮」，身為中共中央副主席和解放軍總參謀長，主掌大局，做出將改變世界的決定：他宣布，毛澤東「七分功，三分過」，但把過錯歸咎於四人幫。四人幫受審，江青被判死刑。[56]但他的重大決定是開放中國市場，同時維持黨的專政。「不管黑貓白貓，能抓老鼠就是好貓。」這是隻好貓。他說他的改革是中國的「二次革命」。[57]他想起他的老盟友，失勢十六年且才剛出獄的習仲勛，任命他掌理廣東。習仲勛提議創新：成立貿易區。鄧小平同意，說「就叫特區吧」，還引用了來自長征的一個短語：「你們自己去搞，殺出一條血路來。」習仲勛的兒子習近平，已和農民一起待了多年，回去加入這些高官的孩子圈——太子黨——這些太子黨知道他們有朝一日會協助統治中國。習仲勛的經濟特區會為中國的經濟急速成長提供動力。但在外交政策上，「要冷靜，不要急。」英國焦慮不安看著：香港租借一九九七年就要到期。在香港問題上，鄧小平也很能變通，同意「一國兩制」，同時說中國會「隱藏實力，爭取時間」。

「小鋼炮」開朗、愛吃辣、矮小、有口臭，這時是最高領導人。不久，鄧小平就放棄其大部分職位，在家中和老幹部開會、抽菸、下棋、往痰盂吐痰時決定一切事務，他的么女鄧榕則作筆記——根據中國神話裡的八個英雄，這些老幹部被稱作「八仙」。就世界局勢來說，他建議「冷靜觀察，穩住陣腳。」西方對鄧小平大感興趣，[58]但中國學生急欲官方放寬管制，希望多元。「小鋼炮」在意識形態和經濟上靈活變通，但在權力上絕非如此：權力仍然來自槍桿子。

一九七五年十一月，最後一個帝國——葡萄牙帝國——突然撤離非洲，一個新的外來強權則於此時來到非洲：古巴人。

卡斯楚的非洲

卡斯楚的反殖民戰爭，簡直就是歷史的一百八十度反轉，成了對他所欣賞的事物的嘲諷：身為西班牙殖民主義者的兒子，他派幾乎清一色是黑人的軍隊去非洲各地打美國人所支持的部隊。他說，古巴要「為奴隸貿易報答非洲。」他認為非洲是「帝國主義鏈裡最弱的環節，」樂於將馬克思主義——對治歐洲人所建帝國的歐洲意識形態解藥——強加於這塊大陸。他的干預因里斯本的一場政變而突然啟動：一九七四年四月，一個由數個上尉組成的祕密小集團，厭煩於國內壓迫和非洲戰爭，奪取了政權。他們的康乃馨革命，使葡萄牙穩穩走上民主，結束了五百年的帝國和十三年的殖民地戰爭——但加速了對安哥拉（Angola）的血腥爭奪。

56 毛夫人獲死刑緩刑，然後診斷出癌症，獲釋。一九九一年她在醫院上吊自殺，死前她寫道，「如今革命已被鄧的修正主義集團偷走……毛主席除掉劉少奇，但未除掉鄧，放出無窮無盡的禍害……主席，您的學生和戰士來看您了！」

57 與此同時，鄧小平批准另一個使中國更富裕的辦法，減少人口：一九八〇年，他施行一胎政策，禁止家庭擁有一個以上的小孩，逼多達一億八百萬婦女絕育、三億兩千四百萬婦女安裝宮內避孕器。但中國人重男輕女，藉由墮胎、殺嬰以生得兒子，造成男女性別失衡，二〇〇九年時男性已比女性多三千萬人。二〇一六年此法令廢除時，中共相信它已使中國人口少了六億。

58 鄧小平和毛澤東一樣懷疑俄國會背信棄義，告訴美國人，「我們相信蘇聯會開戰。」在柬埔寨，搞種族滅絕、受過鄧小平調教的中國代理人波布，與蘇聯的盟邦越南起衝突，反映了傳統的民族主義對立。一九七八年十二月，波布驅逐境內越南人，試探其鄰邦實力，越南人隨之把他趕回叢林。在叢林裡，他成了孤立無援的軍閥，以此姿態存活至一九九八年。鄧小平決定給越南（和蘇聯）「一個教訓」：一九七九年二月，中國攻擊越南，但中國軍隊受到羞辱。至於柬埔寨，後來越南人扶植前紅色高棉指揮官洪森，洪森成為總理。一九九一年，施亞努以「立憲國王」的身分返國，二〇〇四年退位，他兒子諾羅敦・西哈莫尼（Norodom Sihamoni）繼位；但洪森的嚴厲獨裁統治會存續將近四十年。二〇二二年，洪森宣布會讓他的兒子接班。

一九七五年十一月十一日，安哥拉人民解放運動（MPLA）的領袖——馬克思主義者阿格斯蒂紐・涅托（Agostinho Neto），一位在里斯本留過學的醫生、循道宗牧師的兒子，宣布安哥拉獨立，奪下首都盧安達（Luanda）；與此同時，兩個相對立的反共派系占領安哥拉其他地區。涅托娶了葡萄牙女子為妻，是個老革命戰士，在哈瓦那見過卡斯楚和切・格瓦拉，每隔一段時間就被薩拉查監禁，同時繼續行醫。這場戰爭極殘暴；在這之前，安哥拉已經歷過薩拉查的右派獨裁政權發起的殖民地戰爭和葡萄牙人數百年的掠奪。涅托處決任何與其作對者，宣布施行蘇聯式一黨專政，求助於莫斯科和哈瓦那。卡斯楚說，「我們接受這個挑戰，」饒富深意的將它稱作「卡洛塔行動」（Operation Carlota）。卡洛塔一名來自一個女奴，該女奴「一八四三年領導了反抗奴隸制恥辱的諸多起義的其中一場，並為此捐軀。」美國人支持別的派系，他們的祕密盟友南非出兵占領西南非，然後入侵安哥拉。古巴迅速送去三萬六千人，以防盧安達陷落，不久增至五萬五千人。卡斯楚飛至前線巡視，吹噓說「在令人悲痛的諸多人類行動中，就屬戰爭最為可怕，而勝利一方在戰爭時表現如此程度的人性，這種事史上少見。」他還說，古巴士兵在那裡待了十五年。晚至一九八八年春，仍有古巴部隊和安哥拉、納米比亞兩地的共黨部隊共約四萬人，在奎托夸納瓦萊（Cuito Cuanavale）擊敗安哥拉叛軍和其南非盟友的軍隊，是為非洲史上最大一場現代戰役。三十多萬古巴士兵在安哥拉服役。

安哥拉成為一場戰火遍及整個非洲南部的代理人戰爭裡戰況最激烈的前線。在西部，卡斯楚支持西南非境內的叛軍；在東部，葡萄牙的另一個殖民地莫三比克境內，薩摩拉・馬謝爾（Samora Machel）——富農之子，其祖父為加薩王國的末代國王打過仗——得到卡斯楚支持，並與南非支持的反革命分子作戰，宣布莫三比克獨立。經歷數百年葡萄牙統治和四十年凶狠的右派獨裁統治，馬謝爾掌權後，將房地產收歸國有，在「再教育中心」拷打反對者，處決了三萬個階級敵人。在中心地帶，二十七萬白種羅德西亞人

（Rhodesian）抗拒英國欲讓六百萬非洲人獨立的計畫。在施行種族隔離的南非支持下，羅德西亞人與幾乎全是黑人的大多數人民交戰。[59]在非洲大部分地方已獨立數十年後，後者要為他們稱之為辛巴威的國家爭取獨立。取名辛巴威，則是為了紀念十三世紀被毀的那個城市。

一九七七年初，卡斯楚收到衣索比亞孟吉斯圖求助，派去一萬六千士兵。他說，「我們覺得有義務幫助衣索比亞人，盡我們的本分。」海爾．塞拉西遭悶死後不久，衣索比亞開始解體：提格雷、厄利特里亞境內的叛亂分子加劇在中部的叛亂活動。這場革命令衣索比亞生靈塗炭。孟吉斯圖說，「我們會對付與我們正面對峙的敵人，不會被暗算。我們會武裝同志，為我們同志所流的血加倍或三倍奉還。」孟吉斯圖和阿特納夫兩人的對抗到了一觸即發的地步，開會時兩人拔手槍相向。一九七七年二月三日，孟吉斯圖肅清德爾格的常設委員會，拉出一挺機槍，親自掃射同志，殺了五十八個德爾格軍官。然後他選上主席，成為獨裁者，以一九一八年列寧的恐怖統治為師，施行其恐怖統治（Qey Shibir）。布里茲涅夫和卡斯楚對此印象深刻。「我覺得孟吉斯圖是個不多話、正直、讓人信服的領導人，」卡斯楚推斷，「他腦筋好，二月三日展現了他的智慧……他命人逮捕、槍殺了右派。」他的對手阿特納夫已於二月三日出城，但在那年更晚時遭處決。

59 叛亂陣營本身分為忠於部落者和支持超強者兩派：由約書亞．恩科莫（Joshua Nkomo）領導、成員以馬塔貝萊人為主的辛巴威非洲人民聯盟（ZAPU），有俄羅斯和古巴支持；由羅伯特．穆加比（Robert Mugabe）領導、成員大多是紹納人的辛巴威非洲民族聯盟（ZANU），有中國支持。一九八〇年，根據英國人所談成的協議，羅德西亞獨立。穆加比選上總理，在其祕密警察頭子艾默森．姆南加瓦（Emmerson Mnangagwa）協助下，一九八三至一九八七年幹下數起屠殺（Gukurahundi）慘案，殺了三萬個恩貝德萊人。這些屠殺為姆南加瓦贏得綽號「鱷魚」（Ngwena），確立了穆加比的獨裁統治。他的獨裁統治大大傷害了辛巴威，直到二〇一七年他遭推翻。接他位者是「鱷魚」。

在一次訪問克里姆林宮時，孟吉斯圖說：「布里茲涅夫同志，我們要向你保證，我們會為了革命犧牲一切。」這絕非誇大之詞。在一場群眾大會上，他高喊「要反革命分子的命！」失心瘋般砸碎幾個裝了紅色液體的瓶子。但他的恐怖統治也是一種對帝國主義的反擊：「當他們試圖肢解國家時，我們就與他們作戰。」孟吉斯圖奪走七十五萬條性命。但索馬利亞人正往衣索比亞東部的哈勒爾（Harar）進攻；在提格雷，一位年僅二十二歲、很有才幹的學者梅列斯．澤納維（Meles Zenawi），從阿迪斯最好的中學畢業時拿到最高級別的海爾．塞拉西獎，這時創立了提格雷馬列主義聯盟（Marxist-Leninist League of Tigray）。奇怪的是，這個組織支持阿爾巴尼亞境內的安維爾．霍查（Enver Hoxha）對抗所有大國；在厄利特里亞，在北京受過訓練的馬克思主義狂熱分子，綽號伊蘇（Isu）的伊薩亞斯．阿費沃爾基（Isaias Afwerki）獲中國提供武器。蘇聯支持的衣索比亞岌岌可危；卡斯楚空運去更多士兵。

在非洲各地大有斬獲後，卡斯楚訪問了涅托和孟吉斯圖，然後轉飛去莫斯科，和布里茲涅夫慶祝另一個成就：共黨已奪取阿富汗政權。

阿富汗國王——王朝開國君主之子——札希爾（Shah Zahir），在美蘇爭相支持阿富汗工程項目時，成功遊走於打冷戰的美蘇之間，但他和蘇聯較為親近：喀布爾是赫魯雪夫南亞之行的首站。蘇聯的克格勃資助一個內部分為講普什圖語（Pashtun）、法爾西語（Farsi）兩派的共黨，與此同時，伊朗國王的改革催生出一個伊斯蘭主義團體。一九七三年，這個國王被其長年擔任總理的堂哥穆罕默德．達烏德．汗（Mohammad Daoud Khan）推翻。達烏德得到共黨支持，但其改革令人失望，而他聲稱巴基斯坦境內的普什圖尼斯坦（Pashtunistan）為阿富汗所有，導致巴國總理布托開始透過其祕密警察機關ＩＳＩ（巴基斯坦三軍情報局）資助伊斯蘭主義者。布里茲涅夫抱怨美國插手阿富汗事務時，達烏德不顧他的反對，開始逮捕共產黨人。

一九七八年四月，共軍攻進達烏德府第，持機槍掃射達烏德和他的家人，包含婦女和兒童，然後把他們丟進一座亂葬岡。努爾．穆罕默德．塔拉基（Nur Muhammad Taraki）——一位資深的阿富汗社會主義寫實小說家，既是放浪形骸的風流客，也是狂熱馬克思主義者熔鑄於筆下——掌握了政權，並自封為「東方天才」。他變得太自信且和現實脫節，向克格勃吹噓道，「一年後再來，清真寺會空蕩蕩！」

布里茲涅夫把塔拉基視為列寧主義同志，支持他那套施行世俗化教育、土地改革、女權的施政綱領——其中許多主張和九一一恐攻後美國人所想要強加於阿富汗的東西沒有兩樣。但他們的激進改革疏遠了觀念保守的阿富汗民心，普什圖派則開始謀殺立場溫和的塔吉克（Tajik）對手。蘇聯勸他們停止相互殺戮，但「他們繼續處決與他們唱反調者。」蘇聯總理柯錫金說。伊斯蘭聖戰士（*mujahedin*，伊斯蘭主義游擊隊員）發動反共聖戰時，塔拉基懇求蘇聯派兵援助，屠殺了每個和其作對者，他的總理哈斐祖拉．阿敏（Hafizullah Amin）在頭十八個月殺了三萬人左右。然後，一九七九年九月，阿敏逮捕塔拉基，接著，在聲稱已獲布里茲涅夫許可後，把這個老人勒死。布里茲涅夫惱火；鄉村充斥聖戰士；俄國人就要控制不住阿富汗，克格勃首腦尤里．安德洛波夫（Yuri Andropov）有個老式辦法——下毒。

布里茲涅夫這時七十二歲，一九七四年十一月時剛中風過一次，但克里姆林宮領導階層裡與他同輩的那些老頭，認為在一個和他的動脈一樣硬化的體制裡，沒必要要他退休。他的身體衰退得很快。布里茲涅夫有病在身，離不開安眠藥，酒癮大，連自己的家人都難以掌控。他的女兒嘉莉娜（Galina）走私西伯利亞鑽石，還公然和幫派分子、馴獅師鬼混。這個世界強權的統治者，其視野變小。布里茲涅夫常常一整天孤家寡人：「一九七六年五月十六日。什麼地方都沒去。沒人打電話來。我沒打電話給誰。早上我理了頭髮，刮了鬍子，洗了頭。走點路。看了中央軍（足球隊）輸給斯巴達克隊。這群小伙子踢得很好。」但日記透露了誰正在崛起。「尤里．安德洛波夫打電話來。過來。我們交談。」安德洛波夫拿了鎮靜劑給他。

更重要的是，兩人討論了該如何處置凶殘的阿富汗人。

特務頭子：安德洛波夫和其門生戈巴契夫

安德洛波夫呈文布里茲涅夫，說：「用來除掉阿敏的委員會已設立。」克格勃有個專門負責下毒的部門「卡梅拉」（Camera）。安德洛波夫把一個代號為「耐心」（Patience）的亞塞拜然刺客送進阿敏的廚房，這個刺客受過廚師訓練。

安德洛波夫有改革蘇聯的構想。在布達佩斯當大使時，他策畫了一九五六年敉平匈牙利革命一事，隨後在一九六七年出任克格勃首腦，監督入侵捷克斯洛伐克的行動，並發動對異議人士與猶太拒遷者（refuseniks）的新一輪鎮壓，甚至想出用精神病院來「消滅各類異議」的點子。安德洛波夫具有不受動搖的強烈敵意、滴酒不沾、清廉正直，是杜斯妥也夫斯基（Dostoevskian）筆下那種審訊人，把每個人的底細都摸得一清二楚。有次約談某個下屬時，下屬說「容我先介紹我自己，」安德洛波夫回道，「你憑什麼認為你比我還瞭解你自己？」但安德洛波夫有個家庭祕密：他由繼父養大，在伏爾加河駁船上工作過，完美的無產階級出身；但他其實是猶太裔珠寶商卡爾・法因什泰因（Karl Fainshtein）和他的妻子艾芙蓋尼婭（Evgenia）所生——一九三七年為了加入共黨，他隱瞞此事。法因什泰因則死於一次大戰期間一場反德暴動中。他不為人知的猶太人身分，並未阻止他迫害猶太裔異議分子。

對外，安德洛波夫鄙視西方民主國家的腐敗、軟弱，施行極高明的假消息散播計畫——今日「假消息」的真正始祖。這個鐵桿列寧主義者，喜歡偵探小說和爵士樂，認為獨裁政權進行改革時，需要嚴厲措施當配套。他意識到，與世界經濟掛鉤愈來愈密切的蘇聯政權需要改弦更張。蘇聯的軍事支出，占其

GNP百分之十五，就超級強權來說不算離譜。一九七七年，蘇聯新發現的西西伯利亞（West Siberian）油田，使蘇聯成為世上最大的產油國。但蘇聯太倚賴石油利潤，而且把石油利潤花在輸入穀物而非輸入西方科技上，花在補助古巴等附庸國上，安德洛波夫把對後者的補助稱作「低級的搶劫」。「當務之急係擬出一套後勤、經濟、道德方面的措施，」他說，「能夠促進設備翻新、鼓勵經理人革新。」他預見到列寧的十五個「獨立」共和國的結構所帶來的潛在危險。「揚棄國家分割，」他說。「給我畫一張新的蘇聯地圖。」

「二十年後，我們將能擁有西方如今所擁有的東西，言論和資訊的自由，社會和藝術方面的多樣性。」安德洛波夫於一九七五年說道。但他認為政治權力得繼續由共黨獨攬。一如中國的鄧小平，他構想了經濟日益自由但政治受嚴密控制的未來。改革者亞歷山大・雅科夫列夫（Alexander Yakovlev）指出，他「最危險，因為他最精明。」

安德洛波夫已於晚近結交了斯達夫羅波爾（Stavropol）的新任黨領導人，並為了度假、健行、一起歡唱他的克格勃所禁唱的歌曲，經常去拜訪這個精力充沛的友人：米哈伊爾・戈巴契夫。即將嶄露頭角的戈巴契夫稱讚布里茲涅夫，做了要更上層樓所必須做的事。但他和他的赭髮妻子萊莎（Raisa），驚駭於布里茲涅夫的死氣沉沉。這對夫妻的原生家族都有人死於史達林之手。

安德洛波夫引導戈巴契夫更上層樓，而戈巴契夫知道這個體制正在垮台。戈巴契夫找到一個志同道合之人，即強悍但睿智的喬治亞共黨頭子愛德華・謝瓦納茲（Eduard Shevardnadze）。謝瓦納茲藍眼，一頭白髮，走在黑海海灘上時突然對戈巴契夫說，「你知道的，什麼都糟透了。」一九七八年，經安德洛波夫力薦，布里茲涅夫將戈巴契夫提拔為蘇共中央政治局一員。「我們真的需要這個嗎？」萊莎問。戈巴契夫回道，「我們不能再這樣生活下去。」

在克里姆林宮，他看到總書記在政治局會議上睡著，大為驚愕。領導階層的運作像「果戈里（Gogol）筆下的情景。」戈巴契夫向安德洛波夫抱怨，安德洛波夫回道，為了「黨、國家、乃至世界的穩定，」他們必須「支持列昂尼德。」

在克格勃的下層，安德洛波夫培養了騎士般的忠誠精神。一九六九年，他提倡對祕密警察（Chekist）的新崇拜，支持電視迷你影集《春天的十七個瞬間》（*Seventeen Moments of Spring*）。該影集的主角，蘇聯超級間諜伊薩耶夫（Isayev）上校，化名施季里茨（Stierlitz）滲透入納粹總部。[60]此作法奏效。施季里茨成為蘇聯英雄。布里茲涅夫很喜歡看這個影集，為此，更改了中央委員會開會時間，以免錯失觀看機會。許多人受此影集鼓舞而加入克格勃，包括列寧格勒的法律系學生弗拉基米爾．普丁。普丁把安德洛波夫當英雄崇拜，想要成為施季里茨那樣的人。他憶道，「我對克格勃的認識來自浪漫傳奇的間諜故事。」

一九七五年，二十三歲的普丁加入克格勃，從事反情報和內部偵察工作。後來，他在尤里．安德洛波夫學院（Yuri Andropov Institute）受訓。他的背景很傳統，住在列寧格勒一個日益破敗的街區，在貧困、漏水的公寓裡長大，與無家可歸的小孩為伍；但他母親瑪麗亞生下他時已經四十一歲，在列寧格勒圍城戰時失去一個嬰兒，因此對他特別寵愛，而這樣的寵愛有時賦予小孩極大的自信。一個好心的猶太裔鄰居在他父母工作時供他食物，加上他本人學空手道，救了這個小名沃瓦（Vova）的弗拉基米爾。但他和祕密警察工作有更深的淵源：他的祖父斯皮里東（Spiridon）在內務人民委員部的服務部門工作過，當過列寧、史達林的廚子；他父親於戰時在內務人民委員部的部隊服役。

現在，事實表明要毒死這個阿富汗暴君，沒安德洛波夫所希望的那麼容易：布里茲涅夫和政治局苦惱於該如何是好。安德洛波夫最初建議保持克制，交給毒物去完成。但如果干預變得必要，那肯定會又快又容易。

一九七八年八月，伊朗國王接到其鄰邦統治者、伊拉克副總統薩達姆．海珊的來電，詢問他同不同意殺掉那個讓人頭疼的伊朗流亡者——阿亞圖拉何梅尼。薩達姆解釋道，何梅尼正在伊拉克什葉派裡生亂。薩達姆可以殺了他，或把他放逐。伊朗國王會選哪個？

伊瑪目、伊朗國王、海珊

這時，就連伊朗國王的廷臣都建議改革。一九七四年六月，阿拉姆問伊朗國王，「我們怎能以為，我們告訴人民我們置身黃金時代，人民就會不在意沒有麵包？」伊朗國王「似乎大吃一驚，要我成立一個委員會。」然而，伊朗國王要使伊朗稱霸波斯灣並裂解伊拉克的策略正在奏效。他支持由巴爾札尼（Barzani）家族最新一位軍閥領導的庫德族叛亂勢力，迫使伊拉克人承認他們的自治。[61]但漸漸得勢的伊

---

60 現代間諜既是老派殺手又是祕密官員，象徵了現代官僚體系國家所控制的監視、暴力行動的神祕力量，而且此神祕力量在間諜驚悚小說和間諜電影這類體裁裡受到頌揚。英國版的現代間諜是詹姆斯．龐德（James Bond），自信迷人、講究衣著且有虐待愛好的殺手暨善於勾引女人者。創造此角色者是英國銀行家族子弟、當過情治人員的伊恩．佛萊明（Ian Fleming），他筆下的龐德與他本人的貴族品味、施虐受虐喜好正相符。最賣座的詹姆斯．龐德電影《霹靂彈》（*Thunderball*），一九六五年上映，正值冷戰最烈時。

61 這個庫德族領袖是穆斯塔法．巴爾札尼（Mustafa Barzani），該王朝最新一個領導庫德人抗爭的成員。巴爾札尼家族是來自伊拉克蘇萊曼尼亞（Sulaymaniyah）的蘇非派謝赫和地主。庫德斯坦獨立建國的許諾遭食言後，謝赫馬赫穆德．巴爾札尼（Mahmud Barzani）在伊拉克叛亂，反英國人和哈希姆家族，一九二三年自封為庫德斯坦國王。一九三二年他被擒，由謝赫艾哈邁德（Ahmed）和其弟穆斯塔法這兩個年輕親屬繼續為獨立奮鬥。二次大戰期間，巴爾札尼獲史達林支持，在伊朗西部闢建了一個庫德人共和國，但雅爾達密約的條件之一是蘇聯撤走。這個共和國垮掉，巴爾札尼逃至蘇聯，伊拉克君主國覆滅後，回伊拉克。一九七一年，海珊想殺了他，於是這時七十歲的巴爾札尼再度起事。一時之間，庫德斯坦似乎要再度誕生。

拉克領袖薩達姆．海珊擔心失去庫德斯坦會使伊拉克分崩離析。

伊朗國王和阿拉姆認為海珊是個「身材細長、長得好看、頗睿智的年輕人。」他生在提克里特（Tikrit），無緣被讚賞孩子的母親寵壞，也沒機會和咄咄逼人的父親起衝突。他父親在他出生後就去世，他母親莎芭（Sabha）倒下，於是把這個孩子送去巴格達，給她的兄弟海拉拉．塔爾法（Khairallah Talfah）撫養。塔爾法是激進的阿拉伯民族主義者，介紹這個男孩入復興黨。一九六三年復興黨在伊拉克和敘利亞都奪取政權，但不久就因為內部的長期不和、清洗而元氣大傷。赫魯雪夫關注這些殺戮，說「復興黨師法希特勒。」海珊欲暗殺伊拉克總統未能得手，逃到埃及，但藉此贏得威望；一九六八年，他的表哥艾哈邁德．巴克爾將軍在最新一波復興黨派系鬥爭中奪取政權時，海珊回到伊拉克。巴克爾娶了海珊舅舅塔爾法的姊妹，任命海珊為祕密警察首腦。

當海珊與他舅舅的女兒、一位教師薩吉妲（Sajida）結婚時，他使自己成為一個小集團的中心人物；不久，他舅舅的兒子和他同母異父的兄弟也加入這個集團。伊朗國王花數十億美元買美國軍火時，身為革命指揮部副主席的海珊竭力交好莫斯科。一九七二年四月，巴格達和蘇聯簽了一個條約，海珊本人開始和克格勃間諜葉夫蓋尼．普里馬科夫（Yevgeny Primakov）過從甚密。普里馬科夫有時化名馬克西姆（Maxim），但真名是芬克爾斯泰因（Finkelstein），係猶太人。他欣賞這個伊拉克人身上「往往轉變為殘酷的堅定特質，跡近於無可救藥之頑固的堅強意志。」巴克爾於伊朗國王的庫德族叛亂分子作勢要奪走伊拉克北部時病倒。海珊實力還不足以阻止他們，不得不上談判桌。

一九七五年三月，在阿爾及爾的會議上，伊朗國王大有斬獲，海珊同意伊朗控制阿拉伯河（Shatt al-Arab），換取伊朗拋棄庫德人。事業成功抑制了改革，伊朗國王志得意滿。隔年七月時，阿拉姆已絕望：「我們聲稱已把伊朗帶到離『偉大文明』只有一步之遙，但伊朗受到停電打擊，而且我們甚至無法保證首都供水無虞……」伊朗國王說這全不是事實：「經濟唯一不對勁的地方，乃是經濟成長特別快。」

權力腐蝕人心；這個伊朗國王自一九四一年在政壇翻雲覆雨，至這時已將近四十年。阿拉姆警告道，「沒有人牢牢掌舵，船長工作過重。」與此同時，「人民所想要的，不只更富裕，還要正義、社會和諧、有權置喙政事。我極憂心。」但至一九七七年一月，龐大的稅收已遭揮霍殆盡。伊朗國王告訴阿拉姆，「我們破產了。」

伊朗國王的一個瑞典籍情人食物中毒，但宮廷大臣派御醫去時，該御醫反倒去阿拉姆的「法籍女友」那裡。「陛下哭笑不得。」但伊朗人笑不出來。已有數百萬農民湧入城市，而在城市裡，他們無依無靠且貧困，唯利是圖的上層人士對他們不聞不問，於是他們求助於傳統毛拉，聽被人偷偷帶入國內的錄音帶。人在伊拉克納傑夫（Najaf）的阿亞圖拉何梅尼，在錄音帶裡把伊朗國王稱作「必須用石頭砸爛頭的美國毒蛇。」這時，海珊表示願將何梅尼的人頭獻給伊朗國王：諸王之王拒絕了這個好意。海珊將這個阿亞圖拉驅逐出境。

何梅尼欲避難於巴黎。法國總統季斯卡・德斯坦（Giscard d'Estaing）問伊朗國王意下如何，伊朗國王不反對。十月，何梅尼定居於巴黎郊區的諾夫勒堡（Neauphle-le-Château）。他出現在媒體上時，一身袍服坐在一棵蘋果樹下，與伊朗國王穿著鑲綴金飾帶的制服亮麗現身南轅北轍；而何梅尼在媒體曝光，係由一批受過教育的自由派、什葉派溫和派、受黎巴嫩的巴勒斯坦解放組織訓練過的左派革命分子安排。這些人為了共同的目標而結盟，個個相信自己控制了這個老人。但他未被哪個人控制。

伊朗國王不把這威脅當一回事，把與他作對者稱作「一些腐敗的無賴」；伊朗的祕密警察繼續逮捕、拷打嫌疑者。但一人政權的堪慮之處，在於它的存續有賴於一人的存續；感到疲憊的伊朗國王被祕密診斷出得了淋巴癌，他所信任的阿拉姆則快死於癌症。國王穆罕默德接受類固醇治療，抑鬱且消極，拿不定主意。國內開始出現定期示威和基本教義派攻擊，他置之不理。然後，一九七八年八月，阿巴丹的國王戲院（Rex Cinema）發生大火，燒死四百二十人，起火源是汽油，而且經查，窗戶被鎖死。這是伊斯蘭恐怖分子的挑釁，而且奏效：此事被歸咎於伊朗祕密警察機關，抗議如滾雪球愈來愈大。

生病的伊朗國王喪失戰鬥意志，不願射殺抗議者。但他向盟邦美國徵詢意見，而在美國，水門事件後的強烈反彈，已把一個沒經驗、道貌岸然、長得好看的民主黨人——來自喬治亞州的花生農吉米·卡特（Jimmy Carter）——送進白宮。卡特是季辛吉的反面人物，但光是他的存在就削弱了美國的力量。他表明不支持伊朗國王，而何梅尼的特使則私下透露，這個阿亞圖拉絕不會威脅美國石油。數百萬伊朗人雲集於街頭時，伊朗國王驚訝發現遭美國出賣，費盡心思尋找願意出任總理的人。當他的軍隊退縮時，他的君主國如朽木垮掉。一九七八年九月八日，保安部隊朝大型抗議活動開火，殺死百人左右：「黑色星期五」帶來了烈士和衝勁。

一九七九年一月十六日，脆弱、蒼白、但直挺挺且尊貴的伊朗國王登上了飛機。一個年輕軍官跪下吻他的手；法拉赫服用了鎮靜劑，靜靜哭泣。伊朗國王飛到埃及，受到沙達特歡迎。兩個星期後的二月一日，何梅尼從巴黎搭機返國，機上載了許多他的左派顧問和美國記者。記者問他心情，他回道「沒什麼。」（*hichi*）——不搞美式煽情那一套，反倒表達真主的神祕偉大。他的車隊駛去烈士公墓時，六百萬人——史上最大規模的群眾之一——幾乎壓垮他，他不得不靠軍方直升機救駕才得以脫身。「我會決定政府官員人選，」他告訴群眾。「我會把這個（臨時）政府打得滿地找牙。」決定性的時刻很快到來：他的世俗性盟友已安排他下榻雷法（Refah）女子學校；但隔天早上，諸位毛拉、盟友、前學生闖進來，把這時被譽為不會犯錯之伊瑪目的何梅尼送到他們的總部。

儘管何梅尼任命了一位立場溫和的伊斯蘭主義者當總理，但他戲弄了左派、溫和派、美國人：何梅尼把權力授予給了「伊斯蘭革命委員會」，在該委員會，他的許多先前出入獄多年的學生加入核心圈子。其中一人是一位出生於納傑夫的四十歲神職人員阿里·哈梅內（Ali Khamenei），受何梅尼信任，組建了新軍「伊斯蘭革命衛隊」。這兩人——先是何梅尼，再來是阿里·哈梅內——會以伊瑪目身分統治伊朗直至二〇二〇年代的今天。

當其支持者打贏與禁衛軍的槍戰，並逮捕所有將領、部長時，何梅尼的真面目展露無遺。他們把這些人押到雷法學校，在那裡，首席革命法官薩德克·哈勒哈利（Sadeq Khalkhali）在屋頂上將他們射殺。這個胖乎乎、凶殘、笑起來咯咯響的人，自一九五五年就追隨何梅尼，長期主掌恐怖主義團體「伊斯蘭敢死隊」。有人打電話來，請他延後處決伊朗國王的長年總理，他請對方等等，然後親自槍殺他，再回去講電話——「抱歉，死刑已執行。」後來他吹噓說，「我殺了五百多個和王族關係密切的罪犯……不覺遺憾，」只有讓伊朗國王給逃了，讓他覺得遺憾。十月，伊朗國王抵美接受醫療，從而激起「要美國死」（Death to America）運動：四百個學生強行衝入美國駐德黑蘭大使館，捉了六十六個美國人當人質。何梅尼支持此舉，利用此事除掉溫和派，施行其獨一無二的神權統治：最高領袖——根據監護法——是不受任何限制的神聖君主，地位高於民選總統和議會。

卡特顏面無光，派突擊隊發動「鷹爪行動」（Operation Eagle Claw）以解救人質，但直升機碰上沙塵暴墜毀，八個軍人喪命，他們的皺縮遺體成為一齣令人毛骨聳然的伊朗表演活動裡的道具。「誰壓碎卡特先生的直升機？」何梅尼問。「我們幹的？沙子幹的。這些沙子是真主的代理人。讓他們再試一次。」他們未再動手。美國的總司令需要勝利的桂冠：卡特被失敗和不幸搞壞了形象，但他的確促成第一個阿拉伯與以色列和平條約。

一九七七年十一月十九日，沙達特在對付以色列上取得早期成果後信心滿滿，勇敢飛至耶路撒冷。

迦納的ＪＪ和在耶路撒冷的沙達特

沙達特告訴以色列國會（Knesset）：「我們來結束戰爭。」接待他的以色列東道主，梅納海姆・比金（Menachem Begin）是一位個性陰鬱的波蘭裔民族主義者，曾用恐怖主義手段削弱英國的委任統治權，推翻了執政三十年的工黨政府，贏得從阿拉伯國家移來且受冷落的米茲拉希（Mizrahi）猶太人的選票。比金把西奈半島還給埃及，以換得令伊斯蘭世界其他地方憤慨的和平。一九七九年三月，當協議在華府簽訂時，敘利亞的阿塞德、利比亞的格達費與伊瑪目何梅尼同聲譴責沙達特背叛。

何梅尼的第一個來訪外賓是巴勒斯坦領袖亞西爾・阿拉法特（Yasser Arafat）。阿拉法特已在其由蘇聯出資建立的黎巴嫩營地訓練了許多伊朗激進分子。信仰具傳染力而且可替代：一九七九年革命，一如一七八九年、一九一七年革命，改變了世界。世俗化的西方人認為何梅尼是來自蒙昧主義的、不包容異己的過去的幽靈。其實，他是未來。何梅尼的野心是泛伊斯蘭的，不受什葉派教義或伊朗歷史束縛，既擁抱遜尼派，也擁抱世俗化的巴勒斯坦人（「今日伊朗，明日巴勒斯坦」）。何梅尼受了遭納瑟絞死的埃及遜尼派教徒庫特卜啟發；這時，庫特卜的信徒則受他啟發。總統沙達特已同意庇護他行將就木的友人——遭罷黜的伊朗國王巴勒維。此前，巴勒維從美國移居巴拿馬，被何梅尼的特務追捕，特務要求將他殺害或引渡。巴勒維在開羅去世時，沙達特將他葬在里法伊清真寺（al-Rifai Mosque），「偉人」伊斯梅爾和法魯克旁邊。沙達特和以色列締結和約並對伊朗國王不離不棄，招來伊斯蘭主義者的仇視。

一九七九年四月四日，在巴基斯坦，民選的前總理布托遭絞死，下令殺他者是一九七七年七月將他拉下台的伊斯蘭主義將領、參謀總長穆罕默德・齊亞（Muhammad Zia）將軍。此前，布托的高壓獨裁統治和遊走於社會主義、伊斯蘭教、封建領主之間的作為，更別提他謀殺與他作對者一事，使他失去各方的民心。布托當權時任命齊亞為陸軍參謀長，鼓勵這個留著八字鬍、做事追求爽快俐落、受過英國人訓練的軍官在軍中提倡伊斯蘭教，但這個將領很厭惡他，後來以謀殺罪將他送審。如今，什葉派伊朗革命鼓勵遜尼派齊亞將巴基坦斯伊斯蘭化、強制施行伊斯蘭教法。

何梅尼的影響甚大，但他當下有個威脅：他鄙視薩達姆．海珊，呼籲打掉「不信真主的復興黨。」海珊也鄙視他。

一九七九年七月二十二日，剛當上伊拉克總統的海珊，在革命指揮委員會（Revolutionary Command Council）的會議上抽著雪茄悠閒登場，然後當場發動清洗，除掉異己。此會議過程拍成錄影帶，後來在全國各地播放。沙達特和以色列簽署和平條約後，伊拉克總統巴克爾提議和他在敘利亞的復興黨同志阿塞德合併：由巴克爾當總統，阿塞德當副總統，海珊則會失勢。於是，海珊扯這個協議的後腿，從而導致伊拉克和敘利亞的阿塞德反目。阿塞德轉而和伊朗結盟，而這個結盟將使他的王朝存續至二〇二〇年代的今天。

在巧妙地讓巴克爾退休後，海珊走出幕後。這個未受過完整教育的激進分子，因為輕鬆就掌權，因為別出心裁的殘酷，因為身邊圍著逢迎拍馬的部屬，而相信自己出於天命會是集薩拉丁和納瑟、尼布甲尼撒和史達林於一身的人物。當上總統後，他立即逮捕政敵並施以酷刑，以使他們指控其他人參與了「敘利亞密謀」。

登上台面後，他像一個殘忍的競賽型電視節目主持人一樣，漫不在意地當眾點名「背叛我們的兄弟」。他們被點名後，海珊即喊「滾出去！」攝影機畫面呈現穿著西裝的伊拉克情報總局幹員護送他們出房間，躲過這一劫者則向海珊歡呼、叫喊、喝采以示忠誠。揪出叛徒後，海珊和其親信哭了起來，用手帕輕拭眼淚，然後帶這些逃過一劫者下到地下室。在那裡，他們收到手槍，被逼槍殺部分囚犯；其他囚犯則獲緩刑，被逼著殺掉更多人。

欲透過殺戮來肅清異己者，不只何梅尼和海珊。一九七九年六月二十六日，三十二歲的迦納空軍上士傑瑞．羅林茲（Jerry Rawlings），在迦納阿克拉的海灘上立了一排木樁，邀新聞媒體前來目睹一令人毛骨聳然的景象。「有六根木樁，每根上頭垂下一條繩子，」有個記者憶道。「每根木樁後面堆著沙包。」然後，一輛救護車停下。「門猛然打開，」走出阿庫佛（Akuffo）、阿弗里法（Afrifa）這兩個身為將軍的前總統和四個高階軍官。這些人被綁在木樁上時，「群集的觀眾一下子鴉雀無聲。」「幾乎沒人看到行刑隊進入帳篷，所有人都把注意力擺在這些被判了死刑的軍官上……。」

羅林茲的母親是迦納埃維族（Ewe）人，父親是來自加洛威（Galloway）的蘇格蘭藥劑師；綽號「JJ」的羅林茲本人是個風頭甚健、身材高大的飛行員，極反感於恩克魯瑪之後軍職、文職統治者的唯利是圖和無能。但晚近娶了娜娜並生了三個孩子後，他參加軍官考試屢次落榜，就要被勒令退伍。羅林茲性格多變且衝動，參加了「自由非洲」（Free Africa）軍官團這個打算於非洲各地策畫政變的祕密組織。

他的政變由他和他最好的朋友——綽號「JC」的少校科喬．博阿克耶．德將（Kojo Boakye Djan）——共同策畫，JC出身阿克拉的著名英式威爾斯親王寄宿學校。兩人還未成年時就已造英籍校長的反。一九七九年五月，羅林茲突然出現在其友人面前：「JC，來去喝一杯。」

在大陸飯店喝著雞尾酒，羅林茲突然嚴正表示，「JC，我們已準備好接管。」

「你和誰？」JC問。

「我已揪到一些小伙子，」JJ說。JC勸他打消此議以免招來危險。JJ提醒他，「你做事太不乾脆，搞不好會被當成懦夫。」

政變一敗塗地。羅林茲和他的「那些小伙子」被擒，即將被處決。「該走的路很清楚，」JC說。「得趁羅林茲還沒被處決，把他救出來。」

一九七九年六月四日，JC攻入監獄，救出羅林茲；然後他們奪下「城堡」（Castle），推翻阿庫佛將軍。空軍上士羅林茲成立武裝部隊革命委員會，宣布展開「清掃房子行動」，逮捕三個前總統和五個將領。頭幾次槍斃在私下進行，但在阿克拉海灘上，群眾聚集。

「未聽到下令開槍，」那個記者憶道。「突然間叩、叩、叩。我看到血濕透……」幾年後，羅林茲有感而發說，那「非常痛苦、遺憾，但只有這條路可走。」共三百人的誅殺名單編出來，這些人全遇害，然後羅林茲同意舉行自由選舉，跌破眾人眼鏡。受敬重的外交官暨恩克魯瑪思想的追隨者希拉．利曼（Hilla Limann）博士贏得該選舉。羅林茲返回軍營，但經過兩年軟弱、腐敗的統治後，一九八一年十二月三十一日，他重新奪回了城堡。他宣布，「迦納鄉親，這不是政變。我所要的是一場不折不扣的革命……『城堡』的作為，每一件都會經過人民的同意。」

羅林茲主導了將三個法官殺害之事，以報復他們膽敢在他第一次統治期間質疑他限制人民自由的舉措。眼見民意反彈，羅林茲逮捕他自己的軍事執政團親信，將他槍斃。與此同時，他在盟友卡斯楚、格達費鼓勵下，施行基於馬克思主義的國有化，從而毀了迦納的經濟。羅林茲類似非洲境內許多親蘇的暴君，但他和他們不同類：這個怪人最終會跌破所有人眼鏡。

在波斯灣，海珊和何梅尼一直互相仇恨。海珊差點暗殺了何梅尼；結果反倒殺了什葉派阿亞圖拉薩德（al-Sadr）。伊拉克人長期對伊朗高伊拉克的優越性感到不滿，以及伊朗國王的驕橫：代理父職養大海珊的舅舅塔爾法寫了一本小冊子，《真主本不該創造的三個東西：波斯人、猶太人、蒼蠅》（*Three Whom God Should Not Have Created: Persians, Jews and Flies*）。這時海珊飛到利雅德爭取沙烏地支持。何梅尼極厭惡紹德王族，譏笑他們是「利雅德的駱駝放牧人和內志（Najd）的野蠻人。」沙烏地王儲暨阿布杜阿齊茲的兒子法赫德（Fahd），答應每個月給海珊十億美元。美國人同意伊拉克開戰；剛做出一個要命決定的布里茲涅夫亦然。

喀布爾的333行動

333風暴行動（Operation Storm-333）是現代史上最成功的突擊行動。一九七九年十二月二十七日下午七點十五分，一千多名蘇聯突擊隊員，喬裝改扮為阿富汗軍人，攻進喀布爾城外十公里處的塔吉貝克宮（Tajbeg Palace），除掉阿富汗總書記哈斐祖拉・阿敏。阿敏的激進政策和殘忍清洗、對史達林的仰慕、受過美國教育的背景，令蘇聯驚恐。布里茲涅夫難掩老態的雀躍令人不安：他和打字員、女侍者跳探戈，但在公開場合，他說不完一句話，成為全民的笑柄。但這個無所不能的老頭苦惱於阿敏。安德洛波夫說，「阿富汗我們無論如何不能丟。」

諸將領勸阻入侵阿富汗。戈巴契夫私底下認為那是個「要命的錯誤」，但十二月十二日，安德洛波夫的意見占了上風。蘇聯召集士兵時，阿敏已搬出總統府，改住防衛森嚴的塔吉貝克宮。安德洛波夫的特務「耐心」這時是阿敏的廚師。如果他能殺了阿敏，入侵阿富汗之舉就可免掉。

十二月十三日，特務「耐心」對阿敏的食物下毒，但他的姪子吃掉被下毒食物的大部分，不得不飛往莫斯科尋求解藥治療。然後，有個狙擊手想槍殺阿敏，但無法近身。安德洛波夫下令以手術式的快速打擊除掉阿敏，平靖阿國局勢。十二月二十五日，蘇軍在阿敏首肯下來到阿富汗。二十七日，333風暴行動的幾小時前，阿敏主持一場盛宴，宴席中他再度被下毒：他和他的賓客都病倒。阿敏陷入昏迷，但他的可口可樂癮分散了毒性，一個未經克格勃告知基本情況的俄籍醫生使他醒了過來。殺手隊一收到阿敏還活著的消息，由蘇聯特種部隊阿爾法小組（Alpha Group）雷霆（Thunder）小隊二十五名刺客領導的七百名突擊隊員，加上得到七百名傘兵和格魯烏（ＧＲＵ，蘇聯軍事情報機關）特種部隊（Spetsnaz）幹員支持的克格勃、格魯烏分遣隊，強攻塔吉貝克宮，該宮一千五百名守軍反擊。

安德洛波夫的突擊隊員用炸彈開路攻進去時，阿敏說，「蘇聯人會救我們。」

他的副官說，「他們就是蘇聯人。」

「的確，」阿敏說。刺客一入宮即殺掉阿敏和他的幾乎整個家庭，他的妻子、十一歲兒子、三百五十名衛士；有個女兒受傷，但存活。鑲木細工地板上全是血。蘇聯扶立親蘇的卡馬爾（Karmal）當阿富汗總統；八萬蘇軍士兵加一千五百輛坦克占領諸城市，入阿的蘇軍很快增至十二萬五千人；最高峰時，蘇聯六十多萬人員被捲進這場戰爭。蘇聯入侵阿富汗激起一場日益壯大的叛亂。阿富汗的部落領袖、宗教領袖領導約二十五萬聖戰士起事抗蘇，[62]先是得到巴基斯坦支持，接著得到美國中情局和沙烏地阿拉伯人支持。

阿富汗情勢為海珊提供了絕佳的掩護。一九八〇年九月二十二日，他發兵入侵伊朗，援引西元六三八年阿拉伯人打敗波斯人的卡迪西亞（Qadisiyya）一役，把此行動稱作「薩達姆的卡迪西亞之役」。但海珊未能如願打敗何梅尼；阿拉伯人的進犯反倒使這個伊瑪目得到伊斯蘭狂熱分子和伊朗民族主義分子的集體擁護，拯救了這個政權。成千上萬伊朗人主動纏上紅色烈士頭巾，奉命走出戰壕攻擊敵軍。他們一波波湧向前，往往除了通往天堂之門的鑰匙，沒有武器在身，但止住伊拉克人的進攻。何梅尼大規模處決馬克思

62 其中有個普什圖族毛拉，名叫賈拉魯丁・哈卡尼（Jalaluddin Haqqani），創立了會在接下來四十年發揮特殊作用的一個恐怖主義王朝。哈卡尼是酋長之子，一九六〇年代在巴基斯坦境內由巴基斯坦三軍情報局（ＩＳＩ）出資開辦的哈卡尼亞神學院（Haqqania seminary）就讀過，回國後取名哈卡尼。

主義、自由主義「叛徒」，同時將二十萬新兵急速撥給他的新軍隊「革命衛隊」。美、俄大手筆軍援這個伊拉克獨裁者。季辛吉說，「很可惜，兩方都不能輸。」這場戰爭會打上十年，奪走一百萬條青年的性命——這場被遺忘的浩劫，使何梅尼有信心去鞏固其神權統治，使海珊敢於在沙烏地阿拉伯人資助下冒更多的險。

面對伊朗的挑戰——以及伊斯蘭主義叛亂分子對麥加聖祠的攻擊——沙烏地國王法赫德，阿布杜阿齊茲的第四個當上國王的兒子，回應以在國內更嚴格貫徹宗教儀軌，把他的稱號改為「兩聖所的守護者」，在加劇狂熱主義較量的信仰戰中，資助瓦哈比派在整個阿拉伯世界對抗何梅尼的行動。他的弟弟薩爾曼（Salman），聰明、任性、易怒、常以甩耳光懲罰無禮者的利雅德省長（後來在二〇二〇年代當上國王），[63]接掌伊斯蘭慈善機構的資助活動——把錢送去資助阿富汗人——並且成為前去為阿富汗人打仗的一小群沙烏地阿拉伯人的龍頭老大。

現年二十二歲的奧薩瑪·賓·拉登（Osama bin Laden），是國王的營建商穆罕默德·賓·拉登的五十六個孩子之一。穆罕默德·賓·拉登是葉門人，最初在吉達當挑夫，一九三〇年贏得阿布杜阿齊茲青睞，結交了費瑟，為沙烏地阿拉伯人重建了麥加、麥地那。這個家族不只善於結交紹德王族，還善於結交美國的顯要。

穆罕默德·賓·拉登讓其大部分孩子在英國或美國受教育：他的繼承人薩列姆（Salem）在英國一所寄宿學校就讀。父親死於墜機時，薩列姆·賓·拉登不僅與費瑟建立了關係，還在佛羅里達買了房子，與一個有用的權貴家族結為朋友。一九七九年四月，他投資小布希（George W. Bush）的石油新創企業。小布希自信且自負、常喝很多酒，他父親老布希（George H. W. Bush）是上層階級政治人物，正打算選總統。

「小帕普」、賓・拉登、小布希

老布希身材高大、聲音細長、帶著名校氣質、不擅言辭、缺乏「遠見」，苦於既想實現貪得無厭的野心，又囿於他上層階級的立身處世規矩。布希家族是擁有自己「家族莊園」的那種美國家族，祖上是英格蘭裔鐵匠、教師、探礦者；他們是激進的廢奴主義者和女人選舉權的支持者，但也是美國東岸商業菁英階層的成員。老布希的祖父撒繆爾是美國新教聖公會教區牧師的兒子，靠管理一家鋼鐵公司賺了錢，該公司替「鍍金時代」的強盜資本家E. H.哈里曼（E. H. Harriman）製造零件。撒繆爾的兒子普雷斯科特（Prescott）在哈里曼兄弟（Harriman Brothers）投資銀行工作，娶了銀行老闆喬治・赫伯特・沃克（George Herbert Walker）的女兒。布希家族從沃克那裡繼承了一座位於緬因州的莊園——肯納邦克波特（Kennebunkport）的沃克角（Walker's Point），在那裡，他們一如其他白種盎格魯—撒克遜新教徒（WASP），甘於接受那種雙重地獄般的生活：簡樸刻苦的家居條件與寒冷的戶外運動。

老布希因身材很瘦長而有「瘦皮猴」（Skin）的綽號；又因為其外祖父沃克綽號「帕普」（Pop），而有「小帕普」（Poppy）的綽號。老布希和父親一樣就讀耶魯大學，加入該大學的上流社團「頭顱和骨頭」（Skull and Bones）飲酒會，然後娶了性格不服輸的芭芭拉・皮爾斯（Barbara Pierce）。芭芭拉的父親是事業有成的出版商，祖上是麻塞諸塞州最早的移民之一。結婚後不久，老布希投身空軍，一九四四年遭日軍擊落，保住性命。搬到休士頓後，他在石油業裡賺了錢，和芭芭拉育有六個孩子。一個女兒死於白血病，令兩夫妻非常傷心，然後兩夫妻溺愛長子喬治・W——被稱作W——即小布希。小布希長成落拓不羈之

---

63 他兒子穆罕默德・賓・薩爾曼（Muhammad bin Salman）——日後沙烏地阿拉伯的統治者——生於一九八五年這個對抗何梅尼的行動期間。

人，既是穿靴子的德州富二代，也是耶魯大學「頭顱和骨頭」社團的成員。就是他得到賓・拉登家族支持其事業。

老布希追隨父親的腳步投入政壇，尼克森任命他為駐北京大使以獎賞他的忠誠；總統福特任命他為中情局局長。老布希靠著經營人脈往上爬，寫感謝函給每個他所遇見的人，不是一夕出人頭地那類人。現在，他已準備好出馬角逐總統寶座。與此同時，小布希正在石油業裡賺錢，已投資德州遊騎兵棒球隊；但他酒癮大，因酒駕被捕。小布希與正派作風的圖書館員蘿拉・威爾奇（Laura Welch）結婚，改變了他的一生：他戒酒，信神，投身政治，作風改為嚴肅持重。他說，蘿拉不只「優雅、美麗，而且願意忍受我的小缺點，」他說「我必須承認她已除掉我那些小缺點。」小布希從聖公會轉到蘿拉的聯合循道會（United Methodists）。

另一個富二代，奧薩瑪・賓・拉登，六呎四吋高，搶眼且具群眾魅力，接受賽義德・庫特卜的理念，出席了自己兄弟在吉達的演說。最重要的，他相信只有對不信真主的歐洲異教徒——蘇聯人、美國人、猶太復國運動者——發動聖戰和恢復伊斯蘭教法，才能使伊斯蘭教恢復到其遙遠最初的純正面貌。他繼承了父親所留下的兩千五百萬美元遺產，未畢業就離開大學，在國王法赫德和王子薩爾曼支持下去了巴基斯坦。在那裡，在巴基斯坦三軍情報局幫助下，他利用其財力召集了約兩千名阿拉伯戰士，對抗入侵阿富汗的蘇聯。他在白夏瓦（Peshawar）時遇見戴眼鏡、會講數種語言的埃及外科醫生阿伊曼・札瓦希里（Ayman al-Zawahiri）博士。札瓦希里三十歲，是恐怖主義組織「伊斯蘭聖戰」（Islamic Jihad）的成員，也熱中於組織阿富汗抗蘇勢力。他會成為賓・拉登的醫生、顧問、接班人，但眼下他返回開羅，而他的同志正在開羅謀畫殺掉總統沙達特。

一九八一年九月，沙達特下令集體逮捕聖戰士、「穆斯林兄弟會」、知識分子至科普特人，但漏掉陸軍司令部裡一批陰謀不利於他的軍官。為慶祝沙達特一九七三年對以色列戰爭勝利，沙達特舉辦了閱兵，而這些軍官把聖戰士中尉伊斯蘭布利（Islambouli）所領導的一個排，安插進接受校閱的大炮、坦克裡。十月六日，沙達特向噴射戰鬥機行答禮時，伊斯蘭布利劫持了受檢的一輛陸軍卡車，他的同夥，鋼盔裡藏著手榴彈，慢慢跑向觀禮台。沙達特以為他們是閱兵儀式的一部分，於是起身行禮，他們則在這時朝沙達特丟出手榴彈、開火，打中他的胸部。現場大亂時，伊斯蘭布利爬上觀禮台，朝臥倒的總統打光彈匣——自穆罕默德·阿里以來最優秀的埃及領導人。副總統霍斯尼·穆巴拉克（Hosni Mubarak）受傷，但接掌總統之位，統治埃及三十年，維持以埃和平，遭遇伊斯蘭布利之兄弟的一次暗殺未遂。刺客遭處決，札瓦希里被捕。他獲釋後，前往巴基斯坦和正在打蘇軍的奧薩瑪·賓·拉登重聚。兩人一同創建了聖戰恐怖組織「蓋達」（al-Qaeda，「基地」）。

遭遇聖戰挑戰者不只沙達特，但阿塞德以不同方式處理其所面臨的挑戰：一九八二年二月二日，他的榴彈炮開始炮擊他自己的城市哈瑪（Hama）。

阿塞德統治施行蘇式中央指導經濟的小國，已藉由干預黎巴嫩創造出一個大敘利亞。貝魯特以其頹廢魅力和弱勢政府而著稱，被馬龍派基督徒支配，而居人口少數、受壓迫的什葉派痛恨馬龍派把持國政，晚近得到凶狠民兵組織真主黨（Hezbollah）助力，真主黨則得到何梅尼資助。另外兩個翻攪政局者——德魯茲教派軍閥瓦利德·瓊卜拉特（Walid Jumblatt）和阿拉法特的巴勒斯坦解放組織——加劇黎巴嫩的國不成國。瓊卜拉特是個隨身配戴手槍的花花公子，跨坐在他的哈雷機車上大談馬克思，解放組織則已建立自己的地盤，協助引爆一場黎巴嫩內戰。一九七六年，阿塞德調兵入黎巴嫩以阻止殺戮，他的弟弟里法特等太子黨則在那裡發了財。但阿塞德的世俗性獨裁統治、對伊斯蘭主義者的壓制和阿拉維教派異端思想，激怒穆斯林兄弟會。

一九八〇年六月，伊斯蘭主義者騷擾襲擊哈瑪、荷姆斯（Homs）、伊德利布（Idlib）三城市，聖戰士欲殺掉阿塞德；六月二十七日，他的弟弟里法特殺掉關在塔德莫（Tadmur，即帕邁拉〔Palmyra〕）市的一千名穆斯林兄弟會囚犯，並暗殺該組織的領袖作為回敬。沙達特遭暗殺後，兩兄弟於一九八二年二月決心解決令人頭疼的伊斯蘭主義：里法特動用一萬兩千名防衛軍士兵包圍叛亂中心哈瑪，以直升機、榴彈炮攻擊，然後用坦克強攻該城，可能動用了毒氣，殺了四萬左右的人。

阿塞德兩兄弟嚴密監控他們的黎巴嫩省，巴勒斯坦解放組織則正以該省作為攻擊以色列的基地。兩兄弟很厭惡阿拉法特，為削弱他的力量，擁護他們自己的巴勒斯坦派系；但他們攻擊以色列之舉，把這個猶太人國家拉進此亂局裡。一九八二年六月六日，比金受自信且自負的國防部長暨資深將軍、一九七三年贖罪日戰爭的英雄阿里埃爾．夏龍（Ariel Sharon）鼓舞，下令出兵黎巴嫩以驅逐巴勒斯坦解放組織。敘以兩國飛行員在空中決鬥時，以軍圍攻貝魯特。八月，阿拉法特和巴勒斯坦解放組織被趕出黎巴嫩，以色列的盟友、基督徒巴希爾．傑馬耶勒（Bachir Gemayel），選上總統。

以色列占領了黎巴嫩一半國土，他們的盟友當上總統，但他們的成功激起強烈反彈，從而葬送了他們的勝利：阿塞德兩兄弟下令暗殺總統傑馬耶勒。憤怒的基督教民兵屠殺黎巴嫩境內薩布拉（Sabra）、夏蒂拉（Chatila）兩難民營裡的巴勒斯坦人，以色列軍隊坐視不管，真主黨則對以色列人發動殘忍的轟炸。比金心情低落；夏龍遭革職、譴責；阿塞德家族的什葉派盟友真主黨漸漸接管黎巴嫩，從而帶來災難性後果。

阿塞德家族已恢復他們在敘利亞的勢力。然後，一九八三年十一月，哈菲茲心臟病發。里法特想奪權，一九八四年三月政變未遂，但哈菲茲康復，挫敗里法特的野心，奪走他的「防衛軍」兵權，「晉升」他為副總統，將他流放。哈菲茲轉而倚重他的長子巴塞爾。此後二十五年，阿塞德家族始終免於伊斯蘭主義者之患。

阿塞德家族在敘利亞打垮聖戰時，美國人正為阿富汗境內的聖戰出資，說來何其諷刺。

瑪姬和英迪拉

美國新總統隆納德・雷根（Ronald Reagan）拒絕了尼克森與蘇聯的緩和政策，並看到一個打擊阿富汗境內「帝國」的機會。雷根六十九歲選上總統，打造出一個更戲劇性、更威嚴、更注重軍事的總統任期。他生於伊利諾州，是一位風度翩翩而親切樸實的男子，隨和不拘小節；父親是個酒癮大、有時會動粗的推銷員，母親個性開朗，「始終期待在他人身上看到最好的一面，而且往往如願。」雷根當過廣播播報員、電影明星、工會主席，然後當上加州州長，其柔和悅耳的嗓音、運動員的身材、與生俱來的輕鬆自在、昂首闊步的牛仔步態、正派基督徒作風和反共立場，在美國經歷過善惡不兩立的尼克森、卡特任期後，恢復了美國人的信念和信心。雷根在某電影裡演過足球員喬治・吉普（George Gipp），他因此有綽號「Gipper」。他具有美國西部人輕鬆活潑的魅力，又找上美國東岸極拘謹的權貴喬治・布希搭檔競選總統。[64]他面臨壓力時不改其妙語如珠的從容優雅作風，這種本事無人能及。上任後不久，他遭一個瘋子開

64 但雷根主政下陽光普照的美國，也有黑暗的一面：一九八一年，醫生開始治療發生在男同性戀和吸毒者身上的一批肺炎、皮膚癌病例。最初，恐懼和無知引發有種「男同性戀瘟疫」（Gay Plague）在擴散的離譜謠言，但醫生很快就弄清楚他們碰上一種叫愛滋的新疾病。這種病主要經由未使用保險套的性交（尤其肛交）和遭污染的皮下注射器傳給他人，也經由懷孕的母親傳給胎兒。接下來四十年裡，此病奪走三千六百萬條性命。最初，愛滋病在歐美的男同性戀圈子奪走許多性命，歐美的男同性戀者因此把一九八〇年代稱作受苦絕望的時期。在非洲南部，愛滋病傳遍全民，而以使用保險套為恥的觀念加劇此病的擴散，就連身為總統者都助長不負責任的陰謀論和使死亡人數大增的假藥：超過一千五百萬非洲人喪命。防治教育降低了感染率，如今，拜治療反轉錄病毒的藥物之賜，患者通常存活；二〇一一年，非洲境內有兩千三百萬個患有愛滋病的生者。在非洲，每年一百二十萬人死於愛滋，一百八十萬人感染愛滋，死亡率和感染率如今都在改善。

槍，但仍能好整以暇對他的妻子南茜（Nancy）開玩笑說，「對不起，老婆，我忘記閃躲。」在緊接而來的危機中，布希未趁他一時不能視事而奪權，從而贏得他的信任。

遭伊朗劫持的美國人返國後，雷根即動用美國力量，在各戰線上——從安哥拉、中美洲至太空——和他所謂的蘇聯「邪惡帝國」正面對抗。在太空領域，他承諾展開不可思議的高科技「戰略防禦計畫」（Strategic Defence Initiative），蘇聯因此驚恐——儘管該計畫還未見到成果。雷根看來冷靜平和，但他那群大膽張揚的助手卻肆無忌憚地搞起見不得人的把戲。他們無視法律，密謀花錢讓伊朗釋放人質、資助尼加拉瓜境內的反共游擊隊，在一樁讓人無法置信的陰謀中把以色列武器賣給伊朗的阿亞圖拉，從而差點使他無法完成總統任期。但這個太容易動感情、外表光鮮亮麗的總統，已使美國人重拾對他們的「山上城市」的信心，任何狗屁倒灶的事似乎都傷不了他一根汗毛。

阿富汗迅即成為蘇聯的泥淖，為了打敗藏身於崎嶇的阿富汗山區的聖戰士，蘇聯焦頭爛額。在潘傑希爾河谷（Panjshir Valley），蘇聯發動九次攻勢，但除了主要城市之外，幾乎無法控制其他地區。卡特在任時已於阿富汗啟動旋風行動（Operation Cyclone），但雷根擴大該軍事行動，投入三十億美元以耗損蘇聯國力，同時在世界各地挑戰蘇聯人。美國人把這些「自由戰士」理想化，認為他們和美國人一樣反共；但這些聖戰士痛惡任何入侵的異教徒。美國的錢透過巴基斯坦總統齊亞的三軍情報局轉交給聖戰士；三軍情報局支持聖戰團體，把他們當成使阿富汗永遠不會落入印度勢力範圍的保障。

「我們既不挺蘇，也不挺美，」重新掌權的英迪拉．甘地看著阿富汗戰爭如此說道，「只挺印度。」她和兒子桑傑共同統治印度，桑傑這時是國會議員和國大黨總書記，明顯是她的接班人。但一九八〇年六月二十三日，桑傑從德里飛行俱樂部駕機進行特技飛行；在他的辦公室上空駕機翻筋斗時，他的印度涼鞋和纏住踏板，飛機墜毀。英迪拉趕到現場，看到他殘缺不全的屍體；醫生花了三小時重建他的遺體以便展示。她的冷靜沉著無人能敵：一個親戚哭泣時，英迪拉說，「得了得了，姑姑，我們不哭。」

四天後她回去辦公，但在桑傑去世後，她轉而培養長子拉吉夫為接班人。拉吉夫開心將安東尼婭・邁諾（Antonia Maino）娶進門；安東尼婭來自義大利杜林附近，出身建築工人家庭的美麗女子，對印度一無所知。她曾在英格蘭當過保母，然之後成為空服員，正是在那段時間遇見身為機師的拉吉夫。「我們四目相對時，我感覺到自己心怦怦跳，」她憶道。「一見鍾情。」她以索尼婭（Sonia）為名，從事畫作修復工作，很快就得到英迪拉寵信。「我不大懂政治，」拉吉夫說。「但得有人幫助媽媽。」

不久後的一九八一年四月，英迪拉飛到倫敦，與另一個女性領袖討論阿富汗之事。「大家覺得甘地夫人和我私交這麼好很奇怪。」英國首相瑪格麗特・柴契爾說。甘地是親蘇的社會主義者，柴契爾是反共的保守派，兩人南轅北轍，但有許多共同之處。兩人都畢業自牛津大學薩默維爾學院（Somerville College），都是戰時、平時的天生發號施令者，都是已在男性世界出人頭地的女人。英迪拉寫道，「我絕不是女權主義者，但相信女人什麼事都能做。」柴契爾有同樣看法：「女權主義者很討厭我，不是嗎？」她說。「我不怪她們。」柴契爾說英迪拉「既非常有女人味，又能夠作出非常艱難的決定」時，可能就在講她自己。一如英迪拉，一場戰爭使柴契爾走紅。

一九八二年四月二日，長期被軍事獨裁者統治的阿根廷，入侵並奪走英國的遙遠領地福克蘭群島。這些獨裁者已在晚近幾十年使幾千名左派分子喪命或「失蹤」。不到三天，柴契爾召集一支特遣部隊，派該部隊航行八千英哩去奪回該群島。阿根廷巡洋艦貝爾格拉諾將軍號（General Belgrano）駛入柴契爾已宣告禁止進入的區域時，她下令將其擊沉。這一決定使阿根廷海軍從此未再參與此役。五月二十一日，英軍登陸；六月十四日，攻下該群島首府。這個軍事行動有其風險。戰前，她的首相之位看來已不保。但她完成每個領導人所夢寐以求的事：一場速戰速決且得勝的戰爭。然而她是天生的戰爭領袖。「你恐怕不可能在沒有人員傷亡的強況下奪回群島。」不久後，她在唐寧街接受一位男學生（本書作者）採訪時說道，「我們在福克蘭群島死了兩百五十五人。俄國人擊落一架韓國客機，一下子就奪走兩百六十九條性命。」這場勝利恢復了她對英國例外主義觀的信心：「當你代表一個支持誠實、正直、自由、正義的國家時，我不認為你會過度愛國。」

柴契爾，本名瑪格麗特・羅伯茨（Margaret Roberts），是格蘭瑟姆（Grantham）一間食品雜貨店老闆的女兒，牛津大學化學系畢業，後來成為出庭律師。她比她的大部分對手聰明，善於撰寫出庭律師的案情摘要，使她的男性同僚和對手屈居下風。她一方面觀念激進，推崇白手起家型創業者之張揚風格，又在社會價值觀上極為保守。她歌劇般的上流人士口音、蓬鬆的金髮髮型、擺蕩於手上的手提包，成為她彰顯其戲劇性王者風範的道具。她自豪於她的勤奮和幹勁，一天只睡四個小時仍神采奕奕。「我生下來就是那樣，也受過這樣的訓練……」她告訴本書作者。「我一直是那種作風……人必須生下來就很健康，然後必須訓練自己極勤奮工作。如果我養成睡更多覺的習慣，那我會需要比目前的我更多許多的睡眠時間。」她和一個愛喝威士忌、愛打高爾夫的已退休公司董事結婚許久，一如英迪拉，寵愛一個自大且魯莽的兒子，且對此不以為意。

一九七〇年代期間，英國已加入歐洲經濟共同體（後來的歐盟），但其經濟的急劇下滑並未因此止住。失業率飆升，勢力強大的工會欺凌雇主，而雇主本身困在過時的文化裡無法脫身。愛爾蘭恐怖分子「臨時愛爾蘭共和軍」（Provisional IRA）在格達費的部分資助下發動凶殘且有計畫的屠殺。一九七九年柴契爾當選後，與工會正面對抗，撤銷對股市的管制規定，提倡「自立、進取、勤奮」，對創業幹勁有新信心、從愛國角度看待英國民主歷史和帝國歷史：「在這個龐大帝國裡，我們致力於把我們最好的法律、最好的正直美德帶給我們所治理的國家。那不是不光彩的歷史。」但她從不自認是邱吉爾之流：「沒有人能自認是邱吉爾再世。那會是言語所無法形容的傲慢和自負……但他看得很清楚，警告得很清楚，做出非常清楚的行動，而我努力仿效。」如果說英迪拉是她的戰士─女王化身，雷根則是她的地緣政治伙伴。雷根和柴契爾在被電視主宰的政治舞台上演出，而對更早的領袖來說，電視是絕對派不上用場的媒體：「我不記得邱吉爾曾接受電視採訪，」柴契爾思忖道。她和雷根精於使用電視，自此，不管在哪種體制裡，電視都是領導人所不可或缺的東西。[65]

柴契爾和雷根緊密結盟，審視當前這個似乎被美蘇兩強無可挽回地分割的世界；今人很容易忘記，在伊比利半島上，民主還是個新東西，半個歐洲仍被列寧主義獨裁者統治。一九八一年二月二十三日，由上校領導的兩百名西班牙軍人，密謀阻止西班牙走向民主。他們攻擊國會，劫持了人質並開槍射擊，軍官們則把坦克派到其他城市的街上，試圖以國王的名義恢復佛朗哥式的獨裁統治。十八個小時後，凌晨一點十五分，身著總司令軍服的國王胡安·卡洛斯向全國人民講話：「國王不會容忍民主進程遭強行打斷。」他告訴本書作者，那是「我的決定性時刻，我知道該做什麼。」

在東方，共黨獨裁政權屹立不倒讓人心情低落，有時仍會實施殘酷的恐怖統治。一九八一年十二月，阿爾巴尼亞統治者安維爾·霍查對自己同志發動恐怖整肅，總理和另兩名部長因此喪命──全肇因於一對少年少女間的愛情。

霍查自認是馬克思主義美德的唯一判官，先是和支持他的南斯拉夫統治者狄托爭吵，然後譴責赫魯雪夫，擁抱毛澤東，接著拒斥鄧小平的改革。他以自己正義凜然的孤立為本打造出邪教般的組織，建造了十七萬個互連互通的防禦工事以擊退來犯的資本主義者、離經叛道者。教徒以霍查式行禮（Hoxhaist Salute）

---

65 接受本書作者採訪後，柴契爾夫人斷定這次採訪「有點失禮」，決定從此不再接受任何學生採訪。

——右拳擺在心臟前——表達忠誠時，他在凶狠的西古里米（Sigurimi）祕密警察支持下，監督阿爾巴尼亞人生活的大小細節。那年八月，霍查最信任的親信穆罕默德・謝胡（Mehmet Shehu），這位已擔任總理二十七年的人，接到了兒子斯肯德（Skender）的拜訪。斯肯德告訴父親，他愛上了一個漂亮的排球選手席爾娃・圖爾迪烏（Silva Turdiu），兩人即將結婚。「天哪！你為什麼要和他們扯上關係？」總理問道，因為他知道席爾娃和一位曾嘲笑霍查是祕密同性戀的作家有親戚關係，那位個作家寫了這麼一句台詞：「噢花花公子，榮耀歸你的屁股！」

一次心臟病發後，霍查開始不信任謝胡，懷疑他計畫讓自己的兒子接掌大位。這時，霍查和他陰鬱的妻子涅吉米葉（Nexhmije）穿過地拉那市「封鎖區」，親自祝賀這對年輕情侶——謝胡和其妻子費姬雷特（Fiqirete）。但這個獨裁者一肚子火就要爆發，因為這門婚事並未先徵求他同意。八天後，婚約被取消。霍查於九月十一日寫道，「我打電話給穆罕默德，問起他兒子和某戶人家訂了婚約的事。那戶人家出了許多戰犯，有的被處決、有的遭放逐。城裡傳得沸沸揚揚。穆罕默德完全知情此事。嚴重的政治錯誤。」

在「封鎖區」的祕密小集團裡，霍查戲弄他的總理和家人。十二月十七日，謝胡於政治局遭抨擊。霍查警告，「反省你所受到的批評。」那天晚上，謝胡寫了封長信給他，談起他們面對「埃古—赫魯雪夫密謀」（Iago-Khrushchev plot）的背叛——結合了馬克思主義術語和莎士比亞著作術語的說法——一同抗擊的往事，後來謝胡被發現在臥室裡中槍身亡。霍查寫道，「你們可以說穆罕默德『意外』死亡。」謝胡是自殺還是他殺，不得而知，但霍查逮捕、拷打了他的妻子，槍斃了他的兒子斯肯德，以及內政、衛生兩部長。[66]

柴契爾和雷根對阿爾巴尼亞這個貧困小國裡的這些祕密謀殺所知甚少，但驚恐於蘇聯在安哥拉、阿富汗、尼加拉瓜的斬獲，以及蘇聯核武的增強，於是加劇和蘇聯的競爭。[67]安德洛波夫高踞在他日益敗壞的體制頂端，煩惱於波蘭境內的罷工、抗議，擔心好鬥的牛仔雷根打算先發制人以核武攻擊。一九八一年五月，接班爭奪戰在布里茲涅夫身邊打得正烈時，安德洛波夫警告，「美國正為核戰作準備。」年老且平庸的康斯坦丁．契爾年科（Konstantin Chernenko）與安德洛波夫爭奪接班之位。契爾年科外號「無聲之人」，最初是奉行史達林路線的劊子手，後來成為布里茲涅夫的副手，試圖——正如戈巴契夫所觀察到的——「斷絕布里茲涅夫與外界的直接接觸」。但在一九八二年七月，布里茲涅夫電告安德洛波夫，「我把你調到中央委員會機構，你覺得我用意為何？我把你擺在那裡是要你去領導……你怎麼不作為？」在下一次的政治局會議上，安德洛波夫奪下主席之位，但他腎臟已出毛病，定期洗腎。十一月十日，布里茲涅夫死於睡夢中，安德洛波夫接位，正值蘇聯和美國的緊張升高時。

被送去供民眾瞻仰途中，布里茲涅夫的遺體從棺木底下掉出來。

66　當本書作者走訪阿爾巴尼亞時，當時的總理薩利．貝里沙（Sali Berisha）住在謝胡位於封鎖區的舊宅，帶我參觀了謝胡中槍所在的房間。他說，「我們仍不清楚怎麼回事。」不久後的一九八五年四月十一日，霍查去世，由他所挑選的一個弟子接班。原支持霍查、後來和霍查對立的元帥狄托，已於一九八〇年八十七歲時去世。就連在東歐，老大都在換人。

67　兩人都在國內獲得右翼媒體的支持，這些媒體的代表人物就是火爆、好鬥又專斷的媒體大亨魯伯．梅鐸（Rupert Murdoch），他是備受尊敬的澳洲記者基思爵士（Sir Keith）的兒子。梅鐸征服了英國的媒體圈與印刷工會，之後進軍美國，收購《紐約郵報》和二十世紀福斯電影公司。他是個強硬且具有創新遠見的企業家，拯救了《泰晤士報》，並協助開創了二十四小時電視新聞的時代；然而，他也被捲入《世界新聞報》利用電話駭客進行竊聽監控的醜聞，雖然他作證時聲稱對此毫不知情。後來，他旗下極為保守的美國福斯新聞頻道推行了一種不那麼嚴謹、公然帶有黨派色彩的新聞標準。在超過半個世紀的時間裡，這位性情乖戾的傳媒王朝領袖，以其與子女和多位妻子間的權謀操作而聲名遠播，甚至成為影集《繼承之戰》（*Succession*）的靈感來源。他幾乎是無法摧毀的世界強權人物，在坎培拉到華盛頓之間扶植與摧毀無數領袖，或許是史上最具權勢的澳洲人。

尼赫魯家族：第三代

一九八二年十一月十五日，蘇聯替布里茲涅夫辦了俗氣的傳統葬禮，卡斯楚、阿塞德、孟吉斯圖、英迪拉．甘地出席。葬禮上，將棺木降下的機器故障，棺木落進克里姆林宮圍牆旁的墓穴裡，落地撞擊聲響到令以副總統布希為首的悼念會眾竭力掩蓋笑聲。那是帝國垂死的聲音。然而，一個衰落的帝國比蒸蒸日上的帝國危險，而且就是這時，世界來到劇變的邊緣。

這個紅色帝國的退化程度，和布里茲涅夫接班人微微堵塞的動脈一樣。安德洛波夫苦惱於雷根在歐洲部署潘興二型（Pershing II）核子飛彈，認為這個美國總統很想「發動核戰」，說那是「不只不負責任、而且失去理智」的念頭。當他監視北約演習動態以及雷根、柴契爾間加密溝通的增加時，他下令提高戒備，並做好立即反擊的準備。

一九八三年八月三十一日至九月一日那個夜晚，這種不惜一戰的心態導致蘇聯防禦設施擊落一架南韓客機，奪走兩百六十九條人命。安德洛波夫嘲笑其「豬頭將領」。九月二十六日午夜，蘇聯防空部隊中校斯坦尼斯拉夫．彼得羅夫（Stanislav Petrov），在莫斯科附近的一個地堡裡執勤時，獲衛星告知有枚飛彈正逼近；彼得羅夫心存懷疑，因為覺得敵人若發射飛彈，不可能單單射出一枚飛彈。然後，防禦系統認出又四枚飛彈，但規模還是太小，不可能是美國的大規模攻擊。彼得羅夫認為新電腦不可靠。他無權啟動反擊，但有七分鐘時間向安德洛波夫報告飛彈來襲，只是這個統治者正在洗腎，不想受打擾。

彼得羅夫暫時擱下，未報告飛彈來襲：他的疑慮沒錯。電腦其實在對陽光和雲罕見同步的現象作回應。彼得羅夫說，「我認為這是我國最接近意外性核戰的時刻。」他未揭露蘇聯防禦系統裡的技術缺陷，因而未受到獎賞。幾星期後，安德洛波夫相信，英美出動代號「一九八三年優秀射手演習」（Able Archer 83）

的戰術核武演習，可能意在掩護真正的攻擊；諸將領在各自的地堡裡等待開打。

柴契爾和雷根兩人作風大不相同，卻用有共同的願景。柴契爾作風強硬且傲慢——蘇聯人稱她為「鐵娘子」（Iron Lady），法國總統密特朗（Mitterrand）則讚賞她「有卡利古拉的眼睛，瑪麗蓮・夢露的嘴。」她面對自負的同僚、暴動的工會或愛爾蘭恐怖分子時，確實毫無畏懼。一九八四年十月十二日，她為了保守黨代表大會下榻布萊頓（Brighton）的大飯店時，愛爾蘭共和軍企圖暗殺她，引爆了該飯店。爆炸造成五人死亡，但柴契爾回應以她和英迪拉・甘地都具有的那份冷靜沉著。

「我是活是死，對我無關緊要。」英迪拉在數天後的十月三十日如此說道；當時她正面臨來自旁遮普錫克教徒日益令人驚恐的死亡威脅。隔天，這個總理穿著一襲橘色紗麗，親吻她的孫女普莉揚卡（Priyanka），並告訴她的孫子拉胡爾（Rahul）在她死後要勇敢，然後從官邸走向辦公室，迎面走近她的兩名錫克教籍侍衛，這時那兩人伸手去拿他們的槍。

來自錫克教的挑戰甚至在她自己家中上演。她和桑傑那時年二十五歲的遺孀瑪涅卡（Maneka）關係迅速惡化。性格強勢堅定的瑪涅卡是錫克教籍將領的女兒，一心想繼承亡夫的政治地位，違抗英迪拉要她遠離政治的命令；英迪拉於是把她趕出家門，告訴她，「除了衣服，你什麼東西都不能帶走。」瑪涅卡要離開時，這兩個女人厲聲對罵，英迪拉還試圖搶走她還是嬰兒的孫子。「把媳婦趕出門，不符印度文化，」瑪涅卡嚴正表示。英迪拉則侮辱瑪涅卡的錫克教徒家世——「妳出身不同背景……」

錫克教徒——其中部分人力倡建立獨立的錫克教徒家邦——所領導的反對勢力，已迫使英迪拉宣布進入緊急狀態。這時，英迪拉想要分裂錫克教的阿卡利達爾黨（Akali Dal party），於是提拔錫克教領袖賈奈爾・辛格・賓德蘭瓦勒（Jarnail Singh Bhindranwale），但她所挑的這個人是極端分子，很快就不受她控制，開始武裝他的追隨者，要求創立一個錫克教國家，為永恆王座（Akal Takht）聖祠（阿姆利則金廟院區第二大聖祠）構築防禦工事，並派數批殺手去恐嚇他的敵人。

一九八四年六月三日，英迪拉下令軍隊強攻金廟。隨之爆發的激烈戰鬥毀了永恆王座聖祠，七百八十個民兵和四百名官軍士兵喪命。錫克教徒發誓要向英迪拉報仇雪恨，而英迪拉回應道，「印度已存世很久很久——數千年——我的六十六年微不足道……」

十月三十一日早上，英迪拉走去她的辦公室時，她的侍衛副督察賓特·辛格（Beant Singh），拔出手槍，朝她肚子開了五槍，然後敦促他的同事薩特旺特·辛格（Satwant Singh）警員也動手。薩特旺特·辛格用斯登衝鋒槍朝垂死的英迪拉射了二十五發子彈。索尼婭·甘地聽到槍聲時正在洗澡，一度以為那是排燈節放煙火。然後，她穿著晨衣跑出去，大喊「媽媽！」跪下來察看躺在地上的英迪拉。賓特、薩特旺特投降。「我已做了我必須做的事，」賓特說。「你們做你們想做的。」衛士殺了他，對薩特旺特開槍，薩特旺特沒死。

拉吉夫從加爾各答搭機回來途中，有人請他出來當總理，他回道，「我沒興趣，別煩我。」但他到德里醫院和索尼婭會合時已比較冷靜。她試圖勸丈夫勿接總理之職。「兩人互擁，他吻她額頭，」告訴她，「那是我的職責，我必須盡那職責。」索尼婭說他會死於非命，拉吉夫回說他「反正我遲早會被殺。」這就是世襲權力殘酷而無情的邏輯。拉吉夫出身一個可追溯至曾祖父，甚至可能追溯至蒙兀兒帝國末代警務總長的領導家族，是尼赫魯家族中第三代統治這個世界上最大民主國家的繼承人。

柴契爾飛到德里。印度教籍暴民喊著「血債血償」時，拉吉夫點燃他母親的火葬堆。英迪拉遇害那晚，印度教籍暴民已湧上德里街頭，找錫克教徒洩憤：八千人遇害，而拉吉夫幾乎認為如此暴行正當合理。他在幾天後有感而發道，「大樹倒下時，它周邊的土地有些震動，那是再自然不過的事。」柴契爾出席了火化儀式：「她看起來個子好小。」

在國內，她和雷根盯著風燭殘年的老人接掌蘇聯大權。雷根挖苦道，「如果俄國人一直在我眼前死去，我怎麼找到空檔和他們談？」

一九八四年二月九日，安德洛波夫死於腎臟病，死前鼓勵戈巴契夫接他的位。戈巴契夫很傷心。萊莎說，「我們所擁有的一切都要歸功於他。」但僵化的統治小集團選布里茲涅夫的親信、面如死灰的「無聲之人」契爾年科接班。在蘇聯本身靠生命維持系統苟延殘喘時，契爾年科在位的大半時間是如墓中無語的死人般在醫院裡度過。蘇聯的缺陷——經濟失敗、不自量力插手全球各地事務、兵敗阿富汗、限制人民自由、社會內部不平等——嚴峻，但未必要命。沒人預料到即將發生的事。

契爾年科身體愈來愈差時，戈巴契夫應柴契爾之邀去倫敦，柴契爾那時正在研究俄國史。兩人惺惺相惜。柴契爾不客氣地對戈巴契夫說起蘇聯缺乏創業精神和自由，他與她辯論。柴契爾驚艷於戈巴契夫那身剪裁得當的西裝和萊莎的時尚品味——「我可能會穿在身上的那種東西。」然後，柴契爾飛到華府，告訴雷根，一個新時代就要開啟：「我喜歡戈巴契夫這個人。」

一九八五年三月十日，契爾年科去世，戈巴契夫成為總書記，承諾開放（glasnost）和改造（perestroika）。誠如他在其筆記裡所寫的，他也打算「退出阿富汗」——慢慢退出。他說「會在兩或三年後退出，但絕不可讓人覺得是丟臉的失敗，好似失去了這麼多年輕人（一萬三千名蘇聯士兵）後，我們乾脆放棄。」他的所作所為樣樣讓人耳目一新：戈巴契夫迷人、樂觀、不屈不撓，面帶微笑，雙眼明亮，傾聽老百姓的心聲。就連他額頭上的胎記都似乎是誠實的表徵。但他死心塌地相信列寧主義，為了如何在全球經濟裡改革現代國家，他研讀列寧著作，以從中得到借鑑。蘇聯是世上最大的產油國，一九八七年產量達到其最高峰，就在那時，全球產量過剩導致油價下跌，蘇聯經濟休克。對外，他知道他得減少莫斯科的全球支出；對內，他得攻擊「行政體系的獨裁」。要挑戰列寧的政黨或蘇聯政府的最高地位，太不可思議。但他信心滿滿，覺得他全能做到。

首先，他任命了一位盟友，喬治亞的共黨書記愛德華・謝瓦納茲擔任外交部長。謝瓦納茲回道，「但我是喬治亞人，不是外交官。」戈巴契夫還是欣賞他的聰明且堅毅，以及「東方人的和藹可親」。

戈巴契夫也從烏拉山區找來一個身材魁梧、性格奔放的改革者擔任蘇共莫斯科市委第一書記：鮑里斯・葉爾欽（Boris Yeltsin）。兩人都五十四歲，父母都在史達林時代被捕，兩人都進取心十足、驕傲、自負，也都渴望成為焦點人物，他們都在黨內逐步往上爬，並被布里茲涅夫任命為地區領導人，但他們在本質上卻是完全相反的人。戈巴契夫幾乎滴酒不沾、律己甚嚴，有時囉嗦、自命不凡；葉爾欽則狂放、執著、愛和人交談、熱情洋溢，而且酗酒。戈巴契夫是法律系畢業，娶了言詞坦率的哲學系女子為妻；葉爾欽則是體格健壯的工程師、排球和網球選手，老婆是個性謙遜的工程師。此外，葉爾欽是天生的領導人，但也衝動、心情多變、不穩定、（常）喝到醉醺醺，具有俄羅斯人的典型好食欲。他小時候玩手榴彈，炸掉幾根手指；現在他在戈巴契夫的政治局裡也做了同樣的事情。

戈巴契夫的「開放」幾乎一施行就遭遇挑戰。一九八六年四月二十六日，車諾比核電廠四號核子反應爐的爐心熔解、爆炸。這場大災難是蘇聯即將崩毀的象徵——就在此時，美國作為唯一強權國力達到巔峰，美國的科技也改變了世界各地家庭的生活、思考方式。

第二十二幕

世界人口

四十四億人

葉爾欽家族和習家族、尼赫魯家族和阿塞德家族、賓・拉登家族、金氏家族和歐巴馬家族

笨蛋和小鋼炮：戈巴契夫、鄧小平、唯一超強

數十萬人陷入險境，最終被撤離車諾比周邊，戈巴契夫則竭力封鎖消息，將近一個月後才公諸於眾。因此付出的代價使經濟和戈巴契夫承受更大壓力，戈巴契夫這時改弦更張，打算施行他自己的大破大立式激進改革。他最初的改革，旨在使經濟擺脫黨的監管，未能立即解決他的難題。一九八七年一月，他比安德洛波夫走得更遠，做出一個簡直是背離現實到異想天開的驚人決定：不只要改革經濟，還要透過民選成立一個有兩千兩百五十個人民代表的國會，建立「民主化」（demokratizatsiya）的一黨專政體制，而且此國會的位階高於蘇共中央政治局和政府。他誤解了列寧。列寧老是問「誰控制誰？」為了獨攬大權，列寧強行接管蘇聯政府，然後又將其架空。戈巴契夫試圖一邊從帝國收手，一邊同時推動經濟改革與政治自由化，這樣的舉措勢必會激發蘇聯各族群的民族主義，並在莫斯科引發政治瓦解。同時試行這三者，野心太大，若非天真，就是太狂妄，簡直自尋死路。

對外，戈巴契夫清楚他不能一邊與美國激烈競爭，一邊改革國政，於是提議逐步廢除核武，至二〇〇〇年全部廢除：一九八六年十月，他和雷根在雷克雅維克（Reykjavik）會面，幾乎廢除核武。兩人相談甚歡，但兩人的妻子互看不順眼。後來戈巴契夫宣布，蘇聯會從東歐撤軍，不追求世界革命，改擁抱「全人類的價值觀。」美國人不確定這是當真，還是只是表面功夫，但雷根持續施壓。走訪柏林圍牆時，

他說，「戈巴契夫先生，拆掉這道牆。」

在國內，葉爾欽於莫斯科打造新氣象，走路上班或搭地鐵，走訪咖啡館、店鋪、工廠，分發手錶——他的忠貞侍衛戈爾查科夫（Korzhakov）口袋裡隨時有幾支手錶備用。戈巴契夫嘲笑這種自我推銷的作為；葉爾欽覺得這個總書記「居高臨下」。一九八七年一月，他批評戈巴契夫對「改造」太樂觀；戈巴契夫不甘示弱，抨擊葉爾欽「高聲、空洞的極左派言詞。」

「我仍是政治局新人，」葉爾欽帶著歉意說。「這對我來說是很好的教訓。」

戈巴契夫警告他，「你感情用事。」在國內，鐵桿共產黨人抗拒改革。葉爾欽力主加大改革，承認他已開始「濫服鎮靜藥，開始嗜酒。」一九八七年九月，保守派譴責葉爾欽允許小型示威時，他突然從政治局辭職。戈巴契夫說，「等等，鮑里斯，別大發脾氣。」但十月，葉爾欽在中央委員會批評戈巴契夫。戈巴契夫火大，斥責他「不成熟」、「沒文化」——「你分不清什麼是上帝的禮物，什麼是煎蛋餅！」戈巴契夫自己很厭惡他：「他想要成為人民英雄。」葉爾欽喝酒，陷入無法自拔的抑鬱，用剪刀劃傷自己的胸和肚。「真是混蛋！」戈巴契夫嗤笑道。「把自己的房間弄得到處是血。」他派人把葉爾欽送醫，然後強迫他接受例行性譴責。葉爾欽從未忘記這個「不道德、沒人性」的對待。葉爾欽退居療養院，身邊只有戈爾查科夫陪著。為了支持葉爾欽，他已辭掉克格勃職務。「我往裡面看，」葉爾欽說，「空無一物。我只是名義上還活著。」

克格勃問戈巴契夫要不要把葉爾欽處理掉，戈巴契夫拒絕。

一九八八年二月，戈巴契夫的改革放鬆了莫斯科對蘇聯十五個加盟共和國的控制。當初成立這些共和國，從無意讓它們獨立。在亞塞拜然的納戈爾諾—卡拉巴赫（Nagorno-Karabakh），信基督教的亞美尼亞人與信伊斯蘭教的亞塞拜然人交火，然後亞塞拜然人殺掉數千名亞美尼亞人。短暫獨立後即被列寧拿下的喬治亞渴望擺脫蘇聯宰制。在北部，立陶宛人、拉脫維亞人、愛沙尼亞人——屬於斯堪的納維亞人和日耳曼民族而非是斯拉夫人，獨立二十年後被史達林強行併吞——這時開始獨立運動。對他們來說，贏得獨立的最佳辦法，就是讓列寧、史達林所創立的十五個共和國全部獨立。其中有些共和國，一如喬治亞，係古已有之的國家，其他共和國則是蘇聯所創立，此前並不存在。俄羅斯是最大的共和國，烏克蘭次之。烏克蘭除了被內戰時的許多政權統治過，自一六五四年、一七八〇年代、一九四五年起三度被俄羅斯統治。哈薩克人、烏茲別克人、塔吉克人最初被古老的汗國統治，但哈薩克和中亞另外四個「斯坦國」，係蘇聯從羅曼諾夫王朝轄下諸省所新創立。至於白俄羅斯，該地原是立陶宛一部分。

戈巴契夫放寬蘇聯對其諸附庸國的控制時，也試圖透過談判，讓蘇聯在雙方各有讓步下退出阿富汗。他在阿富汗扶植較狡詐的前祕密警察頭子納吉布拉（Najibullah），創立一個彰顯修好之意的政府；但在撤退時，修好是緣木求魚。一九八八年五月，蘇軍自行撤走，納吉布拉的政權開始垮台。在歐洲，一場和平撤退正在進行：十二月，戈巴契夫開始從其在歐洲的諸附庸國撤離五十萬士兵，承諾給這些國家「選擇自由」。凡是帝國，只要失去動武威脅，都維持不住。

戈巴契夫此刻是一個走鋼索的人，不只想走一條鋼索，而且想同時走四條鋼索——經濟改革、挑戰共黨、保衛蘇聯、保住蘇聯的世界強國地位。一九八九年五月，他主持第一屆民選國會，國會選出一個最高蘇維埃執政機構，由他擔任主席。愈來愈獨裁的戈巴契夫，在其名聲和信心如日中天時，希望以無所不能的議長身份引導改革；但這個言語乏味、經常喋喋不休的共黨幹部，很快就為控制鐵桿共產黨人、共和派民族主義分子、自由派知識分子而焦頭爛額。更糟的是，他失去了走史達林路線的總書記所具有的那種讓人害怕的神祕氣息；莫斯科管不住其附庸國。他慈悲心腸，反感於暴力——這既是他了不起的地方，也是他悲慘下場的緣由，因為那使他的諸多成就注定成空。他說，「他們不知道，如果使勁扯拴住他們的繩子，繩子會啪一聲斷掉。」但已失去其悠久獨立地位的波蘭人，第一個跳出來測試繩子的韌性。西德總理赫爾穆特・柯爾（Helmut Kohl）問戈巴契夫會出現什麼情況。「每個人，」戈巴契夫回道，「都會有自己的答案。」

在歐洲各地，從東德至匈牙利的諸多一經施壓就會垮掉的附庸國，群眾示威爭自由。在蘇聯內部，喬治亞和立陶宛力倡獨立。葉爾欽有次訪問美國時公開喝醉，但驚訝於美國超市裡商品的豐富。返國途中，他對布爾什維主義生起疑問。他問，「他們對我們可憐的人民做了什麼？」

戈巴契夫試圖管控上述的種種衝擊時，鄧小平從北京驚愕看著這一切。他讓世人知道，有另一條路可走。比起天真的戈巴契夫，鄧小平更狠，手上沾了更多血，更謹慎。經濟可以自由化，但「小鋼炮」知道政權靠槍桿子。沒了槍桿，就什麼都保不住。鄧小平說，戈巴契夫「是個笨蛋」。

一九八九年五月，戈巴契夫的北京之行令鄧小平難堪，鄧小平就要控制不住他的首都。將近百萬抗議者，其中大多是學生，紮營於天安門廣場，聚集於一座用紙板建造的巨大「自由女神像」周邊，要求民主，領導階層則苦惱於不知如何是好。八十五歲的鄧小平仍是中央軍委主席，但已半退休，已把權力交給指定的接班人，而面對抗議貪腐和裙帶關係的抗議愈演愈烈，他的接班人鎮不住。在反改革派已命令將鄧小平的盟友胡耀邦革職後，四月，胡耀邦死於心臟病發，從而以悼念胡耀邦為導火線，引發挺民主的示威。受鄧小平提攜的總書記趙紫陽，前去示威現場和學生講話。戈巴契夫離開後，五月十七日，鄧小平在中南海找來黨內八大元老商議，說他擔心「他們的目的是要建立一個完全西方附庸化的資產階級共和國，」示警說，現在想要收回原來的立場，同時不讓情勢急速失控，已不可能。「小鋼炮」出動槍桿子：部隊集結；趙紫陽流著淚對抗議者講話，迅即被鄧小平革職。八元老——除了周恩來遺孀鄧穎超，全是男的——投票決定以武力平亂。

六月二日，鄧小平下令「恢復首都秩序」，任何人不得阻擋部隊前進。軍人可以行使自衛作為，使用任何手段清除障礙。「障礙」就是已築了路障的學生。軍隊奪回街道。有個軍人被殺，衣服被剝個精光，吊掛在巴士上，但接著軍隊開火。有個學生站在一列坦克前方，止住坦克，然後爬上炮塔譴責軍人。數百人被殺害。

鄧小平任命新領導人後退休，只保有中國橋牌協會主席之職。但他依舊是最高領導人，在九十二歲去世之前，確立了他的治國路線，即牢牢抓著政治權力，但給予經濟自由。鄧小平為中國的權力行使創立了範本，戈巴契夫則為蘇聯的解體推波助瀾。只有武力能阻止此勢頭。

新非洲：曼德拉和ＪＪ、梅涅斯和伊薩亞斯

一九八九年九月，波蘭選出非共黨籍的總理；東德人試探邊防；在蘇聯境內，喬治亞人在一位目光炯炯的莎士比亞文學教授、前異議分子茲維亞德・加姆薩胡爾季亞（Zviad Gamsakhurdia）領導下，投票贊成獨立，而他們自己的少數族群奧塞梯亞人（Ossetians）和阿布哈茲人（Abkhazians），則為了各自的國家戰鬥；亞美尼亞人和亞塞拜然人起衝突。但至少戈巴契夫的對手葉爾欽也在瓦解。二十八日，他帶著一束花出現在戈巴契夫的生日宴，醉到不成體統，想要闖進去。衛兵對他動粗，把他丟進莫斯科河裡。「水很冷，」葉爾欽說。「我倒下，躺在地上……搖搖晃晃走到附近的警察局。」戈巴契夫的盟友說，葉爾欽的情婦往他潑了一桶水；他的盟友看到他遭暗殺未遂。葉爾欽威脅顯然結束了。

十一月九日柏林時間晚上十一點半，東德領導人迫於奧地利、匈牙利兩國邊界開放和後來的大規模示威，暗地裡盤算著打開柏林圍牆的出入口，但宣布時出現失誤，導致人民突然蜂擁而入，並開始用斧頭、

徒手拆柏林圍牆，引發一場歡天喜地的示威。在德勒斯登，民眾強行闖入東德各地的國家安全部（Stasi）時，震驚不已的克格勃上校，三十七歲弗拉基米爾．普丁燒毀了祕密檔案，然後痛苦地驅車回列寧格勒家。在波蘭、匈牙利、捷克斯洛伐克，共黨政權在天鵝絨革命（velvet revolutions）裡遭推翻。其中有些革命比其他革命更暴力：一九八九年聖誕節那天，在布加勒斯特（Bucharest），一對六十幾歲、受驚害怕但不願任人擺布的夫妻被拖出一輛裝甲運兵車。尼古拉．西奧塞古（Nicolae Ceaușescu）和其妻子艾琳娜（Elena）自一九六五年起一直統治羅馬尼亞。這時，西奧塞古被自己的同志和人民在與祕密警察的槍戰中推翻，隨即被判處死刑。四名軍人受命將他們兩人分別槍斃，但他們堅持要死在一起，臨刑前高唱國際歌，未唱完就斃命。

一九九〇年二月，美國國務卿詹姆斯．貝克（James Baker）討論德國統一和北約擴張之事。九月，戈巴契夫同意德國統一，允許德國加入北約。他在東德仍有三十萬駐軍，本可以向西方索得更多的東西，但他需要西方的貸款以治理他的國家。現在他已錯過機會。美國人被勝利沖昏頭。戈巴契夫想要確立德國和北約之關係的界限時，時任總統的布希告訴柯爾，「去他的。占上風的是我們，不是他們。」此舉表明布希眼界不夠遠。西方本可以把俄國拉進歐盟，甚至拉進北約。畢竟，勝利只是一時。邱吉爾曾勸道，「勝利時要寬宏大量。」

非洲境內的「圍牆」也倒下。一九八九年七月五日，將近七十一歲的納爾遜．曼德拉，穿著自二十七年前入獄後一直無緣穿上的西裝，坐車離開監獄，被載去見「大鱷魚」（Die Groot Krokodil）——南非總統波塔（P. W. Botha）。兩人在波塔的官邸——即羅茲（Rhodes）所住過的地方——祕密會談。令曼德拉驚訝的，「大鱷魚」擔任有色人種事務部長和國防部長時貫徹種族隔離政策數十載，但和曼德拉談歷史時「禮貌且恭敬」。「這時我覺得已回不了頭。」

曼德拉說得沒錯：鐵幕落下，意味著非洲境內的代理人戰爭結束。美蘇不再支持各自的極惡劣盟友，但這些盟友的垮台往往毀了他們的國家：在薩伊（Zaire）——剛果——長年在位的美國盟友莫布杜（Mobutu）下台引發對權力和礦物的爭奪，而且一爭三十年。[1]

曼德拉被送回監獄；「大鱷魚」辭去總統職，由新任國民黨籍總理戴克拉克（F. W. de Klerk）接位。曼德拉寫道，十二月十三日，「我再次被帶到總統官邸，」在那裡，他理解到戴克拉克「是個可以打交道的人」。一九九〇年二月九日，戴克拉克告訴曼德拉，「他要放我自由，」然後替他自己和曼德拉都斟上一杯威士忌：「我舉杯致敬，但假裝喝下；這種烈酒對我來說太烈。」隔天凌晨四點，曼德拉起身。他已和他的阿非利卡籍獄警結為朋友，贏得他們的喜歡，他們已「使我更加相信，即使是那些把我關起來的人，都不失基本的人性。」他擁抱他們。下午三點，曼德拉在溫妮前來和他會合後走出監獄。「一組電視台工作人員往我伸出一根長長淺黑色毛茸茸的東西時，我往後退。」他從未見過這東西。「溫妮解釋說那是麥克風。」

他現身會見他的非洲民族議會同志時，「我能看出他們眼裡的疑問：他挺了過來？還是垮了？」他的婚姻已垮掉：溫妮抵擋不了孤單的壓力、壓迫的傷害、權力的誘惑，有了婚外情，並在索威托（Soweto）帶領一幫人展開凶殘的恐怖活動。在那裡，她的侍衛——曼德拉聯合足球俱樂部（Mandela United Football Club）——殺了與她作對者，甚至小孩。曼德拉很有風度地說，「她嫁給一個男人，那人不久就離開她，成為虛幻之人，」但那個虛幻之人回到家，「就只是個男人。」那是他最大的遺憾：「人活著就只有搏鬥時，給家人的空間就很少。」他的小孩失去父親，他回家時，「他是全民的父親。」曼德拉和溫妮離婚，八十歲時遇見另一個女人格拉莎（Graça），宣布「我戀愛了。」格拉莎是莫三比克獨裁者馬謝爾的遺孀。

曼德拉開始周遊世界，見了長年支持他、為非洲民族議會提供資金的卡斯楚、格達費，見了以自由派商業大亨哈里·奧本海默（Harry Oppenheimer）為首的新支持者。奧本海默是德貝爾鑽石和英美資源集團（Anglo American）金礦的老闆，助曼德拉買下他的新房。曼德拉最初是騰布王國的王子，後來成為共產主義革命分子，接著成為人道主義自由派民主主義者，受甘地、馬丁·路德·金恩啟發，決定創立由黑人、白人合組的「彩虹國」。令人驚訝的是，經歷過四十年的凶殘壓迫，他在未殺害白人或迫使白人逃走的情況下達成此心願——絕無僅有的成就，他的性格所致。和平與和解委員會聆聽南非情治機關幹員就限制人民自由之事作證，然後原諒他們的惡行。甘地未能實現和平過渡，但一九九四年四月選上總統的曼德拉實現了甘地的心願。

蘇聯的盟友也垮台：在衣索比亞，一九八四至一九八五年，孟吉斯圖的暴行加上一場乾旱導致饑荒，七百多萬人受波及。他刻意限制對提格雷、沃洛的糧食供應，因為這兩個地區反抗他統治的行動成效最

---

1 在拉丁美洲，反共鬥爭結束，加速阿根廷、巴西的軍事執政團垮台，然後巴、阿兩國成為民主國家；在巴拉圭，凶殘的西班牙—巴伐利亞混血暴君、保護過約瑟夫·門格勒的史托斯納爾（Stroessner）遭罷黜；在海地，十九歲時從其父親「醫生老爸」那裡承接大位的「娃娃醫生」杜瓦利耶（'Baby Doc' Duvalier），說他「和猴尾巴一樣堅定」，但被抗議活動嚇到意志動搖，又受到美國施壓，於是搭機流亡國外。在哥倫比亞和墨西哥，有項新輸出品令美國害怕，不是共產主義，而是古柯鹼。在哥倫比亞，來自梅德林（Medellin）的一個哥倫比亞香菸小走私販於一九七〇年代晚期崛起，一九八九年時已使古柯鹼業改頭換面：大肚子、八字鬍的帕布羅·艾斯科巴（Pablo Escobar），創立了製造古柯鹼並將其運到美國脫手的事業——向其行賄對象說，「不收下錢，就等著挨子彈」（money or lead）。這時，他來到其事業巔峰，每個月輸出八十噸古柯鹼，每天進帳七千萬美元，憑藉其雄厚財力顛覆、腐化了脆弱的哥倫比亞政府。受到威脅時，他發動殘忍的恐怖行動，其刺客用子彈和炸彈殺了兩萬五千人，甚至炸掉一架民航客機，與此同時，身價三百億美元、自有軍隊的他，在其遼闊牧場裡過著奢華氣派的生活。艾斯科巴被捕時，憑藉其勢力蓋了自己的監獄，想逃時就能逃走。美國出手助哥倫比亞：一九九三年十二月二日，四十四歲的艾斯科巴終於被美國、哥倫比亞的突擊隊員緝捕到手並殺害，他的事業被一個來自哥國卡利市（Cali）、行事較低調的販毒集團強行接收。該集團諸首腦也遭逮捕後，此事業由墨西哥的毒販（narcotraficantes）接管，這些毒販動輒殺人，大大削弱了墨西哥政府的公權力。

大。一百多萬人死亡。這時，一九九一年五月，孟吉斯圖被戈巴契夫拋棄，搭機流亡國外，國內陷入內戰，不久，由數個叛亂族群組成的聯盟打贏內戰。該聯盟的領袖——提格雷人梅列斯（Meles）——拒斥霍查式馬克思主義，與厄利特里亞毛派分子伊薩亞斯．阿費沃爾基結盟，伊薩亞斯拿下首都阿迪斯阿貝巴。梅列斯擁抱時代精神，承諾施行自由民主，但以獨裁者姿態統治二十年。他不久就和瘋狂的伊薩亞斯鬧翻。伊薩亞斯將史上首度建國的厄利特里亞改造成受嚴密控制的個人國度，全國人民被強制徵召入伍且受到祕密警察恐嚇，聯合國將此體制稱作某種奴隸制：阿費沃爾基在位直到二〇二〇年代的今天。梅列斯死後，提格雷人受一個奧羅莫人（Oromo）支配，衣國再度陷入族群交戰的分裂局面。

世上只有一個曼德拉，但另一個傑出的非洲領袖，在非洲大陸之外名氣小了許多，在差點毀了自己國家後拯救了國家。坐鎮「城堡」統治迦納十年的ＪＪ．羅林茲，係一九七九年當著新聞媒體的面槍殺其將領的那個獨裁者。這時，面對柏林圍牆倒下後的新局面，他做出相應的調整。經濟上，他聽取世界銀行的建議；政治上，他催生出自由民主政體。善於作秀的羅林茲，穿著花俏的西裝或傳統袍服，創立自己的政黨，競選總統。一九九二年十一月三日，他以六成得票率打贏自由選舉，一九九六年連任成功。接班是大考驗，但當完兩任總統且規定不得再連任時，他於五十四歲時退休，留下迦納這個經濟欣欣向榮、民主發達的國家——非洲的成就之一。「冒著聽起來不謙虛的風險，」羅林茲反思道，「沒有一位有遠見的人，加納是不可能走出深淵的」——那肯定是個缺點不小的富有遠見的人。

在俄羅斯，共黨垮台也是一位富有遠見之人的傑作——但那人不是戈巴契夫。一九九〇年三月，戈巴契夫選上蘇聯總統一事，在最令人意想不到的幾個地方，激起一連串新的追求：在阿拉木圖（Alma Ata），煉鋼工人出身的哈薩克共黨第一書記努爾蘇丹．納扎爾巴耶夫（Nursultan Nazarbayev），[2]讓自己當選哈薩克共和國總統。戈巴契夫說，「我以為我們已同意只會有一個總統。」

納扎爾巴耶夫是接下來情勢發展的主要推手之一，解釋說，「哈薩克境內的人說，我們不能也有總統？」

納扎爾巴耶夫投靠別的恩公，順著權力的自然流動，投入另一個權力源頭的懷抱。一九九〇年五月二十九日，葉爾欽當選俄羅斯最高蘇維埃的主席。戈巴契夫搞不懂怎會如此：「在國內外，他大喝特喝。每個星期一他的臉都腫一倍。他說話不清不楚……但人民一再說『他是我們的人』，原諒他的每件事。」七月十二日，葉爾欽憤而離席共產黨代表大會，隨後宣佈退出共產黨，然後自稱是俄羅斯的最高統治者。戈巴契夫被鐵桿共產黨人視如仇敵，被挫折的自由派鄙視，又被日益瓦解的經濟和日益熾烈的民族主義掏空牆腳，一邊痛斥「惡棍」葉爾欽，一邊看著自己的權力旁落：強人舉足輕重，而強人與強人間的對立競爭助長了國家的瓦解。八月，戈巴契夫談成德國統一的價格，為蘇聯換得數十億美元的貸款，而戈巴契夫埋怨道，這些貸款立即就被偷走：「根本完了。」總統布希欣喜於「獨裁者壽終正寢，極權主義時代就要過去，該時代的舊思想被吹走，如同葉子被吹離古老、無生氣的一棵樹，」[3]但驚恐於蘇聯的動蕩。這時，一個真正自尋死路的民族主義者——莫斯科的最親密阿拉伯盟友——的冒險舉動，會進一步削弱戈巴契夫的地位。

一九九〇年八月二日，海珊發兵入侵科威特。他自認是對伊朗戰爭的勝利者，老邁的何梅尼終於同意兩伊戰爭停火。「那些在光的護送下失去性命的人是快樂的，」這個阿亞圖拉說。「而仍活著且喝下毒酒

2 納扎爾巴耶夫是精明的體制玩家，策畫了推翻其上司的行動，成為蘇聯境內最年輕的總理。「我是志向遠大的年輕人，黨員身分是更上層樓的門路，」他解釋道。「如果那時我認為信佛教會有助於我實現抱負，我會成為佛教徒。」

3 唯獨阿爾巴尼亞例外，該國仍是共黨一黨專政。霍查已於一九八五年去世，但他所挑選的接班人拉米茲・阿利亞（Ramiz Alia）仍希望獨攬大權——直到一九九〇年十二月他才結束共黨專政。

的我，則不開心。」他把年輕毛拉易卜拉欣·萊西（Ebrahim Raisi）帶到德黑蘭。萊西曾師從他的副手哈梅內（Khamenei），掌領「死亡委員會」，親自拷打數千名與當局唱反調的行動主義者，並監督這些人的處決之事。伊瑪目何梅尼八十六歲去世，他的葬禮和納瑟的葬禮同列史上最盛大的葬禮：數百萬哀痛欲絕的悼念者把送葬行列團團圍住，把裹著輕薄壽衣的遺體敲落地面，把壽衣撕成碎片，跳進墓穴，衛兵對空鳴槍，用直升機救出遺體以便隔日下葬，才結束此混亂。但事實表明他所創造的體制更為強韌：他的親信總統阿里·哈梅內被選為最高領導人，[4]統治伊朗三十年。在此期間，伊朗國力更盛於國王巴勒維時。

海珊有著一支大而無當的軍隊，背負沉重的債務，家人貪婪，國家四分五裂，他也尋求極端的解決辦法。在國內，他在安法爾（Anfal）軍事行動中肅清了十八萬名協助伊朗人的庫德人、亞述人，屠殺平民，動用化學武器，他也在法國幫助下弄到核武。一九八一年，以色列轟炸他的核子設施；他聘請一個加拿大籍的槍炮製造專家製造超級大炮「大巴比倫」（Big Babylon）時，摩薩德將該加拿大人暗殺。

海珊為控制自家兒子和姪子焦頭爛額。替他物色女人、試吃食物的哈納·蓋格奧（Hana Gegeo）——他的廚師和他女兒的家庭女教師所生的兒子——介紹他認識金髮女醫生莎米拉（Samira）。莎米拉成為他的情婦，後來成為他的妻子，自然而然成為他第一任妻子薩吉妲和她兒子的眼中釘。他所信任的那些同母異父兄弟，希望自己兒子能迎娶海珊的女兒們，但在一九八〇年代中期，他的兩個日益得勢的表弟胡笙·卡梅爾（Hussein Kamel）和薩達姆·卡梅爾（Saddam Kamel）贏得他兩個女兒拉迦德（Raghad）和拉娜（Rana）的芳心。有個男孩對他心愛的女兒哈拉（Hala）調情，結果遭殺害。

就連海珊都管不住他的長子烏戴（Uday）。他已任命烏戴掌理奧林匹克委員會和足球協會，擺明要他接班。但這個性格類似卡利古拉、講話口吃的精神變態者，常毆打男人、強姦女人。一九八八年，他闖進為埃及總統穆巴拉克妻子舉辦的宴會，用鐵棒將蓋格奧打死。事後他想自殺，然後被海珊叫去；烏戴告訴他父親，「待在你真正的妻子旁邊。」海珊大怒，差點殺了他：他「很走運，我身上沒武器。」烏戴想逃去美國，被他的兩個妹婿——卡梅爾家兄弟——阻撓而未能如願，從而結下以殺人奪命告終的深仇。海珊把烏戴放逐到瑞士，轉而寵愛精神較正常的庫賽（Qusay）。庫賽掌理祕密警察機構（SSO）。

這時，海珊已破產。科威特借給他三百億美元，想要拿回來。國土甚小的科威特，占全球石油產量兩成，和伊拉克相當。海珊說科威特是前鄂圖曼帝國巴斯拉省的一部分。他向美國探口風，美國大使告訴他，「我們對阿拉伯人與阿拉伯人的衝突沒意見，例如你們和科威特的邊界爭端，」對他的計畫誤開了綠燈。海珊的十二萬伊拉克士兵和八百五十輛坦克大舉進入科威特。科威特首領逃走；他的弟弟被射殺，然後興高采烈的伊軍士兵用一輛坦克將他輾成肉泥。海珊放任從流亡地回來的烏戴和貪婪的提克里提人（Tikriti clan）瘋狂掠奪，併吞了科威特。

戈巴契夫大怒，派其情報頭子普里馬科夫去約束海珊，但這個伊拉克領導人威脅到西方的基礎——石油——更別提威脅到國際法。布希總統拿不定主意；柴契爾告訴他，「沒時間猶豫不決。」布希拿到一個聯合國決議，找來從柴契爾[5]到阿塞德的各方人馬，組成一個前所未有的聯盟，以沙烏地阿拉伯為該聯盟大本營。海珊完成一件不可思議的事：使各自為政的阿拉伯世界的大部分成員同仇敵愾對付他一人。只有阿拉法特——和不情不願的約旦國王胡笙——支持他。

一九九一年一月十七日，布希發動「沙漠風暴」的首輪轟炸，鼓勵伊拉克人反抗海珊統治。海珊朝以

4 二〇二〇年，在這位最高領導人策畫下，他的前弟子「德黑蘭屠夫」萊西選上總統。

5 柴契爾已史無前例二度連任，但顯露出虛妄自大的跡象，承諾要「繼續不斷」當首相。一九九〇年十一月，她被自己的閣員拉下台——是為二十世紀任職最久的英國首相，也是自邱吉爾以來最幹練的英國首相。

色列發射飛毛腿飛彈（Scud），然後入侵阿拉伯半島，一時拿下海夫吉（Khafji）。這是第一場透過人造衛星電視直播的戰爭，戰鬥情況透過全天播放、新問世的新聞頻道CNN實況呈現於全球觀眾眼前。在此戰爭中，布希的大軍共九十五萬六千六百士兵使用壓倒性的陸、空軍力擊潰伊拉克軍隊，使整個師的坦克、卡車全陷入火海，庫德人、什葉派、沼澤阿拉伯人（Marsh Arabs）都揭竿而起。但解放科威特後，布希擔心陷入戰爭泥淖，立即叫停入侵行動，讓海珊繼續在伊拉克中部當老大，禁止所有毀滅性武器輸入伊拉克。海珊大大失算，但經過二十年恐怖統治，他的智囊團依舊忠心耿耿，他則把更多心力擺在自己家人上。他的談判代表爭取讓伊拉克部隊使用直升機，獲美國同意，然後伊軍用直升機屠殺叛軍。在沙漠風暴作戰中，聯軍只喪命兩百九十二人，伊軍則損失八萬五千人。美國國力臻於頂峰，蘇聯則衰落到最低點。

一九九一年八月十八日下午四點半，戈巴契夫在其位於克里米亞半島的佛羅斯（Foros）別墅度假時，被其警衛打斷度假行程：有個神祕的代表團抵達。戈巴契夫發現他的電話線遭切斷。「情況不妙，」他告訴萊莎。「或許很不妙。」結果是政變：由克格勃首領和國防部長領導的國家緊急狀態委員會（State Committee on Emergency Rule）已奪權，以阻止蘇聯解體之勢。一九九〇年十二月，謝瓦納茲就已辭職，並要戈巴契夫提防政變。立陶宛是第一個宣布獨立的加盟共和國（一九九〇年三月），繼之以愛沙尼亞、拉脫維亞，但自從一九九一年一月十三日，戈巴契夫的格魯烏特種部隊突擊隊員在立陶宛首都維爾紐斯（Vilnius）的一個電視台射殺平民，他就已控制不住立陶宛。此一犯罪行為只使立陶宛人更加抗拒蘇聯統治。三月，戈巴契夫為組建新的主權國家聯盟（Union of Sovereign States）而舉行了公民投票，結果如他所願。納扎爾巴耶夫同意出任該聯盟第一任總理。但同月，喬治亞擁抱獨立自主。七月十日，葉爾欽經民主選舉當上俄羅斯總統，其統治正當性係非經民選的戈巴契夫所比不上。然後，烏克蘭將同意加入新聯盟之事推遲。八月一日，布希總統欲拯救蘇聯，走訪基輔，勸烏克蘭勿走「自殺式民族主義」之路。[6]戈巴契夫具有一半烏克蘭人血統，竭力欲讓烏克蘭留在其新聯盟裡，警告說烏克蘭若獨立，會因為情勢太不穩定而保不住國家身分；他告訴布希，烏克蘭當初能成為共和國，純粹因為烏克蘭的共產黨人當初為了壯大自己力量而創造該共和國，因為他們為烏克蘭增添了「哈爾基夫、頓巴斯」這兩塊領土。史達林確立了烏克蘭的邊界。赫魯雪夫為烏克蘭增添了克里米亞半島。戈巴契夫解釋說，烏克蘭若獨立，這些住著俄羅斯人的地區會扯該國後腿。[7]

這時，在自己的別墅裡，戈巴契夫問哪群人派他們過來。

「委員會。」

「什麼委員會？」

他們開始解釋此委員會的目標時，戈巴契夫高聲說，「閉嘴，你們這些混蛋，可惡的傢伙！」克格勃的人已包圍別墅；黑海上的船把炮口對準別墅。萊莎・戈巴契夫小中風。戈巴契夫夫婦有所不知的是，這個委員會已在莫斯科犯下一連串愚蠢的失策。首先，他們原打算逮捕葉爾欽，包圍他的別墅，但他逃到俄羅斯最高蘇維埃——綽號「白屋」——而且數個軍事單位投向他那一方。然後，這些陰謀奪權者舉行了一場形同鬧劇的記者會，其中至少兩人醉態畢露。「白屋」有民眾和葉爾欽的部隊保衛。然後葉爾欽現身，以昂然不屈的姿態爬上一輛坦克。陰謀奪權者趕去克里米亞請求原諒，葉爾欽則派他自己的部隊去救戈巴

---

6 英美兩國在自欺欺人。當時本書作者正在高加索地區和中亞四處走動；布希從基輔回到莫斯科後，英美情報人員向他概述基本情況，詢問他是否見到核武，同時向他保證「蘇聯會存續下去。」

7 布希的隨員有時比戈巴契夫的隨員更實際。美國國務卿吉姆・貝克和政治局委員亞歷山大・雅科夫列夫談論烏克蘭時，想知道會不會爆發戰爭。雅科夫列夫回道，「烏克蘭境內有一千兩百萬俄羅斯人，許多人跨族通婚，所以，會發生哪種戰爭？」貝克回道：「常態戰爭。」

契夫。逮捕陰謀奪權者後，戈巴契夫致電葉爾欽。「所以你還活著，」葉爾欽以洪鐘般的聲音說。「我們已準備好為你而戰！」兩個陰謀奪權者自殺。戈巴契夫回到莫斯科時，他的權力已大失，八月二十四日辭去總書記之職。在最高蘇維埃，葉爾欽發動政變，在演講台上羞辱戈巴契夫，逼他承認他自己的部長支持此政變。

十二月一日，烏克蘭投票通過獨立建國。葉爾欽欲使烏克蘭留在他的新版聯盟裡，未如願；烏克蘭脫離自立成為決定性一擊。八日，在白俄羅斯的貝拉維扎（Belavezha）森林裡，沙皇和總書記所極愛的狩獵屋中，葉爾欽密會烏克蘭、白俄羅斯的領導人，發動政變，終結了蘇聯。納扎爾巴耶夫和中亞各國加入了新成立的獨立國協。

「誰給你們這個權限？」戈巴契夫大聲問。「你們為何不先向我示警？……布希一旦察覺，要怎麼辦？」但葉爾欽已致電過布希。十二月九日。戈巴契夫接見葉爾欽和哈薩克總統納扎爾巴耶夫。「很好，坐下，」戈巴契夫告訴他們。「你們明天要對人民怎麼說？」

葉爾欽回道，「我會說我要取代你的位置。」

後來，納扎爾巴耶夫說他「很希望自己當時不在場，」但這時他成為哈薩克這個國土遼闊之新國家的獨裁者。他厲行專制，統治三十年，自封為「國家領袖」，把首都取名為努爾蘇丹。

聖誕節下午五點，戈巴契夫致電布希。正和家人待在大衛營的布希說，「哈囉，米哈伊爾。」「親愛的朋友喬治，」戈巴契夫說。「到頭來我還是決定在今天這麼做。」他指的是辭職。「我們的聯盟辯論該創建什麼樣的國家，而辯論的方式與我所認為該採的方式並不一樣。」這是史上對重大歷史轉折最輕描淡寫的陳述之一。

下午七點，戈巴契夫對全民講話時，一位將領到場收取核武手提箱，將它交給葉爾欽。後來戈巴契夫告訴其助手，他會打電話給他的老母親，他的老母「老是對我說，『拋掉一切，回家』。」戈巴契夫聽進老母的建言。葉爾欽走在克里姆林宮的走廊上，尋找戈巴契夫的辦公室——列寧、史達林、安德洛波夫所曾據有的「小角落」——然後要人「把玻璃杯拿來。」他和戈爾查科夫喝下威士忌。葉爾欽，新誕生的俄羅斯聯邦的總統，以低沉嗓音厲聲說，「這下好多了。」

家族：鮑里斯、塔提亞娜、拉斯普丁

葉爾欽以一票年輕改革者為顧問，查禁共產主義，開放許多檔案機構，迅速將計畫經濟轉變為自由市場資本主義，推動民營化。但經濟幾乎立即就崩潰，黑幫横行，民營化進程倉促而腐敗，一群關係密切的新貴——由前共產黨人和白手起家的強盜資本家組成的寡頭階層——以遠低於市值的價格買下石油公司。葉爾欽既有民主主義者的自由主義本能，又有醉鬼沙皇的習性，揭露史達林的罪行，鼓勵揭發歷史真相，但始終未捨棄情治機關。他未解散克格勃，反倒將它分割為兩個新機構。與此同時，他讓身邊的兩個陣營互相牽制：他一方面支持一批西化的年輕改革派；一方面又與那位不可一世、嗜酒如命的情治首腦、現為將軍的戈爾查科夫為伍。

葉爾欽在莫斯科掌權時，前蘇聯外交部長謝瓦納茲正變身為喬治亞領袖。一九七〇年代，謝瓦納茲代表蘇聯中央掌理喬治亞時迫害過茲維亞德・加姆薩胡爾季亞，一九九一年五月加姆薩胡爾季亞在自由選舉裡以百分之八十六・五的得票率選上總統，承諾終止俄國的一切干預。但才幾星期，狂躁、眼睛凹陷、神經質的加姆薩胡爾季亞，就以其專制作風得罪自由派，以其恐俄作風得罪莫斯科，以其充滿民族至上主義氣息的「喬治亞人的喬治亞」口號得罪少數族群。九月，這個總統已是莎士比亞筆下坐困於王宮裡的孤家寡人。「我是惡毒凶殘的克里姆林宮詭計的受害者，」他在辦公室裡如此告訴本書作者。「如果謝瓦納茲回來，我們會把他當走狗般槍殺。」但叛軍這時包圍王宮。「沒錯，我就像莎士比亞劇作裡的國王。」亨利五世成為第一個李爾王，然後是理查二世。

他的頭號敵人是個更厲害的人物，前黑幫老大、古拉格囚犯和劇作家賈巴・伊奧塞利亞尼（Jaba Ioseliani），他在史達林在位期間曾搶過一間銀行。這時他組建私人組織武裝部隊「騎士」（Mkhedrioni），以保衛喬治亞領土和推翻加姆薩胡爾季亞。伊奧塞利亞尼是那種在帝國垮掉的亂世時如魚得水的特立獨行之人，十二月時趕走加姆薩胡爾季亞，成立國務委員會（State Council），該委員會邀謝瓦納茲回來。這個「灰狐狸」曾和布希、戈巴契夫一起仲裁全球爭端，這時成為貧困、混亂小國裡四面受敵的愛國人士。在喬治亞，他得到這個在他身為蘇共政治局委員時身陷囹圄的軍閥支持。謝瓦納茲壓下本身的傲氣，看著賈巴和他的徒眾趾高氣昂走過，他冷笑說：「如今我好懷念柴契爾和布希。」

對昨日黃花之帝國所懷抱的中世紀夢想，激發一波波殺戮，讓世人見識到既無帝國也無超強來平衡世界時可能出現的情況。南斯拉夫被境內彼此長期不和的諸多民族撕碎，這些民族在報仇心切的民族主義者煽動下相對抗，先是導致塞爾維亞和克羅埃西亞交戰，然後導致塞爾維亞為了消滅波士尼亞穆斯林而動武，其間出現集中營、輪姦、屠殺。經過三年半的波士尼亞戰爭，一九九五年十一月，美國總統比爾・柯林頓（Bill Clinton）主導參戰各方於俄亥俄州的岱頓（Dayton）談成和平協議，一個極複雜的多族群波士尼亞國於焉誕生，但塞爾維亞人轉而消滅科索沃的阿爾巴尼亞人，直到一九九九年三月柯林頓派北約飛機空襲，才使塞爾維亞人收手。北約空襲迫使塞爾維亞撤軍，並且進一步激怒俄羅斯。

在非洲，沒有外力介入。一九九四年四月，盧安達境內的胡圖族人對毗鄰而居的圖西人發動精心策畫的屠殺，旨在將他們趕盡殺絕。先前，殖民強權德國和比利時長年偏袒圖西人，激起胡圖人怨恨，從而在此國獨立前不久引發屠殺慘劇。但始終熱中於推動法非共榮（Françafrique）的法國，把盧安達當成某種收養的殖民地，支持胡圖族領導階層，訓練該國民兵。由身材高瘦、舉止有點笨拙的將領保羅．卡加梅（Paul Kagame）領導的圖西族盧安達愛國陣線（Rwanda Patriotic Front, RPF）造反時，法國把那視為以英國為靠山，對「法非共榮」發出的挑戰。對於即將發生的大屠殺，巴黎未有教唆行為，但的確完全未出手阻止該慘劇。盧安達總統座機遭盧安達愛國陣線擊落時，胡圖族開始種族滅絕，數日裡殺了超過五十萬圖西人，往往用大砍刀殺死。在盧安達愛國陣線從烏干達—剛果交界地帶入侵盧安達並立卡加梅為獨裁者之前，法國只作出局部干預且遲遲才干預。盧安達和烏干達的野心，這時反過來在一場大陸性的殺戮中支持剛果本地的軍閥和上層人士。這場殺戮，稱作剛果的「非洲大戰」（Great African War），係為爭奪礦物和權力而展開的殘暴搏鬥。[8]這場浩劫奪走五百四十萬條左右的人命時，歐洲列強和西方知識分子都淡漠以對。

在莫斯科，葉爾欽受到俄羅斯最高蘇維埃裡新一類威權主義極端民族主義分子挑戰。這些人以構築了防禦工事的「白屋」為大本營，拒絕聽命於他，批評他的親美自由市場自由主義已使俄國經濟如自由

---

8 遭驅逐的胡圖族人加入剛果的亂局。卡加梅追捕他們，支持老經驗的革命分子洛郎—戴西雷．卡比拉（Laurent-Désiré Kabila）。這個人的一生具體而微地說明了現代剛果的浩劫。他二十歲就擁抱馬克思主義，支持親蘇的派系，和切．格瓦拉並肩作戰，但美國的盟友蒙博托掌權時，卡比拉已是黃金走私販和坦尚尼亞妓院老闆。這時卡比拉才開始嶄露頭角，在卡加梅和長期在位的烏干達獨裁者尤韋里．穆塞維尼（Yoweri Museveni）支持下，當上剛果的老大，交戰各方都使用娃娃兵（kadogos）組成的軍隊。綽號「公牛」（Mbongo）的卡比拉一掌權，就發動新一波如火如荼的礦物開採和凶殘戰爭，藉此竭力滿足其支持者的需要。他和烏干達、盧安達鬧翻，接著靠向辛巴威和安哥拉，但控制不住軍隊後，他處決原本忠於他的娃娃兵。這些娃娃兵這時想出「殺公牛行動」（Operation Mbongo Zero），幕後策畫者是盧安達。這些孩子滲透進大理石宮（Marble Palace），在一個警衛協助下將他槍殺。卡比拉生前已指定其兒子約瑟夫為接班人。二十九歲的約瑟夫接替他，統治二十年。

落體下跌（GDP掉了五成）；法律和秩序瓦解，黑幫公然暗殺其敵人並滲入商界。「白屋」表決通過罷黜葉爾欽時，「白屋」的部隊占領莫斯科奧斯坦基諾（Ostankino）區的電視台，在街上築路障；莫斯科空蕩蕩。葉爾欽的情治首腦戈爾查科夫建議出動坦克。葉爾欽警告說，「莫斯科的法西斯—共產主義武裝叛亂會被平定。」一九九三年十月三日，他的突擊隊員奪下該電視台；雙方整夜交火。葉爾欽的坦克朝「白屋」開火（本書作者親眼目睹），他的突擊隊員攻進「白屋。」獨裁的葉爾欽勝出：「俄羅斯需要安定。」

葉爾欽決意保持俄羅斯聯邦的完整，[9]該聯邦本身是由數個族群共和國所組成，其中最桀傲不馴的族群是信伊斯蘭教的車臣人（Chechens）。一九四四年，史達林將車臣人流放到西伯利亞，這時，在一名前蘇聯空軍將領領導下，這個被氏族和軍閥控制的戰士民族宣稱獨立。葉爾欽派兵包圍格羅茲尼（Grozny）。在這個動亂的城市，本書作者看到一批批穿著光怪陸離制服的民兵，邊嬉鬧邊等俄國人進犯，其中有些人的手槍皮套上綴有閃閃發亮的飾片。一九九四年十二月，葉爾欽下令用汽車炸彈炸死車臣諸領袖，然後強攻格羅茲尼；他的國防部長格拉喬夫（Grachev）保證「用一個空降團，花兩小時，」拿下該城。結果，俄軍反倒遭遇車臣人凶猛攻擊，車臣人最終奪回該城。一九九六年，葉爾欽被迫撤兵，顏面大失。

那年六月，酗酒且已得了動脈硬化的葉爾欽，面臨一場可能被東山再起的共黨贏得的選舉；誇稱自己已「治理國家三年」的戈爾查科夫將軍建議取消選舉。但葉爾欽的女兒、任職於蘇聯航太業的三十六歲工程師塔提亞娜（Tatiana）掌控大局，找來寡頭統治集團。該集團的老大是猶太裔數學家暨工程師鮑里斯·貝雷佐夫斯基（Boris Berezovsky），藉由接收「AvtoVAZ」汽車廠和西伯利亞石油公司，已進帳數十億美元。他贏得葉爾欽家的信任，統籌葉爾欽回憶錄的出版。這時他成為葉爾欽的「灰衣樞機主教」，綽號拉斯普丁（Rasputin）。他告訴本書作者，「金融家影響國家之事，歷史上發生多起：我們不像梅迪奇家族？」更受信任——且較低調——者是貝雷佐夫斯基的那個話不多的年輕門生羅曼・阿布拉莫維奇（Roman Abramovich）。塔提亞娜已離開丈夫，改和葉爾欽的文膽瓦倫丁・尤馬謝夫（Valentin Yumashev）在一起，後來兩人結婚。尤馬謝夫不久就被升為葉爾欽的幕僚長，形成以這個總統為核心的宮廷——「家族」（*Familia*）。

掌權的家族不只這一個。一九九四年一月二十一日，敘利亞總統的接班人巴塞爾・阿塞德，在其身為共和衛隊軍官的表弟哈菲茲・馬赫魯夫陪同下，開著他的賓士車疾駛去機場，要去滑雪度假，但在行駛途中，他的車子失控。

大馬士革的騎士、馬克思主義怪獸電影、數據之王：iPhone和匕首

巴塞爾身材矮短、留鬍子、身材健壯、個性堅毅，曾在馬術比賽奪冠，與約旦國王胡笙的騎師女兒交好，本身熱愛槍枝、跑車、黎巴嫩姑娘。他在俄國受過訓練，這時掌管總統衛隊，最得他父親哈菲茲・阿塞德寵愛，就黎巴嫩事務向父親提供建言。總統說他是年輕的薩拉丁，騎著馬和十字軍、猶太復國主義者交手的「金色騎士」。他車裡的乘客也是這個王朝的核心人物：馬赫魯夫的姑姑是第一夫人阿妮莎・阿塞德，他的哥哥拉米（Rami）已是公認替此家族擺平生意問題的平事人。

9　並決意將剛獨立的諸共和國重新納入俄國掌控，支持位於黑海邊的阿布哈茲脫離喬治亞自立；謝瓦納茲不聽命於莫斯科，但在蘇呼米（Sukhumi）差點遇害。俄國坦克威脅喬治亞，前總統加姆薩胡爾季亞欲重整其部隊時（他會在試圖這麼做時遇害），謝瓦納茲飛到莫斯科，歸順於這個沙皇，並邀了本書作者和他一起搭機去：「至少有兩個俄國，」他說，「民主俄國和極權俄國；我希望十年後俄國和喬治亞會是民主國家，但在俄國，黑暗的帝國勢力是始終在森林裡等候的狼。」

阿塞德患有糖尿病和動脈硬化，健康不佳，以和伊朗結盟打穩其王朝的根基。他的對手海珊若動他，伊朗會出手保護他。但他對於時任以色列總理的拉賓和巴勒斯坦解放組織主席阿拉法特的密談感到憤怒。

美國自卡特開始的幾任總統都致力於促成以阿和平，但以色列二十多年來始終拒絕與這個恐怖組織談判。這時，拉賓同意其外交部長希蒙・裴瑞斯開始祕密談判。兩人——沈默寡言的拉賓和富有遠見的裴瑞斯——互看不順眼。裴瑞斯策畫了在奧斯陸的祕密會談，談判代表分別是一名以色列學界人士和一名巴勒斯坦官員。會談結果促成以色列和巴勒斯坦解放組織相互承認的歷史性突破，建立了巴勒斯坦自治政府（Palestinian Authority），這是巴勒斯坦建國的第一步，也包括了對耶路撒冷的共享安排。「我說先和平止戰，再談細節，」裴瑞斯憶道。「和平就像愛情：首先你得信任。」對阿塞德來說，這是背叛，但對約旦國王胡笙來說，這是個機會：胡笙加入此進程。此前，胡笙已費了好一番工夫安撫下他可能惹事的阿拉伯籍鄰居海珊和阿塞德，同時和拉賓密談了數十年。一九九三年九月十三日，在美國白宮，拉賓和阿拉法特在國王胡笙陪同、柯林頓作東道主下，簽了和平協定。一個月後，胡笙和拉賓簽了他們自己的條約。

阿塞德在大馬士革看著此情勢發展，下令暗殺國王胡笙。想動手殺人者不只他。一九九五年十一月四日，拉賓遭一個猶太狂熱分子暗殺。隨著拉賓遇害，奧斯陸協定開始瓦解，以色列民族主義分子和巴勒斯坦極端分子的作為又加劇此趨勢。拉賓之後的以色列總理提議分割耶路撒冷，阿拉法特不接受。兩國方案——唯一可能帶來和平的解決辦法——依舊無緣實現。胡笙在耶路撒冷的拉賓葬禮上說，「我們不感到羞恥，也不害怕，決意要延續我的朋友所為之丟掉性命的遺志，一如我和我的祖父在一起——而我只是個男孩——時，我的祖父在這個城市裡所做的。」胡笙接獲美國中情局示警，避開了阿塞德的刺客，但不為人知的，他苦於癌症。他的弟弟哈桑是王儲，但他開始培養長子阿布杜接班。

在大馬士革，巴塞爾・阿塞德死於那場車禍，他的表弟受傷。哈菲茲下令為這位「國家烈士」服喪。

哈菲茲剩下三個孩子：老么也是老五馬赫爾（Maher）是個粗壯、愛動粗的軍官，有情緒管理、易怒的問題；老四馬吉德（Majd）有精神問題；老三巴夏爾（Bashar）——巴塞爾的大弟——是個醫生，以化名住在倫敦。阿妮莎較偏愛馬赫爾，但阿塞德卻屬意二十八歲的巴夏爾接班。巴夏爾是個瘦高個兒，下巴很小，說話口齒不清，喜歡菲爾·柯林斯（Phil Collins）的歌——由他接掌獨裁者的位置，跌破眾人眼鏡。他討厭血，因此當上眼科醫生，但他就要發動的殺戮，其凶殘程度連他父親都未曾想過。

倖存的共黨統治者是那些將王朝和意識形態結合者。卡斯楚兄弟檔在古巴屹立不搖。在北韓，金日成精心安排了接班事宜。一九九四年七月八日，金日成八十二歲去世時，不只遺體受到防腐處理，[10]而且他被宣告為「共和國永遠的主席，」而他為打造世襲性馬克思主義王朝而精心制定的計畫，則把他兒子金正日順利扶上大位。金正日生於俄羅斯，名叫尤里（Yuri）——家人叫他尤拉（Yura）——韓戰時在中國求學（有時偷偷至馬爾他島度假），然後在黨組織裡開始悄悄往上爬，一九八〇年父親晉升他為「親愛的領袖」和「最高指揮官」，他才顯露光芒。

金正日留著蓬鬆的額髮，穿史達林裝，以太子黨身分養大，偏愛蘇格蘭威士忌、龍蝦、壽司，但是個精明的權力掮客，從其父親那裡學會金氏王朝的基本規則——靠操弄兩超強互鬥、提拔家人、清洗反對人

10　有個特別的醫療單位長年維護列寧的遺體，精進這個特殊的蘇聯本事。共黨領袖，先是保加利亞的格奧爾基·季米特羅夫（Georgi Dimitrov），然後蒙古的元帥喬巴山（Choibalsan）和捷克斯洛伐克的戈特瓦爾德（Gottwald），遺體都經防腐處理，供人瞻仰。史達林死後，和列寧同葬於陵墓，但一九六一年赫魯雪夫下令將他移走。共黨獨裁者死後接受防腐處理之風未就此結束。一九六九年，胡志明遺體受防腐處理，接著毛澤東和安哥拉的涅托亦然。圭亞那的佛布斯·伯納姆（Forbes Burnham）和後來委內瑞拉的烏戈·查維斯（Hugo Chávez），死後防腐處理失敗，不得不埋葬。列寧、毛澤東、金氏父子、胡志明、涅托的遺體如今仍公開展示。

士保住王朝。有兩樣東西，他念念不忘，即西方電影和核武。父子二人都認為自己和南韓、資本主義國家處於永久交戰的狀態，從南韓、甚至日本綁架了三千多公民。金正日在宣傳鼓動部門工作開始其官場生涯後，渴望進入成熟的電影產業。一九七八年，在他策畫下，北韓從香港綁架漂亮女演員崔銀姬，即南韓最傑出電影導演申相玉的前妻；申相玉被誘至香港找她時也被綁架。經過兩年洗腦，他們被帶去見金正日，金正日帶他們參觀他收藏的一萬五千部電影，命令他們再結為夫妻，製作他們的馬克思主義怪獸電影《平壤怪獸》（*Pulgasari*）。

不管哪個君主，自家血脈都是物色接班人選的必要考量，金正日亦不例外。金正日先是在父母安排的婚姻裡有了一個女兒，但掌管北韓電影、戲劇時，他自然而然有權利享受一批官方專業演員服務。這些專業演員專門服務黨的高級官員，統稱為「歡樂組」（Kippumjo），據金正日的壽司料理師傅暨玩樂同伴藤本健二所述，這個組分為滿足、幸福、歌舞三個小組，其中的滿足組提供性服務。有個已是人妻的電影明星，生下他的第一個兒子金正男——但他未得到父親至關重要的認可。一九七二年前後，金正日開始和舞者高容姬同居，她為他生下兩男一女三個孩子，第二個兒子叫金正恩，女兒叫金與正。他們成為他正式認可的家人。

金氏父子統治一個擁有百萬兵力和二十萬政治犯的國家，想擁有核彈，但盟邦蘇聯、中國不願幫忙。金氏父子派人至世界各地尋找可升級鈾、發展核武的技術，開始和巴基斯坦談判，巴國這時正想方設法要趕上印度。巴基斯坦的核武研發總策畫阿布杜．卡迪爾．汗（Abdul Qadeer Khan）——綽號「離心機汗」（Centrifuge Khan）——於一九八〇年代班娜姬．布托（Benazir Bhutto）選上總理期間，移交核武技術。布托是一九七〇年代遭處決總理的女兒，另一個南亞統治世家的女接班人。阿布杜．卡迪爾．汗先受班娜姬的父親提拔，然後從事史上最駭人的犯罪活動：出售巴基斯坦的核技術。他周遊世界，去了十八個國家。海珊感興趣；在伊朗、敘利亞、利比亞，獲哈梅內、阿塞德、格達費買下。他寄出寫有「好看織物」的利比亞包裹，佯稱那是出自伊斯蘭馬巴德某裁縫師之手的一套西裝。金正日買下巴國核技術時，據說班娜姬·布托親自送交。

美國發現北韓有核計畫時，美國外交官眼中和善可親且具領導人威嚴的金正日，為了替其日漸萎縮的經濟榨取到最大好處而和美國進行了談判，同時暗中取得核彈。與此同時，他在他幾個兒子裡物色合適的接班人選：長子非正室所出；次子太弱；但已被他送去瑞士讀書、綽號「正恩尼」（Jong Unny）的三子金正恩和他很像。

在莫斯科，改革派、寡頭統治集團和葉爾欽「家族」擔心頭腦不清楚、醉酒的葉爾欽就要在選舉裡敗給共黨：一次心臟病發讓他幾乎糊塗。但貝雷佐夫斯基募得一億四千萬美元，並且徵用電視台，以確保他連任。葉爾欽「家族」與戈爾查科夫鬥爭權力：當年列寧、史達林強徵黑社會分子為他們凶殘的祕密警察效力；互看不順眼的廷臣和寡頭統治集團這時揚言要置對方於死地。一枚炸彈炸掉貝雷佐夫斯基的司機的頭。戈爾查科夫憶道，「有人要貝雷佐夫斯基的命未得手後，他老是想要殺人回敬……告訴我時神態很冷靜，好似我就是那個殺掉每個人的傢伙。」

葉爾欽「家族」將這個尾大不掉的侍衛革職；半死不活的葉爾欽打贏一九九六年選舉。但八月，車臣軍閥滲入格羅茲尼，奪回該城，趕走俄軍。葉爾欽做了五條繞道的冠狀動脈手術。然後，葉爾欽「家族」統治這個問題叢生、可能不久後就會徹底垮掉的國家。

美國作為唯一超強，一派欣欣向榮。打贏冷戰的雀躍，使歐美掌有實權人士樂昏了頭；美國和其自由民主主義體制已得勝。成功帶來更多成功：在非洲和南美洲，數國成為美式民主國家。看著俄羅斯內爆，要不沾沾自喜還真不容易。[11]

一九九七年三月二十一日，葉爾欽在赫爾辛基會晤柯林頓，同意北約往前蘇聯帝國境內擴張，換取四十億美元援助，但他警告說，那是個「錯誤，嚴重錯誤，」和「一種賄賂。」柯林頓無法相信俄國所正做出的讓步——許多俄羅斯人亦然。那只是天大羞辱的開端。美國談不上寬宏大量，但更糟的是，美國沒有遠見。美國鼓勵葉爾欽改革，本可以提出類似馬歇爾計畫的東西，以使俄國較平順轉型，找到方法邀俄國加入西方體系，但未這麼做。錯不只在美國一方：俄國的高官仍從帝國、獨裁統治的角度思考俄羅斯。此外，葉爾欽抗議北約轟炸俄國的盟友塞爾維亞，美國置之不理。波蘭、捷克斯洛伐克、匈牙利加入歐盟和北約，波羅的海邊的三個前蘇聯加盟共和國亦然。烏克蘭和喬治亞是申請加入的下一批。[12]馬克思主義已敗下陣來，俄國垮台，中國遙遙落後。看來列寧主義帝國已在不流血情況下倒下；其實蘇聯倒下的過程會持續三十多年——而且絕非不流血：有個和其祖國一樣陷入困境而落魄不堪的前蘇聯祕密警察，滿懷廣大俄國人的怨恨。

一個竭力求生的克格勃上校憶道，「我們的日子過得和每個人一樣，但有時我得開計程車賺外快。那是不堪訴說的往事。」這個計程車司機是弗拉基米爾．普丁，這時在聖彼得堡待業。「蘇聯倒下是什麼？」他說。「那是以蘇聯之名存在於歷史上的俄羅斯的倒下。」[13]因此，那是「二十世紀最大的地緣政治災難。」

一九九七年三月，葉爾欽「家族」召見普丁前往莫斯科。當時四十四歲的普丁已投靠貪腐但具有自由主義思想的彼得堡市長，成為他無所不在的副手和替他擺平事情的人。他第一次接受電視採訪的內容揭露他不為人知的過往，強調他任職克格勃的經歷，展露蘇聯諜報人員的本色。該市長選舉失利後，普丁獲授以莫斯科總統辦公廳裡的小職務。但僅僅一年後，他就被任命為總統辦公廳副主任，就在俄國最抬不起頭且美國躊躇滿志之時。

那是奇怪的一刻。俄羅斯踉蹌不穩；葉爾欽撤換一個又一個總理；黑幫殺掉對手；寡頭統治集團趾高氣昂；車臣人頑抗不屈。但葉爾欽既是有遠見的自由主義者、又是笨拙的獨裁者，懂得歷史的教訓。一九九八年七月十七日，他主持死於非命的沙皇尼古拉二世和其家人的遺骸下葬彼得堡羅曼諾夫家族教堂地下室的儀式，說「我們都難辭其咎，」但「苦澀的教訓是，任何欲靠暴力改變生活的作為都注定徒勞。」這時，他思考他留給俄國的遺產：「我們必須用悔悟、和解的心，」還有力量，「結束這個世紀，已成為流血、法紀蕩然的世紀。」葉爾欽「家族」尋覓接班人。

許多人聲稱那個接班人係他們所創造出來。貝雷佐夫斯基堅稱他是第一個注意到普丁的人，但實際上是尤馬謝夫發現了他。一九九八年七月，他們任命他們所不熟悉的這個人掌管俄羅斯聯邦安全局（FSB）。該構構的前身就是克格勃。葉爾欽臃腫、糊塗卻又專橫、神祕，止不住其權威的逐漸解體；檢察總長調查

---

11 但就在情勢看來全人類就要逐步邁向更自由的世界時，來自科學家的警告變得愈來愈需要盡快因應。他們證實過去兩百年的人類工業使地球氣溫愈來愈高。關注這些警告的領導人不多；具有遠見的威爾斯親王，即後來的查理三世，係最早關注者之一。一九七〇年二月，二十二歲的他要人們提防「各種會快速擴散的污染所產生的可怕效應」，問道「我們全都願意在必要時接受價格上漲……願意在必要時讓自己為了我們自身的福祉（接受）限制和管制？」二十年後的一九九二年六月，在里約舉行的第一次聯合國地球高峰會上，政治人物才開始辯論如何限制這個由人類活動所造成的傷害。如今這成為人類所面臨的最需立刻處理的挑戰之一。但為達成有意義的改變，各領導人——尤其中國、印度之類急速成長的工業國的領導人——為了全人類未來的福祉，將不只得忽視自己國家和人民的當下利益，還得放棄追求那些當下利益。

12 美國的成就之一，係說服烏克蘭、哈薩克放棄蘇聯覆滅後留在境內的核武，以換取美國援助。一九九一年，烏克蘭和哈薩克突然擁有數千枚蘇聯核彈頭，成為世上第三大、第四大核武強權。一九九二年，哈薩克放棄其核武。一九九四年十二月，在布達佩斯，烏克蘭放棄其核武，以換取俄、英、美三國保證維護其「領土完整」——如今有些人認為那是個錯誤決定。

13 使諸加盟共和國得以脫離俄羅斯自立的「那顆危險的定期炸彈，安在我們國家的基礎裡，在共黨所提供的安全機制消失時爆炸，」後來身為總統的普丁如此寫道。「接著出現一票主權國家。」

葉爾欽「家族」的貪腐，反對派準備彈劾葉爾欽。一九九九年四月，普丁公布一份畫面粗糙的影片，片中頂著大肚子的檢察總長光著肌肉鬆垂的身子和兩個妓女嬉鬧。檢察總長遭革職。行動受阿布拉莫維奇指導的塔提亞娜、尤馬謝夫，敬佩年輕、強悍、莫測高深的普丁，向他提出一個非比尋常的提議——當總統——前提是不起訴葉爾欽「家族」。普丁問，「我要如何確保我妻子和小孩安全？」——他有兩個女兒。葉爾欽「家族」說，克里姆林宮會確保他安全。但他要如何贏？一場速戰速勝的戰爭。

一九九九年八月九日，葉爾欽突然任命普丁為總理。「我並非只是要升他的官，」葉爾欽憶道。「我想要把莫諾馬霍斯之冠（Cap of Monomachos）」——沙皇的皇冠——「交給他。」[14]十月，普丁發兵入侵車臣，其黑幫分子般的蹺樣令俄羅斯人大喜：「我們會追擊恐怖分子到天涯海角；如果找到他們時他們正在蹲馬桶，抱歉，我們會在廁所裡殺了他們。」俄國對恐怖分子打了一場無拘無束的戰爭，對平民亦然。平民遭隨意捉去拷打、殺害、人間蒸發。軍隊是個殘暴、笨拙的工具：普丁以欣賞語氣說，俄國將領「不拖泥帶水。」葉爾欽告訴普丁，要任命他為代理總統。「我還沒準備好，」普丁回道。「那不好幹。」葉爾欽心意已決。普丁終於說「我同意，」還說，「如果說『不行，我寧可去賣葵花籽』，那會很蠢。」

「今天我要請求你們原諒，因為我們的許多期望未實現，」一九九九年除夕葉爾欽說。「我要退下職務……我國有個適合當總統的強人。」他任命這個作風神祕的人代理總統。

普丁所簽署的第一道法令，名叫〈關於對前總統和其家人的保障〉。

二〇〇〇年三月二十六日，普丁當上總統。葉爾欽帶他進入史達林的舊辦公室：「此後這就是你的辦公室，弗拉基米爾。」葉爾欽「家族」相信他們會管得住這個「意外當上」的總統。但普丁把柔道黑帶的專注力和技法帶到克里姆林宮。他說，「我像戰船上的操槳奴隸苦幹。」他自豪於坐進史達林的辦公室，邀訪客翻閱這個前總書記在「小角落」裡的藏書。不受限制的權力塑造出新的性格。他最初不自在而笨拙，但很快就發展出在克里姆林宮大展身手所需的那種凶狠的戒心，他樂於選定目標然後用暴力對付，樂於動用軍武，而且這份樂趣不因大難臨頭時的幽默自嘲而稍減。他很欣賞自己的陽剛男人味，擺出裸胸膛、提槍、抱老虎、追蹤熊的姿態拍照。被問起他殘酷無情的名聲時，他開玩笑說，「自從聖雄甘地死後，就沒有講話對象」——他生日時，部屬送他一尊甘地胸像。他最愛的諺語是「就像剪小豬的毛，尖叫聲太多，毛太少。」

普丁把葉爾欽「家族」打入冷宮，恢復了公權力，控制選舉，使國會成了沒牙的老虎，使新聞媒體乖乖聽話，並提拔自由派與克格勃老兵混合而成的新班底。他曾對聚在一塊的祕密警察開玩笑，說「政府的聯邦安全局祕密團隊已完成其第一個任務，」還常加上一句，「沒有前克格勃人員這回事。」

他「平靖」了車臣，任命凶殘的太子黨一員、二十九歲的拉姆贊·卡迪羅夫（Ramzan Kadyrov）統治該共和國。卡迪羅夫成為他最忠心耿耿的手下，並與他的祕密警察比狠，以成為他底下的頭號殺人魔頭。[15]然後普丁開始對付寡頭統治集團，邀他們到史達林的故宅，警告他們勿插手政治。他們不從，就被強行制伏：其中一人被捕，送去勞改營。貝雷佐夫斯基憤慨於他的傀儡竟反過來當起老大，結果被趕出俄國。普丁命令其保安部隊清洗叛徒：「敵人就在你們面前，你們戰鬥，結束敵對，把一切搞定。但有個叛徒必須消滅」——即使人在英格蘭亦然：貝雷佐夫斯基離奇身亡——被發現吊死在他位於英格蘭薩里郡的宅邸；與他過從甚密的前克格勃上校利特維年科（Litvinenko）遭用釙毒死。「我不知道誰殺了他，但他

14 九月，三樁離奇的公寓炸彈爆炸奪走三百條人命。官方說這是車臣恐怖分子所為，但可能是聯邦安全局探員為製造危機供普丁解決而幹下。

15 他最初的人選是信伊斯蘭教的造反軍閥艾哈邁德·卡迪羅夫（Akhmad Kadyrov）。此人原是獨立之車臣的穆夫提，但二〇〇〇年變節，成為普丁的車臣總統。二〇〇四年他遭暗殺後，普丁找他兒子拉姆贊接位。

是叛徒，」普丁說。「凶手不是我們，但就狗來說，死得很不光彩。」在前帝國版圖裡，他所決意恢復的不是蘇聯——他驚駭於列寧用俄羅斯民族的土地創立烏克蘭蘇維埃共和國——而是其傳統帝國。他認為俄羅斯是「獨一無二的文明」，所有俄羅斯人之母，他支持獨裁統治和族群民族主義，構想建立一個卓爾不群的東正教「俄羅斯世界」——這是一個歐亞大陸的後繼者，延續自基輔羅斯和羅曼諾夫帝國，凌駕於西方之上。他借鏡於斯拉夫主義者（Slavophiles）和俄國內戰時白俄哲學家的理念。當其他前蘇聯加盟共和國發展出自己的國家認同時，作為帝國誕生的俄羅斯卻找不到其他自我定位的形象——除了作為一個滿懷怨恨的帝國。

普丁譴責美國的至高無上。「什麼是單極世界？」他問。「那是只有一個老大的世界。而且那不只對身在該體制裡的所有人有害，而且對這個老大本身有害，因為它從裡面毀掉自己。」

二〇〇〇年十一月，普丁策畫打垮車臣抵抗勢力時，美國人——經歷過一場幾乎平手、從而導致法律僵局的總統選舉後——選出另一個四十多歲、缺乏經驗的領袖。普丁在列寧格勒的公寓裡如野孩子般長大時，小布希正在家族位於「肯納邦克波特」的莊園裡駕著遊艇航行。

小布希是總統之子、聯邦參議員之孫、耶魯大學上流男大學生聯誼會的會員，已把自己打造成一個趾高氣昂的德州人，在石油業裡賺了錢，擁有德州遊騎兵職棒隊，第一次角逐總統寶座就如願。布希父子總統和柯林頓在位時，正值美國世紀頂盛時期。與此同時，美國的創業家引領技術進步，而此進步和美國的全球願景——以及美國所主宰的全球化經濟——搭配得天衣無縫。

二〇〇五年，癌症得到控制的史蒂夫・賈伯斯（Steve Jobs）與學生交談，回顧自己的人生，說，「過去三十三年，我每天早上照鏡子，自問：『如果今天是我人生的最後一天，我會想做我今天即將要做的事嗎？』」賈伯斯已改變世界：「隨著歷史開展，電腦在人類的所有發明中會接近第一位或名列第一位。」賈伯斯偏執且讓人難以忍受、不討人喜歡且往往殘酷，認為創造力的核心就是照著自己的直覺走——「把諸多的點連起來。」賈伯斯父母都是老師——老爸敘利亞人，老媽瑞士人——但「我的生母是年輕未婚的研究生，她決定把我送給人收養」——一個美國海岸防衛隊的隊員收養了他。他十二歲時在商業機器公司惠普實習過，後來去了印度，擁抱禪宗，從大學休學（以便上書法課），然後二十歲時在父母的車庫創辦一家公司。在車庫，他開始設計第一台消費性電腦，取名蘋果。

電腦的概念並不新鮮。[16]電腦的發展使得操作簡易且體型小到能為一般人使用的智慧型手機和電腦的問世勢所必然，但這段路走了四十年。一九五九年，快捷半導體（Fairchild Semiconductor）公司的羅伯特·諾伊斯（Robert Noyce），發明了一種單片積體電路（monolithic integrated circuit），即晶片，使這場革

16　一八三七年，詩人拜倫勳爵的女兒，勒芙雷絲（Lovelace）的伯爵夫人艾妲（Ada），和她的友人查爾斯·巴貝奇（Charles Babbage），為他們稱之為「分析機」（Analytical Engine）的東西設計了一個程式。義大利軍事工程師路易基·梅納布雷亞（Luigi Menabrea）的一篇文章，係啟發他們這項創舉的靈感來源之一，後來這個軍事工程師出任統一後的義大利的總理。一八四三年，受八二〇年代巴格達學者花拉子米（al-Khwarizmi）啟發，勒芙雷絲寫下她稱之為演算法的指令，但她也預見到「資訊獨裁者」的危險。巴貝奇設計了他們的分析機。但一百年後，電腦這項科技才被德國科學家康拉德·楚澤（Konrad Zuse）發明出來。一九四一年，楚澤在柏林造出第一台電腦Z3，設計了最早的程式語言，Plankalkül（用於規畫的形式系統）。他的Z3毀於盟軍空襲，但戰後，楚澤創辦了第一家科技公司，把他的專利賣給美國公司IBM。那時，IBM也已在為美國政府將納粹德國和美國境內的龐大個人數據列成表格。與此同時，在英國的布萊奇利莊園（Bletchley Park），二十四歲年紀就為一台「通用型計算機」下了定義的年輕數學家艾倫·圖靈（Alan Turing），正在設計一台電磁機以破解德國埃尼格瑪密碼機（Enigma）的密碼。一九四六年，他設計了一台「自動計算機」，兩年後造出一台此機：體積大到占滿一間房間。接著，他和某個同僚創造出第一個遊戲程式，名叫Turochamp的西洋棋程式。一九五二年一月，與他的男性情人和一樁竊盜案有關的一連串事故，導致圖靈承認一樁同性戀關係，而根據一八八五年法律，同性戀為非法。圖靈承認犯了「嚴重猥褻行為」，同意接受殘忍治療，化學去勢。圖靈四十一歲服氰化物自殺身亡。

命成為可能；與此同時，保羅・巴蘭（Paul Baran）正在開發可在核災後正常運作的訊息傳遞網絡。一九六八年，全錄公司（Xerox）的艾倫・凱（Alan Kay）預測未來會出現一個「個人的、可隨身攜帶的資訊操縱器」，並把那稱作「Dynabook」，就在世上第一台主動矩陣式液晶顯示器問世之時。一九七五年，IBM開發出第一台可攜式裝置，同年，西雅圖某律師之子比爾・蓋茲（Bill Gates）從哈佛休學，以開發一個供電腦使用的指令系統——軟體——IBM買下該系統。五年後，蓋茲推出更先進的系統：Windows。

五角大廈的高等研究計畫局（ARPA，簡稱阿帕）通訊設施，原是為了讓領導階層在核戰爆發後能互通聲息而設計，一九七四年時已被文頓・瑟夫（Vint Cerf）和鮑伯・卡恩（Bob Kahn）擴大應用於學術界。他們把此通訊設施稱作「inter-network」，即「internet」（網際網路）的由來。一九八〇年，阿帕網（ARPANET）被關掉，但歐洲核子研究組織CERN開始使用該系統，一九八九年該系統啟發了該組織的三十四歲數學教授提姆・柏內茲—李（Tim Berners-Lee）：「我只要採用超文字構想，將它和傳輸控制協定、域名系統構想連在一塊，然後——噠噠噠噠！——就有了全球資訊網（World Wide Web）。」一如他之前的愛迪生或瓦特，他未聲稱自己發明了全球資訊網：「全球資訊網裡涉及的科技，例如超文字，例如網際網路、多字體文本物件，大多是原就已被設計出來。我只是把他們湊在一起。」他發明了網址系統——//www——此系統後來非常普及，致使網際網路幾乎成了人腦的一道腦溝。伯內茲—李告訴本書作者，「我從未預料網路會變得多大，但我設計的本意就是要讓它可供人人使用。隨著它急速成長，我在某個時刻意識到它會改變世界。」

賈伯斯滿腦子新點子且眼光深遠，善於利用別人的新發明更上層樓，善於造出設計精致的東西。一九八四年，他推出麥金塔（Macintosh），這是一款可以讓消費者遊走於不同設施間的電腦，並增加了他稱之為滑鼠的手控裝置和可選擇新字體的功能。這個功能得益於他早年上書法課的啟發。「我運氣好，」他解釋說。「我早早就找到我喜歡做的事。」但「接著我被炒了魷魚。成功的沉重感被重新開始輕盈感取代。」

賈伯斯重返蘋果公司後，從一九九八年起，他設計了一連串以「i」開頭的裝置（「i」代表「網路〔internet〕、個人〔individual〕、教導〔instruct〕、資訊〔inform〕與啟發〔inspire〕」）。二〇〇七年，他的iPhone改變了人的行為，創造出一個時髦而不可或缺的機器。至二〇二〇年，全球已售出約二十二億部iPhone，智慧型手機共賣出一百九十億部——這個小機器以至今還不為我們所明瞭的方式永遠改變了人的本質和行為。智慧型手機成為不可或缺的科技產品，幾乎成為了人們日常生活的延伸。二〇〇五年時，已至少百分之十六的人使用智慧型手機；到了二〇一九年，則已增至百分之五十三・六，在西方則達百分之八十六・六。網路為一般人打開了吸收大量新知識的大門，許多人揚棄了較費工夫但更可靠的資訊來源。網路使社會變得更複雜，增添了新的溝通平台和權力平台，使本就多元的社會更加蓬勃有勁——據傅柯（Foucault）的分析，進一步偏離「君主權力」，轉向「規訓權力」。

新知識使世界更開放；但一如文字、印刷、電視，網路可被控制、操縱：即使在民主國家，自大的權勢人物都以數據獨裁者的身分行使不為人知的巨大權力，而且從古至今沒有比這更好的專制統治工具。網路往往創造出想法相同者相濡以沫的孤立小區塊，因此，網路促成多少的全球化，就促成多少的地域化。在許多國家，行動電話的使用者仍住在有著iPhone和匕首，被親族、部落、教派主宰，幾乎無法讓人民溫飽的社會裡。在某些例子裡，恐怖分子一邊用刀劍砍下人頭，一邊透過iPhone上的WhatsApp和人聊天。

較不引人注目但同樣重要的改變，係公共衛生方面的驚人改善——孩童死亡率降低、天花接種、水加氯消毒。這些是彼此環環相扣的大大小小發展的結果：與下水道相連的廁所問世，可能自一八六〇年代以來拯救了十億條性命。人的預期壽命在一個世紀裡增加了一倍，嬰兒死亡率降低九成，成就斐然。但並非完全有利無害——人類這個物種追求物欲大有所成，但人口從一八〇〇年的十億增為二〇二五年的八十億。人類的工業革命加上醫療革命，如今威脅到人類自己的生存。

網路係英美人所發明，並在矽谷發展出來，新的數位巨頭在矽谷想出如何使網路有利可圖；但真正掌握到網路的潛力者，係封閉的世界：中國的維穩機關最早體認到網路的監視本事。網路具有將怒氣擴大、合理化，並在開放的世界散播謊言的能力，而俄國人運用了此能力。獨裁政權很快就理解到，只要利用民主國家本身的自由來對付它們，他們的駭客能給民主國家的纖弱政治體制下毒。

小布希很想會會普丁。二〇〇一年六月十六日，在斯洛維尼亞舉行的高峰會上，這位唯一超強的新任統帥見了俄羅斯的新統治者。小布希說，「我看著這人的眼睛，」話中顯露美國獨霸世界的天真。「覺得他很坦率、可靠，我能理解他的靈魂。」當時正在車臣打擊伊斯蘭教徒叛亂的普丁，要小布希提防阿富汗新勢力塔利班（Taliban）對美國本土的聖戰威脅。共黨政權在蘇聯從阿富汗撤兵後不久就垮台，但一場凶殘的內戰使阿富汗諸軍閥失去民心。在坎達哈（Kandahar），一票聖戰士出身且志同道同的吉爾扎伊部族（Ghilzai）塔利卜（talibs，伊斯蘭經學院「學生」之意），對官方執法感到失望，於是在歐瑪爾（Omar）領導下，組成一支民間自衛巡邏隊，自行懲治犯罪和貪腐。歐瑪爾是精於操作 RPG-7 火箭推進榴彈的獨眼戰士，當時已重拾教鞭。塔利班很快得到巴基斯坦三軍情報局的吸收和資助，並得到哈卡尼支持迅速征服阿富汗，邀奧薩瑪·賓·拉登回來。

世貿中心雙塔

普丁告訴小布希，「這些極端分子都正受沙烏地阿拉伯資助，遲早會搞出一場大禍。」

小布希很吃驚。康朵麗莎·萊斯（Condoleeza Rice）憶道，「普丁的示警和鄭重其事，把我嚇了一大跳。」她是阿拉巴馬州伯明罕市牧師家庭的女兒，祖上為奴隸，本身當過美國國務院的俄羅斯研究者、史丹福大學教授，這時是美國史上第一個黑人國家安全顧問。[17]小布希和萊斯斷定，這不過是蘇聯兵敗阿富汗後的酸葡萄心理表現。

普丁說對了。小布希正籌畫競選總統時，另一個權貴子弟正在謀畫其驚天動地的任務。老布希的伊拉克戰爭和美國對沙烏地阿拉伯的保護令奧薩瑪·賓·拉登驚恐；他要求面見國王法赫德，結果接見他的是法赫德的弟弟王子蘇爾坦（Sultan）。奧薩瑪建議他拒絕美軍進駐——自波斯灣戰以來沙國境內一直駐有美軍——讓阿拉伯人組成的聖戰士軍團保衛麥加。法赫德信任賓·拉登家族，但認為奧薩瑪的想法太離譜，未予接納，並把他趕出沙國。奧薩瑪就此鄙視他父親所效力、道德敗壞的沙烏地阿拉伯國王：先知穆罕默德禁止異教徒進入阿拉伯半島；這時卻有美軍駐在那裡，而且美國的盟邦以色列攻擊了黎巴嫩。每年從自己家族拿到七百萬美元挹注的賓·拉登，改良了他的意識形態和組織，在蘇丹開基立業，從事他自己的工程事業，同時也成立由恐怖分子基層組織、募款人、製造炸彈者、地下工作人員、伊斯蘭恐怖行動所不可或缺的炮灰——往往未成年的年輕自殺炸彈客——組成的網絡型組織。

一九九八年初，他的計畫一切就緒時，從一個聽話的神職人員那裡弄到伊斯蘭教令（fatwa），以便名正言順殺掉美國人和其盟友——平民和軍人——並「解放（耶路撒冷的）阿克薩清真寺和麥加的神聖清真寺」。那年八月，賓·拉登的自殺炸彈客開著卡車炸彈進入坦尚尼亞、肯亞的美國大使館，殺了數百人。柯林頓下令發射飛彈攻擊人在蘇丹的賓·拉登，蘇丹不得不趕走這個恐怖分子。

17　從國務卿之職退下後，萊斯研究其家族史：「我的外曾曾祖母為不只一個奴隸主共生了五個孩子，」她寫道。「我的曾祖母茱莉亞·海德，以奴隸主的姓為姓，很得奴隸主喜愛，因而他教她讀書識字。」

當賓・拉登收到歐瑪爾的邀請時，他已失去家庭資金挹注，只能靠沙國支持者的捐款度日。他帶著數個妻子和三百名聖戰士搭一架私人飛機抵達阿富汗。在得到自稱「伊斯蘭信士統帥」（Amir al-Mu'minin）的歐瑪爾和司法部長哈卡尼支持後，賓・拉登對美宣戰，開始訓練志願效力的蓋達戰士。柯林頓暗中下令將他生擒或暗殺時，歐瑪爾助賓・拉登成立總部。這時，他在總部思考一件老早就想做的事：攻擊美國摩天大樓。一九九九年，有個受信任的巴基斯坦籍親信提議以自殺客駕駛噴射機[18]撞擊世界貿易中心雙子星大樓，藉此完成一件驚天動地的攻擊。他對曼哈頓這兩座素負盛名的摩天大樓很熟，因為七年前他的外甥就攻擊過世貿中心大樓，但未將其炸倒。

自殺炸彈客是斯里蘭卡「泰米爾之虎」（Tamil Tigers）組織所創，[19]不久就被伊斯蘭聖戰士仿效。賓・拉登看出攻擊美國本土所能產生的震撼效果：「摧毀美國境內高樓，讓美國嘗嘗我們所嘗到的滋味。」美國突擊隊攻擊蓋達營地的行動遭取消，但柯林頓下令飛彈攻擊——結過讓賓・拉登躲過。賓・拉登已開始親自挑選他的自殺客團隊，尤其是來自漢堡、會說英語的一個基層組織，其中十九人這時被派去美國飛行學校學開飛機。賓・拉登後來誇說，「我負責把襲擊行動交給這十九個兄弟。」十九人中有十五人是沙烏地人。日子選在一六八三年鄂圖曼軍隊兵敗於維也納城外那一天。

中情局和聯邦調查局清楚賓・拉登正謀畫攻擊美國，而且這兩個機構蒐集到零星的情報，包括有些阿拉伯裔飛行員只想學起飛、卻對降落興趣缺缺這件怪事。但這兩個機構——除了一些顯著例外——彼此太想爭功，不願和對方分享情報，也缺乏想像力，無法理解賓・拉登的野心有多大。

普丁示警三個月後，二〇〇一年九月十一日，小布希正在佛羅里達州某學校聽孩童讀《寵物羊》（*The Pet Goat*）故事時，他的幕僚長打斷他的興致，對他附耳低聲說：「第二架飛機撞了第二座高樓。美國受到攻擊。」

小布希來到該學校時，十九名恐怖分子已劫走四架噴射客機，機上載了許多無辜的平民；早上八點四十六分，第一架飛機被五名恐怖分子控制，撞上世界貿易中心一百一十層高的北塔；小布希獲告知有架小飛機意外撞上大樓，然後他走進了教室。早上九點零三分，第二架飛機撞上南塔。驚恐萬分的人們從高樓層跳下，透過電視直播呈現於世人眼前；就在這時，兩大樓轟然倒下——亂哄哄的人間浩劫鮮活呈現於電視機觀眾前。早上九點三十七分，第三架飛機俯衝撞上華府的五角大廈。每架飛機上都出現絕望的無名英雄拼死一搏的場面；在恐怖分子計畫撞向白宮或國會大廈的第四架飛機上，英勇的乘客發出心痛的簡訊，向心愛的人告別，然後大喊「我們上！」並攻擊恐怖分子。在接下來的搏鬥中，劫機者於早上十點零三分把飛機墜毀在賓州的田野上。除了十九名恐怖分子，共有兩千九百七十七人遇難。賓・拉登已下了誘餌，而美國的領導者則已在思考是否不只要打賓・拉登和塔利班，還要打海珊。那天下午，美國國防部長唐納德・倫斯斐（Donald Rumsfeld）想知道情報是否「理想到可以同時動手打海珊。不只打奧薩瑪・賓・拉登……得盡快動手……大舉出動……一舉掃光。不管有沒有關聯。」

美國心臟地帶人心惶恐之際，五十五歲的小布希開始投入他的新任務，求助於他富有經驗的副總統迪

18 把飛機當成飛行炸彈用的想法，在人類飛上天空後就出現。一九〇五年，俄國恐怖分子考慮以此法對付羅曼諾夫家族，二次大戰時日本神風特攻隊以此法攻擊對手。巴勒斯坦籍劫機客不只已證實民航機的脆弱，還證實攻擊這些象徵西方舒適生活的龐然建物能使人心如何恐慌。

19 這就是拉吉夫・甘地被殺害的方式。他的總理任期蒙上了武器貪污醜聞、一場環境災難，以及他介入斯里蘭卡僧伽羅人（Sinhalese）政府與泰米爾之虎民兵之間的內戰——起初是為了保護泰米爾人，因為印度南部有許多泰米爾族人。但印度軍隊一進入斯里蘭卡，卻發現自己正與狂熱的泰米爾叛軍——泰米爾之虎——交戰。拉吉夫在一九八九年大選中落敗；而在一九九一年五月二十一日，當他參與競選活動時，一名泰米爾之虎的女性自殺式炸彈客——這是當時一種新型態的恐怖攻擊——接近他後引爆炸彈。

克・錢尼（Dick Cheney）——這為來自美國中西部、畢業於耶魯大學，曾在老布希任內擔任國防部長，主導過沙漠風暴行動，退出官場後出任哈利伯頓（Halliburton）油田服務公司的董事長並賺進大筆財富。「我能聽到你們的心聲，」小布希在瀰漫火燒、死屍臭氣的雙子星大樓原址，透過手提式擴音器對美國人說，「把這些建築打倒的那些人也會聽到。」隨後不久，他警告塔利班「交出恐怖分子，不然……下場就和他們一樣。」錢尼，美國史上最有權勢的副總統，為總統設計了在國內享有的新權力，使政府較容易找到恐怖分子，而且出動中情局在世界各地獵捕他們，挫敗後來的恐怖活動。他批准「引渡」（rendition，將捉拿到的恐怖活動嫌犯非法移送到第三國拘留審訊）、「強化訊問」（enhanced interrogation，拷打）、將嫌犯偷偷囚禁在友美的盟邦所出借的「黑牢」（black prisons）裡。與此同時，小布希宣布發動全球「反恐戰爭」，這場戰爭涵蓋了全球性的反恐行動和兩場地面戰爭。

十月，在支持美國的阿富汗北部軍閥協助下，美軍入侵阿富汗。這些軍閥裡有許多人是塔吉克人、哈札拉人（Hazaras）、烏茲別克人。特種部隊A574軍事作戰分遣隊（Operational Detachment Alpha 574）騎馬往南，參與了史上最後幾次騎兵衝鋒。迅速征服阿富汗並扶立新總統哈米德・卡爾扎伊（Hamid Karzai）——父親遭塔利班槍殺的普什圖人——助長了美國人對本國獨霸地位的雀躍、信心，從而使得追求更大的任務變得必要。埃米爾歐瑪爾逃到巴基斯坦，賓・拉登亦然，兩人都得到哈卡尼恐怖王朝的協助，該王朝的領袖是王朝開創者的兒子西拉賈丁・哈卡尼（Sirajuddin Haqqani）。

海珊和蓋達沒有確切的關聯，但二〇〇二年一月小布希還是提醒美國人留意一個「邪惡軸心」（Axis of Evil）——這個詞語參照的是第二次世界大戰中的希特勒軸心國——其中包括北韓、伊拉克與伊朗，絕不容他們「用世上最具毀滅性的武器威脅我們」。錢尼和倫斯斐提議一個雄心勃勃的升級行動：不只消滅海珊這個尚未了結的敵人，而且把美式民主強加於西亞。

為了在沙漠風暴行動後恢復對伊拉克全境的掌控，海珊已大肆殺害造反的庫德人、阿拉伯人，但一九九五年八月，他的兩個女婿——娶了他女兒拉迦德、拉娜的兩個表弟，卡梅爾家兄弟胡笙和薩達姆——突然逃離巴格達，一行人數輛車穿過沙漠來到約旦，在那裡獲得庇護。失去自己的兩個女兒，令海珊顏面無光，但卡梅爾家兩兄弟已和精神有問題的烏戴起了衝突。烏戴自封「狼子」（Abu Sarhan），所作所為再度令巴格達人心驚恐：女孩遭強暴，男人遭毆打；一群法籍觀光客被人用槍指著做愛。所有人記得的，不是他的躁狂，而是他「詭異的安靜」。他不久前闖進海珊的家庭聚會，和他的兩個妹婿打架，拔槍後，意外打中他的一個叔叔的腿。

助海珊拿到非法武器的胡笙・卡梅爾已於一九九一年後毀掉那些武器，這時，被中情局盤問，他證實它們已被毀。但海珊透過自己女兒找上這兩兄弟，承諾他們如果返國會受到保護。一九九六年二月，他們愚蠢地全回到巴格達，遭勒令和妻子離婚後，他們於自宅遭自己的族人攻擊，在十二小時槍戰後喪命。兩個妹妹把丈夫喪命怪罪於兄長烏戴。不久，烏戴的汽車遭伏擊，他負傷但活命。他認為這是兩妹妹所指使，逮捕她們，說她們打算殺了他。海珊最終鎮住他凶殘的子女，恢復些許家庭秩序。

海珊不相信美國人會再度攻擊他。一如北韓的金氏父子，他覺得如果沒有大規模毀滅威力的武器在手，他易遭攻擊。身為終身的激進派，他痛惡西方的監管，擔心那會使伊朗更膽大妄為。他的政策係摧毀自己的武器，以不給美國動武藉口，同時拒絕合作，以維持對伊朗的威嚇。那是史上招來最大禍害的恫嚇。

小布希欣喜於美國一舉征服阿富汗——美國唯一超強時代的巔峰——下令中情局找出伊拉克境內有這類武器的證據。為配合政策，底下的人很快就炮製出薄弱且導致誤判的情報，而這項政策也受到能幹的英國首相東尼・布萊爾（Tony Blair）支持。布萊爾風度翩翩、談吐文雅，英國公學畢業，係牛津大學畢業的出庭律師，他整頓了工黨，憑藉自身的包容性魅力，靠著他個人的中間立場，在魯柏・梅鐸（Rupert

Murdoch）的堅定支持下連續贏得三次大選。他和小布希共通之處甚少，但都信奉基督教，都有傳教士的願景。儘管反對聲浪高漲，對這份不可靠情報的懷疑有增無減，布萊爾還是傾心於富饒的美國，決定帶領英國投入伊拉克戰爭。

二〇〇三年三月二十日，小布希命令十三萬美軍和四萬五千英軍進入伊拉克，展現驚人的高科技作戰威力，打敗伊拉克軍隊，三個星期就拿下巴格達：獨霸世界的美國二十六天就征服伊拉克。但美國的占領短視且太粗暴。所有復興黨人──大部分軍文職人員──遭革職。以撲克牌列出通緝要犯之舉，反映了美國的輕浮愚蠢：海珊──紅心A──已和他的兒子消失無蹤。三個月後，藏身於摩蘇爾的烏戴和庫賽、庫賽的十四歲兒子穆斯塔法被收容他們的人為了三千萬美元出賣，在與美國人槍戰三小時後喪命。五月，小布希身穿轟炸機飛行員夾克，站在美國亞伯拉罕·林肯號軍艦上，一面「任務完成」的旗子前，宣布「主要的作戰行動結束」。但這個所謂的「結束」，其實標誌著一個幾乎神不知鬼不覺的叛亂從此緩緩展開。發動此叛亂者是大雜燴般湊在一塊的三方人馬，即由蓋達組織領導的聖戰恐怖分子、遜尼派和（得到伊朗支持的）什葉派民兵組織、遭革職的復興黨人。十二月，在某個偏遠的農場，頭髮淩亂、不修邊幅的海珊藏身於地洞裡被擒，但這對局勢幾無影響。叛亂者使用海珊妻子薩吉妲和女兒拉迦德所送來的資金，把美國的勝利轉變為失控的反烏托邦世界，炸彈爆炸、暗殺、城市口袋戰屢見不鮮。如果說美國入侵之前，伊拉克與蓋達組織沒有關聯，那麼現在，蓋達的恐怖分子開始恣意殺害不同教派者。

二〇〇六年十二月三十日拂曉，一個身形佝僂、頭髮花白、穿黑西裝的人被帶到行刑台上，他兩邊各有一個戴著滑雪面罩的劊子手，面前則是與他為敵的什葉派教徒觀眾，包括伊拉克新政府裡的數個部長，其中某些人正用手機攝影。一根繩子套在他脖子上，他唸著清真言，這時有人喊出被他殺害的什葉派教徒的名字。六十九歲的海珊忿忿說道，「這就是你們表現男子氣概的方式？」

「下地獄！」觀眾大喊。

「叫伊拉克的那個地獄？」——活門打開。

他們一再說著，「暴君死了。」[20]

小布希終於接受大衛・裴卓斯（David Petraeus）這個能幹將領所研擬的伊拉克境內新平亂戰術，增派美軍赴伊拉克並和遜尼派結盟，以止住亂局——但四千美國人、五十萬伊拉克人因此喪命。未找到大規模毀滅性武器。新伊拉克陷入教派對立和腐敗，遠遠談不上是自由民主國家。

賓・拉登往來於阿富汗、巴基斯坦境內的藏身地，被美國突擊隊追捕，可能以為他殺害美國人、削弱美國國力的策略已奏效，但他未料到主要受益者不是他的遜尼派聖戰，反倒是東山再起的什葉派伊朗。

小布希問巴拉克・歐巴馬，「覺得如何？」

「很開心，」歐巴馬回。「我相信你一定記得。」

「沒錯，我記得，」小布希說。「那是你就要體驗的一段精采刺激之旅……。」

那時是二〇〇九年一月二十日：小布希和妻子蘿拉正歡迎新總統歐巴馬和其妻子蜜雪兒來白宮。歐巴馬是個和小布希截然相反的人，具有獨特的群眾魅力，吸引了美國社會數個領域的群眾支持。他父親是特立獨行的肯亞經濟學家，靠獎學金就讀夏威夷大學和哈佛大學，他母親是照自己想法過日子的白種人類學家。他本身不只是第一個黑人身分的統帥，還是自林肯以來最具文人氣息、最冷靜理智的總統。這個冷靜

20　美國付出這麼多性命和金錢，得到一個回報：格達費擔心自己落得和海珊一樣的下場，交出他的核武計畫；他被迎進西方大家庭。美國發現格達費的核科技係從巴基斯坦核彈之父汗阿布杜・卡迪爾・汗那裡買到，大為憤慨。但這個科學家不後悔自己的所作所為：「我把巴基斯坦打造成核武國時，第一次拯救了這個國家，我坦承犯行，一人承擔所有罪過時，再度拯救了它。」令人吃驚的是，這個核子時代最重大的罪犯從未受調查或起訴，二〇二一年死於新冠肺炎。

的法律教授，綽號「波瀾不驚的歐巴馬」（No Drama Obama），迎合伊拉克戰爭後動極思靜的美國人心選上總統。但他的出身並非十足的美國——較接近非洲，而和大部分非裔美國人所經歷過的奴隸制較無瓜葛。他把自己說成是「鴨嘴獸或某種存在於想像的野獸，」開玩笑說「我有長得像（美國黑人喜劇演員）伯尼．麥克（Bernie Mac）的親戚，也有長得像瑪格麗特．柴契爾的親戚。」

歐巴馬念念不忘他的肯亞家人：「活到這個歲數，我父親出現在我記憶中只有一個月。」一九八八年，二十七歲的歐巴馬赴哈佛大學攻讀法律之前，他去了肯亞以探究他的家譜——他的妻子蜜雪兒寫道，「和他幽靈般的父親和解。」[21]

完成哈佛學業，搬到芝加哥後，他在一家頂尖的法律事務所上班——他寫道，「哇，那時我好認真、很不好相處、很沒幽默感」——在那裡，他遇見一位很優秀的普林斯頓大學畢業生暨哈佛校友蜜雪兒．羅賓遜（Michelle Robinson）。蜜雪兒是南卡羅萊納州黑奴的後裔，她父親具群眾魅力，差點因多發性硬化而無法盡情揮灑人生，死時「已給了我們一切，」她的家族則女強人輩出，她本身很有抱負：「我評估自己的目標，剖析自己的結果，計算已贏得的成果……是個始終在想自己是否夠好的一個女孩？」她始終記得，「在黑人族群裡有句老話：『得表現得比別人優秀一倍，才能擁有別人所擁有的東西的一半。』」

在他們的法律事務所裡，就他們兩人是非裔美國人。兩人在此工作期間約會，在他的愛冒險性格和她的平穩個性裡發現「異性相吸」的道理。她覺得他不同於常人，是個「獨角獸……這個把種種東西奇怪混在一塊的男人」——「讓人精神為之一振、不為流俗成規所限、出奇地優雅。」他認為她是個「有獨創性的人……高、漂亮、有趣……古靈精怪。我被迷住了。」但她認為「通往美好生活的道路狹窄且危險重重。家庭最重要。」他具有政治人物的特點：「出奇自信」。

歐巴馬開始社區服務工作，在芝加哥教法律，然後在一九九六年十一月、三十五歲時選上伊利諾州參議員。蜜雪兒嘲笑他帶給白人的觀感：「照我的經驗，任何腦子不怎麼行的黑人穿上西裝，白人往往會抓狂。」歐巴馬二〇〇四年當上美國聯邦參議員，四年後競選總統，那時，蜜雪兒「避免和我談這場選戰勢均力敵的部分，」有天晚上，她才一臉「心事重重」問我，「你會贏，對不對？」

歐巴馬已研究過美國社會裡的陰暗面和光明面。美國是「唯一由來自地球各角落的人構成的大國，」但要克服的挑戰是「弄清楚我們能否做到別的任何國家所未做到的事，弄清楚我們是否真能做到我們的信條所主張的。」他很樂觀，告訴蜜雪兒，「或許我能有所貢獻。」美國是「任何事都有可能做到的地方。」蜜雪兒寫道，他選上總統時，「我覺得我們家像是從某門大炮發射出去，進入奇怪的水下世界。」

歐巴馬打總統選戰時，打出「沒錯我們能」（Yes we can）的口號，但掌權後，國內外的事情不如他所以為的那麼好辦。

但蜜雪兒注意到，「他承受的壓力愈大，似乎愈冷靜。」那倒是件好事，因為他當上總統時，正上演美國人不顧後果投資房地產所導致的世界金融危機。大型金融機構倒閉。在戈登・布朗（Gordon Brown）這個刻苦自持、看重理性剖析的英國首相催促和協助下，歐巴馬砸下六千兩百二十六億美元拯救經濟和那些大到不能倒的銀行。但他的當選未能止住美國社會動不動就動粗的種族主義：二〇一二年二月二十六日，十七歲的崔溫・馬丁（Trayvon Martin）在佛羅里達遭一名民間保安隊員射殺；二〇一四年七月十七日，性情溫和的四十二歲園藝家艾瑞克・賈納（Eric Garner），遭紐約市史泰登島（Staten Island）的一名警員以鎖喉方式殺害。有個目擊者以手機拍下此過程，引發一個新運動：「黑人的命也是命」（Black Lives Matter）。

至於「我的對外政策？」他說。「別做蠢事。」他苦惱於如何結束九一一戰爭，欲調整美國和普丁的

21 歐巴馬也早早就失去母親：一九九五年十一月，她死於癌症，享年五十二。

關係。美國的伊拉克災難對普丁來說是個機會。普丁很厭惡歐巴馬，對他來說歐巴馬是美國騙子的化身。

普丁等待機會重新申明俄國在其地盤的老大地位，抱持美國「食言背信」的迷思：布希和柯林頓承諾不推動北約東擴，但這時烏克蘭正著手加入北約。「他們於一九九〇年代告訴我們，完全不往東擴，」普丁於二〇二一年十二月說。「他們騙人，根本恬不知恥的戲弄我們。」

白俄羅斯由一個胖得像豬、曾是集體養豬場場長的暴君統治，早晚會重新加入莫斯科的陣營；但烏克蘭這個驕傲且面積廣闊的國家，雖然內部分裂、領導無方、困擾於貪腐，但作為民主國家，依舊有可能削弱普丁的獨裁統治和他帶有帝國主義、千禧年主義性質的「俄羅斯人世界」的願景。二〇〇四年，熱中於讓烏克蘭加入北約和歐盟的親西方總統候選人維克多．尤申科（Viktor Yushchenko）就要贏得總統大選。普丁下令俄羅斯聯邦安全局幹員對此候選人下毒，他僥倖保住一命，但顏面留下傷疤。然後，二十萬基輔人發動橘色革命，占領基輔中心區，挫敗了欲在選舉動手腳，以使普丁所支持的候選人——貪污、殘暴的維克多．亞努科維奇（Viktor Yanukovych）——當選的企圖。在普丁看來，俄羅斯國絕不能沒有烏克蘭。「什麼是烏克蘭？」普丁問。「它以國家身分存在？」他還說，「不管它有什麼，都是我們所贈。」他把烏克蘭、白俄羅斯視為沒有獨立存在權的小俄羅斯。[22]

普丁靜靜看著，等待時機。他的第一個機會出現在國土甚小但不願受人擺布的喬治亞。普丁鄙視把俄羅斯帝國送掉的謝瓦納茲。二〇〇三年，七十五歲的「灰狐狸」面臨年輕、在美國留過學、風頭甚健的米哈伊．薩卡希維利（Mikheil Saakashvili）所領導的革命時，普丁不願支持這個老領導人。謝瓦納茲退休。

薩卡希維利在美國鼓勵下挑戰俄羅斯在奧塞梯亞（Ossetia）的附庸。普丁忿忿說道，「把薩卡希維利的人頭給我拿來，」然後發兵入侵喬治亞，擊退喬國軍隊。[23]美國抗議，但未出手相救。

現在，歐巴馬飛去見普丁。在位於新奧加廖沃的普丁宅邸，歐巴馬觀察普丁：「矮小壯實，摔跤手的體格，頭髮稀疏、呈淺棕色，鼻子突出，眼睛顏色淺且帶著戒心，」散發出「後天練得的冷漠……表明這是個已習於使用權力的人。」他讓歐巴馬想起芝加哥的一個「選區老大，差別只在於他有核武。」

令人意想不到的，普丁對美國總統的看法幾乎一樣：他勸他的親信觀看他最愛的網飛影集《紙牌屋》（*House of Cards*），以認識美國政治。「別存有任何幻想，」後來他對歐巴馬的副總統喬．拜登（Joe Biden）說教。「我們不像你們，我們或許像你們，但……內心裡的價值觀不同。」歐巴馬聽普丁指責美國「傲慢、輕蔑、不願把俄國當成平起平坐的伙伴。」普丁致力於矯正此落差：二〇一〇年，他的附庸亞努科維奇打贏烏克蘭選舉，然後，在阿拉伯世界，他找到又一個機會。

巴夏爾、「刺刀」、印度的蒙娜麗莎

二〇一一年三月六日，在敘利亞南部的德拉（Deraa）鎮，十五個學童在學校牆上塗鴉，嘲笑年輕獨裁者巴夏爾．阿塞德。他們這麼做，係受了反突尼西亞獨裁者和後來反埃及、利比亞、葉門獨裁者的示威啟發。令人興奮的加密媒體WhatsApp，則給了他們互通聲息的工具。在德拉，受痛恨的省長——阿塞德

22 「俄羅斯人、烏克蘭人、白俄羅斯人都是『古羅斯人』的後裔，」普丁二〇二一年七月在一篇歷史文章中寫道。「俄羅斯人和烏克蘭人是一個民族：一個整體，」「現代烏克蘭完全是蘇聯時期的產物……位在古俄羅斯的土地上……有一點再清楚不過：俄羅斯遭搶走東西……烏克蘭的真正主權，只在和俄羅斯處於伙伴關係時才可能存在。」普丁和其新帝國主義者眼裡只有莫斯科公國和俄羅斯用武力所拿下、符合他需求的那些土地——無視於烏克蘭境內多族群並存的現實。烏克蘭曾被鄂圖曼王朝、哈布斯堡王朝、波蘭國王、立陶宛公爵統治過，境內除了俄羅斯人和烏克蘭人，還有哥薩克人、韃靼人、波蘭人、猶太人、義大利人、希臘人。

23 普丁這時是總理，此前已當過兩任總統。根據葉爾欽所訂的憲法，總統只能連任一次，於是他使出棋戲裡的一著——走王（*rokirovka*）——把國王和城堡易位，挑一個平淡無奇的親信當總統。

的堂表親——逮捕這些學童並予以拷打。他們的家人抗議時，軍隊朝他們開火。叛亂在德拉鎮爆發，並蔓延至整個敘利亞。

二〇〇〇年，哈菲茲．阿塞德去世，三十四歲眼科醫生巴夏爾接位，娶英籍敘利亞裔外科醫生的女兒阿絲瑪（Asma）為妻。阿絲瑪成為這個黑幫作風家族的一員，著實讓人意想不到——她是私立女子中學出身（那時叫艾瑪〔Emma〕），擁有法國文學學士學位。巴夏爾的母親阿妮莎原不贊成此婚事：她希望巴夏爾娶某個堂表親，但這對年輕人相愛。阿絲瑪替巴夏爾取了暱稱巴塔（Batta，「鴨子」）。她來到敘利亞時，阿塞德家族孤立她。

她和巴夏爾承諾改革，討好西方。《時尚》（*Vogue*）雜誌讚譽巴夏爾「極具民主精神，」把阿絲瑪譽為「沙漠玫瑰……動人、年輕、很時髦，最有青春活力、最吸引人的第一夫人……瘦且手腳細長的美女……開朗自信、透著陰謀、有趣。」《時尚》的陰謀說說得沒錯：二〇〇六年，曾兩度出任黎巴嫩總理的黎巴嫩億萬富豪拉菲克．哈里里（Rafic Hariri）質疑敘利亞當局時，巴夏爾下令用汽車炸彈殺了他。此事令黎巴嫩人群情憤慨，巴夏爾不得不從黎國撤兵。阿塞德醫生察覺到「一樁天大的陰謀，」派坦克、士兵對付本國大學生、少年、伊斯蘭主義者。「我父親說得沒錯，」他說。「哈瑪一地數千人死亡，給了我們三十年的穩定……。」

二〇一一年二月十七日，利比亞諸城人民起事，反抗尼祿式獨裁者格達費統治，格達費把造反者稱作「蟑螂」，在其兒子賽義夫．伊斯蘭（Saif al-Islam）協助下，揚言會「逐街逐戶獵殺（他們），直到清光國內的塵土和渣滓為止。」歐巴馬決意不插手。在埃及，自沙達特遭暗殺後一直掌權的穆巴拉克面臨人民革命，指望歐巴馬支持。歐巴馬拒絕：穆巴拉克辭職。在利比亞，格達費已控制不住一半國土，但保證「一切會付之一炬」。大衛．卡麥隆（David Cameron）這個具有青春氣息的年輕英國首相，把格達費視為「瘋狗，把塞姆汀可塑炸藥（Semtex）賣給愛爾蘭共和軍，」並且「下令在洛克比上空擊落泛美一〇三客機的可怕人物。」他打電話給尼古拉・薩科齊（Nicolas Sarkozy）這個矮小、極有幹勁的法國總統，討論插手。卡麥隆憶道，歐巴馬「很冷淡」。但這時格達費的部隊正向造反的班加西（Benghazi）城進發。

二月二十八日，卡麥隆建議設立禁航區；北約同意插手以拯救性命，歐巴馬派軍機掩護地面行動。格達費揚言殺掉卡麥隆和其家人。三月二十日起，由英法領導的北約空軍攻擊格達費的部隊，直到數月後其政權垮台為止。九月十五日，卡麥隆和薩科齊來到的黎波里：「我們保證會一起行動……我們穿過興高采烈的人群，來到自由廣場的台子上，在一萬人一再喊著喀—麥—隆和薩—科—齊時演說！我們仍不知道格達費在哪裡？……」

普丁認可北約這次動武，前提是不把格達費當成攻擊對象。英法軍機轟炸這個上校的車隊。普丁以不屑口吻說，「他們說不想殺他，那為何轟炸他？要嚇老鼠？」十月二十日，在蘇爾特（Sirte），北約逮到他。格達費負傷藏在排水管裡被擒，腹部受傷，然後在有人持手機錄影下，被用刺刀插進肛門，最終遭射殺。看了這個暴君遭折磨的影片後，普丁反思自己的處境：「你最終可能把俄羅斯丟了。格達費以為他絕不會失去利比亞，但美國人耍了他。」這就是美國的自由：「全世界的人看他被殺，滿身是血。那就是民主？」他不會讓此事再發生：在敘利亞，普丁支持阿塞德。

革命浪潮來到大馬士革郊區時，有弟弟馬赫爾、自己的阿拉維氏族和世俗遜尼派支持的阿塞德，把自己國家當敵人領土看待：他們的口號是「支持阿塞德，不然我們燒掉這個國家。」他釋放獄中的伊斯蘭聖戰士以玷汙叛軍；他的祕密警察拷打、殺害了許多人；他發動不受限的轟炸和化武攻擊。失控亂象擴及更多地方時，阿塞德在辦公室裡和媚勁十足的女孩打情罵俏，阿絲瑪花二十五萬美元在網上買了新家具。馬赫爾統領第四裝甲師對付霍姆斯鎮時，阿絲瑪上網查看克里斯提・魯布托（Christian Loubutin）的名貴鞋子。「你有注意到什麼東西？」她發電郵給某個友人。她的友人卡達公主勸她接受現實以免招來禍害，阿絲瑪回道，「人生不公平，我的朋友，但終究有個現實是我們所有人都必須處理的。」

「如果我們聯手，實力強大，我們會一起克服此難關。我愛你。」她寫信告訴她的「鴨子」；儘管她可能已發現巴夏爾出軌。他回應以一顆愛心和美國鄉村歌曲的歌詞：「我把自己搞砸了／最近的我／不是我想成為的那個人。」二〇一三年，阿塞德和阿絲瑪從開齋節聚會回來時遭叛軍攻擊。兩人保住性命，但接著馬赫爾被派去平定叛亂，他們的姊姊布什拉（Bushra）給了意見，她的丈夫、情報首腦之一阿塞夫・肖卡特（Assef Shawkat）則和他起了衝突。馬赫爾開槍打傷他。後來肖卡特遇害於叛軍的炸彈攻擊。馬赫爾於另一次暗殺未遂事件中失去一條腿。不久，因肖卡特遇害成了寡婦的布什拉・阿塞德前往杜拜。但阿絲瑪未離開。女家長阿妮莎死後，阿絲瑪成了正式的第一夫人。「總統是整個敘利亞的總統，」她宣布。「第一夫人支持他。」這個家族撐了下來，就在最大民主王朝走向衰落之際。

二〇一〇年十一月，歐巴馬談到索尼婭・甘地時，說「她是很搶眼的六十多歲女人，穿著傳統紗麗，有雙銳利的淺黑色眼精，文靜、威嚴。」索尼婭・甘地已從丈夫遇害的傷痛中恢復，接下國大黨黨魁之職，歐巴馬佩服她為「歷久不衰的……家族王朝」效力，展現「精明且強勢的聰明」。打贏兩次選舉後，索尼婭選擇不自任總理，任命前財政部長曼莫罕・辛格（Manmohan Singh）當總理，是為印度第一個錫克教籍的領袖。

索尼婭綽號「蒙娜麗莎」，幕後主宰政局十年，但歐巴馬覺得她的兒子、這個王朝的接班人拉胡爾沒那麼出色。歐巴馬在想這個王朝會不會就此告終：「會成功交棒嗎？」

四年後，拉胡爾大敗於納倫德拉・莫迪（Narendra Modi）和其印度人民黨（Bharatiya Janata Party，簡稱ＢＪＰ）之手。莫迪是來自古吉拉特邦的印度教民族主義者，在長年被王朝統治的印度，他代表靠自己本事出人頭地的印度教中產階級；他喜歡說他曾在沃德訥格爾（Vadnagar）火車站賣茶。他小時候加入準軍事組織國民志願服務團（RSS），相信印度教特性（Hindutva）之說。莫迪八歲加入該團的少年分支組織，後來成為全職的黨務活動主管（parcharak）。他對此工作甚為投入，致使即使未成年就經父母安排結了婚，卻從未和妻子住在一起：政治是他唯一熱中的事物。由於幾十年的貪腐、政府津貼計畫、未能正視印度的貧富不均，尼赫魯家族每下愈況。

為夷平阿約提亞（Ayodhya）的巴布里清真寺（Babri Mosque）而發起的運動，使印度人民黨更快得勢。這座清真寺據說是帖木兒王朝第一個皇帝巴布爾所建，建在據信是羅摩（Rama）出生地的一座印度教聖祠的遺址上。神聖性始終具感染力，對某教派來說愈是神聖不可侵犯，對該教派的對手來說也愈是如此。一九九二年，一場全國性運動鼓動印度教徒群眾攻擊該清真寺，將它拆除，從而引發暴動，奪走兩千條性命。

一九九八年，印度人民黨排除萬難組成聯合政府。在古吉拉特邦，莫迪出任首席部長，高舉「印度教特性」打贏選戰，然後，二〇〇二年二月，在莫迪主政的該邦，一列載著赴阿約提亞朝拜的印度教徒的火車著火——大概於一群穆斯林暴民往車廂縱火後燒起。莫迪宣布那是穆斯林的恐怖攻擊，幾未著手化解緊張局勢。接下來幾天，印度教籍暴民殺了兩千左右的穆斯林，其中有些人遭活活燒死，女人遭強姦、毀損肢體，警察則袖手旁觀。二〇一四年，莫迪承諾施行自由市場式改革，第一次打贏大選（二〇一九、二〇二四年又兩度打贏大選），但他的獨裁作風、其「公民權法案」對穆斯林的差別對待、拙劣的經濟改革，表明他和尼赫魯家族一樣不用心，而且對少數族群還更不包容。

二〇一一年五月二日下午兩點，阿拉伯之春（the Arab Spring）聲勢日壯時，巴基斯坦東北部離首都伊斯蘭馬巴德不遠處，一座宅院的寧靜被遠處的直升機飛行聲打破。

獅與獵豹潛伏之處

用歐巴馬的話說，兩架美國黑鷹直昇機，載著「二十三個海豹突擊隊隊員、一個美籍巴基斯坦裔的中情局翻譯員、一隻名叫開羅的軍犬，」參與「海神之矛行動」（Operation Neptune Spear）。直升機低飛於巴基斯坦上空時，歐巴馬來到白宮戰情室和他的幕僚會合。直升機逼近該宅時，其中一架墜毀。

這是歐巴馬最艱難的決定。中情局已告知他，他們一直在盯著一棟築有防禦工事的神祕房子，有個高大的男人在那房子的小庭院裡走動。奧薩瑪・賓・拉登的兩個信使認為這棟房子和他有關聯。「我們叫他『踱步者』，」主事軍官說。「我們認為他可能是賓・拉登。」歐巴馬向身邊人徵詢意見：副總統拜登「考慮到行動失敗的嚴重後果，反對此襲擊行動。」但歐巴馬批准這個對付賓・拉登的任務，該任務被不合時宜地命名為「傑羅尼莫」（Geronimo）行動。*

在家裡，蜜雪兒忍受政治所帶來的心理壓力。歐巴馬憶道，「我察覺到她身上有股幾乎察覺不到的緊張，很細微，但始終存在，像是一台被藏起來的機器隱隱發出的嗡嗡作響聲。」他看到「一部分的她一直保持警戒，等著、留意著下一個始料未及的轉變，作好迎接災難的準備。」有時，「獅子和獵豹開始潛行，」蜜雪兒寫道。「嫁給總統後，你很快就會理解到世界充斥著混亂。」

他們察覺到一股邪惡勢力即將撲上來，那是對他們的自由主義價值觀的強烈反彈——而那的確不是錯覺。二〇一〇年，一個高大、屁股大、有著棕黃色皮膚和亮黃色遮禿側梳髮型的房地產開發商，開始考慮和歐巴馬對陣，角逐總統之位。唐納德・川普，那時六十四歲，已是美國錯覺的化身——其祖父是來自巴伐利亞的移民暨淘金熱地區的妓院老闆，其父親是二戰後紐約皇后區的貧民窟地主。川普利用其所繼承的十億美元財產，成為曼哈頓豪華飯店和大西洋城賭場的開發商，靠垃圾債券籌得資金，不斷於破產邊緣借新債還舊債，幾乎未曾為其賠錢的風險投資事業繳過稅。一九八〇年代，他用暢銷書《交易之道》（*The Art of the Deal*）推銷這種走偏鋒的作交易方式；二〇〇四年，靠著此書的暢銷，他贏得電視真人秀《誰是接班人》（*Apprentice*）的主持工作。新贏得的名聲使他得以重振他的川普加盟事業。

川普前後娶了三個老婆，個個美麗動人——一個捷克籍滑雪選手、一個美籍模特兒、一個斯洛維尼亞籍模特兒——川普本人是一個商業王朝的大家長，喜歡《花花公子》（*Playboy*）雜誌中間的跨頁裸女照和色情演員。這個反坦克火箭炮，愛誇誇其談，又具有自卑感，會用假聲扮成自己的公關人員，打電話給報紙，說「這個唐納德」和超模、流行歌曲明星有一腿。他和他未來的第二任老婆不倫時，引述了她對他的性能力的讚美，從而給了《紐約郵報》最令人忘不了的大標題之一：「我所有過最美好的性愛。」他猶如集市的小販，對他來說事實不如引人興趣來得重要，專門技術或知識不值一顧，但他具有清楚道出千百萬人心聲的本事。身為「殺手」，從不是「魯蛇」，他老早就覬覦權力：一九八七年，他買下廣告，表示願和戈巴契夫談判限武。他在醜陋的紐約房地產交易行業打滾許久——該行業予人向黑幫賄賂的觀感——在紐約的上流社會裡長年被嘲笑——但已如大富翁遊戲的玩家般蓋了一批金色高樓，其成就比大部分政治人物在出任公職前所嘗試取得的成就還要大了許多。

二〇一一年三月，令歐巴馬大呼不可置信的，川普提出一個帶有種族歧視意味的陰謀論，說歐巴馬並非在美國出生。「他成長期間，沒人認識他，」他說。「我希望他拿出他的出生證明給大家看……。」歐巴馬既驚且怒，嘲笑他，但意識到川普「本人已挑起大眾的關注，而在二〇一一年的美國，那就是權力的一種……他未因為他兜售的陰謀論而遭逐出社會，反倒壯大到前所未見。」蜜雪兒覺得「這整件事離譜、

＊　譯注：傑羅尼莫為抵抗美國政府的阿帕契人領袖。

卑劣……但也危險，存心要挑動思想極端者和瘋子鬧事。」但川普似乎仍是個不構成任何威脅的真人秀行家。

這時，二〇一一年五月，在白宮戰情室，歐巴馬看著直升機緊急降落巴基斯坦的粗糙影像，擔心出現最壞的情況，但飛行員排除困難落地：「我看到⋯地面上粗糙的人影……進入主屋，」突擊隊員慢慢走上三層樓房子，通過一群群小孩，朝三個挑戰他們的武裝男子開火，打中一個陷入交叉火力的女人，終於來到最頂層：他們聽到槍聲。但傑羅尼莫在哪？

殺掉傑羅尼莫

在此宅的頂樓，海豹突擊隊員遇到奧薩瑪・賓・拉登，「這個主導殺害了數千人並開啟世界史上一個動蕩時期的人。」他們開槍打中他的額頭和胸部。戰情室裡傳出「聽得見的倒抽氣聲。」歐巴馬「一直盯著傳來的影像，」然後突然間，「我們聽到……我們一直等著聽到的話語。」

「確認是傑羅尼莫……傑羅尼莫ＥＫＩＡ（敵人在行動中喪命）。」

「我們幹掉他了，」歐巴馬說，語調溫和。一張照片傳來，上面是這個死亡的恐怖分子：「我瞄了一眼……是他。」

賓・拉登的遺體被海豹突擊隊員運走，後來葬於阿拉伯海。歐巴馬宣布此擊殺成果時，把那和他自身的使命掛鉤：「美國人決定做的事，樣樣都能做到，那就是我們的歷史的實情，」他說。「我們能做到這些事，因為我們是美國人。」

傑羅尼莫行動原本有其風險，但新科技使人得以更易於發動外科手術式作戰。二〇一一年九月三十日，歐巴馬批准用無人機在葉門殺害恐怖分子安瓦爾・奧拉基（Anwar al-Awlaki）。美國的「無人空中載具」殺人，這絕非頭一樁。這個東西預示了新戰爭時代的到來。[24]

川普二〇一二年未競選總統。歐巴馬連任成功時，重慶的一樁陰謀會使兩個太子黨成員的中國領導權之爭塵埃落定。二〇一一年十一月，英籍金融家尼爾・海伍德（Neil Heywood）被發現死於重慶某飯店。海伍德經由他稱作「女皇」的一個甚有權勢的女人，捲入中國的高層政治。他的死斷送了某人躋身中國領導人的機會，並為另一人成為獨攬大權的獨裁者開了路。這兩個對手都屬於太子黨，都是毛澤東身邊元老的兒子，都是建立於家族權力上的家系的領導人和接班人。薄熙來是鄧小平的八元老之一的兒子，野心勃勃的政治局委員，掌管後來被稱作重慶「獨立王國」的地盤，中國下一代領導人的候選人之一。

他的對手習近平是鄧小平盟友習仲勛的兒子；習仲勛曾失勢，後來重回高層。習近平，一如文革時許多被下鄉的人，既有太子黨所享有的權利，也有平實、刻苦的農民習性。文革創傷使這家人關係更親密；

24　贖罪日戰爭期間，出生於伊拉克的以色列設計師亞伯拉罕・卡雷姆（Abraham Karem）已發明無人機用於偵察。二〇〇一年，中情局反恐中心主管科佛・布雷克（Cofer Black）於九一一事件後提議將「掠奪者」（Predator）裝上武器以殺掉奧薩瑪・賓・拉登。這些獵殺型無人機能在被人聽到前發射超音速地獄火飛彈，打中目標。小布希很想避免打中自家士兵，避免導致其他意外死亡事故，於是要中情局負責以定點清除的方式殺掉恐怖分子。最初使用掠奪者無人機，後來升級為「死神」（Reaper）無人機。獵殺名單由中情局核對，呈給總統，然後獵殺團隊——「任務情報協調員」、「無人機飛手」、「感測器操作員」——坐在內華達州克里奇（Creech）空軍基地的機棚裡，開始在數千英哩外的興都庫什山區或葉門沙漠裡執行處決。無人機遵循「人道」的斷頭台傳統，但早期的襲擊奪走數百條無辜路人的性命。二〇〇八年對哈卡尼的一次襲擊殺了二十個左右的無辜之人，但他倖存。無人機獵殺愈來愈精準，至二〇一五年已被諸多最先進的軍事強權用於暗殺。人工智慧會於不久後使無人機或高科技槍枝得以殺掉被臉部辨識系統認出的清除對象。未來的戰爭除了會用到匕首和步槍，還會用到從衛星遠端操控的機器人式殺人機器，而且這些殺人機器可能會經過重新編程，能一見到某些人就當場殺掉他們。

使習近平更為堅強獨立，但未使他反感於黨。相反，正是黨恢復了文革後的秩序和安全。但直到毛澤東死後，鄧小平才把他們弄回來。習仲勛退休時，安排他兒子去中央軍事委員會工作，那是中國第二重要的機關，僅次於中共中央政治局的常務委員會。一九八六年習近平被提升為河北省副書記時，遇見改變他命運的人。彭麗媛是中國最著名的歌手，美貌的女高音歌手，穿紅軍軍裝唱黨的民謠。習近平剛脫離與大使女兒的不愉快婚姻，據他的官方生平介紹，「一見鍾情」，兩人生了一個女兒。一九九七年，他成為中央委員會候補委員，二〇〇二年成為中央委員，但他平步青雲，被任命為浙江省第一書記，二〇〇七年以未來領導人之一的身分成為政治局常委。但在他後面，緊跟著風頭更健的薄熙來。薄熙來很快就追上來。

薄熙來有個罩門——他的妻子谷開來，將軍之女。他們兩夫婦一起找來海伍德替他們擺平事情，讓海伍德收回扣作為回報。但漢語流利且娶了中國女子的海伍德涉入太深。谷開來要求他離婚、全心替她辦事，他埋怨說她「行事像個老式中國貴族或女皇。」不管他是否和谷開來有私情，或要求巨額回扣，或兩者皆有，谷開來找重慶警察局長王立軍除掉他。王立軍款待海伍德，然後用氰化物毒死他，事後宣稱他死於酒精中毒。他們把遺體火化。王立軍擔心自己會被滅口，至美國大使館尋求庇護，這樁謀殺案隨之曝光。

二〇一二年，薄熙來和谷開來雙雙被捕、判刑，他們在政治局常委會的靠山遭肅清，他們的對手習近平脫穎而出，成為中國領導人。歐巴馬帶領美國處於守成局面時，習近平主導他所謂的中國「復興。」但那一刻的獨特之處不止於此：美國就要展開一段改變其世界使命的嚴厲自我批判過程。隨著兩極體系成為昨日黃花，隨著美國的獨霸地位漸漸動搖，歷史上曾主宰其所在地區多次的中國，會首度參與「世界博奕。」

第二十三幕

世界人口八十億人

川普家族和習家族、紹德家族、阿塞德家族、金氏家族

哈里發國和克里米亞半島

二〇一三年八月二十一日，在大馬士革郊區，阿塞德使用沙林神經毒氣對付人民，其中某些人被拍到呼吸困難、口吐白沫——數樁這類暴行裡的第一樁。歐巴馬承諾絕不會容忍動用化武；卡麥隆要求有所作為。但歐巴馬把心力擺在要和伊朗達成的一個尼克森式的大交易。美國鷹派和以以色列為首的盟邦要求轟炸以阻止伊朗發展核彈。歐巴馬透過談判讓伊朗同意延後生產核彈，換取美國取消制裁。但伊朗的祕密軍事行動高手、最高領導人哈梅內的文雅門生卡西姆・蘇雷曼尼（Qasem Soleimani）將軍，加大其對阿塞德家族的援助，從其黎巴嫩真主黨附庸招募來民兵。阿塞德也向俄國求援。庫德族敢死軍（Peshmerga）據地稱雄，且敘國的許多地方遭聖戰士和世俗民兵組織占據時，普丁向敘利亞派出其空軍。

在較接近本土處，普丁擔心很想加入歐盟和北約的烏克蘭脫離其掌控。二〇一〇年，他惡棍作風的盟友亞努科維奇打贏烏克蘭總統選戰，在短暫的盜賊統治時期大肆圖利自己，劫走七百億美元。他在克里姆林宮施壓下退出加入歐盟的談判，隨之有五十萬烏克蘭人在基輔抗議。亞努科維奇的祕密警察槍殺了七十七名抗議者後，他被趕出國。二〇一四年二月二十二日，普丁派兵占領克里米亞半島。[1]三月十八日，他併吞該半島。然後派其情報人員在頓巴斯挑起叛亂，支持頓巴斯境內親俄的分離主義軍閥。在俄國，他的民意支持度飆升，但他已錯過功成名就的大好機會：他那時若全面入侵烏克蘭，支持以合法程序選上總統的亞努科維奇，他大概已得遂所願。結果他反倒試圖從內部摧毀烏克蘭，從而催生出他所最不樂見的東

西：親西方的狂熱烏克蘭愛國精神。而且這股愛國精神得到忠於烏克蘭、富有經驗且人數眾多的烏國軍隊支持。

阿塞德的存活開始堪憂時，普丁和更恐怖的一樣東西救了他。在鄰國伊拉克，遜尼派遭什葉派籍統治者欺凌一事，激起新的一場遜尼派叛亂。這次叛亂得到一個信奉基本教義派的蓋達聖戰士祕密集團和世俗性復興黨人支持。這兩派人在美國人的監獄裡結盟，然後組成一股志在據地稱雄的勢力。

二〇一四年六月十日，伊斯蘭國（Islamic State，阿拉伯人稱之為達伊沙〔*Daesh*〕）的戰士們駕駛著越野車，車上方飄著他們的死亡崇拜黑旗，行駛在美索不達米亞的公路上，突然冒出來，占領了伊拉克的摩蘇爾，然後又闖入敘利亞。伊斯蘭國由阿布・巴克爾・巴格達迪（Abu Bakr al-Baghdadi）領導，結合了中世紀瓦哈比派意識形態和先進的網路通訊設備、講究實際的石油籌資方法、大膽的軍事機動。伊斯蘭國透過數位媒體打動英法城市裡易受騙的激進少年，透過電視播放他們將西方人質砍頭、燒死的驚悚畫面，以宣揚其令人吃驚的征戰成果。巴格達迪統領三萬戰士，不久就成為轄有千萬人口左右的伊拉克—敘利亞國的統治者，宣布成立哈里發國；伊斯蘭國則屠殺耶茲迪教徒（Yazidis）和其他被視為異端的教派的成員，把擄獲的女人送給他們招募來的戰士當性奴，炸掉非伊斯蘭教的古蹟。

1　克里米亞半島，歷史上拜占庭帝國和斯拉夫人、熱那亞人、威尼斯人、鄂圖曼王朝的轉口港的所在地，曾長年是某個蒙古汗國的心臟地帶，由格來王朝（Giray dynasty）統治，直至一七八三年被波坦金（Potemkin）併入俄羅斯為止。一八五三年，帕麥斯頓（Palmerston）和拿破崙三世發兵入侵克里米亞，挑戰尼古拉一世的侵略性俄羅斯帝國。一九四二年秋，克里米亞半島遭德軍攻陷，係希特勒夏季攻勢的諸多成就之一，差點使德國打贏戰爭；但史達林懷疑克里米亞韃靼人歡迎入侵的德國人，下令將他們流放，由俄羅斯移民填補他們留下的空缺。一九五四年，赫魯雪夫把克里米亞轉讓給烏克蘭。

伊斯蘭國最終可能帶來的禍害，使普丁的支持轉暗為明：二〇一五年九月他說這場亂局是「冷戰後世上出現單一的支配中心」所致，言下之意美國是禍首。「革命的輸出在繼續，而且這次是所謂的『民主』革命……我們所得到的，不是民主和進步的勝利……反倒是極端分子和恐怖分子。」美國武裝庫德族敢死軍時，普丁轟炸和阿塞德作對的人。敢死軍開始在當地和伊斯蘭國交戰。

歐巴馬結束其任期時，美國這個唯一超強的信心大不如前。美國的世界性聖戰，係世界史上最具雄心的計畫，得到世界史上最強大的國家支持。這場聖戰受二次大戰的鬥爭教訓所發展出來的規則和道德規範支配，經由一九八九年的勝利得到肯定。但就連這個身形龐然、稱霸世界的巨人都可能被持有iPhone、匕首的國家裡的一票山區戰士打得灰頭土臉。不管美國有何成就，其獨霸全球化世界的二十年，未能為國外帶來和平或為國內帶來繁榮。

卸任前不久的某次出訪，歐巴馬飛到倫敦。在那裡，卡麥隆正就英國是否要保有歐盟成員國身分舉行公投，歐盟則是志在將歐洲諸國整合成一個聯邦國家的貿易組織。歐巴馬向英國人示警道，一堆國家排隊等著和美國簽貿易協議，英國如果脫離歐盟，「英國會排在那列隊伍的後段。」但二〇一六年六月二十三日，在頭髮如乾草垛的特立獨行之人鮑里斯·強森（Boris Johnson）大肆鼓吹下，英國人選擇了脫歐。

在敘利亞，美國人加入亂局，轟炸伊斯蘭國。但贏家是阿塞德和他的支持者俄國、伊朗。

「我們不再拿下勝利。」川普於二〇一五年六月十五日如此說道，當時他正在他的金色川普大樓裡乘坐金色升降梯下樓，這座大樓和他的髮色、膚色、作風幾乎完全相配。「我們過去拿下勝利，但如今沒有……我們得讓美國再度偉大！」

君主

川普從抒發憤怒中得到快感，利用民粹主義式的鄙視來攻擊大城市、老牌大學和著名報紙裡的自由派和進步派所抱持的那種自以為是、往往不符自由主義思想的正統觀——以及華府「沼澤」（swamp）裡的腐敗網絡。他是個粗俗但有效的溝通者，善於在講話時利用停頓、抑揚頓錯等手法發揮最大笑果，能夠在現場直播下連講數小時，在這期間真誠地自嘲並表達他的白種、中產階級下層、基督教籍基本支持者的成見和憤怒。這些支持者深信他們身為美國人的天生權利已被某人送掉，其中許多人相信拉丁裔和移民正搶走他們的飯碗。川普承諾建牆封住墨西哥邊界，承諾禁止穆斯林移入美國。他宣布，「對美國人的屠殺到這裡為止，到這時為止。從今天起，只會是美國優先。」

擔心自己軟弱的人，最能敏銳察覺到他人的軟弱。川普的惡意矛頭總是精準擊中要害，他像遊戲場小孩子般替人取的綽號則十足傳神，比如他把他的共和黨籍對手約翰．埃利斯．布希（John Ellis Bush）——佛羅里達州長暨小布希的弟弟——不屑地稱作「低活力傑布」時，又比如他把他的民主黨籍對手、前總統的妻子希拉蕊．柯林頓，冠上了永遠都拿不掉的髒綽號「騙子希拉蕊」時。一如川普本人，希拉蕊也是美國菁英階層老一輩小圈子的化身。在那些圈子裡，權力常透過家族關係傳承。

川普令歐巴馬夫婦很難過。這個總統寫道，「與我們所代表的一切唱反調的某人」得勢，「使我們兩人都身心俱疲。」他們以堅定語氣表達了古老的行為準則：蜜雪兒．歐巴馬說，「別人低劣時，我們高尚。」但川普察覺不到這類差別。對川普來說，人身攻擊、財富、電視，就和治國之道、地緣政治一樣重要：權力的表現。

他所鄙視的那些電視台不斷且激動地播放他的新聞，反倒在無意間助長他的人氣。川普譁眾取寵的浮誇立即催生出與之根本半斤八兩的另一種浮誇：反對他的進步派模仿他的撒謊和義正詞嚴，印行沒有事實根據的抹黑言論，贊同不實的醜聞和憑空虛構的陰謀，加劇不容異己的獵巫行徑，最終甚至禁止那些批評他們自己陣營候選人的說法。開放的世界已走到前所未有的富裕或安穩，但美國這個被其他幸福安康的民主國家仿效的國家，開始自耗於在歷史和國家、德性和認同方面凶惡、自殘的分裂對立，那種失心瘋程度和中世紀君士坦丁堡的基督學爭議沒有兩樣。其中有些是中產階級生活的舒適單調所致。毛澤東曾寫道，人看歷史時欣賞戰爭時期；置身太平盛世時反倒覺得乏味。電視和網路不可避免把娛樂表演拉近政治：川普體現了尼祿、康茂德、威廉二世的些許特質。

二〇一六年十一月，川普贏得總統寶座。他從美國總統的獨裁君主地位得到的快感，史上無人能及。川普的美國發展出戰爭總統，不是因為美國已在國外打造出帝國，而是因為美國已在本土征服一塊大陸。川普的白宮是個亂無章法、貪腐、講裙帶關係的宮廷，以自認是天之驕子的川普女兒伊凡卡（Ivanka）和女婿庫許納（Jared Kushner，軟弱的房地產繼承人）為該宮廷的主角。但他很快就被民主制度的約束激怒。

俄國人長年以來對於美國總統的權力抱有天真的想法，但這時，看著川普和那些反對他的人，普丁把美國的自我撕裂看成墮落。「統治菁英和人民間有隔閡，」他說。「所謂的『自由主義理念』已壽終正寢。」面對因併吞克里米亞半島招來的制裁和烏克蘭境內的僵局，普丁在敘利亞大展身手；俄國在敘利亞殘酷轟炸，已助阿塞德打贏戰爭。為彌補俄國的經濟弱勢，普丁動用俄國駭客和能自動執行的電腦程式，削弱美國人對民主的信心。這個在國內仍甚得民心的前祕密警察，用精心策畫的威嚇對付反對派和叛徒。在國內，他的車臣附庸槍殺自由派記者和反對派政治人物。二〇一八年春，在英國的索爾茲伯里，經由間諜交換協議從俄國監獄獲釋的英國探員謝爾蓋·斯克里帕爾（Sergei Skripal），遭俄國軍情局格魯烏用諾維喬克（Novichok）神經毒劑下毒。[2]

川普在黑幫橫行的紐約皇后區長大，會在講話中談到「hits」（黑幫俚語：把人幹掉）和「rats」（告密者、抓扒仔），嫉羨普丁真正動刀動槍的氣魄。受到質疑時，他為這個俄國人講話：「世上有許多殺人犯。你以為我們國家清白。我們國家幹了許多殺人的事。」二〇一八年七月，斯克里帕爾遭下毒後不久，兩人在赫爾辛基會晤，川普再度為普丁遭指控干預美國選舉一事講話：「總統普丁說不是俄國幹的，我看不出俄國有什麼理由要這麼幹。」

但川普的確質疑大耗美國國力的對外政策：他想要和中國正面對抗，試圖親自和北韓談，重啟了遭停擺的以色列、巴勒斯坦談判。但首先，二〇一七年五月二十日，上任後首次出訪，他擁抱了美國在中東最久的盟友。

作風太咄咄逼人且野心甚大的年輕王子穆罕默德・賓・薩爾曼（Mohammed bin Salman, MBS），這時控制沙烏地阿拉伯。他的老父親薩爾曼・賓・阿布杜阿齊茲一繼位為王，穆罕默德・賓・薩爾曼就幹勁十足地強行接管宮廷和防衛力量中樞。他對葉門境內的伊朗盟友開戰，打算改革沙烏地阿拉伯經濟，推出「二〇三〇年願景」（Vision 2030），要建立名叫尼奧姆（Neom）的新城（Neom在希臘語裡意為「新的」，在阿拉伯語裡意為「未來」），要以歐拉城（al-Ula）的納巴泰人廢墟為中心打造新的觀光產業。他也給予阿拉伯女人開車的權利，開設戲院，發售沙烏地阿美石油公司股份，藉此集資上兆美元。這些改革為西方所樂見。川普讓庫許納掌管與阿拉伯人的關係，這兩個太子黨成員都從王朝觀去看世界。庫許納為

---

2 二〇一五年，反對派領袖暨葉爾欽的副總理鮑里斯・涅姆佐夫（Boris Nemtsov），在克里姆林宮附近遭車臣籍刺客槍殺。二〇一九年，在俄國的托木斯克（Tomsk），俄國聯邦安全局幹員對反對派領袖安德烈・納瓦爾尼（Andrei Navalny）下毒，用的又是諾維喬克；一如斯克里帕爾，他僥倖保住性命。

以色列、巴勒斯坦的和平計畫奔走時，穆罕默德．賓．薩爾曼火大於巴勒斯坦人暗示要承認以色列。

但穆罕默德．賓．薩爾曼有另一面。他在王儲薩爾曼．賓．阿布杜的諸兒子中排在後面，是第五個兒子，而且非薩爾曼．賓．阿布杜的元配（沙國公主）所生，而是他的貝都因族第三任妻子所生。長子是第一個進入太空的阿拉伯人；在家族裡綽號「小薩達姆」（Little Saddam）的穆罕默德．賓．薩爾曼，還需要在許多地方大展身手，以表明他具有統治者所共有的東西（權力意志）和那個難得的特質（對如何運用權力意志的構想）。身為雄心勃勃的年輕王子，他被朋友取了綽號「走失的熊」（Stray Bear），和西方人打交道時始終和善可親且幽默，屬千禧世代（生於一九八〇年代初至一九九〇年代末之間的人），觀念現代，會拿電視劇《權力遊戲》（*Games of Thrones*）開玩笑，在會議上和數位富豪討論數位未來。但他急欲實現其願景的不耐和他無法包容異己的殘忍搭在一塊毫無違和。他承襲了父親咄咄逼人的聰明，極反感其他王子比他有錢許多，極反感賓．拉登家族收到巨額回扣，極反感此王國對抗敵人時太謹小慎微。掌權之前許久，他就用一顆子彈了結了一個商界對手，贏得「子彈之父」（Abu Rasasa）的綽號。

如果他需要在如何讓王族成員乖乖聽話上學學別人怎麼做，年輕的金正恩給他上了一課。七十歲的金正日二〇一一年十二月死於心臟病發，被宣告為不朽的領袖；他未經考驗的二十七歲兒子金正恩接位。此時，二〇一七年二月，兩個被某電視台招來參加真人秀惡作劇節目的女人──對許多人來說，這類節目的邀請讓人難以抗拒──她們在吉隆坡機場接近一個身材圓滾、外表邋遢的東方男子，朝他臉上噴灑液體。幾分鐘後，曾是北韓領袖的接班人、遭流放的金正日長子金正男身亡。他死於會導致器官停止運作的ＶＸ神經毒劑，下令行刺者則是他同父異的弟弟金正恩。金正恩酷似其祖父、父親，很快就把自己升為元帥，主導殺害他甚有權勢的姑丈和家人，用防空炮行刑隊執行處決，把他們轟成碎片。金正男因想要逃到日本而被貶後，獲准低調住在中國，曾向記者說，「不改革，北韓會垮掉。」因此成了他弟弟金正恩的眼中釘。如今，這個眼中釘除掉了。

這個元帥極看重他妹妹金與正的意見，不顧美國反對，測試了一枚氫彈。經過一番隔空叫罵後——川普被罵成「精神失常的老糊塗」，金正恩則被揶揄為「小火箭人」（典出川普最愛的歌手艾爾頓・強〔Elton John〕的歌曲〈火箭人〉〔Rocket Man〕）——兩人在新加坡平起平坐會晤，證明了核武的威力。川普誇說，「我認為我不必花很多工夫準備，」但金正恩不放棄發展核彈，反倒猛寫被川普比擬為「情書」的信給他。

二〇一八年十二月二十五日，金正恩寫信給川普，說「直到現在我還忘不了握著閣下手的那一刻，」憶稱他們的會晤「就像奇幻電影裡的情景。」那的確是脫離現實的奇幻。「火箭人」志得意滿回國時，「子彈之父」正要對付那個掌握沙國政治內幕的難搞內部人士。

二〇一七年六月，穆罕默德・賓・薩爾曼已捉住他五十七歲的堂兄穆罕默德・賓・納耶夫（Muhammad bin Nayef），逼他讓出王儲的頭銜。穆罕默德・賓・薩爾曼曾因為黎巴嫩總理太親近伊朗所支持的真主黨而綁架該總理，但黎巴嫩境內，什葉派民兵勢力最大，該總理這麼做也是身不由己。他還曾封鎖卡達，下令綁架並拷打女性維權人士暨電影製片人盧佳茵・哈茲魯爾（Loujain al-Hathloul）。他特別注意推特上的批評，派人滲入推特以查明批評帳號的詳細資料，同時調查王室內部的貪腐情況。「身體已到處長癌，貪腐之癌，」穆罕默德・賓・薩爾曼解釋道。「需要大刀闊斧的化療，不然癌細胞會吃掉身體。」

二〇一七年十一月，穆罕默德・賓・薩爾曼逮捕一票王子和包括賓・拉登家族五人在內的多名億萬富豪，把他們關在利雅德的麗思卡爾頓飯店，逼他們繳數十億美元的罰款。不久，穆罕默德・賓・薩爾曼本人花三億美元買了一艘新遊艇，花五千萬美元在馬爾地夫度假，然後花四億美元買了一幅達文西的畫〈救世主〉（Salvator Mundi）。

二〇一八年十月，一位身穿西裝外套與灰色長褲的中年沙烏地阿拉伯記者兼行動主義者，來到伊斯坦堡的沙烏地領事館，準備辦理簽證。裡面，一隊沙烏地阿拉伯特工正在等候他，其中包括一名手持骨鋸的內政部法醫。「祭祀牲口到了沒？」其中一個人問。賈瑪爾・卡舒吉（Jamal Khashoggi）並非普通的記者，而是宮廷圈的內部人士——國王阿布杜阿齊茲御醫之孫、億萬富豪掮客阿德南・卡舒吉（Adnan Khashoggi）的姪子。他在《華盛頓郵報》的專欄中批評了美國與沙烏地阿拉伯的同盟關係以及穆罕默德・賓・薩爾曼，同時，他的網路運動則推崇穆斯林兄弟會所主張的伊斯蘭式非自由民主模式——這種模式曾在二〇一二至二〇一三年間統治埃及。卡舒吉一入領事館，隨即遭到勒斃。那名法醫外科醫師一邊播放音樂蓋過聲響，一邊用骨鋸將他肢解。這場謀殺是極權國家變得更加殘暴的象徵——他們對異議者的清除越來越明目張膽。由於土耳其安全單位早已監控館內，並錄下所有駭人的細節，這起事件隨即成為國際醜聞。美國中情局將責任歸咎於穆罕默德・賓・薩爾曼，但這位專橫的改革者與富遠見的掌權者，身為紹德王朝的捍衛者、個人集權的信奉者，以及熱中於《決勝時刻》（*Call of Duty*）電玩的千禧世代領袖，對此置若罔聞，持續推動徹底改變阿拉伯半島與整個西亞的驚人改革。

川普不按牌理出牌的作風本可能解決問題，但他的每一項重大作為都毀於他本身兼具自戀式吹牛、未明言的種族主義觀念、笨拙的獨裁統治的獨特作風。他所保證要取得的勝利，大多淪為空言。[3] 二〇一七年，庫德族敢死軍和伊朗支持的什葉派民兵組織在地面上迫使伊斯蘭國後退時，英美空軍從空中剷除了伊斯蘭國。達伊沙雖被殲滅，但伊斯蘭國的威脅卻意外拯救了得到伊朗人、真主黨、俄國空軍支持的阿塞德。女族長阿妮莎（巴夏爾之母）去世，使這個家族的權力結構開始動搖——她的億萬富翁姪子拉米・馬赫魯夫掌控敘利亞一半的經濟資源。此後，巴夏爾的妻子阿絲瑪逐漸嶄露頭角。面對百廢待舉、有待重建的國家，巴夏爾要求拉米上繳部分財產；他拒絕後遭到逮捕。阿絲瑪被診斷出癌症。康復後，她開始批准人事任命，建立自己的智慧型手機與電子支付事業，交由她的兄弟和其他親信掌理。她的肖像——往往題上「茉莉花夫人」之名——與巴夏爾的玉照並列出現。茉莉花夫人已成為掌有大權的戰時領袖。

反恐戰爭耗掉美國的財力和人命甚巨，川普加速從這些戰爭退出的步伐。但伊拉克被和伊朗結盟且樂於折磨美國的什葉派控制。二〇一八年五月八日，川普退出歐巴馬的伊朗協定，說那是「史上最糟糕的交易」。

二〇二〇年一月三日，在伊朗民兵朝伊拉克境內的美軍開火後，川普下令在巴格達某機場以無人機暗殺伊朗的「影子指揮官」蘇萊曼尼（Soleimani）。二〇二〇年八月，川普在穆罕默德・賓・薩爾曼支持下，如願讓以色列和波斯灣諸君主國簽訂「亞伯拉罕協定」（Abraham Accords），矛頭指向頭號敵人伊朗。這個戲劇性的結盟把以色列這個雖然民主運作混亂卻是中東軍力老大的國家，擺在由穆罕默德・賓・薩爾曼所領導的阿拉伯—伊斯蘭友好關係的中心位置，而由於本身石油產量之大，穆罕默德・賓・薩爾曼是此關係中不可或缺的一員。表面上看，以色列似乎成功管控了巴勒斯坦問題。巴勒斯坦社會分裂為兩方：一方是駐守於約旦河西岸、由巴勒斯坦解放組織主導的自治政府，統治者年邁遲鈍、政權僵化；另一方則是哈瑪斯——一支冷酷無情、信奉種族滅絕主義的伊斯蘭激進組織，於二〇〇六年奪取加薩地帶政

3　但美國人的創意巧思依然泉湧：二〇二〇年，伊隆・馬斯克（Elon Musk）把一個載人的SpaceX火箭送進太空，是為史上第一個由民間完成的這類任務。他已是太空創業家，發射了網路通訊用的衛星。他是數位巨頭圈子裡創意十足的怪傑，愛迪生、洛克斐勒的當代混合化身，又具有些許十八世紀義大利玄祕學家卡廖斯特羅（Cagliostro）的特質。生於南非，父親是阿非利卡裔創業家，母親當過模特兒。他曾過著睡沙發、在基督教青年會洗澡的日子，就在那段期間開始寫程式。靠著特斯拉電動車，他成為世上首富。這時，他承諾建立一個「擁有太空的文明」，夢想著「在火星（建）一個能自行維持的城市。我認為那是將人類生命最大化的關鍵。」這個位在太空的人類新家園很遙遠，但不再只是科幻小說。

權，是伊朗的代理人，對以色列與沙烏地的崛起抱持強烈敵意。但以色列本身也遠比表面脆弱，其政壇長期由一位老練但利己的總理掌控，政府多數派由一群混雜無能、煽動性的極端民族主義者組成，內部分裂不堪。在以色列對西岸的強勢占領下，巴勒斯坦人飽受激進定居者滋擾，感覺自己逐漸被世界遺忘。伊朗則擔心自己正在輸掉地緣政治的博弈——但它的代理勢力武裝精良，無懼犧牲與屠殺。對他們而言，在這片土地上的抵抗不論代價高低，而一場精準、無情且劇烈的屠殺行動，就有可能改寫歷史的走向。

「作為國家，我們必須變得較不可預測，」川普在一場競選造勢大會上說。「我們必須立即變得較不可預測。」在這方面，他辦到了。

皇帝、沙皇、喜劇演員

在中華人民共和國，數件較不可預測——但常常被預料到——的事正在發生。川普槓上國力蒸蒸日上的中國，正視日益拉大的對中貿易逆差，把那逆差說成是「敲榨」美國之舉。自尼克森以來，中國一直是以俄國為對付目標的美國對外政策裡受保護的一環。在這過程中，西方領袖驚懼於中國的繁榮和富裕，對中國共產黨採姑息態度，任由中國的貿易額急速成長。此時川普主張，「不能再這樣下去。」他的貿易戰使雙方經濟都受傷，但他和習近平會晤時，習近平表現得自信而警惕，川普則反覆無常、沒有章法。一位曾經歷過令人眩暈的墜落、曾淪為階下囚、經歷過姊姊自殺之痛的人，面對川普的攻勢，不動如山。

二〇一二年當上領導人時，習近平的權力觀並不浪漫，而是實際的。「對權力接觸少的、距離遠的人，老把這些東西看得很神祕、很新鮮，而我看到的更多不只是面上的東西，不僅僅是權力、鮮花、榮耀和掌聲，也看到了牛棚，看到了世態炎涼。」他的家人陪在他身邊；他九十多歲的老母召開家庭會議，以警告家中成員勿利用他當上領導人趁機牟取私利。[4]他的妻子彭麗媛成為自毛夫人江青以來第一個在公開場合大出風頭的領導人之妻，但她說，「他回到家時，我從不覺得家裡有什麼領導……。」他的政治「家族」跟著他得勢；他整肅對手和對手的「家族」。

現在，他的任務很簡單。他說，「東西南北中，黨是領導一切的。」鄧小平指示中國人要「爭取時間，隱藏實力」。但這時，黨的統治很穩固，前英國、葡萄牙殖民地香港和澳門都已收回；只有台灣還未收回。隨著他被升為沒有任期限制且有自己一套「習近平思想」的核心領導人，習近平向其人民許下「中國夢」，要讓所有人「共同富裕」。中國GDP居世界第二，僅次於美國，成為世上最大出口國。這時，習近平眼光向外。

習近平宣布，「中華民族迎來了從站起來、富起來到強起來的偉大飛躍，迎來了實現中華民族偉大復興的光明前景。」這意味著要擴張中國的力量，包括軍力和經濟實力，於是他主動表示願提供貸款和科技，援建道路和港口，以擴延他的「一帶一路」權力網，而不必靠武力建立帝國。這是獨裁版的馬歇爾計畫。習近平時代中國蒸蒸日上：「中華民族偉大復興進入了不可逆轉的歷史進程。」但那只有靠毛澤東所創立的黨才能實現。習近平提醒道，「不忘初心。」因此，對黨的任何抵抗都必須予以摧毀。習近平這位嚴厲的威權統治者拑制異議，使用監視、人臉辨識方面的新科技加強警方對公民和網路的監管，在新疆則對穆斯林維吾爾人施行族群清洗，一百萬維吾爾人遭關於教育營。但中國統一，亦即攻下台灣，係習近平實現其世界使命所不可或缺。他不只是中國民族主義者和毛澤東思想的接班人，還承接了他父親習仲勛的

4 不只習近平去過美國，他的女兒習明澤也正在哈佛大學攻讀英語和心理學。在那裡，她用化名，與人同住一間宿舍，自己料理食物，上著名英國教授的中國歷史課。

「統戰」工作。唐學志（Joseph Torigian）寫道，那「始終既是國事，也是家事。」隨著中國的成長在習近平的僵固獨裁統治下放緩，習近平肯定在思考要不要打一場「速戰速決的戰爭」——思考「動武」收回台灣的風險，成則名垂青史，敗則坐不住領導人之位。與此同時，他的天然盟友普丁，正致力於俄國的振衰起敝，也在權衡一類似賭注的風險。

普丁因併吞克里米亞半島而面臨小規模制裁，但他在烏克蘭境內的戰爭陷入僵局。他認為烏克蘭國不具合法性的看法，在烏克蘭選出沃洛基米爾．澤倫斯基（Volodymyr Zelensky）這個丑角當總統時才得到證實。當時四十歲的澤倫斯基是數學教授的兒子，係來自東烏克蘭、說俄語的猶太裔喜劇演員，擔綱主演《人民公僕》（*Servant of the People*）這部電視連續劇時成為烏國最紅的人物。他在這部戲裡扮演一個後來當上烏克蘭總統的平凡歷史教師。決定競選總統時，他把他的黨叫作「人民公僕黨」。二〇一九年三月，他拿下壓倒性勝利：在川普時代，政治和表演娛樂業離譜地合而為一，似乎證實民主的墮落所言不假。事實上，川普的腐敗——他不願承認他的個人利益和國家利益有別——不久就傷害了烏克蘭的形象。川普要澤倫斯基抹黑他的民主黨籍對手喬．拜登，不然就扣下對烏克蘭的軍援。此舉導致川普遭眾議院彈劾。最終，川普捱過國會對他的審判，澤倫斯基則全身而退。

澤倫斯基矮小、情緒化、幽默，一副軟男形象，似乎對付不了與他截然相反的獨裁殘忍硬漢普丁。普丁認為這個演員當上總統正象徵烏克蘭的失敗。澤倫斯基毅然投身這個殘酷的競技場，已展現其勇氣，但上任後為了治理烏克蘭和止住國內猖獗的貪腐而焦頭爛額。情況看來他似乎不會是稱職的總統。先前在其電影《拿破崙美人關》（*Rzhevsky versus Napoleon*）中，澤倫斯基扮演入侵俄羅斯的拿破崙。但在現實世界裡，威脅來自東邊。

然而，一旦真的爆發危機，在三強鼎立的「世界博奕」裡，最重要的關係是習近平和普丁的關係。兩人已會面了三十次。二〇一九年六月，普丁帶習近平參觀他老家彼得堡的羅曼諾夫王朝王宮時，習近平說，「普丁總統是我交往最密切的外國同事。」「他是我最好的知心朋友。」習近平得意訴說他們兩人關係的親密：「我們一起搭了一趟高速列車，氣氛融洽地觀看了一場冰上曲棍球比賽，替他過生日，笑談輕鬆愉快的事、文學、藝術、體育……」這裡同樣存在一種父親般的連結：習仲勛於一九五九年訪問莫斯科，帶回蘇聯榮光的故事與玩具給他的兒子，而這位兒子在青春期被下放農村的毛澤東肅反年代，驕傲地閱讀從《戰爭與和平》（*War and Peace*）到社會主義現實主義的俄羅斯文學。但俄國的僵固獨裁統治仍倚賴其石油收入，而他的「大哥」中國則已走到具重大歷史意義的巔峰——這是中國歷史上獨一無二的時刻。然後，習近平面臨挑戰：一場大疫。

黨知道這類疾病總有一天會來，但沒人知道具體是何時到來，而且沒人作好準備。二〇一九年十一月十七日，湖北省有個男子被診斷出感染了一種新病毒。十二月三十一日，武漢市衛生健康委員會宣布出現一批由不明病菌導致的肺炎病例。武漢市中心醫院三十三歲醫生李文亮將一份呼吸道病毒報告拿給同事看，因「在互聯網上發表不屬實的言論」遭逮捕。二〇二〇年一月三十一日，兩名中國遊客在義大利患病。二月六日，美國首例病人死亡；二月七日，李醫生死於這個新呼吸道病毒——二〇一九冠狀病毒。二十一世紀的世界，人員移動快速，數千萬人搭廉價航班往來於城市間，疾病以前所未有的速度傳播。有兩年時間，此病毒每一波來襲都造成人心惶惶。一如歷史上每次的大流行病，新冠疫情引發人與人的分裂對立、對外國人的不信任、離譜的陰謀論、快撐不住的政府。二〇二〇年三月，已有政府規定人民不得外出。封城開始使人回到一百五十年前職場和家庭生活占去一樣多時間和心力的日子。拜智慧型電腦之賜，許多人能在家裡工作，一如工業革命之前；叫人意想不到的，新冠疫情使人回歸家庭。[5]一千五百萬人喪命，其中大多是年紀較大、較貧困者和呼吸道功能脆弱的人。

習近平宣布「動態清零」政策，將疫情視為「一場人民戰爭，對抗隱形的敵人」，但這種疾病無法控制，它暴露了中國繁榮本身的脆弱性和其體制、領導人的僵化死板。在開放的世界裡，較小的戰爭民主國家──台灣、以色列──表現得比較大的舒適民主國家更有效率；但在印度，對新冠疫情的處置最糟糕，五百萬左右的人喪命（占全球新冠肺炎死者三分之一），俄羅斯情況亦類似，兩國的慘重損失多半歸咎於政府的無能。

面對新冠肺炎所引發的歇斯底里民心，加上此疫情暴露出他的無能和漫不經心，川普的誇誇其談破功，十一月他輸掉總統大選，拜登入主白宮。七十八歲的拜登成為美國史上最老的總統，賀錦麗則成為美國第一個女性、第一個非裔、第一個亞裔副總統。拜登得票比川普多了六百萬票，但川普拒絕承認敗選，並散播陰謀論，聲稱自己被剝奪了總統職位。二〇二一年一月六日，一群奇裝異服的川普支持者，在川普的鼓勵、教唆下，衝進防守薄弱的國會大廈，以阻止國會計算選票。所幸川普欠缺遂行政變所需的支持和明斷果決，但他這時主宰共和黨，暗示要再競選總統；美國似乎走到自內戰以來最脆弱的境地。

每個美國總統上台後都想讓美國從反恐戰爭抽身，尤其從阿富汗抽身。在阿富汗，親美的腐敗統治者靠少量北約駐軍保住政權，塔利班則控制鄉村大部。在這個典型的iPhone和匕首並存的國家，駕豐田卡車、手持AK步槍的人仍能夠拿下城鎮，和美國的昂貴科技相抗衡。拜登做出加快退出阿富汗的不智之舉，堅稱阿富汗軍隊「比起塔利班，訓練更好，裝備更精良，能力更強，」說塔利班「極不可能」得勝。結果，八月十五日，塔利班在恐怖活動首腦西拉賈丁．哈卡尼指揮下出擊，親美政權垮台，美國人拼命將友人從機場撤出阿富汗，數千人逃到機場。就連西貢陷落都沒這麼自取其辱。

有個人正從莫斯科郊外與外界隔絕的自宅看著這一切。這時六十九歲的普丁問他所會晤的歷史學家，「歷史會如何評斷我？」普丁被其在車臣、敘利亞、克里米亞半島屍橫遍野但輕鬆拿下的成功慣壞，在辯論中被他自己唯我獨尊的地位局限住，又被他逢迎拍馬的祕密警察提供不實資訊，最終相信時機抓對的一次突襲（coup de main）會恢復俄羅斯帝國，將烏克蘭滅國。俄國龐大的石油、天然氣產量能為戰爭提供資金，能逼依賴俄國的歐洲默許事態的發展。普丁察覺到有利的形勢提供了一個絕無僅有的機會：諸民主國家被文化戰爭搞癱瘓；法國總統馬克宏說，北約「腦死」；英國這時由難以捉摸的強森主政，已削弱歐盟；與行事不可預測的川普不同，拜登係西方茫然心境的化身；而且習近平支持普丁。二〇二二年二月，普丁飛往北京。在北京，習近平解釋說，「我們正在共同努力踐行真正的多邊主義，」合力「守護真正的民主精神，」言下之意就是要打造由諸多勢力範圍組成的世界，而且這些勢力範圍由帝國型國家的獨裁者統治。

普丁陳兵十八萬於烏克蘭周邊，要求烏克蘭順服、西方退出東歐。拜登勸普丁勿入侵烏克蘭，以免自取其辱。普丁於二〇二二年二月二十四日擲下「鐵骰子」，宣布對烏克蘭發動「特殊軍事行動」：「凡是考慮從外部干預的人……都會面臨比在歷史上所曾面對過還要嚴重的後果。」

俄國火箭彈打中基輔時，澤倫斯基正在烏克蘭總統官邸院區裡的家中睡覺。他和妻子奧琳娜（Olena）趕去兩個孩子身邊。「我們叫醒他們。聲音很大。有爆炸聲。」澤倫斯基決定不計代價留下，而他的家人

5 歐洲境外的戰爭，未因封城而停擺。二〇二〇年十一月，衣索比亞帝國解體期間的最新一場小衝突中，衣索比亞總理阿比伊・艾哈邁德（Abiy Ahmed）的霸道，使其失去了一九九〇年代帶頭擺脫孟吉斯圖統治的提格雷人的民心。先前，阿比伊在提格雷人領導下打孟吉斯圖，爬上情報機關副首腦之位。但這時，提格雷人重拾戰爭。阿比伊和厄利特里亞獨裁者伊薩亞斯・阿費沃爾基結盟，攻打提格雷人。提格雷人反擊，差點突防進抵阿迪斯，但再度遭擊退。

也因為俄羅斯傘兵突襲三角形政府區、企圖暗殺他而無法轉移，情勢極為危險。

莫斯科的坦克疾速駛向基輔。西方專家和普丁的追隨者在一點上意見一致：一個時代已結束，新時代已開啟——幾星期之內，烏克蘭就會崩潰……

結論

歷史太浮濫，誠哉斯言！對一個剛在疫病盛行、歐洲爆發戰爭時寫完一部世界史的歷史學家來說，這個感想或許很突兀。但對過去那些經過精心編排的民族與帝國版本的迷戀與執著，往往會讓人對當下，以及真正重要的事物視而不見：那些活在今日的人們，以及他們與其家人希望過什麼樣的生活。我選擇透過家族寫此書，這是理由之一——從一個人希望自己家人過上何等幸福的日子，正可看出那人希望世人過上何等幸福的日子。但凡事不可偏廢。歷史還是重要：我們想要知道我們如何成為今日的我們。齊克果（Søren Kierkegaard）寫道，「要瞭解人生，只能往後看，但過人生，必須往前看。」歷史從未消亡；歷史永遠不是歷史；它是動態的、變動的、充滿活力的，由不死的種種故事和事實所構成，不只讓我們得以知道過去的人如何生活，還被用於今人所追求的目標裡，不管是良善還是邪惡的目標。這一使命的存在因網路的存在而變得複雜——網路是仇恨和嗜好、真相、隨機和狂歡、誣陷和陰謀的污水坑、藏寶庫、聖骨盒。但使歷史具有如此致命驅動力的東西，乃是我們對歷史所賦予的正當性的尊崇。

烏克蘭戰爭代表一個特別不凡的時期就此告終：即「七十年承平」的終結，這段和平可分為兩個階段——先是四十五年的冷戰，然後是二十五年的美國獨霸。如果第一階段像國際象棋錦標賽，第二階段則像一人獨玩的紙牌遊戲，那麼今日的局勢則更像是一場多人的電腦遊戲。普丁揮兵入侵烏克蘭，並非行使、擴張權力的新方式。此入侵的殘忍凶狠，其實是對常態的回歸，本書中諸多統治者——軍閥、國王、獨裁者——若地下有知，會覺得普丁此舉稀鬆平常：常態的混亂已重新登場。

再一次，如同早期歷史一樣，這個世界由一群自信張揚、咄咄逼人、中等實力的競爭者巡弋著，我稱之為「洲域強權」(continental powers)——從印尼與卡達，到巴西與以色列。其中一些國家，如印尼與印度，是冷戰時期「不結盟運動」的明星，當時雖稍偏向蘇聯，卻避免直接選邊站；另一些，如以色列，則是美國的盟友。還有一些，如卡達或杜拜，則結合了矛盾特質——可以稱之為「疑問驚歎國」(interabang states)：既是絕對的伊斯蘭君主制，同時又是國際化的世界級都市。

但如今，隨著美國自部分地區撤退，使這些國家不再受其道德標準反覆無常的約束，這些洲域強權展現出追求自身利益的野心、自信與精明，並且毫不猶豫地將影響力投射至其他地區。在敘利亞、衣索比亞與薩赫爾等地的衝突中，參戰各方的背後支持者不僅是中、美、俄這三大強權，還包括埃及、土耳其、阿聯酋、以色列、卡達、沙烏地阿拉伯與伊朗。中、美、俄是當代最具代表性的帝國型國家，它們是現代化的複雜國家，渴望擁有舊帝國那樣的權力與資源。一些洲域強權——如土耳其與伊朗，但最明顯的是正在崛起的巨人印度——如今也已開始以帝國國家的姿態行事。

對烏克蘭平民的恣意殺害、街頭上橫陳的屍體、家庭的逃離戰爭，提醒我們，在沒有手機可記錄暴行和難民困境，而宮廷史家把凶殘的征服者譽為英雄時，有多少歷史是相差無幾。我們在本書裡已見過許多這樣的英雄，而這只是表明人類歷史動能並非單純向前邁進，同時也是一連串偶發事件所造成的斷斷續續的痙攣前行的諸多跡象之一而已。歷史不只國家間與意識形態間的鬥爭，也是人性矛盾的鬥爭。如果說入侵烏克蘭一事彰顯了什麼，那麼便是開放世界中的自由民主國家與封閉世界中的極權體制之間的真正差異。後者將傳統威權與數位監控結合，形成前所未見的控制模式，這種對人民的掌控能力甚至是史達林或海珊都難以想像的。

這場戰爭——中國與美國各自支援其代理人俄羅斯與烏克蘭——既是制度之爭，也是制度之衡量。無論是民主派還是威權派都明白，借用梅特涅的話來說：「當莫斯科咳嗽，北京就可能感冒。」這場衝突既是封閉世界是否有能力取代以法治為基礎的資本主義民主霸權的考驗，也是在檢驗開放世界的團結、自由與創造力。許多洲域強權則持自利且中立的立場，將此戰視為民族民粹式專制政體與自詡道德高地的民主國家之間的角力——前者雖粗暴卻標榜反帝穩定，後者則被視為偽善的殖民主義延伸與無能的破壞者。實際上，雙方都充滿虛偽。但從獨裁政權的戰爭方式——例如俄羅斯統治者對士兵在人海戰術中的死傷毫不在意——便能看出哪一方更加殘酷。這場戰爭——既有馬克沁機槍與高超音速飛彈、重金屬與無人機、壕溝與衛星，彷彿《西線無戰事》（*All Quiet on the Western Front*）與《星際大戰》（*Star Wars*）的結合——如同以往所有戰爭一樣，將成為血腥發明的黑暗搖籃，一個染血的創新實驗室。諷刺的是，歐洲列強與美國為了重整耗盡的軍火庫、製造更多炮彈與重型軍備，可能反而重振其生鏽的工業體系，帶動一波經濟繁榮。無論誰勝誰敗，烏克蘭這場血戰或許只是序幕——又或許是即將展開的巔峰對決的前哨戰：中國與美國之間的世紀博弈。這兩個大國皆面臨可能顛覆世界格局的抉擇：中國是否應該入侵台灣？美國是否應該為此防衛？若戰爭終將無可避免，那麼一個殘酷的問題也隨之而來：讓它早點爆發，究竟對誰更有利？

在這個技術創新的世界裡，家族力量也在復甦，因為它也是我們這個物種的特徵。在公權力薄弱而人民不相信官府可以匡扶正義或提供保護，且仍以親族而非政府為效忠對象時，回歸王朝似乎既是理所當然且務實之舉——人們的忠誠依然偏向血親，而非制度。不相信任何人的領導人，通常信任家人。在從肯亞至巴基斯坦、菲律賓等愈來愈多的亞洲、拉丁美洲、非洲國家裡，透過選舉上台的「民主王朝」領袖，提供了某種來自家族權力的神奇安心作用；從尼加拉瓜至亞塞拜然、從烏干達至柬埔寨的其他國家，則正漸漸成為專制的共和君主國。那肯定不是治國的良方——甚至比民主還糟。

但今日的獨裁者和王朝並非回到幾百年前的樣子。即使在iPhone和匕首並存的國家，他們都是一個新世界的一部分，而在這個新世界，情勢演變之快前所未有，角逐者和市場彼此關聯，核浩劫的風險始終存在。加上全球暖化，催生出對世界末日的恐懼。世界末日即將降臨的感覺似乎是人類性格的一部分，或許是因為認知到一個物種對地球神奇的征服可能保不住。但如今，情勢的險峻使世界末日變得愈來愈可能。

但在某些方面，智人的健康來到前所未見的程度，壽命和生活品質比以往任何時候來得長、來得好；在某些地方，社會的祥和安定可能來到其史上之最。我們的先民可能死於感染、暴力或饑荒，如今的人類則會死於疾病——冠狀動脈血栓形成、癌症、神經退化——因為活得太久而且往往吃得太多。這些病有許多會在不久後被新的基因修正科技治好。這些改善非常顯著，因而如今，連最窮的國家，其預期壽命都比一百年前最富裕帝國還要高。如今，獅子山的預期壽命為五〇．一年，與一九一〇年的法國相同。一九四五年，印度人的平均壽命為三十五歲，如今他們的預期壽命是七十歲。這自然而然改變了家的樣貌：父母認為生下來的孩子大半活不下來時，生了許多孩子；如今，孩童死亡率低，加上女性受教育和節育，助長了晚婚和成員較少的家庭。

接下來八十年，歐洲、東亞的人口會大減，奈及利亞人口會增加三倍，達到八億，使其人口比整個歐盟還多，成為僅次於印度的人口第二大國；剛果人口會增加兩倍，達到兩億五千萬；埃及會增加一倍，俄國人口會變少，其穆斯林會占人口多數。中國人口會減半，其國力和經濟可能受阻於其本身獨裁統治體制的缺點；美國人口會大致不變，其創造力，再怎麼有缺陷、脆弱，還是可能比災難預言者所預測的撐得久。

印度-太平洋地區如今在「世界棋局」中成為關鍵戰場，其權力與恐懼的主宰者正是中國。如果印度能治理得當，其創造力不被民族主義專制與對穆斯林少數的迫害所破壞，它將崛起為世界強權與帝國型國家。諷刺的是，其最大的危機反而可能來自宿敵巴基斯坦的潰散。一旦印度介入，將難以避免中國的干預，進而引發一場堪比美中台灣危機的衝突，因為參與各方皆為核武國家。在亞洲，另一個潛力強權也同樣出自歐洲殖民架構下的國家——印尼。它是世代以來多島貿易王國的繼承者，是全球最大的穆斯林國家，擁有豐富的鎳礦資源，並在數位服務方面具備專業實力。若能避免專制與族群衝突，印尼也將成為一個大陸型強權。然而，印太地區不會取代歐洲-大西洋或歐亞非地區：全球的舞台只是變得更加廣闊。因此，烏克蘭戰爭的回響遠及東方：台北的命運，將在基輔決定。

這本應該是非洲的時刻。非洲的巨頭與礦產寶庫國家——奈及利亞、南非與剛果——原本可以蓬勃發展。非洲正快速城市化：一九五〇年僅有百分之十三．一人口居住於城市，二〇一五年已增至百分之四十九．四，到了二〇五〇，預計將達到百分之七十。屆時，非洲的超級都會區將成為一條由奈及利亞的拉各斯（Lagos）—伊巴丹（Ibadan）一路延伸至貝南科托努（Contonou）的城市連瀑。最新估計顯示奈及利亞的生育率正在下降，過去那些對人口爆炸的恐懼或許過度誇大。一個治理良好的奈及利亞，尤其有潛力成為首個橫跨大洲的非洲強權，並帶動一波非洲經濟榮景。然而，更可能的情況是：剛果或奈及利亞仍將持續遭遇治理失能，其城市無序擴張而非深度發展，許多國家也將無力管理或養活其人民。與其說「寒冬降臨」，不如說世界火爐無休無止的燒烤更為貼切：氣候變遷——高溫和水災——會使人類更難生產足夠的食物。在西亞和非洲的許多國家，已經出現我所稱的「iPhone與匕首國家」——智慧型手機、網際網路與宗族忠誠和地方豪強戰爭並存。戰團、政治神聖的準軍事組織、流氓武裝、神聖戰士與自由傭兵，由武裝先知和民兵首腦領導，將創造出戰爭領地和準國家，當國家本身脆弱無力時，這些勢力便趁勢而起。他們利用廉價的智慧型武器、社交媒體、宗教狂熱以及在精心設計的戰場策略上運作，成為世界博弈中的新興競爭者，挑戰強權。有些建立了新的領地，有些則奪取並腐蝕著「殭屍國家」，尤其是在非洲與阿拉伯世界。許多國家會變得國不成國，幾乎保護不了或餵不飽其人民；許多國家會慢慢下沉，帝國主義列強所劃定的邊界會變得模糊。整個區域將成為再度崛起的戰爭地帶——正如在非洲的薩赫爾地區和非洲之角已經發生的——為爭奪水和資源而戰爭不斷。有些地區將屈從於帝國國家的保護，這些帝國國家渴望確保其稀土元素、鑽石、黃金和石油的供應安全。它們的人民會遷到北方舒適型國家，規模之大為自游牧民族入侵以來所僅見。涵蓋如此長歷史的一本書，有許多主題思想，但主要的主題思想之一是所有國家都是由移動中的家族構成：開放性國家所面臨的挑戰，係吸收自己所需的遷徙者，同時富裕到足以維持那份使它們令人嚮往的舒適。

在「世界博奕」中，規模至為緊要，但有一件事是肯定的：無論誰勝出，都勝不了太久。如果這部歷史書證明了什麼，那就是人類自我殘害的能力幾乎是無限的。尼采寫道，「就個人來說，精神失常少見，但在群體、政黨、國家、時代裡屢見不鮮。」批評政治人物不難，但如今這個互聯互通的世界，使治理變得更難：「你們這些哲學家……在紙上書寫，」凱撒琳大帝警告道。「我這個不幸的女皇，在活物的敏感皮膚上書寫。」

在這種危機時代中，一個謎團就是偉大領袖的缺席，但偉人是由機遇所造就的：尼赫魯說，「我們是為偉大事業奉獻心力的小人物，但由於事業偉大，某種偉大性也落在我們身上。」季辛吉嘲笑偉大這個想法：「事後來看，所有成功的政策似乎是事先注定會成功。領導人喜歡說已取得的成果源於先見之明，認為規畫通常始於一連串即興發揮。」丑角對歷史的推動力，和高瞻遠矚者一樣大。「歷史喜歡開玩笑，」史達林說；「有時歷史選擇一個傻子來推動歷史前進。」

「我已看到未來，」李歐納・柯恩唱道。「那是謀殺。」今日的問題既深重且巨大。全球化是提升生活水準、消滅大部分疾病和大部分饑荒的進步性發展的一部分，但全球化所帶來的便利有其代價：有些人無緣享有全球化的慷慨贈予，其中有些贈予需要與敵人達成危險的妥協才能得到。新冠肺炎疫情和烏克蘭戰爭讓世人認識到全球的糧食、能源供應線會多快就受損。就連令人驚歎的健康改善成就都可能付諸流水：美國的預期壽命在二〇二〇年之前的三年都下降——這是自西班牙流感襲擊以來首見。細菌對抗生素的抗藥性可能使例行手術的風險大了許多。新冠肺炎可能是更嚴峻流感大流行的預演。

儘管自一九四五年以來未有帝國型國家兵戎相向，但這樣的一天終會到來，而且這類國家正在研發新的殺人機器——星際武器和空爆燃燒彈——並改良其傳統重炮。契訶夫寫道，「如果沒有要擊發裝了彈的步槍，絕不要把那步槍放在舞台上。」他是在談戲劇時作此表述，但在戰爭時，這話同樣真切：這些武器最終都會用上。數千輛坦克仍可能像鋼鐵騎兵般交手，一如上世紀時它們交手那般，但在這個新世界，造價低廉的武器——能擊毀坦克和飛機的無人機和便攜式飛彈——意味著較小的國家能摧毀較大國家的昂貴玩具。如果它們被用於對付敵人，那是天大好事，如果被用於對付自己，那就比較不妙。若非有核武，俄國入侵烏克蘭，西方大概會對俄開戰——一如克里米亞戰爭時——而美中對抗也很可能已走上兵戎相向。世上只有九個核武強權——還不錯的成績——但其實有四十個左右的國家能在幾年內就改造其和平用途的核設施，取得核武器。若動用戰術核武，其破壞力或許會和車諾比核電廠事故相當；動用氫彈則能摧毀世界。某種規模的核戰爭不只看來可能，而且很有可能——而且有一點值得反思，那就是撰寫本書時，還沒有哪個核武強權輸掉過戰爭。

獨裁統治國家的數量正在劇增，民主國家則愈來愈少。無法準確界定究竟是什麼原因讓一個國家衰落，另一個國家崛起，但本故事中的靈魂人物伊本·赫勒敦提出了「asabiyya」的概念——這是社會得以繁榮的凝聚力：「許多民族遭遇過實質性的敗仗，但那從未標誌他們的終結。唯有當一個民族遭受心理上的挫敗，才是其終結的標誌。」

控制型國家既鄙視，也害怕並羨慕那些花俏、誇張、創新且喧鬧混亂的民主國家——它們既像嘉年華會，也像農場，卻能在我們的開放世界中實現自由。獨裁政權在經驗豐富的領導人帶領下行動更迅速，但暴力與控制則是其封閉世界的本質。殘暴專制政權的僵化和昧於現實無可救藥，他的道德螺旋最終導向的是處決，而非僅僅被注銷、畫上句點。他們的擴張冒險最終帶來的是毀滅與屠殺。當它們倒台時，獨裁者往往會連同國家與人民一同拖入深淵。唯一比我們搖搖欲墜的民主政體中，那些像遊樂場江湖騙子般被選出的領袖更滑稽且致命的，便是那些專制政權中自以為全能的小丑。民主國家建立在不可見的信賴上：社會步入失範（anomie）狀態時，信賴丟失，開放性也丟失，這種現象在歷史上屢見不鮮。盧梭說，「一有人談到國事時說『那干我什麼事?』，那個國家可能就被人當成丟失之物而棄之不顧。」晚近情勢所予人的教訓，係那些被視為辛苦贏來的東西——反猶主義的邪惡、種族滅絕的罪行和開戰的罪行這些一九四五年的教訓；一九六〇年代偉大自由主義改革所贏得的墮胎權和諸多勝利——都得再度用力爭取。

但也有光明的希望：美國獨霸期間，美式總統職和選舉成為在新、舊後殖民時代國家取得合法性所不可或缺。如果西奧多・帕克（Theodore Parker）那句當紅的名言——「道德宇宙的弧線……彎向正義」——似乎過度樂觀，但值得注意的是，自一九四五年起，就連最無視清議的暴虐政權都覺得必須假裝舉行選舉、尊敬法律和立法機關，即使它們是「裝模作樣的民主國家」（cosplay democracies）亦然。

開放的世界前進緩慢，其領導人不夠老練，其政策前後不一，但它們一旦動員起來，就變得靈活、有效率、富創造力。科技削弱了民主社會的團結，助長暴政和陰謀，但科技也促進開放和正義。科技所提供的便利，意味著暴行和戰爭可以在我們的新虛擬場域世界裡被立即記錄、觀看，而社群媒體這個多頭且無法摧毀的九頭蛇，已成為一個全新且難以預測的權力中心，與民選、議會、公民與傳統媒體機構相互競爭，進一步複雜化並扭曲本已極度兩極分化的社會。科技當下所要克服的挑戰，係學會控制其致癮性和監視功能，同時享受其好處。我們必須削弱那些資料專制者那種未經選舉、隱形的權力。國家與個人都必須設法解決這個問題。人工智慧將在全球取代許多工作，但在那些「舒適型民主國家」中，AI的衝擊將特別嚴重地打擊那些中產階級的數位中介者——他們的工作，是在一個日益「自慰化」的網路經濟中搬運資料。如果一切失控，這些失落的畢業生可能會成為未來的革命分子。人工智慧在那些權力過盛的國家、專制政權乃至民主體制手中，將是一項危險的工具，但在經歷了兩個世紀漫長的工廠與辦公室生活之後，它也將促成醫療進展與嶄新的工作模式，並為人們帶來更多與家人相處與享受生活的時間。

對於「舒適型民主國家」而言，真正的危機在於：它們已無法再滿足其公民自認應得的種種要求，無法安撫民眾對於國力衰退、貧困與移民的恐懼，也無力壓制那批受過良好教育的激進分子；這些人因細瑣的文化怨懟而憤怒，並強行推行不寬容的政治正確信念——一種特權式虔誠的信條。一個相伴而生的危機，是「舒適型民主國家」該如何資助民眾對財務支援與健康保障的高度期待——這種期待又因人口老化而加劇——卻又不至於課以苛重稅負，從而扼殺自己的金雞母。身分認同也正在演變；年輕世代可能不再將國家視為其主要認同。人們不禁要問，如今這些舒適型民主國家的年輕公民，是否還願意在徵召的軍隊中為所謂的國家利益而犧牲生命？資本主義民主國家內建不平等，但它們的不一致性同時也是其優勢：它們具有適應力。為了重建民主社會中不可或缺的信任、寬宏與「社會凝聚力」（asabiyya），這些國家必須正視其不平等問題。這種校準可以透過選民和平地罷黜僵化的舊菁英，並選出能夠立法推動溫和改革、提升平等與正義的政府來實現。企業與資料巨擘也將必須分享人工智慧所帶來的利潤，並保護貧困者。

儘管這些動盪看似令人不安，開放世界仍然是最幸福且最自由的居所。人口增長與氣候變遷的問題，不靠災難性的人口銳減——無論是透過疫情、自然災害或熱核戰爭——就只有靠大規模的合作才能解決。

而在這方面，諸掌權者愛拉幫結派一事，或許也是件好事：那一天到來時——如果真的來臨——由諸多掌權者組成的祕密小集團能做出那些決定。

愛德華．威爾遜（Edward O. Wilson）說，「人類的真正問題，在於我們擁有舊石器時代的情感、中世紀的制度，卻掌握了神一般的科技。」為了航行穿越即將來臨的混亂風暴，人類將不僅尋求家庭的慰藉，也將尋求某種宗教信仰，甚至是神明，以填補政治正確與無法令人滿足的富裕所無法填滿的空虛，並試圖解釋我們自身所創造出的技術那勢不可擋的高超，以及們這個物種半如魔、半如天使的本性。僅僅因為我們是上天所創造最有智慧的類人猿，僅僅因為我們至今已解決許多問題，但這並不意味著我們能解決所有問題。人類歷史就像那些投資警告條款的其中一條：過去的出色表現不保證未來的結果。但人的嚴酷不斷獲救於人的創造能力和愛人能力：家族是這兩種能力的中心。我們無窮無盡的摧毀能力，只有靠我們別出心裁的恢復能力才得到制衡。

我在本書中寫到貴族城市的沒落、王國的消失、王朝的起落、一樁又一樁的殘忍行徑、一件又一件的蠢事、戰爭爆發、屠殺、饑荒、大流行病、污染，但在這些行文中，興高采烈的心情和崇高的思想、享樂和和善待人的能力、人的多樣和古怪、充滿愛的面孔、對家人的奉獻，屢屢出現，貫穿全書，提醒我撰寫此書的初衷。

和我們一起歡慶你的喜悅吧！
如果在這廣闊天地間，
只有一個靈魂屬於你……
那麼，願你被萬千人擁抱，
將這一吻與全世界共享！

——弗里德里希・席勒（Friedrich Schiller），〈快樂頌〉（Ode to Joy）

夏商有鑒當深戒，
簡策汗青今具在。
君不見……
時移勢去真可哀。

——李清照

人類歷史並非善良努力戰勝邪惡的鬥爭。
它是一場由龐大邪惡勢力試圖壓碎人性中一小塊善良種籽的戰役。
但如果人性中那份人性至今尚未被摧毀，
那麼邪惡永遠不會征服人類。

——瓦西里・格羅斯曼（Vasily Grossman）

統治者、政治家、國家常被勸告從歷史經驗記取教訓，但經驗和歷史所告喻的，就只是國家和政府從未從歷史學到東西一事。

——蓋歐格・弗里德里希・黑格爾（Georg Friedrich Hegel）

我張眼四望，一切似乎美得出奇。有我們從地上從未見過的星星……全都比我們所曾想像的還要大。布滿星星的天比地大了許多；事實上地似乎小到令我嘲笑起我們的帝國……只要往天上看，凝視這個永恆的家和安息地，你不會再煩心於凡夫俗子的流言蜚語或相信人的獎賞……因為人所說的，隨著人死而消亡，被善忘的後人抹掉。

——西塞羅（Cicero）

酒香醇烈，快把握時光！
時間匆促，盡情享受吧。
誰知明年春天，
如此賞心悅目，你已化為塵灰，還是仍活著。

——薩迪（Saadi）

想想身邊還剩下的種種美好，快樂些。

——安妮・法蘭克（Anne Frank）

參考書目精選

這是本綜合性的著作，以三十年間最廣博的閱讀和最廣遠的旅行為本寫成。每個章節皆以數本關鍵著作為基礎，其中許多為近年出版作品。為減輕書籍篇幅，依章節與主題列出的關鍵著作，已公布於我的網站：www.simonsebagmontefiore.com

繁體中文版〈參考書目精選〉，請掃描QR碼或於以下網址取用：https://drive.google.com/drive/folders/1qzQokGPg8sYdIRS9FAQ8a3aLYVKgdIl8?usp=sharing

世界

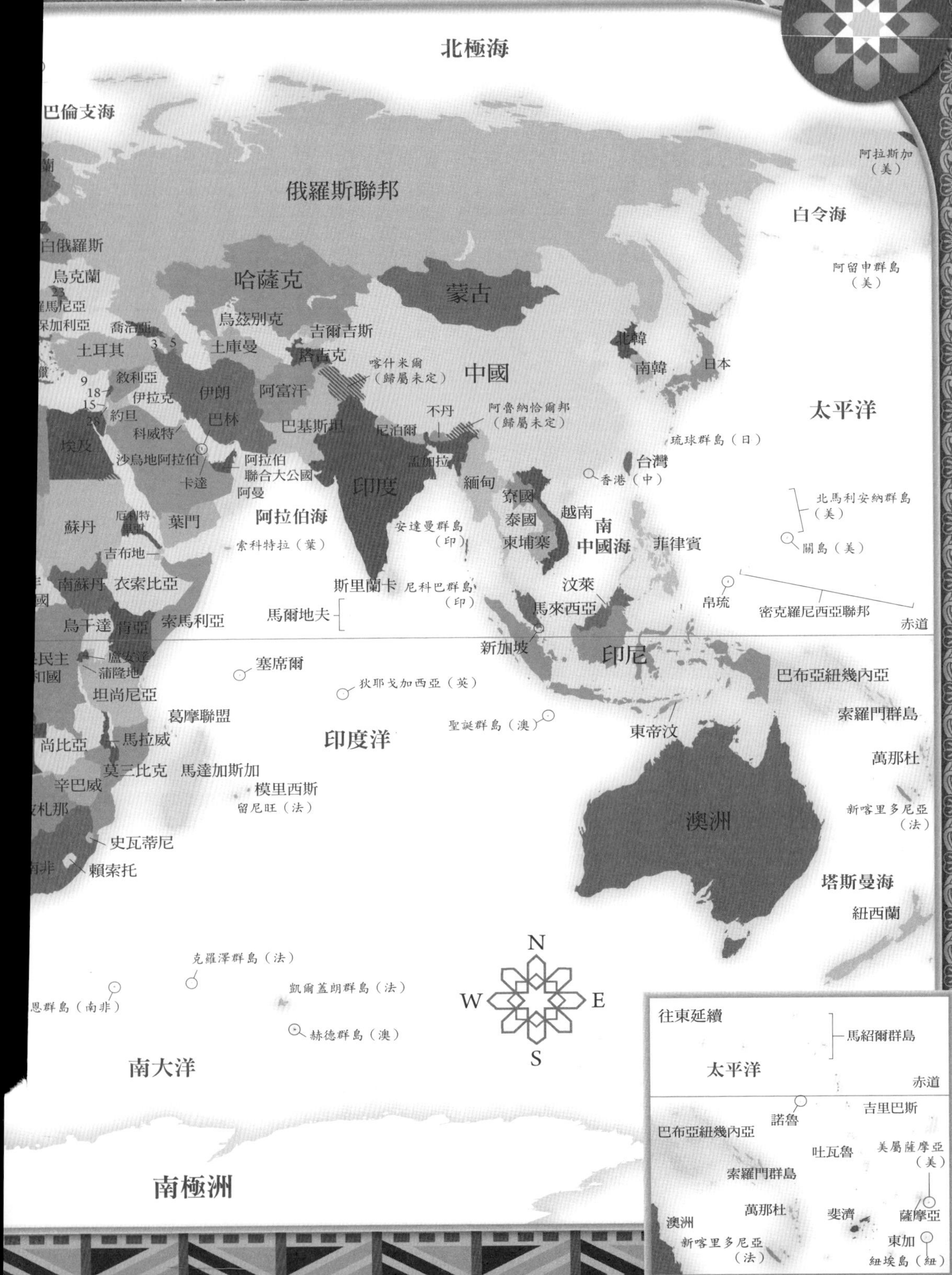
北極海
巴倫支海
俄羅斯聯邦
白令海
阿拉斯加（美）
阿留申群島（美）
白俄羅斯
烏克蘭
哈薩克
蒙古
羅馬尼亞
保加利亞
喬治亞
3
5
烏茲別克
吉爾吉斯
北韓
土耳其
土庫曼
塔吉克
南韓
日本
喀什米爾（歸屬未定）
中國
9
18
15
26
敘利亞
伊拉克
伊朗
阿富汗
約旦
巴林
不丹
阿魯納恰爾邦（歸屬未定）
太平洋
科威特
巴基斯坦
尼泊爾
琉球群島（日）
埃及
沙烏地阿拉伯
阿拉伯聯合大公國
孟加拉
台灣
卡達
阿曼
印度
緬甸
香港（中）
寮國
北馬利安納群島（美）
厄利特里亞
越南
蘇丹
葉門
阿拉伯海
泰國
南中國海
安達曼群島（印）
菲律賓
柬埔寨
關島（美）
索科特拉（葉）
吉布地
南蘇丹
衣索比亞
汶萊
斯里蘭卡
尼科巴群島（印）
帛琉
密克羅尼西亞聯邦
馬爾地夫
馬來西亞
烏干達
肯亞
索馬利亞
赤道
新加坡
盧安達
蒲隆地
塞席爾
印尼
巴布亞紐幾內亞
坦尚尼亞
狄耶戈加西亞（英）
葛摩聯盟
聖誕群島（澳）
東帝汶
索羅門群島
馬拉威
印度洋
尚比亞
萬那杜
莫三比克
馬達加斯加
辛巴威
模里西斯
留尼旺（法）
新喀里多尼亞（法）
澳洲
史瓦蒂尼
賴索托
塔斯曼海
紐西蘭
N
克羅澤群島（法）
W
E
恩群島（南非）
凱爾蓋朗群島（法）
赫德群島（澳）
S
南大洋
南極洲
往東延續
馬紹爾群島
太平洋
赤道
吉里巴斯
諾魯
巴布亞紐幾內亞
吐瓦魯
美屬薩摩亞（美）
索羅門群島
萬那杜
斐濟
薩摩亞
澳洲
東加
新喀里多尼亞（法）
紐埃島（紐）

波佛特海
格陵蘭（丹）
揚馬延島
俄羅斯聯邦
阿拉斯加
（美）
挪威海
冰島
法羅群島（丹）
加拿大
英國
愛爾蘭
北大西洋
法國
美國
葡萄牙
西班牙
亞速群島（葡）
百慕達（英）
馬德拉島（葡）
摩洛哥
加納利群島（西）
阿爾及利
墨西哥灣
巴哈馬
土克凱可群島（英）
西撒哈拉
開曼群島（英）
古巴
多明尼加共和國
夏威夷（美）
墨西哥
貝里斯
牙買加
茅利塔尼亞
馬利
瓜地馬拉
宏都拉斯
海地
見放大圖
維德角
塞內加爾
薩爾瓦多
尼加拉瓜
甘比亞
布吉納法索
哥斯大黎加
幾內亞比索
幾內亞
太平洋
委內瑞拉
圭亞那
獅子山
迦納
巴拿馬
蘇利南
賴比瑞亞
哥倫比亞
法屬圭亞那（法）
象牙海岸
多哥
赤道
赤道幾內亞
加拉巴哥群島（厄）
厄瓜多
聖多美及普林西比
法屬玻里尼西亞（法）
亞森欣島（英）
巴西
祕魯
玻利維亞
聖赫勒拿島（英）
巴拉圭
南大西洋
智利
烏拉圭
阿根廷
1 阿爾巴尼亞
2 安道爾
3 亞美尼亞
4 奧地利
5 亞塞拜然
6 比利時
7 波士尼亞與赫塞哥維納
8 克羅埃西亞
9 賽普勒斯
10 捷克共和國
11 丹麥
12 愛沙尼亞
13 直布羅陀（英）
14 匈牙利
15 以色列
16 科索沃
17 拉脫維亞
18 黎巴嫩
19 列支敦斯登
20 立陶宛
21 盧森堡
22 馬爾它
23 摩爾多瓦
24 摩納哥
25 蒙特尼哥羅
26 尼德蘭
27 北馬其頓
28 巴勒斯坦
29 聖馬利諾
30 塞爾維亞
31 斯洛伐克
32 斯洛維尼亞
33 瑞士
34 梵蒂岡
多明尼加共和國
37
安吉拉
44
43
波多黎各
（美）
安地卡及
巴布達
42
聖克里斯多福及尼維斯
41
39
多米尼克
加勒比海
40
聖露西亞
聖文森及格瑞那丁
35
38
36
巴貝多
格瑞那達
千里達及
托巴哥
委內瑞拉
35 阿魯巴（尼德蘭）
36 博奈爾（尼德蘭）
37 英屬維京群島（英）
38 庫拉索（尼德蘭）
39 瓜德魯普（法）
40 馬提尼克（法）
41 蒙塞拉特（英）
42 薩巴／聖佑達修斯（尼德蘭）
43 聖馬丁（法／尼德蘭）
44 美屬維京群島（美）
福克蘭群島（英）
南喬治亞島（英）
威德爾海

國家圖書館出版品預行編目（CIP）資料

權力的血脈：撼動全球走向的「家族」，一部交織萬年文明的新世界史／賽門．蒙提費歐里（Simon Sebag Montefiore）著；黃中憲譯. -- 一版. -- 臺北市：麥田出版：英屬蓋曼群島商家庭傳媒股份有限公司城邦分公司發行, 2025.08
冊；　公分
譯自：The world : a family history of humanity.
ISBN 978-626-310-920-9（第1冊：平裝）. --
ISBN 978-626-310-921-6（第2冊：平裝）. --
ISBN 978-626-310-922-3（第3冊：平裝）. --
ISBN 978-626-310-923-0（全套：平裝）

1.CST: 世界史　2.CST: 文明史　3.CST: 家族史

713　114007509

權力的血脈III
撼動全球走向的「家族」，一部交織萬年文明的新世界史
The World: A Family History of Humanity

作者　賽門．蒙提費歐里（Simon Sebag Montefiore）
譯者　黃中憲
特約編輯　劉懷興　郭淳與
責任編輯　林虹汝
裝幀設計　許晉維
排版　李秀菊
印刷　漾格科技股份有限公司
國際版權　吳玲緯　楊靜
行銷　闕志勳　吳宇軒　余一霞
業務　李再星　李振東　陳美燕
總經理　巫維珍
編輯總監　劉麗真
事業群總經理　謝至平
發行人　何飛鵬
出版　麥田出版
台北市南港區昆陽街16號4樓
電話：886-2-25000888　傳真：886-2-2500-1951
發行　英屬蓋曼群島商家庭傳媒股份有限公司城邦分公司
台北市南港區昆陽街16號8樓
客服專線：02-25007718；25007719
24小時傳真專線：02-25001990；25001991
服務時間：週一至週五上午09:30-12:00；下午13:30-17:00
劃撥帳號：19863813　戶名：書虫股份有限公司
讀者服務信箱：service@readingclub.com.tw
城邦網址：http://www.cite.com.tw
香港發行所　城邦（香港）出版集團有限公司
香港九龍土瓜灣土瓜灣道86號順聯工業大廈6樓A室
電話：852-25086231　傳真：852-25789337
電子信箱：hkcite@biznetvigator.com
馬新發行所　城邦（馬新）出版集團
Cite（M）Sdn. Bhd.（458372U）
41, Jalan Radin Anum, Bandar Baru Seri Petaling,
57000 Kuala Lumpur, Malaysia.
電話：+6(03)-90563833　傳真：+6(03)-90576622
電子信箱：services@cite.my

一版一刷　2025年08月

第三冊　ISBN 978-626-310-922-3（紙本書）　ISBN 978-626-310-937-7（EPUB）
全套　ISBN 978-626-310-923-0（紙本書）　ISBN 978-626-310-938-4（EPUB）

本書定價為：台幣850、港幣283
（本書如有缺頁、破損、倒裝，請寄回更換）